Leif Davidsen (Denemarken, 1950) is schrijver en journalist en werkte in Moskou als correspondent voor de Deense radio en televisie. Inmiddels is hij uitgegroeid tot de succesvolste thrillerauteur van Denemarken. *Aan de vooravond* is zijn zevende thriller in Nederlandse vertaling.

Leif Davidsen

Aan de vooravond

Vertaald uit het Deens door Ingrid Hilwerda

DE GEUS

De vertaling van het citaat uit Genesis op pagina 13 is overgenomen uit de Statenvertaling.

De vertaling van het citaat van Arthur Koestler op pagina 355 is overgenomen uit *Nacht in den middag*, De Bezige Bij, Amsterdam. 7e druk, april 1948. Hoofdstuk 9, pagina 55. Vertaald door Koos Schuur.

Oorspronkelijke titel *Min broders vogter*, verschenen bij Lindhardt og Ringhof Forlag
Oorspronkelijke tekst © Leif Davidsen, 2010
Published by agreement with Leonhardt & Høier Literary Agency A/S, Copenhagen
Nederlandse vertaling © Ingrid Hilwerda, via het Scandinavisch Vertaal- en Informatiebureau Nederland, en De Geus BV, Breda 2011
Omslagontwerp Mijke Wondergem
Omslagillustratie © Peter Stoltze, Stoltze design
ISBN 978 90 445 1824 5
NUR 331

Wilt u het gratis magazine *Geuzennieuws* met informatie over onze nieuwe uitgaven ontvangen, ga dan naar www.degeus.nl en meld u aan.

Geschiedenis is een gemeenschappelijk weiland,
waarop alles en iedereen hooi kan oogsten.

Spaans gezegde
volgens de historicus Antony Beevor

Proloog

Ze zijn er allemaal. De premier, de Amerikaanse ambassadeur, het nieuwe bestuur, de uitgenodigde journalisten en de hele familie, en dat allemaal ter ere van mij. Tevens mijn huidige, jongere model van een echtgenote die er met haar achtenvijftig jaar probeert uit te zien als iemand van achtenveertig, mijn twee nog in leven zijnde eerdere echtgenotes, die net als ik nu oud zijn, ook al had ik ze uitgekozen toen we nog jong waren, mijn nog in leven zijnde kinderen en vele kleinkinderen; en ik zit in mijn rolstoel vriendelijk naar hen allemaal te knikken, terwijl ik denk aan mijn enige echte liefde, Irina, die ik voor me zie alsof het de dag van gisteren was dat we elkaar ontmoetten, en niet lang geleden in 1937.

Met de luide stem die mensen opzetten als ze met oude mensen spreken, vertelden ze me dat de koningin straks komt om me de orde met het Dannebrogskors op te spelden. Die heb ik natuurlijk al een keer gekregen. Nu krijg hem met alle toeters en bellen. Misschien is het wel een andere orde. Ik heb niet geluisterd. Ik knikte en toonde mijn dankbaarheid dat de majesteit persoonlijk zou komen. Geheel uitzonderlijk. Buiten het protocol. Vanwege mijn bijzondere positie zou ze aanwezig zijn in mijn grote, heerlijk geurende zomertuin. Ze zal gaan luisteren naar mijn wereldberoemde koor, Mads Meyers Koor, dat ik mijn hele leven al sponsor, en zich misschien verbazen over het feit dat ze drie oude liederen uit de Spaanse Burgeroorlog en een tango uit Buenos Aires zullen zingen. De dirigent was verbluft dat ik dat eiste, want waar moest hij de bladmuziek vinden, en waarom nu? Maar aangezien ik voor de muziek betaal, bepaal ik het repertoire. Ik heb jarenlang zelf in het koor gezongen, maar toen ik geen vertrouwen meer had in mijn stem, ben ik ermee opgehouden.

Ik ben erg oud en ik wil het liefst dood, maar ik zit hier welwillend te knikken en te luisteren naar de toespraken over mijn grote inzet tegen de Duitsers en voor het Deense bedrijfsleven en Denemarken, en ik denk dat ze niet weten dat de basis voor dit alles berust op een misdaad en dat ik altijd de behoefte heb gehad om het verhaal voor mijn dood te vertellen.

En nu is het moment daar.

Ik heb mensen in Argentinië, Spanje en het Rusland van Stalin vermoord. In Argentinië om mijn eigen huid te redden toen mijn pik me in de problemen had gebracht. In Spanje was ik waarschijnlijk enkel op eigen gewin uit en in Rusland deed ik het voor Irina. Daarvoor krijg ik geen orde, linten en sterren opgespeld. Die krijg ik voor mijn inzet tijdens de oorlog, waarvan ze dachten dat die voortkwam uit moed, maar in werkelijkheid was het uit woede over het onrecht in het leven. Ik heb in het belang van het vaderland diverse Deense landverraders en twee Duitsers geliquideerd. Ik was de koelbloedigste informant die de verzetsbeweging ter beschikking had. De man zonder angst, noemden ze mij. Omdat ze wisten dat ik niet bang was om dood te gaan, omdat de gedachte aan mijn broer me pijnigde, zoals die mij in mijn dromen nog steeds pijnigt. Ik was niet bang om dood te gaan, omdat ik in het hiernamaals verenigd zou worden met Irina zoals de geliefden uit Teruel.

Mijn verdiensten tijdens de oorlog maken een held van mij, omdat moord toch geen moord is, zoals de Bijbel en de school ons leerden.

Ik heb iedereen die ik ken om mij heen, maar ik mis vooral mijn broer, die bezield en slim was en in het goede van de mens geloofde, en ik mis mijn zus bijna net zo erg. Ze stierf vele jaren geleden een genadige dood, toen haar hart het plotseling begaf, en verder is er het onmogelijke, sentimentele gemis van Irina.

Mijn broer was knap, verfijnd en edel, en de mythe over hem groeide met de dag in mij. Hij was de kunstenaar en de idealist die vertrouwen had in een zaak. Hij was een persoon zonder slinksheid ... of toch? Of werd hij gewoon nooit zo oud dat hij slinks kon worden? Hij geloofde erin dat hij iets kon betekenen voor anderen. Hij was bereid om te moorden en te sterven voor het goede en voor wat volgens hem de waarheid was. Of misschien was dat alleen zo totdat hij die shit in Aragón meemaakte.

Zijn lot is het lot van de twintigste eeuw. In mijn eeuw groeit de bloeddorst onder het mom van de opmars van de ideologieën en onthult de ware natuur van de mensheid.

De vele mensen op deze mooie dag in juni zijn hier om mijn verjaardag te vieren. Ze willen de dinosaurus zien voordat het te laat is. Ze gedragen zich als gieren en snateren als eenden over het feit dat de majesteit mij persoonlijk heeft geschreven, maar ze weten niet dat wanneer de dag is afgelopen, ik hier niet meer zal zijn. Ik denk vol verlangen aan de revolver, die in mijn bureaulade ligt. Hij wacht op me. Hij heeft sinds Albacete en Cartagena op mij gewacht, waar hij mij begeleidde op mijn reis naar zowel rijkdom als verdoemenis.

Hij was trouw en zeker. Hij werkte. Ik had hem meegenomen uit Argentinië en ik had hem bij me naar Spanje en het ijskoude Moskou. Een Smith & Wesson-trommelrevolver uit 1908. Betere hebben ze er nooit gemaakt. Het is gewoon rechtvaardig dat de revolver, waarmee ik landverraders heb geliquideerd, ook de revolver is die afrekent met mij.

Ik knik, kijk om mij heen en weet wat ze denken. Ze denken aan wat ik in mijn testament heb geschreven, omdat ze weten dat ik ondanks alles in geleende tijd leef, maar ze hoeven zich geen zorgen te maken. Ik zal voor hen allemaal zorgen. Meyer Industries is een solide bedrijf van wereldformaat. Financiële crises kunnen komen en gaan. Ik heb het bedrijf geleid volgens de ouderwetse opvatting dat er altijd een kroon meer in de kassa moet zitten wanneer de dag is afgelopen dan toen de dag begon. Ik heb me nooit aan speculaties overgegeven en heb mij nooit laten lokken door de lichtvoetige sirenen van de inhaligheid. Ik ben nooit om te kopen geweest door de beloftes van kruiperige bankdirecteuren voor gemakkelijke leningen en het verleidelijke gebrek aan moraal van de kapitaalfondsen.

Toch ben ik een oplichter in levenden lijve. In de dood wil ik het rechtvaardige doen.

Ik laat een goedlopende Deense firma na met de reputatie dat we geld geven aan goede doelen, immigranten in Denemarken een baan verschaffen en in de buitenlandse afdelingen fatsoenlijke omstandigheden bieden voor zowel de goed als de minder goed bedeelden. Ik heb het Mads Meyers Fonds gefinancierd dat cultuur heeft ondersteund, heeft betaald voor de mooie pleinen in de stad wanneer de overheid er geen geld voor had, en dat duizenden jonge begaafde Denen naar het buitenland heeft gestuurd om daar een felbegeerde opleiding te volgen. Nieuwe culturele instituten dragen de naam Meyer, en het verblijf aan enkele van 's werelds meest vooraanstaande conservatoria wordt mogelijk gemaakt door beurzen van het Mads Meyers Fonds. Ik ben in de beste betekenis van het woord een filantroop geweest, en mijn kraag hangt zwaar van de medailles van verdienste van dankbare landen.

Elk jaar worden de overvloedige prijzen van het fonds in een grootse show op televisie uitgereikt aan kunstenaars uit binnenen buitenland. Bekende mensen vechten om een uitnodiging, en dat draagt bij aan de hoge kijkcijfers van de show.

Als het een aflaat is, dan is het een aflaat die blijdschap heeft gegeven, maar hij zal mij geen toegang geven tot de Hof van Eden.

Ik laat veel geld na.

Wanneer ik een paar woorden moet uitspreken met mijn nog steeds vaste bariton, die slechts een beetje trilt vanwege de slijtage die in de loop der jaren is ingetreden, zal ik het houden bij banaliteiten met een vleugje sarcasme en de dwaasheid van de tijd doorboren, zoals waar ik beroemd of berucht om ben.

Het andere verhaal kunnen ze lezen wanneer mijn advocaat, Henry, mijn papieren vrijgeeft. Ik heb de laatste jaren van mijn leven besteed aan het vertellen van mijn verhaal en dat op een cd-rom gebrand, die in een geheime bankkluis ligt. Bovendien heb ik het cyberspace in gestuurd op een gecodeerd domein, dat alleen Henry kent. De nabestaanden kunnen het verhaal niet verwijderen, ook al zullen ze dat vast proberen. Zelfs Henry weet niet dat ik een van mijn meest begaafde kleinkinderen, de kleine Karl, die zo op mij lijkt dat ik me in hem kan spiegelen, het bestand heb laten coderen zodat het over precies negentig dagen naar een grote uitgeverij en twee kranten wordt gestuurd.

Ik kan me het meeste nog wel herinneren. In elk geval wat de moeite van het herinneren waard is.

Ik zit hier in mijn rolstoel naar het gezelschap in de tuin te kijken en geef netjes antwoord aan de mensen die mij met een glimlach op hun lippen en luide stemmen komen feliciteren, maar ik ben niet aanwezig.

Ik had Denemarken verlaten, maar moest terugvluchten toen de grond in Argentinië me te heet onder de voeten werd. Ik ben geboren in het jaar 1912, het jaar dat de Titanic tegen een ijsberg voer en zonk, en het eerste dieselschip van de werf van Burmeister & Wain koers zette naar Groot-Brittannië. Ik stam uit een ver verleden dat de meeste mensen zijn vergeten en waar ze zich niet om bekommeren, maar dat ik me zo glashelder kan herinneren.

Ik zie de jonge man die ik was voor me als de dag van gisteren. Ik zie mijn broer voor me. Ik zie mijn zus voor me, alsof ze naast me staat. Ik zie Irina voor me. Ik zie Joe Mercer voor me, en ik zie natuurlijk Svend voor me, mijn makker uit de oorlog, moge God zijn communistische ziel genadig zijn. Ik kan me mijn enorme zelfvertrouwen en arrogantie herinneren. Ik was ervan overtuigd dat de wereld om mij draaide, en dat andere mensen op aarde waren gezet om mij tevreden te stellen.

Ik zie de jonge versie van Magnus Meyer wakker worden in zijn geboorteplaats op nog maar vijfentwintigjarige leeftijd, maar overtuigd van het feit dat zijn levenswijsheid groot was. Wat hij had meegemaakt in Argentinië had hem gevormd, maar hij moest terugkeren, en daarmee gaf het leven hem andere troeven in handen dan de troeven die hij verwacht had te krijgen.

Ik ben vandaag de dag een gerespecteerd burger, maar dat is slechts een vermomming. Ik zal mijn aandeel aan de duivel moeten betalen. Dat is alleen maar eerlijk. Toch verzoek ik God om vergeving zonder de hoop te hebben verhoord te worden. Ik heb mijn verhaal verteld en meer valt er niet te zeggen. Het is zoals ik het me herinner en ik heb een goed geheugen. Ik heb zijn brieven en dagboeken bewaard. Ik heb belangrijke papieren en aantekeningen bewaard. Ik heb in de loop der jaren geld gespendeerd aan het vinden van sleutelpersonen en onderzoekers de archieven in gestuurd.

Ik wil liever geen langdurige juridische strijd na mijn dood, dus ik heb het verhaal verteld zodat het gedeeltelijk als fictie kan worden gelezen.

Het is misschien niet de gehele waarheid, maar het is mijn waarheid en het definitieve testament van Magnus Meyer.

Deel 1

Jutland, nazomer 1937

En de Heere zeide tot Kaïn: Waar is Habel, uw broeder?
En hij zeide: Ik weet het niet; ben ik mijns broeders hoeder?

Genesis 4:9

1

Op een bijzonder warme en mooie nazomerdag laat in augustus 1937 wordt Magnus Meyer wakker in zijn geboorteplaats. Hij is de dag ervoor aangekomen en heeft overnacht in Hotel Dania en staat na het ontbijt op het plein de geur van de nazomer op te snuiven, zwaar en zinnelijk en toch iel en koel na de hete jaren in Argentinië. Hij gunt het zichzelf om gewoon even stil te staan en de omgeving op zich in te laten werken. De stad is herkenbaar en toch vreemd. Hij hoort de trappelende hoeven van de paarden die de melkwagen trekken, ruikt de geur van cokes die wordt opgeslagen voor de komende winter, en hij ziet het kamermeisje in het appartement boven de bank het raam openen en ijverig schoonmaken, terwijl ze een voor hem onbekend liedje zingt. Het is een klein stadje. De voetgangers begroeten elkaar vriendelijk wanneer ze langs de sierlijke voorgevels van de winkeltjes lopen. Hij voelt zich op zijn gemak. Hij voelt zich goed en is eraan toe om dit stukje van de wereld opnieuw te veroveren, om het allemaal in zijn geest en zijn lichaam op te nemen en gewoon te genieten van de ochtend in zijn oude stad, voordat hij erdoorheen langs het meer naar het Kuurbad loopt.

Het is een flinke wandeling, maar het weer is zo goddelijk en eerlijk gezegd is hij zich ervan bewust dat hij opvalt naast die trieste, depressieve Denen in hun grijze werkkleding en met vettige petten of ouderwetse hoeden op. Hij is een flaneur en geniet ervan. Hij loopt rond met een rechte rug in zijn lichte, goed zittende kleding, die de kleermaker in het stoffige zijstraatje in Buenos Aires voor hem heeft genaaid. Aan zijn voeten draagt hij de elegante Italiaanse schoenen die hij op Fifth Avenue in New York heeft gekocht, en op zijn hoofd de lichte panamahoed, die precies zo schuin zit, zoals een *dandy from overseas* een elegante hoed behoort te dragen. Hij ruikt de geur van zijn eigen aftershave, die zich zo mooi vermengt met de dwarrelende rook van zijn dagelijkse Cubaanse ochtendsigaar, en hij neemt vol blijdschap de blikken in ontvangst die de vrouwen die hij onderweg tegenkomt hem toewerpen.

Hier komt een jonge man van de wereld, een reiziger, iemand vol energie, een man zonder bekommeringen in een tijd waarin iedereen zich zorgen maakt. Hier komt een man die terugkeert naar zijn geboorteplaats, wijzer, rijker en zelfverzekerder dan zij die achterbleven en nu een burgerlijk leven leiden met hun vrouw en kinderen of door de depressie in de lange rij werklozen staan. Zouden ze hem herkennen als ze hem zagen? Dat betwijfelt hij. Hij kan zijn fysionomie niet ontkennen – die is ook goed genoeg, heeft hij al van diverse vrouwen vernomen – maar zijn lichaam is tegenwoordig groter en beter getraind, zijn lichte snorretje geeft zijn gezicht karakter, maar vooral zijn houding, zijn manier van staan en doen, geeft hem een andere en meer zelfverzekerde uitstraling, waardoor hij onherkenbaar is in zijn geboorteplaats. Je ziet er niet alleen maar uit. Het gaat om de manier waarop je eruitziet. De manier waarop je je gedraagt.

Hij heeft het van Inés geleerd. 'Je bent niet wie je bent, je bent wie je verkiest te zijn', had ze gezegd en hij kan zich haar kleine borsten herinneren en de zachte mond die hem kuste. Hij had nooit verwacht dat seks zo kon zijn. Zonder schuld, gewoon genot. Urenlange wederzijdse bevrediging en genoegen.

Daar denkt hij allemaal aan terwijl hij in de zonneschijn loopt. Aan de last die mensen in zijn geboorteplaats met zich meedragen. Aan hun voortdurende overpeinzingen over zonde en schuld. Over dat de kleine huizen bijna overstromen van schaamte. Ze weten niet, denkt hij arrogant, zoals alleen een jonge man kan denken, dat je lichaam aanleg heeft voor zo veel blijdschap en vreugde.

'Nu gedraag je je eindelijk net zo goed, zelfverzekerd en macho als je eruitziet', had Inés gezegd, enkele dagen nadat ze hem had verleid. 'Je ziel zit niet meer gevangen, maar heeft zich rechtmatig in je lichaam genesteld.'

Hij kan zich herinneren hoe zijn voeten op een geheel andere wijze de aarde hadden geraakt, en hoe de tonen in zijn hoofd hem het gevoel gaven dat hij vloog, en 's nachts droomde hij niet meer over de chef-arts.

De jonge man, die de dag ervoor zijn koffer naar zijn kamer in Hotel Dania had gedragen, heet Jens en is de zoon van Schoenmaker-Hans, weet hij. Hij zat twee klassen onder Meyer. Er was niet het geringste teken van herkenning te bespeuren geweest. Dat ze ooit op hetzelfde schoolplein in dezelfde stad hadden gespeeld, kwam als onmogelijk op hem over.

Hij heeft niet aangekondigd dat hij terug zou komen. Hij weigert het woord 'thuis' te gebruiken. Hij is er nog niet aan toe zijn vader te ontmoeten, ook al is het onvermijdelijk.

Marie heeft hem geschreven en met haar wil hij eerst praten. Haar brief bereikte hem in New York. Ze wist natuurlijk dat hij Argentinië had verlaten. 'Was gevlucht' is eigenlijk een betere omschrijving. Marie is de enige die zijn wisselende adressen had gekregen met het strikte bevel dat ze die niet aan de chef-arts mocht geven.

Hij moest het land uit. De armen van Don Pedro waren te lang. Meyer wilde niet trouwen. Dolores had nooit met haar broer moeten praten, die hem nooit had moeten opzoeken. Er had niets anders opgezeten dan te doen wat hij had gedaan. Het was hij of de broer. Don Pedro had zijn zoon niet moeten sturen. Don Pedro en Meyer hadden een overeenkomst kunnen bereiken, dat weet hij zeker. Ze respecteerden elkaar. De broer haatte hem, ook al waren ze hun relatie begonnen als beste vrienden. Er was jaloezie in het spel gekomen. De broer vond het niet fijn dat Don Pedro moeite had om te verbergen dat hij liever Magnus Meyer als zijn zoon en erfgenaam zag dan de luie zoon die zijn vrouw hem had geschonken.

Hij begint bijna te zweten als hij eraan terugdenkt, ook al is de Deense zonneschijn mild en droog. Hij ziet het bloed en de verblufte blik van de broer op zijn netvlies, toen de kogel hem met een doffe klap in de borst trof. Daardoor had Don Pedro noch Meyer een keus.

Hij hoeft niet te zweten. Hij is gewend aan warmte. Het is dan wel een zonnige dag in zijn geboorteplaats, maar hij geniet van de onderliggende koelte, die de schaduwen brengen met de eerste zweem van het najaar, die hem langs het meer naar het Kuuroord volgt. Hij loopt om de paardenvijgen en de gaten in de weg heen, en houdt de weinige auto's in de gaten die door de straten rammelen, totdat hij buiten de stadskern komt en het Kuuroord ziet staan dat tevens het huis is waarin hij is geboren. Het ligt erbij zoals hij het zich herinnert, omheind door de grote beukenbomen. De bladeren zijn grijsgroen, stoffig en hangen nog bijna allemaal aan de bomen. Het grote witte huis dat hoop uitstraalt voor de patiënten, zorgt ervoor dat zijn hart even sneller gaat kloppen. Ze denken dat het een ziekenhuis is, maar het is een gevangenis. Het is een plek waar met de directe lichamelijk straf te leven viel, terwijl de koude geestelijke marteling erger was en je er voortdurend van bewust maakte dat als de kans zich voordeed, je die moest grijpen om ervandaan te vluchten.

Hij staat even stil, rookt een sigaret, probeert zijn gedachten weg te drukken, gooit de peuk op de grond en loopt naar de poort. Het is koel in de duistere ontvangstruimte van de hoofdingang, waar de portier, die nieuw is en hem daarom niet herkent, de hoofdverpleegkundige laat komen.

'Goedendag, juffrouw Jørgensen', zegt hij.

'Goedendag, Magnus Meyer. U bent in de stad, begrijp ik.'

Juffrouw Jørgensen heeft hem vijf jaar lang niet gezien, maar ze fronst slechts licht haar borstelige wenkbrauwen en zegt na de formele begroeting en een korte ongemakkelijke pauze dat meneer de chef-arts patiënten heeft en dat juffrouw Marie met een groep kuurgasten naar het openluchtbad is, aangezien het weer zo heerlijk is. En de jonge Mads, ja, dat is natuurlijk een andere zaak ... Hier neemt hij een vleugje onzekerheid waar en misschien angst door een speling van de tijd, maar hij is onder de indruk van haar zelfbeheersing. Ze steekt haar hand niet uit en ze glimlacht niet. Je geeft geen hand aan een brutale aap.

Ze probeert het te verbergen, maar hij kan moeiteloos de vragen aflezen aan de ogen waarmee ze hem aankijkt, maar ze is te gezagsgetrouw en te beleefd om ze te stellen. Waarom is de verloren zoon teruggekeerd? Wat wil hij? Zal de onvrede weer zijn intrede doen? Zal de harmonie die zo belangrijk is voor de genezing van de fysieke en psychische klachten opnieuw verstoord worden? Ze zal het tegen zijn vader zeggen, zodra de mogelijkheid zich voordoet.

Ze werken al bijna dertig jaar samen. Ze is lang en slank, heeft een platte borst en een geprononceerd haviksgezicht dat er niet mooier op wordt door het hoofddoekje waarmee ze haar grijzende haar bedekt. Ze is de hoofdverpleegkundige en de rechterhand van zijn vader, en ze helpt hem met het leiden van het Kuurbad met een militaire precisie die de pedante aard van de chef-arts aanspreekt. Ze ruikt zoals altijd naar zwavel en carbolzuur, naar genezende modder en elektroshocks, een geur die onlosmakelijk is verbonden met zijn jeugd en die hem overal ter wereld terugstuurt naar het gevreesde land van zijn kindertijd als hij slechts een van de ingrediënten op zijn omzwervingen tegenkomt.

Ze kijkt naar hem. Ze is misschien enigszins verbaasd dat hij er representatief uitziet in het lichte zomerpak met de zijden stropdas die hij in New York had gekocht, waarna hij op de boot stapte die hem terugbracht naar Europa. De stropdas zit recht en hij heeft zich grondig geschoren. Ze kijkt naar zijn kleding, die iets beter zit dan de kleding bij de meeste mensen in het door de crisis getroffen Denemarken, en naar de hoed die hij beleefd in zijn hand houdt. Hij is iets langer dan zij. Ze bekijkt hem en hij kan zien dat ze het zeer tegen haar wil in waardeert wat ze ziet, maar dat ze tegelijkertijd wenst dat hij uit haar ogen verdwijnt, omdat ze zich alle conflicten en de voortdurende chaos kan herinneren die hij veroorzaakte. De knul heeft eigenlijk nooit de genialiteit van zijn vader begrepen. Net als dat hij nooit heeft begrepen dat genialiteit een prijs heeft, die de minder begaafden zouden moeten betalen – en bij voorkeur met een zekere blijdschap, in elk geval met dankbaarheid.

'Ik logeer in Hotel Dania', zegt Magnus. 'Wilt u dat tegen mijn vader zeggen?'

'Zoals u wenst. Maar de komende uren heeft de chef-arts patiënten. Dr. Krause uit Hamburg begeleidt hem', zegt ze, zonder dat de laatste zin hem iets zegt. Maar ze spreekt hem in elk geval aan met 'u'. Het is waarschijnlijk voor het eerst dat ze die aanspreekvorm tegenover hem heeft gebruikt. Ze heeft zijn luiers verschoond en ze heeft nooit nagelaten om hem duidelijk te maken dat hij dat niet moest vergeten.

Het is warm, maar ze zweet niet onder de lange, witte jurk met het blauwe, gesteven schort. Er hangt een rust en een koele efficiency om haar heen. 's Ochtends krijgen patiënten en kuurgasten diverse wetenschappelijke behandelingen en kuren die zijn vader heeft ontwikkeld. Kuren die een combinatie zijn van elektroshocks, zoute baden, kruiden en geheime genezende processen die jichtklachten kunnen verhelpen, het podagra dat door weelde is veroorzaakt, mentaal letsel aan een broos gemoed. Een verblijf in het kuuroord van zijn vader is zeer in trek bij de meer welgestelden uit het hele land, maar hij ontvangt ook graag de minder bedeelden als hun ziektebeeld voldoende complexiteit vertoont – een woord dat volgens Meyer tot de lievelingswoorden van de chef-arts behoort.

Magnus heeft sommige patiënten in de ligstoelen in de tuin zien liggen waar ze een zonnekuur krijgen en hij ziet hen voor zich in de vele kamers in het Kuuroord, liggend in warme baden, ingepakt in naar zwavel ruikende modder of tijdens een behandeling met geïoniseerd water. Maar het enige geluid in de tuin komt van zoemende insecten en de lichte voetstappen van een enkel paar efficiënte klompen op het linoleum in een lange gang.

'Weet u waar ik mijn zus kan vinden, juffrouw Jørgensen?'

Ze kijkt hem weer even aan, waarna ze antwoordt: 'Zoals ik zei: ze heeft een groep patiënten meegenomen naar het nieuwe bassin in het natuurgebied Tinnet Krat. De chef-arts onderzoekt het zwemwater dat uit de bron van de Gudenå wordt gehaald en dat daarom niet door mensen beïnvloed is, dus niet verontreinigd. De chef-arts onderzoekt de mogelijke invloed van dit zwemwater op de behandeling van psoriasis.'

Hij hoort de woorden van de chef-arts doorschemeren in de

preek, maar hij zegt alleen: 'Ik volg het niet helemaal ...'

Ze kijkt hem aan met die blik die hem als kind bang maakte. Een blik vol verachting voor de lage intelligentie van andere mensen. Alleen die van de chef-arts kan zich meten met de hare.

'Nee, natuurlijk niet. Het is zoals gezegd bij de bron van de Gudenå. Zo'n vijftig kilometer hiervandaan, in zuidelijke richting. Juffrouw Meyer is meteen na het ontbijt met chauffeur Klausen en de patiëntenbus vertrokken. Het is vrij ver, maar voor de wetenschap moet je offers brengen.'

'De bron van de Gudenå?'

'Dat zei ik. En als u mij nu wilt verontschuldigen. Het is tijd om enkele kuren af te ronden. Ik zal de groeten overbrengen aan de chef-arts.'

Hij zet zijn hoed op, groet de schaduw en loopt terug naar het station, waar hij weet dat het kleine taxibedrijf Kurts Lillebil zich bevindt en hij vraagt of hij naar het bassin bij de bron van de Gudenå gereden kon worden. Lille-Kurt is zelf onderweg, maar zijn vrouw Signe knikt verbluft wanneer ze hem ziet, hem misschien herkent en een andere chauffeur haalt die tegen de meneer zegt dat het een lange reis is en dat het daarom niet echt goedkoop zal zijn. Hij is gedrongen en heeft onder de versleten pet grote vlekken in zijn gezicht. Meyer knikt alleen maar en vindt niet dat hij iets hoeft uit te leggen over de eindeloze afstanden op de pampa en over de rekening in New York, met daarop de winst uit Argentinië en het goede salaris dat hij in New York verdiende. De auto is een mooie Studebaker, groot en ruim, zodat Magnus zijn lange benen op de achterbank kan strekken.

Het Deense landschap ligt er zacht en glooiend bij, de oogst is van de akkers gehaald en sommige zijn al geploegd. Toch liggen ze er groen en weelderig bij, alsof het woord 'droogte' onbekend is in de Deense taal. Overal zijn paarden voor ploegen of eggen gespannen. De boeren nemen hun pet af en staren de mooie auto na die langs komt rijden met een heer op de achterbank. De ooievaars zijn vertrokken en de spreeuwen zijn zich aan het verzamelen, ziet Meyer en hij realiseert zich opnieuw dat de afstanden zo kort zijn en het landschap zo netjes en mooi.

Hij denkt aan de grote, open vlaktes in Argentinië, de vochtige bergen in het noorden en het heetgebakerde, stinkende leven in de sloppenwijken van Buenos Aires en hij kijkt met enige toegeeflijkheid naar zijn vaderland met de slingerende wegen, de huisjes en de ordelijkheid, die zelfs bij de armste mensen lijkt te heersen. Er zit een kern van waarheid in het liedje. Hij neuriet 'Op de grote stille heide' en de chauffeur glimlacht hem in de achteruitkijkspiegel toe. Hij is een van de weinigen die er geen behoefte aan heeft om een gesprek te beginnen.

Voor het eerst voelt hij een spontane blijdschap dat hij weer thuis is. Thuis? Is Denemarken echt thuis? Dit armetierige boerenlandje waar de premier op de Kerstman lijkt, wat misschien toepasselijk is omdat het land de wereldwijde crisis op een bijzonder gemoedelijke manier aanpakt, terwijl landen in de buurt op het randje van de revolutie staan of hebben gestaan. Ze genieten in stilte. Iedereen zorgt voor zichzelf en het lijkt alsof de wereld buiten niet bestaat. Ze slaan zich wel door de crisis heen. Dat doen ze altijd. Er is geen reden tot klagen. God weet het toch het beste en je bent niet op aarde gezet om te klagen.

Ver naar het zuiden woedt de oorlog. Een verre broederoorlog; die heeft hem naar huis geroepen, omdat de oorlog een realiteit is geworden in zijn familie. Daar gaat het om. Het hart van het gezin, de maatslag zelf, dat geraakt is. De tijd staat een ogenblik stil. Het lijkt alsof hij een moment weer kind wordt en zijn moeder hoort roepen dat hij binnen moet komen voor het avondeten. De korte herinnering wordt veroorzaakt doordat hij een glimp opvangt van een vrouw in een lange jurk met een gebloemd schort die haar hand opsteekt en naar een meisje roept. Hij hoort het duidelijk door het open autoraampje. De glimlach van het meisje is mooi en breed, maar dan verdwijnt ze op het moment dat de auto de hoek om rijdt.

Het had zijn moeder kunnen zijn die had geroepen. Het kleine meisje had ook Marie kunnen zijn met haar mooie glimlach en vertrouwen in de hele wereld. De herinnering is zo sterk dat hij even niet weet of hij wakker is of dat hij droomt. Hij neemt zijn hoed af, veegt zijn voorhoofd droog en begrijpt niet waar die plotselinge angst vandaan komt.

De chauffeur zet hem een stukje van de badplaats vandaan af en pakt een krant wanneer Meyer hem vraagt te wachten, waarna hij een heuveltje op loopt.

Er zijn veel mensen buiten met het mooie weer. Hun zwarte fietsen staan opgesteld als een rij soldaten. Even moet hij stilstaan, verbaasd over het verbluffende schouwspel dat zich ontvouwt in de heuvels tussen de bronnen van de rivieren Gudenå en Skjernå. Wat had de verder zo zwijgzame chauffeur gezegd? Dat ene boer Clausen rond 1931 Tinnet Badeland met overheidssubsidie had gebouwd, omdat hij had gezien dat enkele van zijn knechten zich wasten in de trog van het vee met water uit de bron van de Gudenå. Dat was een goed en lucratief idee geweest, denkt Magnus, terwijl hij uitkijkt over de ongeveer driehonderd mensen die in het groene, glooiende landschap rond vijf bassins door elkaar krioelen.

Hij moet een kroon betalen aan een man bij het kleine paviljoen, dat reclame maakt voor koffie en ijs, waarna hij de trap naar de badplaats af mag lopen. Daarnaast is een soort primitieve glijbaan van geschaafde vurenhouten planken gebouwd, waarvan kinderen naar beneden glijden op gewassen mestzakken, die in een stapel onder aan de glijbaan liggen. Ze gillen verrukt, terwijl Meyer even stilstaat op de trap en het tafereel aanschouwt.

Er zijn vier ronde bassins en één vierkant bad, waarin een springplank is gemonteerd. Hij ziet hoe de knechten in grote slobberende zwembroeken indruk proberen te maken op de meisjes met hun grollen en sprongen, en ervoor zorgen dat het water over de rand van het bassin klotst. Hun witte bovenlichamen lichten fel op in de zon in tegenstelling tot hun door de zon gebruinde armen, die ontbloot zijn geweest tijdens het werken op het veld. Moeders en kinderen vermaken zich in het kleinere bassin, waar ze pootjebaden. Het lijkt erop dat de patiënten van de chef-arts zich in het zwembassin zelf ophouden. Een paar kinderen zitten in een bootje in een ander rond bassin.

Het bootje wordt rondgetrokken door een stang, die blijkbaar is vastgemaakt aan een aantal kettingen. Het is een merkwaardige plek, denkt hij en zijn oog valt op een lange, blonde vrouw, die achter een verkleedscherm van grof uitgehouwen vurenhouten palen vandaan stapt. Ze houdt een kind aan de hand en loopt rond met een erotische charme in het strakke badpak, wat ze volgens hem zelf niet in de gaten heeft. Hij denkt aan Dolores. Ze heeft hetzelfde figuur. Hij ziet de blonde vrouw naar het kinderbassin lopen en hij drukt zijn gedachten aan het verleden weg.

In plaats daarvan denkt Meyer aan Don Pedro's waterinstallatie op de veehouderij. Hier hebben ze vast hetzelfde systeem. Het water uit de Gudenåbron wordt met een hevelsysteem naar een of twee bassins op de heuvel verplaatst. Hier wordt het door de zon verwarmd, waarna het naar de zwembassins wordt geleid. Het is een eenvoudig, maar effectief systeem. Het proces intrigeert Meyer. Hij heeft geen formele opleiding, maar hij houdt van de ingenieurkunst.

Meyer interesseert zich voor technische systemen en nieuwe manieren om techniek toe te passen. Hij weet dat hij gevoel heeft voor het doorzien van technische problemen en het vinden van andere, verrassende oplossingen waaraan niemand eerder heeft gedacht. Dat talent ontdekte hij in Argentinië, waar niemand vroeg naar je opleiding, maar werd gekeken naar wat een jonge man kon.

Er wordt voldoende druk in het water gecreëerd dat er ook een paar mooie fonteinen ontstaan, die tegelijkertijd dienstdoen als drinkplaatsen.

Tussen de fonteinen staat een kleine zonnewijzer. Daar ontdekt hij zijn zus Marie tussen de badende en zonnende mensen. Ze is een jaar ouder dan hij. Je kunt haar niet over het hoofd zien, knap, lang en slank met een levendigheid die eigenlijk alleen maar schijn is, omdat haar gemoed, zoals haar vader dat altijd zegt, moeizaam is en ze depressieve neigingen heeft. De verholen zwaarmoedigheid kwam na het overlijden van hun moeder in 1929 door een gevaarlijke griep, waar zelfs de chef-arts machteloos tegenover stond. Na de dood van zijn echtgenote veranderde de kilte van de chef-arts voor altijd in kou. Hij verdrong zijn pijn met de mechanische effectiviteit die zwaarlijvige dames aantrekt, omdat ze het gevoel hebben dat die is gebaseerd op de hoogste wetenschap.

Maries haar is bruin en vanaf het hoge, rechte voorhoofd achterover gekamd, zodat de modieuze zachte krullen over haar witte kraag vallen. Hij ziet de slimme speld die het haar op z'n plek houdt. Ze heeft nooit veel make-up gebruikt. Ze draagt haar uniform. De lange wijde rok en de overhemdbloes die ondanks de warme nazomerdag helemaal tot haar hals is dichtgeknoopt en op zijn plaats wordt gehouden door de speld van de Deense Ziekenzorgraad. Ze heeft hem niet gezien, dus hij kan haar ongestoord bekijken.

Ze is in de vijf jaar dat hij is weggeweest niet veranderd. Die vijf jaar zijn in elk geval op afstand spoorloos aan haar voorbijgegaan. Ze heeft nog steeds een erotische aantrekkingskracht waarvan ze zich niet bewust is, denkt hij, maar hij drukt die gedachten snel weg. Zo denk je niet over je zus, maar hij begrijpt niet dat ze nog steeds niet getrouwd is als je kijkt naar de hartstochtelijke vonk, die duidelijk alleen aangewakkerd hoeft te worden. Misschien is ze niet meer alleen. Wie weet? Ze heeft niet geschreven over een vriend of een man in de brief die hij ontving, en die er de oorzaak van is dat hij nu hier in de zonneschijn naar haar staat te kijken.

De volgende keer dat ze jarig is, zal ze vast zevenentwintig jaar worden, maar het valt hem op dat ze niets van een mevrouw over zich heeft. Ze neemt een paar snelle, lichte passen om een zwaarlijvige man die moeite heeft om uit het middelste bassin te komen, beter in de gaten te kunnen houden.

Ze heeft vast geen reden gevoeld om over zichzelf te schrijven, het ging tenslotte om Mads. Haar brief was zakelijk, bijna koel en een verzoek om hulp. Hij kent haar. Je altijd toegenegen zus, zoals ze haar brieven aan hem ondertekent. Is ze dat? Is hij haar toegenegen jongere broer? En het nakomertje Mads dan, van wie ze allebei onvoorwaardelijk hielden toen ze opgroeiden?

Magnus Meyer steekt een sigaret op en het licht schittert in zijn horloge; ze draait zich om, glimlacht naar hem en loopt met haar lichte danspasjes op hem af. Dan blijft ze staan en houdt haar hand boven haar ogen, alsof ze er zeker van wil zijn dat het echt Magnus is die bij de steile trap staat en naar haar kijkt. Hij neemt zijn hoed af en zwaait ermee en blijft glimlachen, terwijl hij snel naar haar toe loopt.

2

Magnus Meyer voelt het lichaam van zijn zus en dat gevoel is hem onbekend, evenals zijn aanraking dat voor haar is. Ze komen niet uit een gezin waar lichamelijk contact gebruikelijk is en al helemaal niet in het openbaar. Het is een korte omhelzing en ze staan een moment erna als vreemden tegenover elkaar in de zonneschijn, en Magnus heeft het gevoel dat de wereld om hen heen stilstaat, alle geluiden verdwijnen. De badende mensen staan stil in een wazig licht, alsof ze allemaal zwijgende modellen op een zomerschilderij zijn. Het onwerkelijke gevoel duurt slechts een ogenblik. Marie verbreekt het ongemakkelijke gevoel, wanneer ze zegt: 'Ik zag je roken. Heb je misschien ook een sigaret voor mij?'

'Ik wist niet dat je rookte.'

'Er zijn vast veel dingen die je niet van mij weet. Meer dan vijf jaar is een hele tijd.'

Haar stem is helder. Ze wordt altijd gevraagd om voor te zingen bij familiebijeenkomsten of in de kerk, maar ze doet het niet graag. Of deed? Wat weet hij over haar? Hij heeft in die vijf jaar vier brieven gekregen, brieven die gingen over koetjes en kalfjes, afgezien van de laatste, waarin ze haar wanhoop en onmacht niet kon of wilde verbergen. Het was geen gewone brief, maar een smeekbede om hulp. Hij heeft hem bij zich, hij voelt hem in zijn binnenzak branden. Hij haalt het sigarettenetui tevoorschijn en biedt haar een sigaret aan, neemt er zelf een en steekt ze voor hen allebei op. Ze rookt een beetje onzeker, vindt hij, maar ze inhaleert de rook toch ervaren genoeg tot diep in haar longen en sluit een moment genietend haar ogen. Er hangt een plukje tabak aan haar lippen. Ze doet een stap naar achteren en kijkt hem met de ogen van een oudere zus aan: 'Virginia, toch?'

Hij knikt.

'Je bent een man geworden, broertje. Je bent helemaal volwassen geworden.'

Ze lacht meisjesachtig en raakt voorzichtig en verrassend genoeg zijn snor aan. Hij lacht ook en pakt haar hand vast.

'Jij bent niets veranderd.'

Ze trekt haar hand terug en neemt een trekje, waarna ze zegt: 'Zoals ik al zei. Er zijn veel dingen die je niet van mij weet. Heb je vader gesproken?'

'Nog niet. De chef-arts had patiënten. Ik heb juffrouw Jørgensen gesproken.'

'Dat verbaast me niet.'

'De chef-arts had patiënten', herhaalt hij en hij gaat verder: 'En hij maakte een ronde met ene dokter Krause.'

'O ja. Vaders kleine nationaal-socialist uit Hamburg.'

'Heeft de chef-arts eindelijk een standpunt gevonden dat bij zijn mentaliteit past?'

'Ach, broertje, begin nou niet weer', zegt ze met een scherpere stem dan waarschijnlijk de bedoeling was geweest en om de wanklank te laten vergeten, pakt ze schertsend zijn hoed af en zegt: 'Neem je hoed af voor je zus. En nee, vader en juffrouw Jørgensen zijn gewoon zeer geïnteresseerd in de theorieën van dokter Krause over het ras-afhankelijke ziekteverloop. Over het weerstandsvermogen tegen bepaalde ziektes dat sommige rassen sterker hebben dan andere. In het zuiden vinden ze dat van die rassen immers erg belangrijk. Heb je daar tijdens je reizen niets over gehoord?'

Hij glimlacht wanneer hij haar ironische toon aan het einde hoort en zegt: 'Jazeker. Andere landen hebben ook kranten. Het bericht over de opkomst van stampende laarzen in Duitsland heeft de overkant van de Atlantische Oceaan bereikt.'

'Wanneer ben je gekomen?' vraagt ze.

De zon brandt op zijn kortgeknipte haar met de rechte scheiding. Haar ogen zijn groen in plaats van de blauwe die Magnus heeft. Mads heeft de kleur ogen en het donkerblonde haar van zijn zus, die ze van hun moeder hebben geërfd, terwijl dat van Meyer lichter is, zoals dat van zijn vader vóór de ziekte en het overlijden zijn moeder. Het haar van de chef-arts werd binnen een jaar helemaal wit. Marie heeft regelmatige trekken met smalle rechte lippen en zeer witte tanden, en ze glimlacht veel zoals ook nu, maar de glimlach verdwijnt snel, wanneer hij zegt: 'Gisteren. Ik logeer in Hotel Dania.'

'Het is beter dat je thuis komt overnachten. Je had toch kunnen bellen. We hadden gisteravond al samen kunnen praten. Ik heb zo lang op je gewacht.'

Ze ontdekt dat ze met zijn hoed in haar handen staat en geeft hem een beetje ontredderd terug.

'Ik denk erover na', zegt hij en hij volgt haar blik naar de badende mensen, die in de gaten lijken te hebben dat ze de laatste dag van de zomer beleven.

Er zijn zo veel onuitgesproken woorden tussen broer en zus. Ze komen uit een familie waar beslissende woorden nooit het daglicht bereiken, omdat ze de waarheid niet tegen elkaar durven te zeggen, denkt hij. Alleen Mads is anders, is altijd al anders geweest. Hij zei wat hij dacht en voelde, ongeacht de consequenties. De kilte na het overlijden van hun moeder in het huis waar ze opgroeiden leek zijn ziel niet bevroren te hebben, maar hoe zit het met de afgelopen vijf jaar? Een jongen kan erg veranderen tussen zijn zestiende en eenentwintigste.

'Het is beter dat je thuis komt logeren', herhaalt ze en ze kijkt naar haar sigaret. 'Het is zwaar voor vader. Hij probeert het niet te laten merken, maar dat lukt hem niet. Het zou er ook vreemd uitzien als je in een hotel overnacht.'

'Dat is waarschijnlijk het grootste probleem.'

'Doe nou niet zo verbitterd, Magnus. Dit is niet het juiste moment.'

Ze kijkt omlaag en hij volgt haar blik. Het gras is geel geschroeid en alsof ze zijn gedachten kan lezen, probeert ze banaal afstand te nemen van de onhandigheid die tijdens hun ontmoeting overheerst – een ontmoeting die zich niet heeft afgespeeld zoals een hereniging zou moeten.

'Het herfstweer is zo goddelijk geweest', zegt ze.

Hij glimlacht, pakt haar hand zacht vast en zegt: '*Okay*, zus. Maar laten we nu eerst afwachten.'

Ze lacht opnieuw, een beetje geforceerd, en zegt: 'Okay! Wat is dat nou? Kun je je moedertaal niet meer spreken?'

'*Okay* is hetzelfde als *allright*, alleen dan op een andere manier.'

'Allright, wat klink je Amerikaans. Ik dacht dat je vooral in Argentinië was geweest.'

'Twee jaar in de Verenigde Staten, ruim drie jaar in Argentinië. Je weet toch dat ik langere tijd in de Verenigde Staten ben geweest? Wat vind ik het heerlijk om je weer te zien', zegt hij.

'Insgelijks. Zeer insgelijks. Ik heb je gemist. Vier brieven in vijf jaar, Magnus. Zo behandel je je familie toch niet? Mads was er kapot van toen je vertrok. Je hebt zijn hart in duizend stukjes verbrijzeld.'

'Ik kon niet anders.'

'Maar toch', zegt ze alleen en ze laat zijn hand los, kijkt om zich heen, besluit dan haar peuk te laten vallen, waarna ze zich gracieus omdraait op haar praktische platte schoenen met de brede gespen en naar de rand van het bassin roept dat de bus over een half uur vertrekt. Ondanks de glimlach klinkt haar stem fel. Hij ziet hoe de patiënten van middelbare leeftijd bijna synchroon hun hand opsteken als teken dat ze het bevel hebben gehoord. Het geluid van spetterend water en een overdreven geroep uit het bassin met de springplank bereikt hen en vermengt zich met een plotseling geluid van een kind, dat geschrokken huilt.

Ze draait zich om en vraagt: 'Hoe is Argentinië? Hoe is de grote wereld? Word je zo netjes van reizen? Je bent een echte heer geworden. Je hebt vast een boel te vertellen.'

Hij lacht om en met haar, en het lijkt alsof de zon op een andere manier verwarmt, en de stemmen van de badende mensen worden lichter en vrolijker, omdat hij ziet dat zij ook blij is. Blij dat hij is teruggekomen. Blij dat ze niet alleen is. Blij omdat hij haar altijd hielp en altijd haar kant koos.

Hij verpest het door te zeggen: 'Waarom is hij weggegaan?'

'Niet hier.'

'En dan nog wel de oorlog in. Terwijl je dat van hem juist niet verwachtte. Mads zou nog geen vlieg kwaad doen. Hij schreef gedichten, was zo gevoelig en huilde snel. Weet je dat niet meer? Hij vond het zo erg als er ook maar de kleinste onrust en angst in de familie of op school was. Het slaat nergens op. Niemand kan in zo'n korte tijd zo veranderen.'

'Daarover en over andere dingen moeten we praten, maar niet hier. Ik ben verantwoordelijk voor de patiënten. Ik kan er nu niet aan denken.'

Haar woorden sterven weg, maar het is te laat en ze wendt zich om en buigt haar hoofd. Hij draait haar rond en trekt haar naar zich toe. Ze sputtert wat tegen, maar geeft zich snel over en hij houdt haar vast, terwijl hij haar laat huilen. Ze verbergt haar gezicht tegen zijn schouder. Hij kijkt naar het bassin waar de patiënten verblijft en enigszins verschrikt naar hun kleine Florence Nightingale kijken, die hun de rug heeft toegekeerd en door een onbekende man wordt omhelsd. De zwaarlijvige man in het donkere zwempak maakt aanstalten om uit het bassin te klimmen en naar hen toe te komen, maar Meyer houdt hem en de anderen op afstand door een paar keer met zijn hoed te zwaaien en hun een geruststellende glimlach toe te zenden, die duidelijk moet maken dat alles onder controle is.

Het merkwaardige bootje dat in het bassin verderop werd rondgetrokken, ligt nu stil. Een forse man met een slobberende broek en een overhemd met korte mouwen rommelt aan de trekstangen. Twee kleine kinderen zitten stil in de boot naar hem te kijken. De blonde vrouw loopt langs Magnus en Marie, en probeert niet naar hen te staren. Ze buigt zich over de fontein en drinkt gulzig. Van dichtbij ziet Magnus dat ze ouder is dan hij aanvankelijk dacht, maar haar lichaam vindt hij toch nog erg aantrekkelijk. Ze veegt haar mond af en loopt verder. Uit haar nog steeds natte mond vallen druppels in het gele gras.

Marie trekt zich los, snottert een beetje en veegt haar ogen droog met een wit zakdoekje dat ze uit de ene zak van haar rok pakt. Samen met de overhemdbloes is het een heel verpleegstersuniform. Ze snuit haar neus en uit de andere zak haalt ze een envelop waaruit ze de brief pakt, die ze hem zonder een woord geeft. Magnus krijgt een raar gevoel in zijn maag wan-

neer hij de nette letters ziet die Mads bijna vanaf de eerste dag
op school schreef, en hij leest:

4 maart 1937

Mijn eigen lieve zus Marie,
Wanneer je dit leest, ben ik vertrokken. Je moet er niet al te verdrie-
tig om zijn, maar probeer me te begrijpen. Het is niet hetzelfde als
met Magnus dat ik het huis of mijzelf ontvlucht, zoals hij. Ik vind
het laf van hem dat hij er zomaar vandoor ging, ook al is hij mijn
broer, maar ik heb het hem allang vergeven. Het is vijf jaar geleden
en misschien klopt het dat de tijd alle wonden heelt. Ik begrijp nu
dat hij niet zozeer voor vader vluchtte als wel voor zichzelf ...
Maar ik vlucht nergens voor. Ik vertrek met opgeheven hoofd naar
iets wat groter is dan ikzelf, omdat het noodzakelijk is. Ik kan
niet langer stilzwijgend toekijken terwijl het onrecht het recht plat-
walst en onschuldige mensen sterven door de kogels van de tiran-
nen. Juist wij, die leven onder goede omstandigheden, hebben de
plicht om aan de mensen te denken voor wie het lot veel ongunsti-
ger is.
In Spanje wordt een strijd gestreden die beslissend wordt voor ons.
Dat weet ik zeker. Je weet dat ik de oorlog nauwlettend heb gevolgd
en dat ik vanaf de eerste dag steeds meer geschokt raakte en dat
mijn hart klopt voor de wettige republiek. Ik kan hier niet langer
thuiszitten en toeschouwer zijn. Het is niet voldoende om petities
naar de pers te sturen. Denemarken en de overige landen laten
op de meeste schandelijke wijze het vrije, strijdende Spanje in de
steek met hun huichelachtige non-interventiepolitiek, terwijl Duits-
land en Italië de fascistische rebellen bewapenen. Ons eigen par-
lement heeft bijvoorbeeld onlangs besloten tot het aannemen van
het schandelijke verbod om naar Spanje te mogen reizen. Alleen de
Sovjet-Unie van Stalin treedt met rechte rug en met behoud van het
moreel van de menselijkheid op en helpt Spanje.
Ondanks de huichelarij van onze regeringen stromen jonge man-
nen uit Europa en Amerika toch Spanje binnen om zich te voegen
bij de Internationale Brigades. Ik moet mijn pen neerleggen en het

geweer oppakken. Ik moet samen met gelijkgezinde kameraden het
'No pasarán' voor de poorten van Madrid inzetten. Ik weet dat je
zult zeggen dat het tegen mijn natuur is. Ik weet dat Magnus en jij
altijd hebben gevonden dat het verwende nakomertje gewoon een
lief jongetje was, dat al begon te huilen als hij zag hoe een vlinder
wanhopig met zijn vleugels tegen een ruit klapperde.

Misschien ben ik dat ook wel, maar ik vraag je begrip te hebben
wanneer ik zeg dat ook al is het werk als dichter nog steeds belang-
rijk voor mij, het leven nu van mij eist dat ik mijn ideeën enorm op
de proef ga stellen. Misschien ben ik niet moedig, maar ik moet en
zal mijn angst overwinnen en bid dat ik het niet laat afweten op
het beslissende moment in de strijd.

Mijn lieve zus. Je moet je geen zorgen maken. Ik zal je schrijven. Ik
wil je vragen om vader van mijn besluit op de hoogte te brengen.
Ik weet dat hij mij niet zal begrijpen. Hij zal waarschijnlijk zijn
handen van mij aftrekken en nooit meer mijn naam noemen, zoals
hij ook nooit meer de naam Magnus in de mond neemt. Daarmee
kan ik leven als jij mij maar begrijpt en van me houdt, mijn lieve
Marie. Je moet sterk zijn voor ons beiden.

Wanneer je dit leest, zit ik op een schip dat vanuit Esbjerg koers
heeft gezet naar Frankrijk. Ik ben samen met twee goede kamera-
den. Mijn gedachten vliegen door de lucht en ik weet zeker dat ze
jou thuis zullen bereiken en dat je ze zult voelen als een aanraking
van de vleugels van een engel. Wees sterk en moedig, Marie. Ik weet
dat je dat kunt, dus ik zal mijn best doen om het ook te zijn.

Je altijd toegenegen broer
Mads

Magnus geeft haar de brief terug. Ze vouwt hem zorgvuldig op
en steekt hem weer in de envelop. Ze kijken elkaar niet aan.

'Hij zei alleen dat hij een paar dagen op bezoek zou gaan bij
een vriendin in Aalborg.'

'Hij is oud genoeg.'

'Hij is eigenlijk nog niet meerderjarig en wat hij doet is illegaal.'

33

'Vindt de chef-arts.'

'Dat is ook zo, maar dat is het minst belangrijke.'

'Hij heeft mij nooit geschreven', zegt Magnus en hij steekt het bekraste etui met sigaretten naar haar uit, maar wanneer ze haar hoofd schudt, pakt hij er zelf ook geen nieuwe sigaret uit.

'Hij was verdrietig, Magnus.'

'Ik heb hem geschreven.'

Ze kijkt hem verbaasd aan.

'Dat heeft hij mij niet verteld', zegt ze.

'Dat maakt toch niet uit. Hij is een dwaas. Een idealistische dwaas. Je moet de oorlog van anderen niet uitvechten. Een man heeft genoeg aan zijn eigen gevechten.'

Ze kijkt hem aan en zegt met een nieuwe intensiteit in haar stem: 'Ik kan het maar niet uit mijn hoofd zetten dat kleine Mads daar in die oorlog zit. Hij is zo ziek geweest, Magnus. Hij heeft tyfus gehad, zoals ik je al schreef. Ik denk dat hij weer beter is. Een week geleden is er een nieuwe brief gekomen. Hij moet terug naar het front. Kleine Mads! Terug naar het front? Dat kan toch niet. Je moet hem ophalen, of hij dat nu wil of niet. Ik kan de gedachte niet verdragen dat hij misschien zal sneuvelen.'

Het zijn veel zinnen en hij ziet de tranen opnieuw opwellen in haar ogen.

'Kom, zus. Het komt vast goed.'

'Nee. Het komt niet goed. Wil je hem alsjeblieft gaan ophalen? Je bent zo bereisd. Je bent de enige die ik ken van wie ik weet dat hij het kan. Je bent sterk en moedig. Ik zal me zorgen om je maken, maar niet deze allesverterende angst. Jij kunt het. Wil je er alsjeblieft voor zorgen dat ons broertje weer thuiskomt, Magnus?'

Ze pakt zijn beide handen beet en het maakt haar niets uit dat iedereen naar haar kijkt. Hij kijkt in haar groene ogen. Hij heeft zijn besluit allang genomen, dus waarom zegt hij het niet gewoon? Magnus wil nu eenmaal altijd instinctmatig zijn gevoelens, gedachten en plannen voor zichzelf houden. Alleen op die manier kan hij overleven, dus hij zegt: 'Ik heb een van de auto's van Kurts Lillebil gehuurd. Rij met mij terug, dan kunnen we het erover hebben.'

'Dat kan ik toch niet. Ik ben verantwoordelijk voor de patiënten. Ik moet met hen terugrijden in de patiëntenbus. Luister nou naar wat ik zeg, Magnus. Wil je me in godsnaam beloven dat je hem gaat ophalen? Ik kan de gedachte niet verdragen dat hij daar is, dat hij dood kan zijn, terwijl jij en ik hier van de zon genieten.'

'Dat doe ik. Ik zal wel naar Spanje gaan om te vragen of hij terug wil komen. Maar wat als hij dat niet wil?' zegt hij en hij is verbaasd over het definitieve in zijn uitspraak.

Ze droogt opnieuw haar tranen, lacht en zegt: 'Natuurlijk wil hij dat, Magnus. Mads aanbidt jou. Dat weet je toch. Hij heeft altijd gedaan wat jij zei. Hij is naar de oorlog vertrokken omdat jij ons in de steek had gelaten. Hij ...'

Ze stopt wanneer ze ziet dat hij zich gekwetst voelt.

'Dus het is mijn schuld?'

'Nee. Zo bedoelde ik het niet. Nee, natuurlijk niet, maar je hebt zijn hart gebroken.'

'Dat heeft Mads me ook niet geschreven', zegt hij.

'Nee. Dat klopt.'

'Mads gelooft in het goede in de mens', zegt Magnus.

'Ik weet niet waarin Mads gelooft, maar ik weet wel dat hij veel te jong is om te sterven. En je hebt me net beloofd hem op te gaan halen. Daar ben ik heel blij om. Ik zeg tegen vader dat je vanavond met ons mee-eet. Zullen we zeven uur zeggen? Je mag wel vroeger komen als je dat wilt. En je logeert bij ons, toch?'

Hij glimlacht alleen naar haar, ze kijkt hem onzeker aan en pas wanneer hij knikt, draait ze zich om en loopt met snelle passen naar het bassin om haar patiënten op te halen als een kloek die voor haar kuikentjes moet zorgen. Ze draait zich een paar keer om en glimlacht naar hem. Haar passen zien er licht uit, waardoor hij zich schaamt, omdat hij zo gemakkelijk een belofte deed.

Magnus Meyer steekt een nieuwe sigaret op en loopt naar de trap zonder ook maar één keer om te kijken.

3

Ze zitten aan de grote bruine tafel in de mooie eetkamer. De chef-arts aan het hoofd, juffrouw Jørgensen zoals gebruikelijk ertegenover. Ze heeft die plaats twee jaar na het overlijden van hun moeder ingenomen. Juffrouw Jørgensen draagt een nieuwe lange rok en een tot haar kin dichtgeknoopte beige bloes met een onflatteuze vouw boven de borst. Haar Duits is niet zo goed, maar ze heeft nooit veel gezegd aan tafel, ze heeft alleen met haar blik zitten veroordelen. Marie is uitgekozen als tafeldame van dokter Helmut Krause, aan de ene lange zijde, terwijl Magnus Meyer in zijn eentje aan de zijde ertegenover zit.

Hij moet tegenover zichzelf toegeven dat hij zenuwachtig was geweest, toen hij een taxi had genomen vanaf het hotel naar het sanatorium en de grote, witte villa uit zijn jeugd. Hij had de chef-arts vijf jaar lang niet gezien. Dat kwam door het een, maar ook door het ander. Hij kan niet vergeten dat zijn vader, toen hij hem de laatste keer zag, op de vloer lag terwijl het bloed uit zijn neus stroomde en hij zijn ene oog dicht had.

Marie is een slimme vrouw. Ze had samen met hun vader op hem staan wachten. Meyer voelde toen hij uit de auto was gestapt dat ze achter de voordeur in de invallende schemering samen op hem hadden staan wachten. Ze waren er meteen geweest toen hij aanbelde. Normaal deed de hulp de deur open, maar Marie had naast hun vader gestaan. Die had hem lang aangekeken toen hij met zijn koffer verscheen, die hij in de gang zette. Ze hadden gewacht alsof ze figuren op een verstijfd tableau waren, totdat Marie drie stappen naar voren had gedaan en hem op zijn wang had gekust en had gezegd: 'Welkom thuis, Magnus.' Zijn vader had zijn hand uitgestoken, Magnus had hem vastgepakt, en zo hadden ze een tijdje gestaan, een moment dat zowel erg lang als erg kort had geleken.

'Wees welkom in mijn huis, Magnus', had de chef-arts gezegd, toen de stilte lang genoeg als een zware deken in de hal had gehangen. Hij had zijn hand losgelaten en voegde er toen aan toe: 'Mevrouw Madsen heeft je oude kamer klaargemaakt.'

Dat was alles. Het ongezegde zou voor altijd ongezegd blijven.

Het witte damasten tafelkleed bedekt het donkere mahonie; de donkere kleur op de stevige gedraaide poten past bij de sfeer die Marie enigszins geforceerd probeert te verlichten door opgewekt te vertellen over de kinderlijke blijdschap van de patiënten, die dag in Tinnet Krat Badesø. Op haar Duits valt niets aan te merken. Magnus merkt dat het zijne enigszins stroef is, maar behoorlijk bruikbaar, want de chef-arts heeft Duitsland altijd beschouwd als de belangrijkste en meest geciviliseerde natie in Europa en hij heeft ervoor gezorgd dat zijn kinderen op jonge leeftijd de taal van Goethe en Schiller leerden. Meyer kan zich de wisselende leraren Duits herinneren, maar vooral Angela, die twee jaar lang bij hen woonde vanaf zijn twaalfde. Ze was zo knap en hij was erg verliefd op haar geweest.

Marie ziet er fris en beeldig uit in haar avondkleding, die zowel getuigt van smaak als kennis van de huidige mode, denkt Magnus en hij bekijkt zijn oudere zus. Hij weet dat ze weinig mogelijkheden om te winkelen heeft en dat ze zelden in Kopenhagen komt, maar het lukt haar altijd weer precies de juiste artikelen in de catalogus van het postorderbedrijf Daells Varehus te vinden. Ze heeft gekozen voor een eenvoudige lange grijze jurk van fijne zijde en ze heeft haar haar opgestoken met een mooie speld, waarvan hij zich plotseling kan herinneren dat hij haar die cadeau heeft gedaan toen ze achttien werd. Ze heeft zich opgemaakt en steekt helder af bij het verder zo trieste gezelschap aan tafel.

Magnus heeft zelf voor zijn andere pak gekozen, het donkergrijze van Italiaanse makelij, dat bij zijn blauwe stropdas met het rode patroon past. Hij keert zijn blik naar zijn vader, die enkele patiënten van die dag bespreekt met zijn Duitse gast. Zijn vader draagt een zwartblauw pak, dat hij 's avonds altijd draagt, met de donkere nette stropdas en het witte overhemd. Hij zit met rechte rug op zijn stoel en laat Meyer plotseling schrikken. Dat komt niet doordat hij nog bang voor hem is.

Zijn vader heeft een litteken vlak bij zijn linkeroog, waar hij hem vijf jaar geleden met de ring aan zijn rechterhand raakte, waarna hij vertrok en zwoer dat hij nooit zou terugkomen. Het fysieke litteken zal nooit verdwijnen. Hij kan het zien. Maar hoe zit het met de mentale littekens? Die zijn volstrekt onzichtbaar. Zoals andere dingen zullen ze in stilte worden gehuld, wat altijd het favoriete schild van de chef-arts is geweest en het meest effectieve verdedigingswapen. Magnus wordt overmand door een lichte angst, omdat hij zichzelf zo duidelijk in de chef-arts ziet.

Een moment ziet hij zichzelf vijfendertig jaar later in de tijd in de spiegel. Ze hebben hetzelfde karakteristieke lange gezicht met het hoge rechte voorhoofd en het dikke haar, dat in een scheiding is gekamd. Ze hebben dezelfde welgevormde, maar grote oren en een glimlach, die, wanneer hij verschijnt, de bijna brutale uitdrukking op het gezicht verzacht en het zeer charmant en goedlachs maakt. Marie noemde Magnus 'Klein Dubbelgezicht', toen ze als kind indiaantje speelden, weet hij nog. En vooral, ziet Magnus aan de eettafel, heeft zowel hij als zijn vader de heldere blauwe ogen die volgens Dolores een ijskoud bergmeer konden worden wanneer hij kwaad werd. Ik ben mijn vaders evenbeeld, denkt Magnus. Wanneer ik hem straf, straf ik mijzelf.

Hij wordt gered door het voorgerecht. Ze krijgen kippensoep, gevolgd door kip met asperges en citroenbavarois. Het klinkt Meyer exotisch in de oren. Het zal vast ook vreemd flauw en ongekruid smaken na de grote runderbiefstukken en pittige rode chilibonen waaraan hij gewend is geraakt. Of de goede Italiaanse gerechten in de wijk waar hij in New York woonde. Wat weten de Denen weinig over het eten in andere landen. Omdat dokter Krause te gast is, schenkt zijn vader wijn. Het is een Zuid-Duitse wijn, zoet en zwaar. Mevrouw Madsen bereidt nog steeds de maaltijden, weet Magnus. Hij heeft de oude kokkin begroet, die bijzonder blij was om hem te zien. Hij heeft als kind ook veel uren doorgebracht in haar grote keuken. Ze is al meer dan dertig jaar werkzaam in het huis.

De hulp is nieuw. Hij dacht dat ze Karla heette en ze is niet veel ouder dan zo'n zeventien jaar, klein en mollig met mooie, bruine ogen. Ze komt binnen met de soepterrine, die Marie van haar overneemt en waaruit ze begint te serveren. Magnus kan het niet laten om Karla te bekijken. Ze is eetbaar, denkt hij en hij vormt zich een beeld van haar zachte lichaam onder het zwarte uniform met het witte gesteven schort. Hij heeft gezien hoe zij hem heimelijk opnam. Hij is als een vreemde, exotische vogel in het gezelschap. Hij kan aan haar zien dat ze door hem en zijn belevenissen in de wijde wereld gefascineerd is. Ze doet hem denken aan zijn Italiaanse vriendin in New York. Hij wordt onderbroken in zijn gedroom, wanneer dokter Krause hem blijkbaar voor de tweede keer vraagt: 'En u, meneer Meyer? Ik begrijp dat u vele jaren aan de andere kant van de Atlantische Oceaan hebt doorgebracht. Argentinië was het?'

'Dat klopt. En de vs.'

'Zo. Amerika. Het land van de depressie en de negers. Mag ik u vragen wat u in het grote buitenland hebt ondernomen?'

Krause kijkt Meyer geïnteresseerd aan. Hij heeft kleine ogen die dicht bij elkaar staan in een rond, bijna kinderlijk gezicht. Hij heeft een laag voorhoofd en een kale kruin en lijkt eigenlijk op een kleine vriendelijke trol. Er groeien haartjes uit zijn neusgaten en zijn oren, en wanneer hij kauwt of slikt, springt zijn adamsappel op en neer. De vraag komt onschuldig over, maar Meyer gaat ervan uit dat de goede Duitser een loopjongen is van de chef-arts, die zichzelf er nooit toe zou verlagen hem direct te vragen wat hij heeft uitgevoerd. Magnus denkt even na, maar besluit enigszins eerlijk te antwoorden, ook voor Marie. Ze kan later altijd het hele verhaal nog te horen krijgen.

Hij legt zijn lepel neer. De soep smaakt goed en is krachtig, maar zonder de pit die hij is gaan waarderen. Hij zegt – en de Duitse taal gaat hem verbluffend gemakkelijk af: 'Ik begon in Chicago in de grote slachterijen, daarna heb ik een periode bij het spoor in Oregon en op een ranch in Texas gewerkt. Ik ontmoette een veefokker die mij in dienst nam om met hem mee te gaan naar Argentinië, waar zijn broer een ranch heeft. Daar ben ik bijna drie jaar geweest. Ik eindigde als zijn voorman. De laatste periode heb ik in New York verbleven.'

Krause eet zijn soep met een zacht slurpend geluid en zegt: 'Interessant, jongeman. Hoe zit het met de depressie?'

'Die is voor veel mensen zwaar, maar ook goed voor diegenen die weten hoe ze geld moeten verdienen.'

'Dat hebt u gedaan? Dat lijkt men te kunnen waarnemen.'

'Ik heb niets te klagen.'

'En wat deed u in New York? Daar is vast niet veel vee.'

Hij grinnikt en krijgt als beloning een glimlach van Marie, en zelfs de chef-arts doet een poging met een trek in zijn mondhoek. Juffrouw Jørgensen kijkt in haar soeplepel, die ze rustig in haar hand houdt. Ze eet met kleine gedisciplineerde happen.

Magnus lacht zelf een beetje en zegt: 'Nee. Daar hebt u gelijk in, dokter Krause. In New York was ik lijfwacht voor een man, Salvatore Giacomo. Hij is iemand met veel geld en veel vijanden.'

Hij registreert de blikken van de chef-arts en van Marie, maar hij voelt niet de behoefte om nadere uitleg te geven.

Hij hoeft hun niet te vertellen waarmee Giacomo zich bezighield of hoeveel hij betaalde om beschermd te worden. Giacomo had hem toestemming gegeven te vertrekken en hem een bonus betaald, omdat hij de moord op zijn zoon had verhinderd. Magnus probeert er niet aan te denken wat Giacomo met de huurmoordenaar heeft gedaan, die Magnus had neergeslagen met de ploertendoder die hij in de vs samen met een revolver altijd op zak had. Giacomo had hem extra betaald omdat hij de vijand niet had doodgeschoten. Hij voelde niets anders dan een adrenalinestoot in het bonkende hart toen hij hem eerst op zijn schouder en daarna in zijn nek sloeg, zodat de man omviel als een zak graan. Hij probeert er niet aan te denken wat er is gebeurd met de jonge Siciliaan toen die weer bij kennis kwam.

'Zo. En nu bent u hier. Nu bent u huiswaarts gekeerd.' Krause kijkt hem geïnteresseerd aan. Hij houdt zijn vork in de lucht, maar laat hem zakken wanneer hij merkt dat de vork naar Meyer wijst.

'Zoals u ziet.'

'Vertrekt u weer? U bezit vast nog de jeugdige reislust? Die had ik zelf toen ik jong was en in de Beierse heuvels en langs de mooie Rijn liep. Ik heb de Brocken in de Harz beklommen, ik weet nog dat het daar mistig was, en daarom las ik vol begrip de opgewekte woorden van de grote dichter Heine: *Müde Beine, lauter Steine, Aussicht keine, Heinrich Heine.*'

Hij heeft een bijzonder schaterende, schetterende lach, die hij plotseling en verrassend produceert om zijn genoegen uit te drukken over zijn eigen grap. De tafel glimlacht plichtmatig en Krause zegt: 'Zo. Trekt u de wereld weer in, of gaat u zich vestigen met vrouw en kind? Het is immers onze plicht om op een bepaald moment de verantwoording te nemen voor een gezin.'

'We zullen zien', zegt Magnus.

Marie knikt naar Karla, die de borden afhaalt. Ze ruikt een beetje naar kaneel, vindt Magnus, wanneer ze zich naar hem toe buigt om zijn lepel en zijn bord te pakken. Haar borst is dicht bij zijn wang. Ze recht haar rug en de chef-arts zegt met zijn droge, wetenschappelijke stem: 'Mijn waarde collega. Mijn dochter is bij mij en daarvoor moet een vader dankbaar zijn, wanneer zijn zonen de gewoonte hebben om ervandoor te gaan.'

'Vader ...' zegt Marie.

'Het is geen verwijt, Marie. Het is een constatering dat mijn zonen niet de weg van de verplichting volgen, maar slechts hun eigen wegen.'

'Uw jongste zoon toch meer dan uw oudste, als u mij toestaat', zegt dokter Krause en hij houdt zich in wanneer hij de donkere wolk ziet die over het gezicht van de chef-arts trekt.

'Ja. Daarin hebt u gelijk. Hij heeft niet alleen mij in de steek gelaten, maar ook de idealen waarmee hij is opgevoed.'

'Wat bedoelt u?' zegt Magnus en hij negeert de waarschuwende blik van Marie.

'Dat hij is weggelopen van huis om zich te verenigen met communisten, kloosterlasteraars, kerkenverbranders en andere mensen die zich verzetten tegen de maatschappij en tegen fatsoenlijke mensen. Bovendien overtreedt hij de Deense wet. Een misdaad is een misdaad. Daarvan kun je de mate niet aangeven.'

41

'Franco kwam in opstand tegen de wettige republiek. Hij en zijn fascisten werpen de maatschappij omver.'

'Je mag het hoofdgerecht wel serveren, kleine Karla', zegt Marie. Karla staat in de hoek en begrijpt niets van wat ze zeggen, maar ze kan aan de gedempte agressie in hun stemmen horen dat de Duitse taal onvrede uitstraalt. De stem van Meyer is net zo fluisterend als die van de chef-arts, maar toch doet het Marie pijn, omdat ze bang is voor een explosie. De chef-arts kijkt Magnus gewoon aan en zegt na een tijdje, merkwaardig gelaten: 'Waarom moeten wij als Denen ons toch mengen in die wereldpolitiek? Waarom toch, Magnus? Het leidt toch nergens toe. We hebben er veel meer aan om hier ons ding te doen, een regelmatig en actief leven te leiden en ons niet in het avontuur te storten.'

'Nee. En dat doen wíj ook niet. Wat hebben de politici in Denemarken en op andere plekken laf besloten? Dat ze niet zullen interveniëren, terwijl Italië en Duitsland heel duidelijk Franco steunen.'

'Dat is waarschijnlijk het beste. Dat we ons er niet in mengen. Wat moeten wij met die onvrede? En ik dacht dat de wereld jouw interesse niet had.'

'De wereld is nu tot in ons midden doorgedrongen, nietwaar?' zegt Magnus.

'Ja. En waar is dat voor nodig? Wij in Denemarken zijn erbij gebaat om ons buiten de wereld te houden.'

Meyer kijkt hem aan. Hij kan het niet laten om enig medelijden met zijn vader te hebben. De chef-arts probeert duidelijk zijn verdriet te verbergen, maar Magnus kan moeiteloos de pijn in zijn ogen zien – ja, zelfs in zijn hele gezicht. Marie ziet hetzelfde. Maries ogen zijn vochtig, en ze zegt in het Deens: 'Magnus heeft beloofd om Mads op te halen, hè vader? Het komt wel goed. Nu is Magnus thuisgekomen en het zal hem wel lukken om Mads thuis te krijgen. Toch, Magnus?'

Ze kijkt van de een naar de ander. Magnus knikt, terwijl de chef-arts zijn hoofd afwendt.

Dokter Krause redt de situatie voor de chef-arts. Hij kijkt van

Marie naar Meyer en zegt in fel Duits: 'We moeten de grote generaal Franco bedanken. Hij en zijn moedige helpers zetten hun leven op het spel om hun vaderland te bevrijden van de Joodse, communistische beulen. Als Duitse nationaal-socialist ben ik er trots op dat mijn Führer ervoor heeft gekozen om zo'n grote man als Franco te steunen.'

'U denkt misschien aan het bombardement van afgelopen april op de onschuldigen in Guernica, die op een mooie ochtend naar de markt gingen zoals ze altijd deden, om platgemaaid te worden door de Duitse Stuka's waar u zo trots op bent, dokter Krause?' zegt Meyer.

Zijn stem is nog steeds rustig, maar Marie kent hem en weet dat hij kwaad is, en dat hij zich inhoudt – misschien begrijpt Krause het ook. Hij kijkt naar hem. Zijn adamsappel springt omhoog wanneer hij een keer slikt, waarna hij zegt: 'Ach, jongeman. Laten we geen ruzie maken. Het is immers bolsjewistische propaganda. Deze Baskische stad was het hoofdkantoor van communistische bandieten. Onze dappere piloten deden gewoon hun plicht, zoals de Führer hun had opgedragen. U zult het zelf zien. De toekomst zal uitwijzen dat ik gelijk heb.'

Marie zegt snel: 'Zo, nu komt het hoofdgerecht. Wat fijn.'

Maar juffrouw Jørgensen is degene die een einde maakt aan de pijnlijke situatie voordat die tot een daadwerkelijke ruzie escaleert, wanneer ze in langzaam maar correct Duits zegt, alsof ze de zin lange tijd heeft ingestudeerd en nu het moment geschikt acht om hem in de praktijk te brengen: 'Dokter Krause, bitte. Mag ik om uw mening vragen wat de patiënt betreft met de terugkerende maagzweer op wie u vandaag toezicht hebt gehouden? Misschien bent u er niet van op de hoogte, maar deze man heeft Jodenbloed in zijn aderen. Heeft dit gevolgen voor zijn gebrekkige weerstand?'

Krause gaat recht op zijn stoel zitten en zijn ronde gezicht klaart op. Magnus luistert slechts met een half oor, maar hij bekijkt in plaats daarvan de chef-arts, die zeer ongebruikelijk ook lijkt te zijn afgedwaald naar een andere wereld. Het kan ook zijn dat hij de preek van Krause over de superioriteit van het Arische ras zo vaak heeft gehoord dat die hem niet meer interesseert.

Voor het eerst in zijn leven realiseert Magnus zich dat zijn vader sterfelijk is. Onder de harde schil lijkt hij een kwetsbaar lichaam te kunnen zien, dat zich slechts door een eenvoudige wil in leven houdt. Net als Magnus eet zijn vader maar weinig. De maaltijd is eigenlijk niet vies, maar het smaakt gewoon nergens naar, behalve naar wat zout en peper. Er zit geen salsa of tango in het eten, denkt hij. De kleine stukjes asperge in de witte saus, de melige, zachte aardappelen en het draderige kippenvlees. Hij was de combinatie vergeten en vindt haar apart. Voor zijn vader is het meer alsof zelfs eten een overwinning is. Hij houdt zichzelf alleen in leven omdat hij zijn patiënten niet in de steek wil laten, denkt Magnus. Hij bekijkt ook discreet de malende kaken en springende adamsappel van Krause, terwijl hij met veel eetlust eet en tegelijkertijd over zijn studies van de rassen vertelt. Hij geeft uitdrukking aan de hoop dat hij in de toekomst de gelegenheid zal krijgen om ook op praktisch vlak onderzoek te doen naar de verschillen en de gebreken van de lagere rassen, die daarmee ook wetenschappelijk gedocumenteerd kunnen worden.

Meyer voelt de behoefte om hem te onderbreken en hem te vragen hoe het kan dat de superieure Arische hardlopers er met gemak uit werden gelopen door de neger Jesse Owens bij de Olympische Spelen van vorig jaar in het geliefde Berlijn van de Leider, maar hij heeft er de energie niet voor. Hij kijkt naar de chef-arts die knikt en kleine happen neemt, en naar Marie die, zoals hij kan zien, zich moet inhouden om niet kwaad te worden, maar haar goede opvoeding zorgt ervoor dat ze dokter Krause niet onderbreekt. En naar juffrouw Jørgensen die ijverig knikt als een drinkende kip. Ze keurt de wijze woorden van dokter Krause goed en laat zich ervan overtuigen dat er in Duitsland werkelijk een nieuwe en gezegende orde heerst.

4

Het is nacht en de lucht is koel. Magnus Meyer staat op het terras een sigaar te roken en voelt dat de kou in het heldere hemelgewelf zich klaarmaakt om langzaam op de aarde neer te dalen en zich als een ijsdeken over het land te leggen. Het najaar nadert met rasse schreden. Het verval en de verrotting loert overal om de hoek. Hij moet naar buiten. Krause heeft een beetje te diep in de glazen goede cognac van de chef-arts gekeken en zijn voortdurende onzinnige gepreek over het Arische ras en de genialiteit van de Führer werkt Meyer op de zenuwen. Het irriteert hem ook dat zowel de chef-arts als juffrouw Jørgensen zich aangetrokken lijkt te voelen tot de gedachten over de zegeningen van de nieuwe wereldorde. Door de depressie die in het grootste deel van de wereld heerst, gaan mensen op zoek naar gemakkelijke oplossingen. De mens wil koste wat kost verlost worden, denkt hij en hij kijkt naar de rode gloed van de sigaar.

Hij denkt aan zijn jongere broer, die misschien op ditzelfde moment in zijn loopgraaf naar dezelfde hemel zit te kijken en dezelfde sterrenstelsels probeert te vinden. Toen Mads klein was, had Magnus hem geleerd de verschillende sterrenbeelden te onderscheiden. Ze waren begonnen met de Grote Beer. Magnus had hem laten zien hoe je de twee achterste sterren in de wagen pakt en die vijf keer verlengt, zodat je bij de poolster uitkomt. Misschien ligt Mads in de nachtelijke duisternis in Spanje naar de poolster te kijken en daarmee in de richting van Denemarken. Misschien denkt hij op dit moment aan zijn oudere broer. Misschien.

Magnus mist zijn broer zo erg dat het bijna pijn doet. Natuurlijk heeft hij de afgelopen vijf jaar aan hem gedacht, maar dat is sporadisch geweest. De gedachten zijn in flitsen gekomen, vaak veroorzaakt door een geur die een stroom herinneringen op gang bracht. De geur van warme melk of net zo vaak van carbolzuur of zwavel, ether of de bijzondere, sterke geur van lichtbehandeling.

Er was een vrouw in Harlem in New York die naar kaneel en honing rook, waardoor Meyer, wanneer hij met haar in bed lag nadat ze seks hadden gehad, altijd aan kleine Mads moest denken die rijstepap aan het eten was. Hij vond de herinnering vaak bijzonder immoreel en opdringerig, maar hij kon er niet aan ontkomen, of hij dat nou wilde of niet. Magnus is niet bang om toe te geven dat de gedachten aan Mads en Marie onregelmatig en zeldzaam waren en niet echt met warme gevoelens gepaard gingen. Hij weet nu in de najaarsduisternis terwijl het sanatoriumgebouw voor hem ligt als een stil, gestrand schip dat hij in de jaren dat hij zich ontwikkelde van een grote, onmondige knul tot een volwassen man vooral aan zichzelf heeft gedacht, zijn eigen overleving en zijn eigen lusten en behoeften.

De rook van zijn sigaar hangt stil in de lucht. Hij kijkt naar het sanatorium en denkt aan de patiënten die in de kamers slapen, aan de onzichtbare geurdraden die de restanten zijn van de genezende chemicaliën en merkwaardige kruiden, die in dichte, niet te onderscheiden slierten door de lange, duistere gangen dwalen. Men denkt dat de geuren weg zijn wanneer de doppen nauwkeurig op de glazen en aardewerken potjes zijn vastgedraaid, maar Meyer ziet het beeld voor zich van geuren als levende organismen die in de veilige duisternis door de kleinste kieren naar binnen dringen.

Als kind verstopte hij zich onder de trap van de villa wanneer zijn vader er met de kleerhanger was geweest, waar hij op gecompliceerde moordplannen zat te broeden terwijl hij erover nadacht hoe spoken geluidloos over de linoleumvloer door de gangen zweefden, witte of grijze figuren, die stil gekrijs produceerden in de nachtelijke duisternis. Hij dacht erover na hoe ze bijeenkwamen in het grote, naar sigaren ruikende kantoor van zijn vader en hem omringden en langzaam wurgden, zodat je ten slotte alleen nog zijn doodsbenauwde geschreeuw hoorde.

Magnus rilt. Onder de trap, waar de herfstbladeren zich altijd verzamelden, rook het naar verrotting en dood. Hij ziet voor een van de ramen van het sanatorium een kort moment een gestalte opduiken die net zo plotseling weer verdwijnt. Meyer krijgt een koude rilling wanneer hij de rustige, bijna doorzichtige vrouwengestalte ziet, zodat hij eventjes terugvalt in het vaste geloof in het bovennatuurlijke dat hij in zijn jeugd had. Hij weet dat het waarschijnlijk gewoon de nachtzuster was die misschien zijn gloeiende sigarenpeuk had gezien, maar dat maakt de plotselinge angst die hem om zijn hart grijpt niet minder. Hij voelt de wijn en de twee grote glazen cognac, die hij veel te snel had opgedronken.

Hij hoort voetstappen achter zich, voelt een hand op zijn schouder en krimpt ineen.

'Sorry. Heb ik je laten schrikken?' zegt Marie en ze trekt haar hand terug.

'Nee, zus. Jawel. Ik was in gedachten verzonken.'

'Geen goede?'

'Kunnen ze hier goed zijn? Weet je nog hoe hij mij strafte? De klappen. Daarmee was te leven. Dan was er de kleerhanger. Dat was erger, maar die overleefde je ook wel. De straf erna, hè? Een week lang zwijgen. Twee weken zwijgen. Een kou die een groot meer in een hete woestijn kon doen bevriezen. Wij mensen zijn als dieren. We vinden het het ergst om van de groep geïsoleerd te worden.'

Ze staat bij hem zonder iets te zeggen. Ze heeft een sjaal met een mooi patroon om haar schouders geslagen en rookt een sigaret.

'Dit is niet het moment voor bitterheid', zegt ze en hij kan zien dat ze weet dat ze in herhaling valt en dat haar stem klein en zwak is.

Hij draait zich naar haar om, kijkt haar aan en zegt: 'In de vs is een merkwaardige christelijke sekte die zichzelf het Amishvolk noemt. Ik heb ze in de staat Pennsylvania gezien. Ze leven zoals hun voorvaderen dat driehonderd jaar geleden deden. Ze gebruiken alleen maar paarden en geen motorvoertuigen, ze hebben geen telefoon of radio, zoals de meeste Amerikanen wel hebben, ze hebben geen elektriciteit in hun huizen. Ze bewerken de grond zoals hun voorvaderen dat deden. Ze zijn zeer gelovig. Ze zijn tegen oorlog en geweld, en heffen nooit hun hand op naar hun naaste. Hun levenswijze moet eenvoudig zijn. Ze noemen het *plain* in het Amerikaans. Als je als sektelid hun wetten en regels overtreedt, word je *shunned* ... Dat betekent "geïsoleerd". Niemand mag met je praten, niemand mag naast je zitten in de kerk of aan tafel tijdens de lunch. Je bent vaak alleen en eenzaam. Daar kunnen mensen krankzinnig van worden. Zelfmoord is een zonde, maar toch zijn er mensen die daarvoor kiezen in plaats van deze isolatie. Toen ik over hun bestaan hoorde, begreep ik hen meteen.'

Ze zegt niets, maar haakt haar arm in de zijne en laat hem doorpraten: 'Weet je nog hoe sluw hij was? Ik veroorzaakte al het gedonder en maakte ongelukken, en omdat hij wist hoeveel ik van jou en Mads hield, strafte hij jullie en mij extra door jullie te verbieden met mij te spelen toen we klein waren of met mij te praten toen we groter werden. Ik kan me mijn woede en mijn onmacht herinneren, maar ook mijn afschuw voor mijzelf. Dat deed jou en Mads vaak meer pijn dan mij. Ik raakte gewend aan de pakken slaag, maar ik kon er niet aan wennen jullie zo ongelukkig te zien.'

Ze pakt zijn arm steviger beet en hij voelt meer dan dat hij het ziet dat ze huilt. Ze kan het zich net zo goed herinneren als hij. Ze is er niet aan gewend dat hij zijn gevoelens onder woorden brengt. Ze voelt zijn pijn en zijn onderdrukte woede en de bitterheid die hem opvreet als zoutzuur. Hij doet haar weer pijn. Magnus legt zijn arm om haar heen en trekt haar naar zich toe.

'Je moet het verleden laten rusten', zegt ze en haar stem is nog kleiner en ver weg, alsof hij van diep binnen uit haar ziel komt. 'Ik vraag je toch niet om vader te vergeven, ik vraag je alleen om Mads op te halen.'

'Dat zal ik wel proberen. Ik doe het niet voor vader. Als hij aan de ergste kwalen gaat lijden omdat hij zijn beide zonen is verloren – ook de zoon van wie hij het meeste hield – dan wil ik het liefste terugreizen naar Amerika. Dat is mijn thuis. Dat weet ik nu. Ik doe het niet eens voor jou, zus. Ik doe het ook niet voor Mads. Ik doe het voor mezelf. Ik doe het omdat ik mijzelf inbeeld dat ik een beetje kan boeten voor mijn schuld die ik voel, omdat ik Mads en jou – en vroeger ook moeder – zo veel pijn heb gedaan.'

'Magnus, hou nou toch op ...' zegt ze smekend, maar hij praat door op dezelfde nuchtere, bijna harde toon: 'Zus. Je moet geen held van mij maken. Ik zal heus naar Spanje gaan om ons broertje ervan proberen te overtuigen dat hij moet stoppen met die waanzin waaraan hij is begonnen. Niet omdat ik goed ben. Het is puur een egoïstische daad, die ervoor moet zorgen dat ik 's nachts beter zal slapen.'

Ze trekt haar arm terug en gooit de sigaret op het grind voor de grote trap van de villa. Magnus kijkt naar de verlichte ramen van het sanatorium en voelt hoe hard zijn hart bonkt en hoe het bloed in zijn slapen klopt. Zijn sigaar smaakt plotseling zuur en bitter. Hij legt hem op de rand van de bloembak, waarin een paar verwelkte zomerbloemen het hebben opgegeven en zich hebben ingesteld op het tijdstip van de duisternis.

Ze pakt de kraag van zijn jas beet, zacht en toch stevig, en gaat licht op haar tenen staan, kust hem snel en vluchtig op zijn mond en zegt: 'Dank je wel, Magnus. Je bent veel te streng voor jezelf. Je bent mijn held, dus je kunt zeggen wat je wilt. Het is nergens voor nodig om zo streng voor jezelf te zijn.'

Ze zet haar hakken weer op de tegels en glimlacht naar hem, en de sfeer wordt iets beter. Magnus legt afstand en opgewektheid in zijn stem en zegt: 'Zus. Je jongere broer moet niet je held zijn. Waarom is er geen jonge man jouw held?'

'De mannen die ik wil hebben, willen mij niet. En de mannen die mij willen hebben, wil ik niet.'

'Ze hebben geen smaak hier in Denemarken. Is er echt niemand geweest?'

'Dat gaat jou eigenlijk helemaal niets aan, broertje. Maar ja. Er zijn er een paar geweest, maar niet echt iemand in het bijzonder. En nu wil ik graag dat je met me naar binnen gaat, want ik heb het koud.'

'De jonge mannen in dit land zijn niet slim als ze zo'n mooi meisje als jij zomaar laten lopen.'

'Maar als ik dat nou het liefste wil, zoals jij zegt, blijven lopen? Ik vind het niet fijn wat ik zie gebeuren wanneer vrouwen gaan trouwen. Ik kijk naar mijn vriendinnen. Het is net alsof ze oplossen en een schim van zichzelf worden. Of misschien beter gezegd, een schim van hun man. Levendige, intelligente vrouwen lossen op in kinderen en gepraat over kinderen, en worden voor mijn ogen slonzig en zijn zichzelf niet meer. Het griezeligste is dat ze het zelf niet in de gaten hebben.'

'Okay.'

'Jij en je Amerikaanse "okay". Ik heb niet zo'n haast om te gaan trouwen. Laten we nou naar binnen gaan. Of wacht even. Hoe zit het met jou? Waarom ben jij niet getrouwd? Waarom is het vreemd wanneer een vrouw ervoor kiest om zogezegd vrijgezel te zijn? Waarom is zij dan een zielige eenzame oude vrijster, terwijl een man gewoon een vrije gentleman is? Ik ben vrij. Ik red mezelf. Geen man zal over mij beslissen.'

'Okay, zus. Sorry, het was niet kwaad bedoeld.'

Haar stem was hard geweest, maar nu glimlacht ze en ze verandert van onderwerp door te zeggen: 'Laten we naar binnen gaan. Vader heeft een idee en zal je willen voorstellen om contact op te nemen met redacteur Brodersen van de krant *Stiftstidende*. Ze kennen elkaar van de loge. Brodersen is bereid om je accreditieven te geven als uitgezonden correspondent in Spanje voor zijn krant.'

'Moet ik nu journalist worden?'

'Je moet toch een reden hebben om naar Spanje te gaan? Je moet je in elk geval niet vrijwillig melden voor de oorlog. En journalisten zijn mensen die het recht hebben om hun neus in andermans zaken te steken, toch?'

Hij staat even voor zich uit te kijken.

'Het is wel een goed idee', zegt hij. 'Het is zelfs een heel goed idee.'

'Ja. Het komt eigenlijk van mij, maar het is altijd iets gemakkelijker als vader denkt dat het zijn idee is. Ik heb het hem vlak voor het avondeten ingefluisterd.'

Ze lacht wanneer ze zijn gezichtsuitdrukking ziet en gaat verder: 'Ik heb ook nog iets anders gedaan ...'

Hij ziet dat ze aarzelt en wegkijkt, maar de glimlach is er nog steeds.

'Ja, zus?'

'De krant van redacteur Brodersen is conservatief. Ze schrijven niet veel over Spanje, staan vooral aan de kant van Franco wanneer ze er wel over schrijven, en ze weten niets. Dat is anders bij *Arbejderbladet*. Dat is de krant van de communisten, maar dat geeft niet. Vader zou het liefst hebben dat alle communisten worden doodgeschoten. Hij is van mening dat ze Mads hebben gelokt, alsof het rattenvangers waren. Hier in de stad woont een man die Svend Poulsen heet. Hij is de man van *Arbejderbladet* en hij is bovendien lid van de Communistische Partij en in Spanje geweest. Hij raakte gewond toen Franco in het begin van de oorlog Madrid aanviel. Hij was een van de eerste mannen die zich meldde. Mads kreeg contact met hem en de twee kameraden met wie hij samen naar Spanje is vertrokken. Svend Poulsen wil je graag spreken.'

'Je hebt het druk gehad, hè, zus? En een communist. Knap gedaan, hoor.'

Hij maakt kinderachtige geluiden met zijn mond en zij glimlacht en haalt naar hem uit.

'Hou nou op met dat gedoe.'

'Ik wist niet dat Mads communist was geworden.'

'Mads is dichter en idealist.'

'Een fantast.'

'Hij is onze jongere broer, dus het maakt niet uit wat hij is. Het komt erop neer dat Svend Poulsen je graag wil spreken. Hij weet veel over de burgeroorlog daar.'

'En dat weet jij ook?'

'Ik weet meer dan de meeste mensen. Nadat Mads was vertrokken, heb ik het verloop van de oorlog gevolgd, hoe de fronten veranderen en de aanvallen. Ik weet dat het niet goed gaat.'

'Voor wie?'

'Voor de goeden, Magnus. Voor de goeden. Voor de mensen bij

wie Mads zich heeft aangesloten.'

Hij kijkt naar haar en glimlacht.

'Wanneer heb je die Svend Poulsen gesproken?'

'Dat is een tijdje geleden.'

'Precies. Je was er behoorlijk zeker van dat ik thuis zou komen en zou doen wat jij wilde, hè, zus?'

Ze gaat weer op haar tenen staan en kust hem – deze keer op zijn wang – waarna ze zich omdraait, naar de deur loopt en zegt: 'Je bent mijn held, toch? En echte helden doen wat ze moeten doen, wanneer ze gevraagd worden om te helpen, toch? Ik zei toch dat je niet zo streng voor jezelf moet zijn. Je wilt het niet toegeven, maar je bent een goed mens, Magnus.'

5

Magnus Meyer weet eigenlijk niet welk beeld hij van tevoren had, maar redacteur Brodersen gedraagt zich heel anders dan hij had verwacht en ook het uiterlijk van de redacteur verrast hem. Hij had zich voorgesteld dat de grote, conservatieve krant van de stad werd geleid door een dikke, oudere man, maar Brodersen is levendig en jeugdig. Hij ontvangt Meyer in zijn hoekkantoor, dat ruikt naar sigarenrook en cokes uit de kachel in de hoek.

Hij wordt binnengelaten door een muizige vrouw in een grijs mantelpakje. Een bruine speld houdt het vrij korte haar op zijn plaats. Ze neemt zijn lange waterdichte jas aan samen met zijn hoed, waar de druppels op de bol en de rand zitten, hoewel hij hem heeft uitgeschud voordat hij binnenstapte. Ze kijkt hem niet aan wanneer ze zegt dat de redacteur beschikbaar is en hem verwacht, terwijl ze tegelijkertijd naar de dubbele deur wijst, waarvan de ene helft openstaat. Ze loopt terug naar haar kleine bureau waarop een zwarte telefoon en een hoge typemachine staan. Meyer kan elders in het gebouw waar de journalisten zitten andere typemachines horen tikken. In de buik van het huis klinkt gerommel, dat Magnus interpreteert als een teken dat de rotatiepers draait. Het is na de lunch en de middageditie is onderweg.

De regen slaat tegen de kleine ruiten en heeft een najaarskou meegenomen, die plotseling de warmte heeft verdreven. Brodersen zit achter een breed, donkerbruin bureau wanneer Meyer binnenstapt. Brodersen is een kleine, opgewekte en behendige man in een donker driedelig pak met een donkerblauwe stropdas, die zo strak is gestrikt dat de kraag van het overhemd in zijn hals lijkt te snijden. Hij heeft bijna wit haar, zijn net zo witte wenkbrauwen zijn smal in het hoge gezicht, zijn gezicht is kinderlijk, ook al moet hij minstens vijfenveertig jaar zijn – een gezicht dat nooit scheerschuim en een mes nodig lijkt te hebben. Zijn stem is net zo opgewekt als zijn uiterlijk en zijn bewegingen op het randje van vrouwelijk, dus Magnus moet denken aan de schandknapen uit de sloppenwijken in Buenos Aires, maar dat hoort niet zo wanneer hij tegenover een hoofdredacteur van een gerespecteerde, conservatieve provinciale krant staat.

Een onbekende heer in colbert en met een gouden horloge hangt aan de wand naast koning Christian x en bekijkt de omgeving enigszins van boven. Langs de andere wand staan hoge kasten met in leer gebonden boeken die nog nooit door een mensenhand aangeraakt lijken te zijn. Aan een kleine salontafel staan twee comfortabele stoelen. Er staat nog een stoel tegenover het bureau. Die heeft niet zo'n hoge rug als die waaruit de redacteur opstaat.

Hij glimlacht, maar Magnus kan moeilijk peilen of zijn bleke ogen de glimlach ook uitstralen. Hij heeft zijn smalle bril op de opengeslagen krant van die dag gelegd, waar de geur van nieuwe drukinkt zich vermengt met die van de sigaar in de asbak, waarna hij overeind komt en met uitgestoken hand om het bureau loopt. Hij kijkt Meyer aan, laat snel zijn hand los, wijst naar de stoel voor het bureau en zegt: 'Goedendag, Magnus Meyer. Mijn excuses dat ik het zeg, maar u bent werkelijk een volwassen man geworden. Ik heb u zeven jaar geleden zeer kort meegemaakt, toen ik naar de stad kwam en de krant overnam. Wilt u niet plaatsnemen? Een sigaar?'

Magnus bedankt, gaat zitten en houdt in plaats daarvan zijn sigarettenetui vragend omhoog. Brodersen schudt licht zijn hoofd, strijkt een lucifer aan en geeft hem een vuurtje, waarna hij op zijn bureaustoel met de hoge rugleuning gaat zitten en zijn hand uitsteekt naar de sigaar in de asbak. Die is uitgegaan. Hij kijkt er enigszins verbaasd naar, overweegt waarschijnlijk of hij hem weer zal opsteken, maar hij legt hem neer met een driftige beweging en zegt met opgewekte stem: 'Ja. Toen was u gewoon een grote en – verontschuldigt u mij – enigszins brutale knul. De wereld heeft u behaagd, dat is te zien. Argentinië en de vs, toch?'

'Dat klopt.'

'Interessant. Mag ik u vragen wat u hebt gedaan?'

'Van alles en nog wat. Ik heb een tijd lang op veeranches in Texas en Argentinië gewerkt.'

'Dat klinkt interessant. Ook voor mijn lezers. Argentinië is heel ver weg, zeer exotisch. Onbekend voor ons allemaal. Zou u erin slagen om een kroniek voor de krant te schrijven over uw reizen? Tegen goede betaling uiteraard.'

'Daar heb ik helaas weinig tijd voor.'

'Misschien zou u een interview kunnen geven aan een van mijn journalisten. De verloren zoon keert terug naar zijn geboorteplaats enzovoorts.'

'Dat is op dit moment helaas niet mogelijk.'

'Hm. Uw vader zei al dat u dat waarschijnlijk niet wilde.'

'Ik vind niet dat ik iets bijzonders te melden heb.'

'Dat hebt u waarschijnlijk wel, maar het geeft niet. Mag ik u een glas port of sherry aanbieden? Misschien een whisky-soda?'

'Nee bedankt. Ik heb niets nodig.'

Brodersen kijkt hem met zijn bleke ogen aan. Er schuilt een plagerige glimlach achter, denkt Meyer, die moeite heeft om hoogte te krijgen van de kleine, snel pratende man, die nu zegt: 'Ik heb uw vader zeven jaar geleden leren kennen. Ik was zo bevoorrecht om hem te ontmoeten, korte tijd nadat ik in de stad was komen wonen. Ik wil zeggen dat ik hem zeer respecteer en vandaag de dag beschouw ik hem als een bijzonder goede vriend.'

Magnus zegt niets.

Brodersen wacht op een reactie, maar wanneer hij die niet krijgt, gaat hij verder: 'Om het op een andere manier te zeggen: ik wil er natuurlijk alles aan doen om uw vader te helpen.'

'Dank u wel.'

'En daarmee ook u, hoewel het project mij bijzonder riskant lijkt.'

'Ik ben wel wat gewend.'

'Dat begrijp ik, maar een burgeroorlog is iets uitzonderlijks. Dat is de ene kant van het verhaal. De andere is dat uw broer zich vrijwillig heeft gemeld in strijd met de geldende Deense wet en daarom, vermoed ik, uit een grote persoonlijke overtuiging. Misschien zelfs uit een communistische overtuiging. Dus wie zegt dat hij met u mee terug zal keren?'

Magnus inhaleert en houdt de rook binnen, blaast hem door zijn neusgaten uit, waarna hij met een kuchje antwoordt: 'Niemand. Maar ik denk van wel.'

'Als hij er gewoon vandoor gaat samen met u, dan is dat toch desertie ...'

'Ja?'

'Daar word je voor doodgeschoten in een oorlog.'

'Ik verzin wel iets. Ik krijg hem wel thuis.'

'Hm. En waarom, als ik vragen mag, bent u daar zo zeker van?'

'Mads is mijn jongere broer.'

'Die uitleg is voldoende?'

'Wel voor mij.'

'En voor uw vader?'

'Dat moet u de chef-arts vragen', zegt Magnus en hij drukt zijn sigaret met korte driftige stoten uit.

Brodersen gaat met zijn rug tegen de leuning zitten. De regen slaat hard tegen het raam en het geluid van een knal uit de kachel is duidelijk hoorbaar boven het lage, rommelende geluid uit het midden van het gebouw. Alsof er een grote trol in de kelder zit te brommen, denkt Magnus. Hij voelt de schokken als fijne vibraties, die zich verspreiden vanaf de vloer.

Brodersen kijkt hem aan.

'Deelt u de opvattingen van uw broer?' vraagt hij dan en hij fronst zijn bleke wenkbrauwen.

'Ik heb mijn broer meer dan vijf jaar niet gesproken. Toen was hij vijftien. Ik ken de opvattingen van mijn broer niet.'

'Hij vecht voor en met communisten.'

Magnus buigt zich voorover en steekt het sigarettenetui uit naar Brodersen, die deze keer wel een sigaret accepteert en er voor hen beide een opsteekt.

'Smaakvol. Echte Virginia rechtstreeks van de plaats delict.'

Hij sluit zijn ogen half en rookt vol genot. Hij houdt de sigaret enigszins geaffecteerd vast en zegt: 'Bij de krant zijn we formeel gezien neutraal, maar we neigen naar generaal Franco, wil ik wel toegeven. We konden helaas niet verhinderen dat Denemarken Spaanse vluchtelingenkinderen opving, hoewel we het wel hebben geprobeerd, maar we steunen het besluit van de Deense regering om deel te nemen aan de non-interventiepolitiek. Hier steunen we Stauning en P. Munch geheel en al. De grootmachten moeten zich erbuiten houden en de Spanjaarden hun eigen zaken laten regelen.'

'Geldt dat ook voor Duitsland en Italië?'

'Uiteraard. Net als dat ik in mijn hoofdartikelen heb benadrukt dat het gaat om Stalin en zijn Deense meelopers, die helaas samen met andere verdwaalde jonge mensen naar deze ongelukzalige en communistisch gedomineerde internationale brigades toe gaan. Er wordt mij verteld dat diverse Denen al vertrokken zijn en dat er nog meer zullen volgen.'

Magnus zegt: 'Is Franco niet degene die oproer veroorzaakt tegenover de wettige regering? Ik wist niet dat de conservatieven aanhangers waren van oproer tegenover de gevestigde orde?'

'Dat zijn we natuurlijk ook niet, maar er was geen orde in Spanje. Er heerste anarchie, geweld en wetteloosheid, geleid en gefinancierd door Stalin. Daar moest natuurlijk een einde aan gemaakt worden. Het is een gevaarlijke pest die alle betamelijke orde in Europa bedreigt. Ziet u dat niet? Of deelt u de opvattingen van uw broer?' De redacteur kijkt vragend, alsof de herhaalde vraag Magnus uit de tent zal lokken.

'Ik ken de opvattingen van mijn broer niet. Dat maakt ook niet uit.'

'Is dat zo?'

'Ja, redacteur Brodersen. Dat maakt niet uit. Ik moet Mads gewoon ophalen. Politiek heeft mijn interesse niet. Ik heb weinig vertrouwen in politici, waar ook ter wereld. In Argentinië leveren twee groeperingen beurtelings wisselende, ellendige dictators. Verstandige mensen bemoeien zich er niet mee.'

'Daarover zijn wij het zeker eens. Kijk hier in Denemarken

maar. Meer dan veertig procent van de Denen stemde bij de verkiezingen van twee jaar geleden op Stauning en de zijnen. U, meneer Meyer, hebt in het buitenland verbleven, dus u weet niet wat voor een farce het was. De mensen lieten zich verleiden door een banale leus over Stauning of chaos. De sociaal-democraten hier in Denemarken zijn gelukkig niet de pure bolsjewieken, maar ze laten zich te veel leiden door de pacifistische radicalen van de minister van Buitenlandse Zaken, Munch, die dit land aan het ontwapenen zijn en onze flanken blootleggen in deze gevaarlijke tijden. Ik heb diverse hoofdartikelen over deze zaak geschreven, maar er wordt buiten de verstandige kringen niet geluisterd, ook al zijn mijn hoofdartikelen meerdere keren geciteerd in delen van de hoofdstedelijke pers. Af en toe moet je denken zoals een van onze grote dominees zo correct heeft gezegd, dat het niets zou uitmaken als de parlementaire democratie opgebaard lag. De tijd vereist een harde hand en niet al dat geklets. Meneer Hitler gaat te ver in Duitsland, maar hij zegt en doet allerlei juiste dingen, waarvan we veel kunnen leren. Maar leren, dat willen we liever niet in dit land.'

'Dat weet ik nog niet zo zeker, maar nu gaat het om mijn broer. Mijn vader is van mening dat het het beste zou zijn als ik zou worden geaccrediteerd als journalist.'

Brodersen gaat recht op zijn stoel zitten. Hij frutselt aan het stuk papier dat in de zwarte typemachine zit. Er staan enkele regels op het papier. Een opzet voor het hoofdartikel van de volgende dag misschien? Magnus kan aan hem zien dat hij verbaasd en enigszins geïrriteerd is dat Meyer geen politieke discussie met hem aangaat. Achter Brodersens milde uiterlijk gaat een manipulator schuil, denkt Magnus. Een politiek dier dat de mensen die hij tegenkomt in de juiste hokjes wil plaatsen. Hij had openheid en dankbaarheid van Magnus verwacht, die hem slechts met beleefde koelte ontmoet. Hij geeft zich niet bloot. Dat irriteert Brodersen. Magnus merkt duidelijk zijn onderdrukte irritatie op wanneer hij zegt: 'Ja. Zowel hij als uw beeldige zus heeft mij eerder vandaag opgebeld. Het is een prima idee dat ik graag wil steunen. We hebben normaal gesproken geen geld beschikbaar voor of er belang bij om een correspondent in het Spaanse te hebben. Dus ik zie ook graag een artikel of twee.'

'Ik ben toch geen journalist?'

'U bent bereisd. U kunt uw oren en ogen gebruiken. Een redacteur hier zal uw artikelen doornemen en ze klaarmaken voor de krant. En het zou zeer zeker goed zijn voor het belangrijkste blad in de stad om ooggetuigenverslagen uit Spanje te krijgen. Het zou een noodzakelijk correctief tegen de propaganda in *Arbejderbladet* kunnen zijn.'

'Ik weet het niet. Ik heb geen ervaring als journalist.'

'Bovendien is het belangrijk voor uw dekmantel.'

'Wat bedoelt u?'

'Mensen als u worden in de gaten gehouden. Journalisten bijvoorbeeld, en andere mensen die vragen stellen. U kunt als spion worden doodgeschoten, hebt u daar wel aan gedacht? In werkelijkheid wordt u toch een soort agent?'

'Ik zie niet in ...'

'Als u aan de kant van de nationalisten verblijft, zou u er terecht van verdacht kunnen worden dat u militaire en andere informatie probeert te achterhalen. Uw broer vecht immers voor de andere kant. Wanneer u bij de roden verblijft, zouden ze u er ook terecht van kunnen verdenken dat u erop uit bent om uw broer te laten deserteren. U zult in een gevaarlijke situatie belanden, meneer Meyer.'

Brodersen kan aan zijn gezichtsuitdrukking zien dat de uitspraak effect op Magnus heeft en hij gaat op dezelfde manier verder: 'Uw dekmantel is belangrijk. U moet uw rol als een acteur in het theater spelen. Uw artikelen uit bijvoorbeeld Madrid worden vanaf het hoofdpostkantoor of de telegraafcentrale afgeleverd. Het zal opvallen als u nooit artikelen naar Denemarken stuurt. Begrijpt u wat ik zeg?'

'Ja, natuurlijk.'

'Uitstekend, dan hebben we een afspraak.'

'Ik zal een poging doen.'

'Schrijf gewoon wat u ziet en meemaakt.'

'En als dat nou niet bij de politieke standpunten van uw blad past?'

'Zit daar maar niet over in. Zo ben ik niet. Ik zal drukken wat u schrijft als het een behoorlijke reportage is. U bent ook van harte welkom om een kroniek of twee te schrijven over meer culturele onderwerpen. Ik weet zeker dat u het leuk zult vinden, wanneer u het eens hebt geprobeerd.'

'Misschien.'

'Uitstekend. Ik ben zo vrij geweest om enkele noodzakelijke documenten voor te bereiden die uw accreditieven zullen ondersteunen. Uw vader, maar vooral ook uw zus, lijken er veel haast mee te hebben dat u vertrekt. Alsof ze bang zijn dat elke dag slecht nieuws zou kunnen brengen.'

'Dat is helaas niet uitgesloten.'

'Nee. Dat klopt. Kijk hier eens.'

Brodersen legt twee vellen voor Meyer neer. Het is dik papier van een goede kwaliteit. Op het ene staat in het Deens, Engels en Spaans dat Magnus Meyer journalist is voor *Stiftstidende* en voor iets wat Brodersen *De Nationale Nieuwsdienst* heeft genoemd, en dat men hoopt dat hem de noodzakelijke hulp en steun als non-combattant zal worden verleend. Het andere document, dat ook voorzien is van diverse stempels, is een bankgarantie van een van de lokale banken, zodat Meyer bij internationale banken geld kan ophalen voor maximaal 20.000 kronen. Een zeer groot bedrag, denkt hij.

Brodersen kijkt naar hem, terwijl hij leest, en zegt, wanneer hij de papieren voor zich neerlegt: 'Het is een omvangrijk bedrag waarvoor ik normaal gesproken met moeite een garantie kan regelen zonder problemen met het bestuur te krijgen, maar uw vader staat er borg voor.'

'Dat heb ik niet nodig.'

'Jawel. Dat hebt u wel. Iedere correspondent reist met zo'n bankgarantie. Wat u ermee doet, is uw eigen zaak en die van de chef-arts, maar u moet haar meenemen. Ik wil nogmaals benadrukken dat u aan uw dekmantel moet denken. U moet denken als een journalist, dan gedraagt u zich als een journalist. Ik ben er zeker van dat u eigen middelen hebt, maar de garantie vormt samen met uw accreditieven het bewijs dat u werkt voor een erkende nieuwsorganisatie. Dat is altijd belangrijk. En het is bijzonder belangrijk in een oorlogssituatie.'

'Hoe weet u dat? Ik dacht dat je als redacteur van een krant in de provincie geen ervaringen uit de oorlog kon hebben.'

Brodersen leunt achterover op zijn stoel, vouwt zijn handen in zijn nek en kijkt naar het plafond. Zijn ogen dwalen af, alsof hij een moment in de mistvlagen van herinneringen verdwijnt. Magnus laat hem zitten. Het weer slaat blijkbaar om. Er is een pauze in het getrommel van de regen op de ramen, maar dan waait de wind de andere kant op en de regen die op de maat op het glas slaat keert terug. Dat geldt ook voor Brodersen, die zegt: 'Men heeft hier niet altijd gezeten. Ik ben tijdens de Russische Burgeroorlog zelfs bijna twee jaar correspondent geweest voor *Nationaltidende*. Ik ken de broederoorlog, meneer Meyer. Die is erger dan die andere oorlog. De broederoorlog roept een ongehoorde brutaliteit op bij de betrokken partijen. Denk alleen al aan de moorden tijdens de Amerikaanse Burgeroorlog. Ik kan nog steeds 's nachts wakker worden wanneer ik denk aan de verschrikkingen die ik in Rusland heb gezien. De roden waren erg, maar de witten ook. Als je gezien hebt hoe de Kozakken hun sabels gebruiken, dan vergeet je dat nooit meer. Ik ben bang, wanneer ik de verhalen over de Spaanse Burgeroorlog hoor, dat de wreedheid en het moorden van beide kanten heel verschrikkelijk is.'

Hij legt zijn handen voor zich op tafel, kijkt Magnus nu recht in zijn ogen en zegt op zachte toon: 'Daarom wil ik graag herhalen, meneer Meyer, dat u voortdurend aan uw dekmantel moet denken. U mag het gevaar waaraan u zich blootstelt niet onderschatten. U kunt gemakkelijk als spion worden gezien – misschien een van het enigszins onschuldige soort, maar toch wel een spion. Zo kunt u beschouwd worden. En in een oorlog worden spionnen ter plekke doodgeschoten.'

6

Magnus Meyer slaapt in zijn oude bed in zijn vroegere kinder-kamer en hij heeft een nachtmerrie. Het enige wat nog in de kamer staat dat stamt uit de tijd dat hij in de grote villa woonde, is het bed. Zijn lichaam kan zich nog elke bobbel en vouw in het oude matras herinneren. De grote, lichte ruimte dient nu als logeerkamer, met een kledingkast en een tafel onder een lange spiegel en een toilettafel en een lampetkan van wit blik. Naast de tafel staat de nachtpo op de vloer, hoewel twee van de drie badkamers in huis elk aan een kant van de gang te vinden zijn. Weg zijn de posters van ontdekkingsreizigers in de jungle en de wereldkaart. Weg is zijn oude bureau met de vele lades en de geheime ruimtes. Weg is zijn kamferkist, waarin hij de vreemde stenen, merkwaardige takken, onderdelen van het skelet van dieren en vogels, de versteende egel, de schedel van een vos en andere geheimzinnige voorwerpen bewaarde die hij vond, wan-neer hij als jongen in de bossen bij de meren en de rivier rond-dwaalde. Weg is de donkere kast waarin hij zijn weinige boeken had staan.

In zijn droom staat het allemaal weer op zijn plek, maar de kamer is twee keer zo groot geworden. Dolores ligt naakt op bed en hij ziet zichzelf van buitenaf naakt naar haar staan kijken. Ze zegt iets, maar haar stem kan niet tot hem doordringen. Haar tepels zijn hard en ze legt haar ene hand in haar schoot en laat haar wijsvinger naar binnen en naar buiten glijden. Hij staat met een stijf geslachtsdeel en hij wil naar haar toe gaan, maar hij kan zich niet bewegen. Zijn lichaam zit op slot. Met haar an-dere hand zwaait ze naar hem en eindelijk ontkomt hij aan de verlamming en doet een stap naar voren, maar op datzelfde mo-ment verandert Dolores in Santiago, die volledig aangekleed uit bed stapt met de haan van de revolver gespannen. Als in slow-motion ziet hij hoe de vinger van Santiago langzaam de trekker wil overhalen. Magnus tast wanhopig naar zijn eigen revolver, maar die draagt hij natuurlijk niet op zijn lichaam wanneer hij helemaal naakt is. De haan wordt ingedrukt en hij ziet hoe het projectiel in een glimp van vuur de loop verlaat en langzaam dichter bij zijn open mond komt, waar een geluidloze schreeuw aan probeert te ontkomen.

Magnus ligt badend van het zweet in zijn bed. Het is opgehouden met regenen. Hij kan de wind in de grote beuken horen door het raam dat hij op een kier zette, toen hij rond middernacht naar bed ging. Hij staat op. Hij is naakt onder het loszittende nachthemd. Hij trekt zijn linnen broek aan, pakt zijn sigaretten en steekt er een op en inhaleert diep. Hij voelt dat zijn hart snel klopt. Hij opent het raam helemaal en kijkt in de richting van de donkere ramen van het sanatorium en hoopt dat de nachtzuster langs zal lopen met haar lamp, zodat hij zich niet zo vreselijk alleen voelt in de wereld. De kou komt hem tegemoet, waardoor het zweet op zijn borst bevriest; toch gutst het bij zijn oksels naar beneden.

Het avondeten had lang geduurd en was bijna een herhaling van de dag ervoor geweest. Marie en hij hadden een beetje samen gepraat, en dokter Krause en de chef-arts hadden opnieuw de eindeloze kwalen en mogelijke kuren van de naamloze patiënten besproken.

Magnus was vroeg naar zijn kamer gegaan en had bij het raam whisky gedronken en sigaretten gerookt. Hij had er een moment spijt van gehad dat hij was ingegaan op de wens van Marie en terug was gekomen. Terug, en niet thuis, zoals zij zei, maar hij wilde haar geen pijn doen. Hij wil niet alleen aan zichzelf denken, maar toch had hij spijt van zijn besluit toen hij bij het raam zat en het donkere park rond het sanatorium in keek en zijn gedachten onder controle probeerde te krijgen.

Hij wilde het niet, maar herinneringen worden niet altijd gestuurd door de wil, dus hij had vooral aan zijn vader gedacht en maar weinig aan zijn moeder. Hij moest bijna huilen omdat hij zo veel moeite moest doen om zich haar gelaatstrekken voor de geest te halen, terwijl de scherpe blik van zijn vader onder het hoge voorhoofd als drakenogen in de nacht stonden. In de loop van de dag was hij zijn vader twee keer tegen het lijf gelopen, maar het was niet tot een confrontatie gekomen. Ze bewogen zich langs elkaar heen als de twee onbekenden die ze altijd al waren geweest. Voorheen was er het geweld dat altijd op de loer lag als een trouwe metgezel, terwijl het nu met een geforceerde beleefdheid gebeurde. Ze weten dat ze beter niet alleen samen in een ruimte kunnen zijn. Door er zich voortdurend van te verzekeren dat anderen aanwezig zijn, voorkomen ze elke aanzet tot een confrontatie. Ze proberen allebei hun gevoelens zo veel mogelijk weg te stoppen, zodat die tijdens hun ontmoetingen niet onverhoeds komen opborrelen.

Het leek alsof de takken van de beuken veranderden in armen en hij rilde, niet alleen door de kou. Hij had zichzelf gedwongen terug te denken aan Dolores en hun geheime liefde onder de grote boom, waar ze vroeg in de ochtend of laat in de middag op hun paarden naartoe reden, wanneer de hemel in het westen roze begon te kleuren en het welkome avondbriesje langzaam hun warme lichamen afkoelde. Hij had haar op een vroege ochtend zo heerlijk aan het lachen gekregen omdat hij een paar keer 'de morgenstond heeft goud in de mond' in het Deens had uitgesproken en niet in staat was geweest om het naar goed Spaans te vertalen. Ze had gewoon een hele tijd om hem gelachen en haar gelach klonk hem als muziek in de oren.

Magnus gooit de sigarettenpeuk uit het raam en zet zijn kleine reistas op het bed. Die is bruin en versleten en heeft twee grote gespen, die hij losmaakt. Hij pakt de revolver eruit, wipt de trommel ervaren opzij en controleert instinctief of hij niet is geladen. Hij is zwart. Hij maakt hem geregeld schoon en oliet hem goed, en de trommel die plaats heeft voor de zes patronen draait gemakkelijk rond.

Smith & Wesson heeft de perfecte revolver gecreëerd, denkt hij. Hij heeft een persoon vermoord. Of beter gezegd: hij heeft iemand gedood, zo niet in koelen bloede dan toch wel geheel bewust. Hij houdt de koude loop tegen zijn warme voorhoofd en blijft zo even staan, waarna hij de revolver in zijn tas teruglegt. Dan loopt hij de kamer aan het einde van de gang in, die ooit van Mads was en nog steeds 'de kamer van Mads' wordt genoemd.

Het is bijna stil in huis. Want het is een oud huis, dat altijd zijn eigen merkwaardige geluiden heeft gehad, een kraakje hier, een balk die daar verzakt, een zuchtje wind dat zich in een geheime hoek verspreidt. De slaapkamer van zijn vader ligt een verdieping lager, waar zijn moeder ook een kamer had, waar ze af en toe zat te naaien of te lezen. Dokter Krause logeert in het gastenverblijf op het terrein van het sanatorium, terwijl Marie helemaal aan de andere kant in een hoekkamer slaapt met een eigen balkon naast de badkamer, die alleen zij tegenwoordig nog gebruikt.

Hij laat zonder te kijken zijn hand over de schakelaar aan de wand glijden en doet de plafondlamp aan. Het lijkt alsof Mads even een wandeling aan het maken is of gewoon bij een vriend of vriendin overnacht. Hier zijn de herinneringen niet opgeruimd. Alles staat nog steeds zoals toen hij de kamer verliet en het straalt de overtuiging uit dat hij over niet al te lange tijd zal terugkeren.

Hij loopt rond en raakt voorzichtig de spullen van zijn jongere broer aan: zijn tas, zijn bureau met de groene onderlegger en de kleine reistypemachine die de aankomend auteur voor zijn vijftiende verjaardag had gekregen, zijn vulpen, zijn ladekast waarop een foto van de twee broers en hun zus staat. Hij kan zich herinneren dat de foto zes jaar geleden is gemaakt. Ze staan gearmd bij een rustige zee, die zich eindeloos uitstrekt. Marie staat in het midden in haar badpak. Magnus en Mads hebben hun zwembroek aan. Ze lachen alle drie naar de camera. De foto is genomen bij de Noordzee door een van de vrienden van zijn broer, van wie Magnus de naam niet meer weet.

Hij loopt rond in de kamer en het lukt hem zijn ademhaling onder controle te krijgen. Hij opent de kledingkast. Die is nog steeds halfvol, maar hij ziet vooral de ongebruikte kleerhangers. In de laden van de kast ligt nog veel kleding. Het bed is opgemaakt met de blauwe sprei. Aan de wand hangt een olieverfschilderij van een woestijn en een zwart-witfoto, die Mads heeft genomen van een winters landschap bij een kronkelende rivier en zelf heeft ontwikkeld en uitvergroot. Magnus weet dat dat toen zijn grote passie was en hij loopt terug naar het bureau.

Hij trekt de bovenste lade uit en vindt daar diverse schriften. Hij opent het bovenste op de stapel en ziet het keurige handschrift, dat bijna kalligrafisch in zijn schoonheid is. Toch vloeien de woorden weg wanneer hij langzaam de bladzijden met de aantekeningen en concepten voor gedichten omslaat. Hij leest hier en daar:

'De dood zal komen vannacht/ over de Spaanse bergen zo rood/ de dood zal oogsten vannacht/ en ik zal me moeten voegen naar die dood/ hij doet mij innig leed/ alleen voor het opstijgen met de woestijnwind maak ik mij gereed/ want de dood zal komen vannacht/ en ik ben niet zijn gemakkelijkste prooi.'

Ergens anders heeft hij niet gerijmd:

'Ik zal vannacht in de regen lopen/ ik zal bij je weglopen/ niet uit trots/ maar uit angst voor het nieuwe/ ik heb je vandaag gezien/ je haar scheen wit in de zon/ je straalde door de lente/ ik stond er als de arme schooier/ ik ben/ ik zal vannacht bij je weglopen/ ik ben te arm/ om met je mee te gaan/ zelfs te klein/ om te vertrekken met de dood.'

Hij doet het schrift dicht en legt het op het bureau, zo voorzichtig alsof het van dun porselein was gemaakt wanneer hij een beweging meer voelt dan hoort. Hij draait zich om. Het is Marie. Ze staat in de deuropening in een lange ochtendjas. Ze heeft haar haar los hangen en ze ziet er knap en kwetsbaar uit.

'Kun jij ook niet slapen?' vraagt ze en ze loopt de kamer binnen. Ze praat zacht, tegen het fluisteren aan.

'Ik werd wakker door een stomme droom.'

'Wanneer ik soms niet slapen kan, ga ik hiernaartoe en ga ik op de rand van het bed zitten of aan zijn bureau en dan lees ik zijn gedichten. Dan is het alsof ik zijn aanwezigheid voel. We zaten hier vaak te praten. Hij zat aan het bureau en ik zat op zijn bed, en hij vertelde over zijn dromen of we praatten wat over jou of over liefdesrelaties. Ik mis hem zo verschrikkelijk.'

Hij reikt haar zijn sigarettenetui aan.

'Laten we naar mijn kamer gaan', zegt ze en ze pakt een siga-ret, die ze tussen twee vingers houdt.

Marie heeft een grote kamer. Ook haar raam staat op een kier en het geluid van de ritselende beuken is duidelijk hoorbaar vanuit het donker. Een paar hoge ramen lichten nu geel op in het sanatorium tussen al het zwart. Het is een vrouwelijke ka-mer met een breed bed, waarin de warmte van de opengeslagen deken nog steeds voelbaar is. Marie heeft naast een bureau ook een kledingkast en een ladekast. In de hoek heeft ze een theeta-feltje neergezet met twee gemakkelijke Chesterfieldstoelen on-der twee klassieke staande lampen. Hier kan ze naaien of lezen, denkt hij. Er ligt een roman waaruit een boekenlegger steekt en een luchtpostenvelop naast een asbak met één sigarettenpeuk erin. Hij steekt een sigaret voor haar en een voor zichzelf op en vraagt, terwijl hij naar de envelop wijst: 'Is die van Mads?'

'Ja. De laatste brief van hem. Hij kwam vandaag. Hij is maar kort onderweg geweest. De post doet er normaal gesproken heel lang over.'

'Mag ik hem lezen?'

'Natuurlijk. Het is niet de waarheid, maar wat hij weet dat ik graag wil horen.'

'Dat hoeft toch niet zo te zijn?'

'Zo is het wel. Lees maar even die paar regels, daarna heb ik nog een ander verhaal dat Mads heeft geschreven. Hij zegt dat het fictie is, maar ook in dit geval is de literatuur waarschijnlijk meer waar dan de zogenoemde echte brieven of wat er in de kranten wordt geschreven.'

'Hoe kom je aan dat andere verhaal?'

'Van Svend Poulsen. De man die je over een paar dagen zult ontmoeten, wanneer hij weer terug is uit Kopenhagen. Ik heb je toch verteld dat hij in Spanje is geweest en heeft meegevochten bij Madrid? Hij is gewond geraakt en naar huis gezonden. Mads heeft het verhaal naar hem opgestuurd, maar hij kan het stuk niet publiceren in *Arbejderbladet*. Ik geloof niet dat het über-haupt ergens gedrukt kan worden. Ik geloof ook niet dat het de bedoeling was dat ik het onder ogen zou krijgen.'

Ze maakt haar sigaret uit, pakt de envelop en trekt de brief eruit, houdt hem even in haar hand, waarna ze zegt: 'Svend wil je graag helpen. Dat heb ik toch gezegd?'

'Waarom eigenlijk? Hij heeft er toch geen belang bij dat ik een van zijn kameraden uit de grote oorlog ophaal? Ik neem een soldaat uit zijn leger mee.'

'Een meer of minder. Hij wil het gewoon graag doen. Zijn motieven zijn toch helemaal niet belangrijk? Lees nou maar, Magnus.'

Hij pakt de brief aan en leest:

Spanje, juli 1937

Lieve zus,
Bedankt voor de laarzen. Ze passen perfect en zijn een stuk beter dan de alpargata's, die ook te koop zijn. Ik ben goed hersteld van mijn ziekte. Vergeleken met anderen in elk geval, want er zijn heel wat kameraden bezweken aan tyfus en anderen liggen nog steeds in het ziekenhuis. Die verdomde luizen verspreiden die infame ziekte, maar ik moet onze vader waarschijnlijk bedanken dat hij ons leerde hoe je je altijd schoon moet houden en ik ben goed in hygiëne. Het is lastig om aan dat duivelse ongedierte te ontkomen, maar ik doe mijn best. Ik kan je deze keer niet zo'n lange brief schrijven. De post kan vandaag verstuurd worden. Er zijn hier in Thälmann nog ongeveer dertig Scandinaviërs over na de zware gevechten, de helft van ons is Deens. We liggen niet ver van ...

Magnus kijkt op. Er is een wit stukje van een paar centimeter, waarvan hij vermoedt dat het door de censuur is geschrapt. Hij kan in elk geval vaag restjes inkt onder het wit zien.

Marie knikt, rookt weer nerveus en zegt: 'Zijn oude laarzen zijn gestolen en toen had hij alleen van die Spaanse stoffen schoenen, daarom heb ik hem nieuwe laarzen gestuurd. Ik ben blij dat ze zijn aangekomen. Goede laarzen. Die andere zijn gestolen terwijl hij lag te slapen. Kun je je dat voorstellen? Is dat internationale solidariteit? Elkaars laarzen stelen?'

'Wat zouden ze weg gecensureerd hebben?'

'Zo gaat het elke keer. Hij mag niet schrijven waar hij is. Er zijn vast Denen die het doorlezen, voordat zijn brieven worden opgestuurd. Dat heb ik wel in de gaten, maar lees nou verder. Het is niet veel tekst.'

'Wat bedoelt hij met Thälmann?'

'Dat is zijn bataljon. De internationale brigades zijn opgedeeld in bataljons. Veel Denen en andere Scandinaviërs vechten in wat ze "Thälmann" noemen. Maar lees nou verder, Magnus.'

Hij leest:

... we zijn drie dagen geleden na een paar zware dagen teruggekomen van het front, waar de fascisten ons bijna omverliepen, maar we hielden ons staande. Dat ging helaas ten koste van enkele goede kameraden. Oorlog is schandalig, zus, maar ik voel dat wat we doen goed is. Ik weet nu dat de hele wereld een front is – voor en tegen het heerlijke leven dat mensen zouden kunnen leiden. Dat probeer ik mijn kameraden ook te vertellen, want we zijn het helaas niet altijd eens in ons gezamenlijk verzet tegen het fascisme. Maar als we elkaar niet steunen, dan winnen de fascisten gegarandeerd. Het leven is groot, zus – het grootst, maar het verliest betekenis als je niet vecht voor waar je van houdt. Als niemand van ons zich wil opofferen, heeft het leven geen betekenis. Het leven blijft alleen dierbaar als je bereid bent het grootste offer te brengen, zodat alle mensen een goed leven kunnen leiden. Ik begrijp dat het voor jou en anderen die van mij houden moeilijk is, maar ik weet zeker dat je het zult begrijpen.

Ik hoop dat het goed met je gaat. Is het al bijna herfst aan het worden wanneer je deze brief ontvangt? Het is hier nog steeds heel erg warm, maar de oude garde zegt dat het echt koud kan worden in Spanje. We wonen comfortabel in enkele oude villa's van rijkelui waarvan de eigenaren zijn weggevlucht of verdreven en we gaan drie keer per dag naar de kerk. Dat is niet omdat je jongere broer heilig is geworden, maar deze kerk is net als alle andere gesloten en wordt nu door ons gebruikt als eetzaal. De soeppan staat elke dag op het altaar. De soep eten we samen met erwten en brood,

maar er is vaak wijn, dus we hebben niets te klagen over het eten.
Koffie krijgen we ook zo goed als dagelijks, anders worden wij De-
nen in elk geval knorrig. Dat hebben ze wel geleerd. Onze Zweedse
kameraden gedragen zich rustiger, maar wij moeten koffie hebben.
Een kus van mij aan iedereen van wie ik hou. Je kunt ook mijn
groeten overbrengen aan vader, als je denkt dat mijn groet het
waard is. Als het mogelijk is, mag je wel wat tabak en zeep opstu-
ren. Chocola is ook altijd een succes.
Je kunt zoals gebruikelijk schrijven naar Mads Meyer, S.R.I. Plaza
del Altozano, A.V. 11. Albacete, Spanje.

Je toegenegen broer, Mads

'Hij rookt nu ook', zegt Marie.

'Daar hoef je toch niet over in te zitten, zus.'

Ze lacht halfslachtig en slaat haar armen stevig over elkaar heen: 'Nee. Maar hij is gewoon zo volwassen geworden.'

'Het is een sukkel van bijna eenentwintig jaar.'

'Magnus!'

'Dat is hij.'

'Misschien is hij gewoon een idealist, die aan anderen denkt in plaats van aan zichzelf.' Ze draait zich half van hem af en houdt haar armen gekruist.

'Precies. Dat bedoel ik ook.'

'Misschien heb je gelijk, maar ik ben er ook een beetje trots op dat hij iets doet en het er niet bij laat zitten. Veel te veel mensen laten het waaien. Dat doen wij. Dat doen Frankrijk en Engeland. Hitler kan doen wat hij wil. Hij valt andere landen binnen, en zoals ze de Joden behandelen! Behalve Stalin helpt niemand de wettige regering in Spanje, terwijl de fascisten alle wapens van Hitler en Mussolini krijgen die ze willen hebben. Dat is verkeerd. Alleen mensen als Mads doen iets.'

'Toch moet ik Mads ophalen en hem mee naar huis nemen. Dat wil je toch?'

Ze laat haar armen langs haar zijden hangen, dan buigt ze haar hoofd en lijkt een nederlaag te erkennen die ze liever niet wil lijden: 'Ik ben geen idealist zoals Mads. Ik ben een egoïstische oudere zus, die het allerliefste wil dat mijn twee broers thuis in veiligheid zijn. Ik denk alleen aan mijzelf, Magnus. Ik wil gewoon Mads uit die oorlog hebben.'

'Liever dat dan idealisten. Wanneer ideeën de overmacht krijgen, spreken de geweren. Eerst proberen ze het met verzoeken, maar als niemand luistert, dan komen de bajonetten tevoorschijn.'

'Zo filosofisch. En zo cynisch. Word je dat in Amerika? Mogen wij mensen gewoon geen ideeën hebben? Geen idealen? Zonder geloof dat er iets is wat groter is dan wijzelf? Ons eigen kleine ego? Wil je zo'n lege wereld hebben? Nou, Magnus?'

'Je wilde me nog een brief laten zien. De echte?'

Ze staat hem even te bekijken. Hij glimlacht naar haar, maar zegt niets, en ze geeft het op: 'Ja. De echte misschien. Weet ik veel. Het is meer een novelle die Mads heeft geschreven, maar hij gaat over hemzelf. Dat kan ik wel zien. Maar wat weet jij eigenlijk over die oorlog daar?'

'Wat ik lees in de kranten.'

'Daar staat niet zo veel in, nu zal ik je eerst wat vertellen.'

Haar wangen gloeien ondanks de kou die uit de stille tuin komt. Nu wordt ze zijn effectieve zus, denkt hij, terwijl ze uit een lade twee kaarten pakt: een van Europa en een van Spanje, die ze uitvouwt op haar bureau. Haar stem doet Magnus even denken aan een lerares Duits op het gymnasium die hij eigenlijk al was vergeten, wanneer ze uitlegt terwijl ze wijst. Hij luistert, maar bekijkt zijn oudere zus ook en glimlacht bij zichzelf om haar enthousiasme en haar obsessie voor een wereld, waarvoor ze zich alleen maar interesseert omdat haar geliefde broertje er deel van uitmaakt.

'Kijk hier eens', zegt ze en ze laat haar wijsvinger de route volgen. 'Mads en zijn twee kameraden hebben de boot genomen vanaf Esbjerg. Daar zijn ze met de trein naartoe gereisd, en ze moesten voorzichtig zijn. De Conservatieve Jongeren en sommige conservatieve journalisten proberen hen bij de politie te verklikken, wanneer ze met de trein vanuit Kopenhagen in Esbjerg aankomen. Ze hebben erover geschreven in de bladen.

Mads is met de lijnboot A.P. Bernstorff naar Antwerpen gevaren en daarna met de trein naar Le Havre gereisd, en verder naar Parijs. Ze hadden een adres gekregen van de mensen in Kopenhagen. Place de Combat numéro neuf, hadden ze thuis uit hun hoofd geleerd. Daar werden ze ontvangen door mensen van de Komintern. Het is nu heel georganiseerd, Magnus. Niet zoals in het begin, toen het allemaal toeval was. Je weet toch wel wat de Komintern is?'

Ze kijkt naar hem op.

'Communisten', zegt hij alleen maar en hij reikt haar het etui aan en geeft haar vuur.

'Ja. Zo kun je het wel zeggen, maar niet alleen communisten. Stalin controleert het natuurlijk, maar tegenwoordig leiden de mensen van de Komintern de organisatie van de Spaanse vrijwilligers. Dat versterkt de gedachte van het volksfront. Iedereen moet solidair zijn tegen het fascisme. Komintern is een internationale organisatie die wordt geleid door de Sovjet-Unie, maar Mads is geen communist.'

'Nee. Hij is gewoon een sukkel.'

'Hou nou op, Magnus. Je maakt me verdrietig.'

'Okay.'

'Jij en je "okay". Luister nou. Mads heeft vanuit Denemarken een codewoord meegekregen. Dat luidde als volgt: "Ik moet de groeten doen van Aage". Dat zei hij in het rekruteringskantoor in Parijs, toen kreeg hij wat geld, een paar voedselbonnen en een treinkaartje naar de Spaanse grens. En toen werd het heel zwaar, schreef hij. In de donkere nacht liepen ze – een grote groep uit veel verschillende landen – door de Pyreneeën. Ze hadden Spaanse gidsen die het gebied kenden, maar het was een heel lastig terrein, en ze liepen uren achter elkaar. Bijna twintig, schreef hij. Onderweg overleden er drie. Twee vielen in een ravijn. De derde verdronk toen ze een woeste rivier moesten oversteken. Ze hadden enorme honger en dorst. Alles wat ze hadden meegekregen, was een stukje chocola, een brood en wat water. Maar ze kwamen wel over de bergen, Mads en de anderen. Ze overnachtten enkele dagen ergens in een oude Moorse burcht, die Figueras heet, en daarna werden ze naar Barcelona gestuurd, waar ze deelnamen aan een parade en door de plaatselijke bevolking werd gehuldigd, waarna ze hun reis voortzetten naar Albacete, dat in het zuiden ligt. Daar werd hij bewapend en kreeg hij een soort uniform, dat leek op een blauwe overall die hij *mono* noemt, twee drinkbekers, een voor water en een voor cognac. Stel je eens voor, cognac? Een zak om eten in te stoppen en wat munitie en militaire training, en toen moesten ze gewoon naar het front. Is het niet ongelooflijk? Onze Mads. "En toen naar het front", schreef hij in een van zijn eerste brieven. Alsof hij een ansichtkaart uit Hvide Sande stuurde. "Hoi zus. Het gaat hier prima. Nu ga ik naar het strand."'

Magnus houdt haar vast en laat haar uithuilen. Hij pakt de sigaret uit haar hand en maakt hem samen met zijn eigen sigaret uit. Wanneer ze uitgehuild is, laat hij haar even staan. Ze draait zich om en loopt de kamer uit, en hij hoort de badkamerdeur dichtvallen. Hij gaat naar zijn eigen kamer en haalt de fles whisky en twee glazen op. Marie komt terug, hij schenkt in, geeft haar het glas en ze neemt een bescheiden slok. Hij kijkt haar aan en ze neemt nog een slok en trekt een beetje met haar mond.

'Bedankt', zegt ze en ze kijkt weer naar de kaart van Spanje. 'Ik wil nu graag een sigaret hebben.'

'Je hoeft er niet meer over te vertellen', zegt hij en hij steekt hem voor haar op, maar ze negeert hem en wijst: 'Hier ligt Albacete. Het is het hoofdkwartier van de Internationale Brigades. Ik teken de frontlinies met een potlood. Je ziet dat het niet zo slecht gaat, ook al staat de republiek onder druk. Madrid houdt zich staande. Er zijn aanvallen geweest waaraan de vrijwilligers hebben meegedaan. Het gaat niet alleen maar achteruit. En op andere fronten hebben ze de opmars van de fascisten gestopt, toch, Magnus?'

Hij luistert maar met een half oor naar haar uitleg. Die wordt ingewikkeld met veel details over grotere en kleinere confrontaties. Hij heeft het idee dat zij geen realistisch beeld van de werkelijkheid heeft. Ze bezit grondige kennis van verafgelegen delen van het front en Spaanse stadjes, waar nu oorlog heerst, maar ze beschouwt elke meter die door de republiek is veroverd als een beslissende overwinning en elk verlies van grondgebied als slechts een tijdelijke terugslag. Zoals hij de kaart ziet, is de republiek ten dode opgeschreven.

Franco's nationalistische rebellen hebben het grootste deel van het land onder controle. De hoofdstad Madrid wordt verbeten verdedigd, maar het ziet ernaar uit dat het slechts een kwestie van tijd is voordat Franco de noordelijke kust in handen krijgt en dan heeft de republiek alleen nog maar de territoria ten oosten van Madrid. Vanaf de punt van Gibraltar naar Biskaje zullen de rebellen de volledige controle krijgen over het grootste deel van het land en sommige van de belangrijkste industriegebieden, en het zal niet lang duren voordat ze de soldaten van de republiek de Middellandse Zee in drijven. Franco hoeft binnenkort geen oorlog op twee fronten meer te voeren. Dat luidt het begin van het einde in. Hij realiseert zich dat de tijd dringt. Het zand in de zandloper raakt op voor Mads.

Ze gaat rechtop zitten, neemt een trekje van de sigaret en legt de andere hand op haar onderrug en strekt haar rug.

'Ik geloof dat het mogelijk is om de fascisten te stoppen. Ik wil het geloven.'

'Jij bent een rare, zus. Je houdt je met grote passie en veel kennis op een abstract niveau met de oorlog bezig, maar tegelijkertijd is het persoonlijk, toch?'

'Wat bedoel je?'

'Dat weet je wel. Dat je gewoon Mads weer thuis wilt hebben, maar als het erop aankomt weet je niet zeker of hij dat wil, en daarom doe je alsof hij kan bijdragen aan de overwinning. Je volgt de oorlog op de voet, omdat je dan niet aan Mads als Mads hoeft te denken. Dan is hij gewoon een van de vele dappere soldaten in een gerechtvaardigde oorlog.'

Hij ziet dat hij haar kwaad heeft gemaakt en haar heeft teleurgesteld, maar hij kan er niets tegen doen en praat verder met een stem die spottender klinkt dan hij bedoelt: 'Zie je het dan niet? Mads vecht aan de kant van de verliezers. Ze hebben geen kans tegen de Duitsers en Italianen en Franco's Marokka-nen en vreemdelingenlegioen. Zie je het dan niet? Zulke jon-gens als Mads tegen goed getrainde professionele soldaten! Het is een kwestie van tijd. Het is een zinloze verspilling van levens. Jouw optimisme doet mij denken aan een Cubaanse generaal, die zei: "Mijn leger dat rijk is aan overwinningen wijkt onder onze glorieuze terugtocht geen duimbreed."'

Ze neemt een slok whisky en verslikt zich er bijna in. Hij wil haar op haar rug slaan, maar ze wendt zich van hem af, draait haar hoofd bij en hoest een paar keer.

'Het gemakkelijkste in de wereld, Magnus', zegt ze wanneer ze haar stem weer bijna onder controle heeft. 'Het gemakkelijk-ste en aangenaamste is gewoon aan jezelf denken. Daar ben jij altijd goed in geweest. En nu wil ik graag gaan slapen.'

'Je mag de fles wel houden.'

'Nee, dank je wel. Die heb jij misschien nodig, wanneer je leest wat Mads heeft geschreven.'

Ze geeft hem de fles whisky samen met een kleine stapel vol-geschreven blaadjes.

'Welterusten, zus', zegt hij en hij loopt de kamer uit, maar zij doet de deur dicht zonder een woord te zeggen.

7

De deserteur en de badende vrouw

Door Mads Meyer

Arturo lag tussen Bertil en mij in toen de drie Duitse bommenwerpers vanaf de heuvels laag aan kwamen vliegen. Ik ontwaakte uit mijn korte, onrustige slaap door het ronkende geluid, dat explodeerde in een enorm lawaai toen ze over ons gleden. De ochtendzon schitterde in de ruiten van hun cockpits en ze vlogen zo laag boven ons dat we de gezichten van de piloten konden zien. Ze zagen ons niet en streken zo over de olijvengaard. Toch deed Arturo het in zijn broek en ik rook de stank, omdat ik te laat mijn gezicht in het rode grind boorde. Bertil vloekte in het Zweeds en plantte zijn vuist in de schouder van de kleine Spanjaard die begon te snikken. Bertil was een lange, magere man van midden twintig met grote knokige handen, waarvan de knokkels van de ene hand wit oplichtten toen hij zijn geweer stevig vasthield. De andere vuist sloeg zacht op de schouder van Arturo, terwijl hij hem de diepste hel in vervloekte.

Bertil kwam uit Kiruna in het noorden van Zweden en had zich als vrijwilliger gemeld omdat hij het zat was werkloos te zijn en gek was op Vader Stalin. Hij deed al mee sinds de verdediging van Madrid, dus ik bleef bij hem in de buurt.

Arturo hadden we de dag ervoor meegenomen toen we van de anderen in de compagnie waren geïsoleerd. Hij kwam uit een van de Spaanse legerafdelingen, dus we konden niet met hem praten. Hij droeg een van die nieuwe kaki uniformen, die we nu allemaal aan moesten hebben. Hij had nog steeds zijn geweer, dus we dachten niet dat hij probeerde te deserteren. Hij was waarschijnlijk gewoon achtergebleven net als alle anderen. Bertil sprak een klein beetje Spaans, maar elke keer als hij met Arturo probeerde te praten, begon hij te huilen. Het was een kleine man, vermoedelijk maar iets ouder dan Bertil, maar hij leek veertig met zijn magere, bange gezicht. Hij was opgeroepen en had zich niet vrijwillig gemeld zoals Bertil en ik. We hadden de hele nacht in de olijvengaard gelegen.

Twee dagen eerder waren we in de witte zon samen met de anderen uit het bataljon en een paar compagnieën van het gewone Spaanse leger in een lange rij opgerukt naar de heuvels. We zaten in de uiterste flank van de gecoördineerde aanval, waarmee we bij het aanbreken van de dag waren begonnen. Franco's Italiaanse hulptroepen waren voor ons gevlucht. Hun doden en gewonden lagen verspreid in het landschap.

De stank van ontlasting uit kapotgeschoten darmen kwam ons tegemoet toen we tussen de lijken door liepen en het geschreeuw van de gewonden en het gesmeek om hulp negeerden. We kwamen op de top van de heuvel aan, waar de Italianen zich nog niet goed hadden weten in te graven, en we konden uitkijken over het landschap, dat op een vreemde manier mooi glooide in de hittenevel, en de grijze kruitdampen en de rook van verbrande olijvenbomen en drie tanks die in brand waren gestoken. De Italiaanse troepen lieten alles vallen wat ze in handen hadden. Ze zetten het gewoon op een rennen, terwijl wij vloekend en tierend onze plaatsen innamen en met alles wat we hadden begonnen te schieten op de vluchtende mannen.

Onder aan de heuvel lag een dorpje, maar dat was helemaal platgeschoten. Twee geitenkadavers op een perceel stonken naar verbrand gebraad. Ze waren helemaal zwart en lagen op hun rug met alle vier poten recht omhoog. Achter een ander platgebombardeerd huis gilde een paard, waarvan het ene been kapot was geschoten. Deels eronder lag een jonge Italiaanse soldaat met een donkerbruin snorretje. Hij was zijn helm verloren en zijn ene been lag onder het krijsende paard, terwijl het andere been er in een vreemde hoek onderuit stak, plakkerig van het bloed. Hij was bij bewustzijn, maar nog maar net, en hij keek ons aan met afwezige, donkere ogen in een bleek gezicht boven het zwarte overhemd, terwijl hij iets prevelde, alsof hij aan het bidden was.

Bertil had een pistool van een fascistische officier gepakt die samen met twee soldaten dood in een greppel lag, waar we overheen waren gesprongen. Het was een Beretta met een vol magazijn. Hij haalde hem uit de tas van de officier en schoot eerst het paard in het voorhoofd en in bijna dezelfde beweging de soldaat precies tussen de ogen, en toen trokken we verder met de dorst en de misselijkheid prikkend in onze kelen.

77

Het was goed om op te rukken, maar het was natuurlijk niet goed genoeg. Franco zette de Marokkanen en het Vreemdelingenlegioen in. Ze dreven een wig tussen ons en alles ging mis. Je weet simpelweg niet wat er gebeurt. Je kunt alleen de paar meter om je heen overzien, maar plotseling was alles gewoon chaos; Bertil en ik werden geïsoleerd, en later vond Arturo ons, of wij vonden hem. Bertil zei dat we er goed aan deden om ons 's nachts in de olijvengaard schuil te houden en dat deden we toen. We probeerden zuinig te zijn met het water uit de veldfles, aten de laatste stukken droog brood, namen een slok cognac en probeerden te slapen, maar Arturo jammerde aan een stuk door.

De Duitse vliegtuigen vlogen over ons heen en we hoorden hoe ze een stuk achter ons de bommen wierpen, en Bertil vloekte in het Zweeds en hoewel ik niet altijd begreep wat hij zei, was het nu heel duidelijk. De vliegtuigen wierpen hun bommen vrij ver achter ons. Het front was over ons heen gekomen en de fascisten lagen nu tussen ons en de brigade in. We konden de artillerie in de verte horen; doffe knallen die over de heuvelruggen rolden, dus het was lastig om precies te zeggen waarvandaan ze schoten.

Ik hoorde het geluid van de tank eerder dan de anderen. Er was er meer dan één. Bertil pakte Arturo bij zijn keel en staarde hem gewoon recht aan, zodat de Spanjaard zijn mond hield. Zijn ogen straalden schrik uit alsof hij naar zijn slechte ik staarde. Hij rook niet lekker; hij had dan ook geen tijd gehad om zich terug te trekken om zich schoon te maken.

Er waren twee Duitse tanks met een kleine groep infanterie. Het waren de Marokkanen van Franco die oprukten in gedisciplineerde orde, samen met de nieuwe Panzer Mk, die de fascisten nu van Hitler kregen. Bertil en ik spanden de trekker van onze geweren, terwijl Arturo zijn gezicht in het stof boorde, maar ze bogen af, passeerden ons aan de rechterkant en verdwenen over de heuvel. Misschien waren ze hun hoofdeenheid ook kwijtgeraakt. Ze bekommerden zich niet om de doden, die aan de voet van de heuvel lagen. De gieren zetten de landing in zodra het groepje verdwenen was.

Bertil zei dat we beter de hele dag in de olijvengaard konden blijven, maar dat was niet mogelijk. We hadden niets te eten of te drinken, en door de zon was het net alsof we in een oven lagen. In de loop van de middag besloten we in zuidelijke richting te gaan, evenwijdig aan wat wij dachten dat de frontlinie was. Arturo had zich wat schoongemaakt, maar hij stonk nog steeds, dus we lieten hem achteraan lopen; Bertil voorop en ik in het midden.

Het was een enorm gebied met hier en daar olijvengaarden die als donkere moedervlekken op de gele of rode aarde lagen. Spanje was zo groot en zo leeg dat je erin kon verdwijnen; zo geweldig groot dat je het gevoel had dat je een van de laatste mensen op aarde was. Het was bloedheet en het geweer en de tas met patronen werden steeds zwaarder. Bertil moest Arturo een paar keer met zijn grote, knokige handen bedreigen, omdat de kleine Spanjaard zijn geweer en zijn tas met patronen wilde wegsmijten. Ik kreeg een beetje medelijden met hem en pakte zijn handgranaten en voegde ze bij die van mijzelf. In het begin konden we de artillerie in de verte horen, maar hoe zuidelijker we kwamen, des te zwakker de doffe knallen werden.

We wisten niet precies waar we waren. Op een bepaald moment verdwenen de heuvelruggen en we liepen door struiken die grijs waren van het stof. Het stof kriebelde in onze keel en drong het kaki uniform binnen, waardoor alles begon te kriebelen. We konden de grote gieren voor ons zien zweven, maar pas toen we om een klein uitstekend rotsblok liepen, dat leek op de snavel van een arend, zagen we de vier lijken. Arturo en ik konden het beeld niet verdragen. De gieren en misschien andere dieren waren er de afgelopen nacht geweest. De mannen waren van een andere compagnie en daarom kende ik hen niet echt.

Er was ook niets over van de gezichten om ze aan te herkennen, kon ik nog net zien. Ik ging op mijn hurken met mijn rug naar hen toe zitten. Bertil liep naar hen toe en kwam even later terug en zei dat het erop leek alsof ze waren geraakt door het vliegtuig. We zouden ze eigenlijk moeten begraven, maar dat kon hij niet opbrengen. Hij stond met drie veldflessen in zijn hand en reikte ieder van ons er een aan. Ze waren voor de helft gevuld met lauw water, wat toch goed smaakte. Bertil had ook twee sinaasappelen gevonden en wat droog brood, dat in een metalen kist had gelegen en dat we zacht maakten met water en een beetje cognac, dat in een vierde veldfles zat, die Bertil bij de vermoorde mannen had gevonden.

We gingen op enige afstand van de gesneuvelden en de vliegen zitten eten en drinken. Er was ook tabak en een van die aanstekers met een lont die anders zo moeilijk verkrijgbaar waren. Toen het donker werd, waren er nog steeds geen maan of sterren waarop we zouden kunnen navigeren. We vonden een olijvengaard en Bertil nam de eerste wacht. Het was heel moeilijk om in slaap te vallen. Door de zenuwen bleef je wakker. Het was net alsof het overal kriebelde en je werd bij het minste geluid of de kleinste beweging wakker.

De volgende ochtend dronken we wat water, waarna we verder in zuidelijke richting door het lege, mooie landschap liepen. We hielden een korte pauze toen de zon op zijn hoogst aan de hemel stond. Ik was mijn muts kwijtgeraakt, maar mijn haar was weer gegroeid na de ziekenhuisopname en dat beschermde mij enigszins. Arturo liep met lege ogen voor zich uit te mompelen. Bertil nam nog steeds de leiding en toen we het laatste water hadden opgedronken, gingen we op pad. Er was niemand te zien en geen geluid van de oorlog te horen. Ik overwoog om tegen Bertil te zeggen dat we misschien in oostelijke richting naar onze eigen linies konden gaan lopen, maar ik dacht dat hij het wel het beste zou weten.

's Middags, toen de zon in het westen stond, kwamen we over een lage, lange heuvel en zagen aan de andere kant aan de voet ervan een dorp liggen. Er liepen een paar geiten aan de rand van de meent. Er zat een herder op een steen met zijn stok voor zich en de voederzak over zijn schouders. Hij keek niet naar ons op. Hij droeg een versleten grijze jas en een slobberbroek. Hij had een pet op, die hij over zijn ogen had getrokken in een verweerd gezicht dat er uitgeput uitzag.

Het dorp bestond uit een groep grijswitte huizen, die om een kerkje stonden dat eruitzag alsof er brand in had gewoed. Diverse grafstenen op het kerkhof waren omgevallen. Er zaten kogelgaten in de kerkmuur. Een muur, die gemaakt was van zwerfkeien, was helemaal kapotgeschoten alsof er granaten of bijzonder explosieve kogels waren gebruikt.

We hadden zo'n dorst en zo'n honger dat we onze angst overwonnen en naar het dorp liepen. De herder zag ons en liep naar een huis waar hij aanklopte. Er kwam een forse man naar buiten. Hij had vermoedelijk siesta gehouden, want hij trok zijn bretels in een langzame, luie beweging aan, waarna hij zijn hand boven zijn ogen hield om schaduw te maken en naar ons uitkeek. Hij draaide zich om in de deuropening. Even later kwam er een vrouw van middelbare leeftijd aan, gekleed in het zwart en met een leren zak in haar hand. Toen Bertil de veiligheidspal van zijn geweer opnieuw vastzette, deed ik hetzelfde. We staken onze gebalde rechtervuisten in de lucht en aarzelend deed de man met de bretels hetzelfde.

Er zat koud en helder water in de zak. Ik dronk en dronk grote slokken als laatste man, terwijl Bertil probeerde te praten met de man met de bretels, en Arturo mengde zich met zijn bange stem in het gesprek. Hij stond met de veldmuts in zijn hand alsof de man iemand was die je respect moest tonen. De man met de bretels had een breed gezicht met een snorretje boven een merkwaardige kin. Zijn ogen waren bruin en straalden, hij had bijna de hele tijd een glimlach op zijn gezicht, maar hij had ook iets gevaarlijks over zich – een zweem brutaliteit die op bijna alle mannen in de oorlog rustte. Er was ook iets anders, wat ik niet kon plaatsen. Het was alsof hij een schuld of een geheim met zich meedroeg. Hij wilde ons niet in de ogen kijken. Hoe oud hij was, was moeilijk in te schatten, maar hij was in elk geval van middelbare leeftijd. Zijn vrouw, als ze dat was, in de zwarte kleding, keek ook weg. De herder stond op een afstandje op zijn stok te leunen. Verderop in de smalle, stoffige straat doken een paar andere vrouwen op samen met een oude man, die nog maar één been had.

Bertil draaide zich naar mij om en zei met een glimlach dat de man voorzitter was van het arbeiderscomité dat nu het dorp bestuurde.

We hadden snel in de gaten dat er niet zo veel te besturen viel. Er waren nog maar veertig mensen over van de enkele honderden die er eerder hadden gewoond. Ik had vooral oog voor een paar kippen die rondliepen en in de aarde pikten. Ze zouden goed smaken in een soep, maar Bertil bleef erbij dat wij als brigadisten niet van de burgerbevolking moesten stelen. Toch liep het water mij in de mond bij de gedachte aan de soep die een kip kon geven en ik dacht aan kippensoep, gevolgd door kip met asperges zoals we dat thuis aten.

Ik ging op mijn hurken tegen de muur zitten wachten met mijn Russische geweer tussen mijn benen ter ondersteuning.

Er waren twee anderen uit de brigade in het dorp. Een van hen was verrassend genoeg een vrouw. De ander was een politiek commissaris uit het Edgar André-bataljon. Hij was net als Bertil een Zweed en heette Olaf. Hij had pijn vanwege een schot in zijn bovenbeen, dat het grote bot had gebroken. Zijn grijze broek stond stijf van het gestolde bloed. Hij droeg het favoriete uniform van de politiek commissarissen, de zwarte leren jas en een donkere baret, die in zijn schoot lag. Zijn blonde haar was vet en plakte aan zijn hoofdhuid. Hij was tweeëntwintig jaar oud. Hij had ook het wapen dat de politiek officieren echt status en macht gaven: een groot 9 mm-automatisch pistool, dat naast hem op bed in de kerk lag.

Bertil kende hem niet, maar ze begroetten elkaar enthousiast. Zo ging dat. Als je een landgenoot zag, was je blij, en dan werd er tabak bij gehaald.

De vrouw was Duits en heette Ute. Ze werkte als tolk en kroniekschrijver voor een van de brigades. Bertil had later het gevoel dat ze agent was voor de Komintern of de echte geheime partijen, die de Russen onder controle hadden. Ze had een vreemd gezicht dat niet knap was, maar toch aantrekkelijk, omdat het zo karakteristiek was met een hoog voorhoofd, volle lippen en felle lichtblauwe ogen, die ver uit elkaar stonden. Haar kortgeknipte haar met zachte krullen was blond en haar huid erg bleek, alsof de zon er nooit op scheen. Ze was rond de dertig en had een mollig, bijna lomp figuur in de blauwe overall.

Toen ze glimlachte, voelde dat voor mij net alsof de zon op een donkere dag doorbreekt, zo mooi was het. Ze sprak vlot Spaans, maar ik antwoordde in het Duits, omdat ik had gehoord dat ze dat met de commissaris sprak. Hij had erg veel pijn, kon ik zien. Hij hield de pijn onder bedwang met cognac.

Ik was niet erg te spreken over de commissarissen. Zweden en Denen waren niet zo erg als Duitsers, die te veel hamerden op discipline, maar het waren allemaal communisten en ze predikten zoals hun bazen hun dat opdroegen. In de soldatenboeken van alle vrijwilligers stond er onder 'partij' alleen 'antifascist', maar de communisten maakten de dienst uit. Dat was eigenlijk ook wel redelijk. De Sovjet-Unie stond ons bij met geld, wapens en raad.

Ute had een diepe, zachte stem. Ze vertelde dat ze oorspronkelijk met z'n vieren waren geweest, maar dat ze een paar dagen geleden twee mannen op pad hadden gestuurd om hulp en transport voor Olaf te regelen. De slag was groot geweest, zei ze, en de overwinning was aan onze kant. We hadden ons gewoon teruggetrokken naar veilige posities.

De ligging van de frontlinie was niet helemaal duidelijk.

Het bed van Olaf was neergezet voor iets wat ooit het altaar was geweest. Het leek op een bed dat in een armoedige slaapkamer had gestaan. Het matras zag er oud en versleten uit en zakte in het midden door. De helft van de kerkbanken was weg en de overgebleven banken vertoonden sporen van brand. Het leek alsof die in de hele ruimte had gewoed. Er lag stro op de vloer. Twee ramen waren kapot. De wanden waren zwartgeblakerd. Het stonk er naar bloed en ontlasting.

Ik liep naar buiten. Ute liep met mij mee, terwijl Bertil naast Olaf ging zitten om Zweeds met hem te praten. Arturo was in een hoek op het stro in slaap gevallen. Zelfs in zijn slaap piepte hij. Ute zei dat we erop konden rekenen dat er 's avonds witte bonen in olie zouden zijn; soms met wat geitenvlees, als we geluk hadden ... misschien ook koffie. In elk geval wijn. Ik had honger, maar zoals zo vaak was de knagende honger overgegaan en bestond die nu alleen als een leegte in mijn maag, waar tabak tegen hielp.

We gingen buiten zitten. Ik rolde twee sigaretten, gaf haar de ene en stak ze beide aan met de aansteker. Ze droeg blote voeten in de schoenen met zolen van touw, die de Spanjaarden 'alpargata's' noemden.

De vrouw in het zwart kwam naar ons toe met de zak water en nog een leren zak met wijn. Ze was toch niet zo oud als ik aanvankelijk had gedacht, maar haar ogen waren levenloos in het grijsbleke gezicht. Ze sloeg een kruis naar het klokkentorentje en liep het huis weer in. Het was erg warm en de insecten waren duidelijk hoorbaar. Het dorp en de heuvels erachter sidderden in de nevel. De herder dreef zijn geiten weg van het stadje een heuvelrug op. Ute zei dat de vrouw altijd een kruis sloeg wanneer ze langs de klokkentoren liep, omdat het er spookte. Ute vertelde, terwijl wij rookten en van de jonge wijn dronken.

In juli 1936, toen de opstand uitbrak, hadden de burgergardisten, die een kazerne in het dorp hadden, de kant van Franco gekozen. Er waren acht gardisten geweest. Ze hadden het dorp ingenomen, onder leiding van een zekere Alfonso Gonzales. Hij was tot de verkiezingen in 1936 burgemeester geweest en daarna werd hij vervangen door een man van het volksfront. Alfonso Gonzales was falangist en genoot ervan rond te lopen in zijn uniform en te groeten met de Hitlergroet. Hij verzamelde het hele dorp voor de kerk. Behalve burgergardisten waren er circa vijf andere blauwhemden die waren bewapend door de burgergarde.

Alle jongens boven de twaalf en alle mannen werden op een rij gezet. Gonzales liep voor de rij bange jongens en mannen heen en weer. In een groep ernaast stonden de vrouwen en meisjes en kleine jongens. Gonzales zwaaide met zijn pistool en spreidde zijn armen. Het stof waaide op tussen zijn hoge zwarte laarzen. Hij had ze samen met zijn bandelier gepoetst, zodat het leer glom in de zon. Uit de resultaten van de verkiezingen bleek, zei hij, dat de helft van het dorp op communisten, socialisten, anarchisten en andere kerkschenders had gestemd en daarvoor moesten ze boeten, zodat een nieuwe orde zijn entree kon maken wanneer het slechte bloed was uitgeroeid. Eerst haalde hij de burgemeester uit de rij en schoot hem in zijn buik, zodat het een hele tijd zou duren voordat hij zou sterven. De pasgekozen burgemeester van het stadje was nog maar achtentwintig jaar. Hij schreeuwde het uit. Hij weet niet hoe een echte man sterft, riep Gonzales. Kijk eens wat een lafaard. Kijk eens wat een vrouw. Luister, de lafaard gilt als het varken dat hij is. Kijk eens naar die vieze homo. Kijk eens hoe slecht hij sterft. Lang leve de dood, riep hij.

Hij eiste dat iedereen op de maat, in koor, riep: Lang leve de dood! Viva la muerte! Viva la muerte! zei Ute in het Spaans bijna in zichzelf.

De priester stond in zijn zwarte pij met het kruis om zijn hals toe te kijken. Hij friemelde aan zijn rozenkrans en was bleek en zweette in de hitte, maar hij liep naar voren en zegende iedere tweede jongen en man. Een voor een werden de gezegenden naar voren getrokken en doodgeschoten, terwijl de vrouwen en meisjes uit het dorp toekeken. De priester was een forse man, die de stervende burgemeester de laatste heilige sacramenten toediende en zonder een goed woordje te doen of de minste vorm van naastenliefde te betonen, zegende hij de ter dood veroordeelden. Hij zei alleen tegen ieder afzonderlijk: Je bent een arme zondaar, maar in de hemel zul je een beter leven krijgen, als je berouw toont. De priester stond erom bekend dat hij hield van de wijn die de gemeente hem gedwongen was te brengen, tot de verkiezingen de macht in het dorp veranderden. Hij had bloeddoorlopen ogen. Hij liep rond met zijn kruis en een bijbel, alsof het een zondag als alle andere zondagen was.

Er waren zowel mannen als jongens die de verschrikkingen probeerden te ontvluchten. Echtgenotes renden uit de groep naar hun mannen om tussen hen en de geweren van de gardisten en de pistolen van de fa-

langisten te gaan liggen. Ze werden doodgeschoten. Gonzales schreeuwde ondertussen voortdurend. Lang leve de dood, brulde hij. Toon je als
echte Spanjaarden en sterf goed. Het gele stof voor de kerk kleurde rood
van het bloed. Het was alsof de aarde bloedtranen huilde. De mannen
en jongens die het er levend vanaf brachten werd bevolen een gemeenschappelijk graf te graven achter het kerkhof, waar de lijken in werden
gegooid.

Ute keek mij aan. Ze vertelde toonloos, maar als iemand die de behoefte had om te praten. Ze had vermoeide ogen onder het blonde haar
en ze rookte gretig en snel, dus ik rolde twee nieuwe sigaretten voor ons
zonder iets te zeggen. Ik liet haar in alle rust haar verhaal doen.

Ze had het verhaal pas de dag ervoor gehoord, zei ze. De oude vrouw,
die helemaal niet oud was, maar nog maar achtentwintig jaar, had het
haar verteld, toen ze haar hielp water uit de bron putten. Ze waren het
water vergeten, maar ze hadden urenlang gepraat. Het was voor het
eerst dat ze haar verhaal vertelde. Ze kende alle details. Ze was de we-
duwe van de vermoorde burgemeester. Hun dochter van negen jaar werd
vermoord, doodgeschoten net als hun zoon van zeven, toen hij naar zijn
vader toe rende. De man met de bretels was haar vader.

Het was moeilijk om precies te zeggen wat er met de vrouwen was
gebeurd. Wie was er vermoord nadat ze waren verkracht? Wie had zelfmoord gepleegd? Wie was weggelopen? Welke moeders hadden hun eigen dochters vermoord, zodat ze niet het slachtoffer zouden worden van
de aanrandingen van de burgergardisten en falangisten?

De rode waas duurde twee zeer lange etmalen, toen werd het dorp
eindelijk bevrijd door de arbeidersmilitie. In de eerste chaotische tijd van
de oorlog wilde de lokale overheid geen wapens leveren aan arbeiders,
dus ze kwamen niet op tijd aan. Het kwam tot een gevecht, maar toen de
burgergarde twee personen had vermoord en drie personen lichtgewond
waren geraakt, gaven ze het op. De beschadigingen aan de muur van het
kerkhof stamden uit die gevechten. De burgergardisten hadden hun verdedigingsposities op het kerkhof ingenomen, samen met de falangisten,
die twee mannen verloren in de gevechten.

De overlevenden in het dorp vonden de priester in zijn huis. Ze sleepten hem naar zijn kerk en hingen hem aan het klokkentouw. Ze sloten
de overlevende falangisten en burgergardisten met hun vrouwen en kin-

deren in de kerk op en staken die in brand met handgranaten en flessen benzine.

Gonzales stierf niet zo goed. Hij gilde als een speenvarken, totdat de rook hem de baas werd. De lijken sleepten ze de siërra in en ze lieten hen over aan de gieren en de andere dieren die 's nachts tevoorschijn komen. Datzelfde deden de geesten nu. 's Nachts kon je het geschreeuw en gehuil vanuit de kerktoren horen. Als je heel goed luisterde, zwegen de stemmen, maar als je niet luisterde, drongen ze zelfs tot in de diepste dromen door. Je kon er niet aan ontkomen en ze zouden je altijd blijven achtervolgen, ongeacht waar je naartoe reisde.

Ute keek naar mij, stond op en zei dat ze zich nu moest wassen.

Ik bleef nog even zitten en dronk van de wijn en rookte sigaretten. Ik kon de gewelde witte bonen ruiken die ergens in de buurt werden gekookt. Ze zouden drijven in de olie, waar Scandinavische magen slecht tegen konden, maar ik had er niet veel moeite mee. Na een tijdje stond ik op en liep achter Ute aan.

Ze nam een bad achter een ingestort huis, waar ze een oude zinken badkuip had neergezet. Ik vermoedde dat ze hem 's ochtends met water vulde, zodat de zon het in de loop van de dag kon opwarmen. Ik stond op een afstandje. Arturo was eerder dan ik gekomen. Ik kon schuin rechts voor mij zien hoe zijn gezicht boven een ingestorte muur uitstak. Zijn tranen drupten en maakten twee strepen op zijn stoffige gezicht.

Ute stond op en het water liep langs haar naakte lichaam omlaag. De avondzon glom in de druppels op haar inwitte huid. Ze waste zich met een washandje. Ze stond half naar mij toe gekeerd en bewoog het washandje langzaam over haar grote, zware borsten. Ze had rode billen en fijn, blond schaamhaar. Ik deed niet mijn best om me te verstoppen. Misschien wilde ik niet dat ze de huilende Arturo zag. Ze draaide haar voorkant naar mij toe en glimlachte, terwijl ze ongegeneerd het washandje de zachte huid van haar buik liet strelen en het verder tussen haar benen liet gaan. Ze keerde haar rug naar mij toe en ik hoorde haar zingen. Het was een Duits wiegeliedje dat mijn kindermeisje ook had gezongen. Het gezicht van Arturo verdween. Ik begon eraan te twijfelen of ik hem überhaupt had gezien, of dat zijn vieze gezicht een beeld was geweest dat werd veroorzaakt door vermoeidheid en honger.

Ik keek naar Ute in de zon en dacht na over hoe het zou zijn om met haar te vrijen, en dat het leven zeer merkwaardig en onvoorspelbaar was, maar het werd nooit iets. De volgende ochtend kwamen er mensen van de brigade in een veroverde Italiaanse vrachtwagen om de Zweedse politiek commissaris te evacueren. In de vrachtwagen zaten een Duitse politiek commissaris, die Günther heette, twee Oostenrijkers en twee Spanjaarden. Ze namen natuurlijk ook Ute, Bertil en mij mee.

Ik zat samen met de ene Oostenrijker naast Ute in de open bak, dus ik kon haar bovenbenen door de grove uniformkleding voelen, maar ze had slechts oog voor Olaf. Ze hield zijn hand vast en goot cognac in hem. Van zijn verbrijzelde been steeg een akelige stank op. Hij had bovendien hoge koorts en mompelde vaak in zichzelf. Het was een onverstaanbaar geneuzel in het Zweeds over gouden munten en schatten van de verdwenen rijken van de Azteken. Zijn voorhoofd was nat van het zweet, ook al depte Ute het droog. Hij gilde het vaak uit van de pijn wanneer de vrachtwagen op de smalle weg vol gaten over of in iets reed.

Bertil zat tegenover ons naast commissaris Günther en de ene Spanjaard. Bertil keek naar mij en naar Olaf en schudde wanhopig zijn hoofd. Olaf lag op het bed uit de kerk tussen ons in. Alleen Arturo ontbrak nog, maar hij was afgelopen nacht gevlucht.

Arturo was niet ver gekomen. Hij lag nog geen vijf kilometer van het dorp in een greppel. De kameraden die ons kwamen ophalen, waren hem tegengekomen en hadden hem doodgeschoten, zei Günther. Hij had zijn wapen niet bij zich en geen verlofbrief en geen goede verklaring. Arturo lag op zijn rug en keek omhoog naar de blauwe Spaanse hemel. Zijn ogen waren open en zijn mond zag er nog steeds uit alsof hij huilde. Een grijsbleek stuk stof was met Arturo's eigen zakmes op zijn borst vastgezet.

Commissaris Günther had het woord 'deserteur' met grote, zwarte letters op de stof geschilderd. We reden langs hem zonder te stoppen. Ute begon haar Duitse wiegeliedje te zingen. Haar stem trilde, maar dat was waarschijnlijk alleen omdat de vrachtwagen slechte veren had en zo hobbelde over de weg vol gaten.

8

Svend Poulsen loopt voor de redactie van *Arbejderbladet* in de Nørregade heen en weer als een dier in een kooi wanneer Magnus en Marie zoals afgesproken de dag erna langskomen. Zijn donkerbruine reistas staat voor de deur. Het is een mooie dag vroeg in de herfst. Een bleke zon schijnt door hoge wolken en produceert een teer licht, dat eruitziet alsof het is gefilterd door watten. De smalle steeg met kinderkopjes, waar de redactie en het kantoor van de Communistische Partij huist, stinkt naar paardenpoep en ondefinieerbaar naar armoede, die Magnus nu associeert met zijn geboorteplaats.

Hij kon zich niet herinneren dat de stad zo rook toen hij er nog woonde. Door de crisis worden mensen neerslachtig en de geur van armoede zit in de versleten, goedkope kleding. De gebouwen zijn klein en zakken in, alsof ze zich schamen. Magnus ziet er misplaatst uit in zijn mooie grijze tweed kostuum, het lichte overhemd en de discrete stropdas, maar zonder hoed. Aan zijn voeten draagt hij zijn solide Amerikaans-Italiaanse schoenen. Marie heeft een lange rok aan met een bevallige overhemdbloes. Ze moet later aan het werk. Aan haar voeten heeft ze platte, degelijke schoenen.

Magnus heeft bijna geen oog dichtgedaan. Hij kon het verhaal van zijn jongere broer niet uit zijn hoofd zetten, maar ze spraken er niet over bij het ontbijt. Hij gaf gewoon de handgeschreven bladzijden aan Marie, waarna ze naar beneden gingen om te ontbijten. Ze had kort naar hem geglimlacht toen ze zijn gezicht zag. Overweldigend, had hij alleen gezegd. De chef-arts had zoals gebruikelijk een zachtgekookt ei gegeten, een hele snee roggebrood met kaas, en een glas melk en twee koppen koffie gedronken, terwijl hij zijn conservatieve ochtendkrant las. Magnus had gevraagd om havermoutpap, maar hij had moeite om die door zijn keel te krijgen, toen het bord met een klodder boter en suiker voor hem stond dat het dienstmeisje met een galante beweging had neergezet. Ze wierp hem de hele tijd heimelijke blikken toe. Misschien moest hij haar opzoeken, maar dat zou de situatie alleen maar gecompliceerder maken. Hij liet de boter een beetje smelten, waarna hij een hap nam. De eerste was prima naar binnen gegleden, maar de volgende groeiden gewoon in zijn mond. Het was een vreemde ingeving geweest, een vlucht terug naar zijn jeugd. In plaats van de havermout te eten had hij koffiegedronken en sigaretten gerookt, en teruggedacht aan het verhaal uit Spanje, hoewel het verhaal zo afschuwelijk was dat hij er niet te veel bij wilde stilstaan.

Svend Poulsen stopt zijn rusteloze manier van lopen, wanneer hij hen ziet. Marie verrast Magnus door op Svend Poulsen af te lopen, hem te omhelzen en een kus op zijn mond te geven. Magnus ziet dat ze hem bewust wil tonen dat ze haar tong gebruikt, waarna die zich gretig aan die van Poulsen vastzuigt, die een ogenblik verstijft maar dan kort terugkust. Alles in mijn familie heeft een prijs, denkt hij. Je krijgt niets cadeau. Er is nooit sprake van een gratis maaltijd. Marie laat Poulsen los en doet een stap opzij. Ze negeert de blikken die ze krijgt toegeworpen van twee vrouwen die uit de tricotagewinkel schuin tegenover de redactie komen. Het zijn logge vrouwen in armoedige kleding. De ene houdt de hand van een iel jongetje vast.

Svend Poulsen is een lange, magere man, die zijn rechterarm vanaf de elleboog mist. De mouw van zijn grove, grijze jas is met spelden vastgemaakt rond het halve lichaamsdeel. Hij heeft een zwarte broek aan, brede, afgetrapte schoenen en een gewone, donkere pet op. Zijn haarbos onder de pet is vol en zwart. Hij is verbrand door de zon en heeft verbluffend witte tanden in een land waar de meeste mensen in zijn sociale klasse voor hun vormsel een gebit cadeau krijgen. Magnus is gefascineerd door zijn ogen. Die zijn diepgroen en fel onder een hoog, recht voorhoofd. Ze kijken hem zonder schaamte of eerbied recht aan, wanneer Poulsen hem met de linkerhand een stevige hand geeft, hoewel de handdruk ongemakkelijk is. Marie staat naast hem en produceert haar ondoorgrondelijke glimlach.

'Het is mij een genoegen om de broer van Marie te ontmoeten', zegt Poulsen. 'Ik heb zo veel over u gehoord. En daarmee bedoel ik veel goeds.' Zijn stem is diep en slechts met weinig dialect. Hij is jonger dan Magnus aanvankelijk dacht, misschien ergens achter in de twintig, maar zijn leeftijd is lastig in te schatten.

Magnus zegt 'insgelijks' en probeert de ogen van zijn zus te vangen, maar zij wendt haar blik af. Hij weet niet of ze verwacht dat hij verontwaardigd is over haar kus in het openbaar, maar dat is hij niet. Hij is vooral verbaasd dat het voor haar van levensbelang is om hem te laten zien dat ze zich mengt met de arbeidersklasse. Alsof hij zich iets aantrekt van klassen. In Argentinië betekende het iets, maar iets anders, en in de vs kan een man zich boven alles verheffen als hij van aanpakken weet. Hij is de ouderwetse manier van denken in Europa zat. Hij staat achter de woorden uit de Amerikaanse grondwet dat alle mensen gelijk geschapen zijn en evenveel recht hebben het geluk na te jagen. De oude wereld is de oude wereld. De nieuwe wereld is de nieuwe wereld, omdat die niet vastgegroeid is in verouderde normen, die allemaal verzameld lijken te zijn in de chef-arts en zijn gehele wezen. In de vs is geld belangrijker dan familie en erfgoed. Misschien is nieuw geld minder deftig dan oud geld, maar oud geld geeft toch wel toegang tot de juiste kringen.

'Zullen we naar binnen gaan, Svend?' vraagt Marie.

Svend schudt zijn hoofd, alsof hij er niets van begrijpt.

'Dat kan niet', zegt hij. 'Ze hebben het slot vervangen. Ik kan er niet in.'

'Wat zeg je? Kun je je eigen kantoor niet binnenkomen? En je kamer dan?'

'Het is gebeurd terwijl ik in Kopenhagen was. Ik ben uit de partij gezet en ontslagen als redacteur. Ze zeggen dat ik trotskist ben. En contrarevolutionair. Ik ben nu een klassenverrader, die bijna de Deense leider is van het trotskisme.' Hij wijst hoofdschuddend naar het kleine huis van twee verdiepingen hoog. Achter de ramen zijn vaag twee gezichten te zien, die zich terugtrekken wanneer ze alle drie naar hen staren.

Magnus en Marie krijgen het grootste deel van het verhaal in een café in de buurt te horen. Het is een klein café met slechts enkele tafels en nog minder gasten op dit vroege tijdstip van de dag. Er liggen blauwgeruite kleedjes op de tafels, er staan stoelen met krassen erop en er hangt een geur van oude tabak, restjes bier en verloren zielen. Een kleine, forse man met zwarte bretels en een schort met vetvlekken serveert Marie koffie en de mannen een pilsje. Magnus heeft sterk het gevoel dat hij Marie en Svend kent. Svend heeft anders wel een trouwring om zijn vinger, ziet Magnus, die ook ziet dat hij toch zeer onder de indruk is van zijn zus en haar leuk vindt. Maar hij lijkt vooral geschokt te zijn dat hij uit de partij is gezet, alsof iemand hem zijn levensdoel heeft ontnomen.

Svend Poulsen was opgeroepen om naar Kopenhagen te komen voor een ontmoeting met het hoogste bestuur van de Communistische Partij. Hij dacht dat het om routinevragen ging, een bijstelling van het Spanjebeleid, dat de specialiteit van Svend is, maar het bleek een partijrechtbank te zijn, waar hij werd aangeklaagd wegens praktijken die de partij schade berokkenden en voor trotskisme.

In Moskou worden grote showprocessen gevoerd tegen de tegenstanders van Stalin. Bijna elke dag wordt er in de krant bericht over veroordelingen na opzienbarende bekentenissen. Ongeveer dagelijks kun je lezen over executies van vijanden van Stalin. Ze zijn bijna allemaal aangeklaagd omdat ze de ideeën steunen die Trotski had, de man die niet wil sterven, ook al heeft Stalin hem bijna tien jaar eerder in ballingschap gedreven.

Ze roken alle drie de sigaretten van Meyer, terwijl ze luisteren naar het verhaal van Poulsen. Hij had zich geprobeerd te verdedigen, maar het bestuur wilde niet luisteren. De beslissing was genomen. Hij werd op staande voet uit de partij gezet en zijn functie als partijfunctionaris en redacteur was opgeheven. Ze hadden zich er niets van aangetrokken dat hij een vrouw en twee kinderen heeft, en dat hij door de hoge werkloosheid moeilijk een nieuwe baan zou kunnen krijgen. Magnus kijkt naar Marie wanneer Svend over zijn vrouw en zijn kinderen praat, maar haar gezicht geeft niets prijs.

Waaruit bestond zijn vergrijp? Dat hij op een lokale partij-vergadering en in een artikel in *Arbejderbladet*, dat gelukkig niet is gedrukt, bekritiseerde dat de Komintern en het bestuur van het volksfront in Spanje een noodzakelijk gevecht met alle middelen waren aangegaan tegen anarchisten en andere renegaten en klassenverraders. Het gevecht in Spanje is hard en meedogenloos. Het vereist een sterke discipline en een on-voorwaardelijke loyaliteit ten opzichte van de besluiten en de lijn van de partij. De mening dat het het gevecht tegen het fascisme zwakker maakt wanneer niet iedereen elkaar steunt, is puur trotskisme. Er is geen ruimte voor dat soort burgerlijk individualisme. Vijfdecolonneverraders moeten zonder genade uitgeroeid worden. Syndicalisten en anarchisten zijn verraders en trotskisten. Stalin heeft onverbiddelijke oorlog als decreet uitgevaardigd tegen het trotskisme in de Sovjet-Unie en overal waar de arbeidersklasse vecht. Stalin heeft als decreet uitge-vaardigd dat er in die strijd geen ruimte is je slap op te stellen. Je doet mee. Of je bent tegen.

Svend Poulsen had op een partijvergadering, die niet open-baar was – maar toch was het een onvergeeflijke handeling –, bekritiseerd dat de wapens die de Sovjet-Unie zo onbaatzuchtig leverde, niet van goede kwaliteit waren. Er ontbreken goede ge-weren en munitie die bij de geleverde handwapens past. De Sov-jet-Unie stuurt ouderwets militair materiaal, dat helemaal niet is bestand tegen de wapens van de nationalisten. Het kost men-senlevens en het kan de overwinning kosten, had hij gezegd.

Svend Poulsen schudt zijn hoofd.

'Ik wil maar zeggen. Ik schreef dat je in de strijd tegen het fascisme elkaar moet steunen en niet tegen elkaar moet vech-ten. Het was zo duidelijk toen ik er zelf was. Ik ben ... ik bedoel was ... lid van de partij, maar in mijn soldatenboek stond net als in dat van alle anderen: antifascist. We hadden geen echte officieren. In de brigades waren we kameraden in een gezamen-lijke strijd. Nu zijn er officieren met rangstrepen en groetplicht en militaire discipline. Ik hoor van mijn kameraden daar dat er wordt geruzied, gezeurd en gevochten. We krijgen slechte wapens. Ik weet het. Ik zei het op een partijvergadering, omdat ik mijn kameraden wilde uitleggen waarom het niet zo goed gaat met de oorlog en hun vertellen hoe dapper de vrijwilligers vechten tegen Franco's professionele legioensoldaten en *regulares*.'

Hij tilt zijn halve arm op, waarna hij verdergaat: 'Het geweer explodeerde in mijn handen. Dat gebeurt veel te vaak. Ze sturen ons het verkeerde kaliber. Communist zijn betekent verdomme niet hetzelfde als het verloochenen van de waarheid!'

'Communist zijn betekent hetzelfde als dat je bij welke andere religie dan ook hoort. Het is hetzelfde als het kiezen van de waarheid met de criteria die de god aangeeft. Andere waarheden zijn ketterij en dan word je verbrand op de brandstapel.'

Magnus kijkt hem aan, maar Svend kijkt naar Marie, die haar koffie met kleine, vrouwelijke slokjes opdrinkt.

'Wij hebben geen god', zegt hij.

'Jullie hebben Stalin. Dat is bijna hetzelfde. Als je handelt in strijd met de wetten en dogma's van de kerk, word je geëxcommuniceerd. Als jullie handelen in strijd met de dogma's van Stalin, worden jullie uitgesloten van de communistische wereldtempel. Het is lood om oud ijzer.'

'Politiek is niet iets waarover ik nu wil discussiëren. Vreemd genoeg, want ik heb niet anders gedaan dan politieke discussies voeren sinds ik veertien jaar was.'

Svend lacht. Hij heeft een leuke lach, die aanstekelijk werkt en zowel Magnus als Marie glimlacht. Marie legt haar hand op zijn hele arm: 'Wat ga je nu doen, Svend?'

'Een baan proberen te vinden, maar dat is wel moeilijk met één arm. We krijgen vast wel wat geld van de bijstand. Ingeborg werkt af en toe ook. Misschien ga ik een boek schrijven over de kameraden en Spanje, wat ik al langer heb overwogen. Mijn schrijfhand mankeert niets.'

Hij trekt zijn linkerarm onder de hand van Marie uit, heft hem op en zegt ter verklaring, misschien tegen Magnus: 'Ik ben links. Ik schrijf het beste en het netste met mijn linkerhand, maar op school kreeg ik tikken als ik niet met rechts schreef. Ik had een leraar die mijn linkerhand op mijn rug vastbond, toen ik moest leren schrijven. Het is verdorie wel ironisch dat de oorlog mij mijn goede hand ontnam, als ik het zo mag zeggen. In het net laten schrijven, kan altijd.'

Hij kijkt eerst naar zijn ontbrekende rechterhand en daarna naar de ongeschonden linker en legt die op tafel, alsof hij niet weet wat hij ermee moet doen.

'Ik kan misschien ook ...' Marie krijgt niet de mogelijkheid om haar zin af te maken.

'Nee. Dat kun je niet', zegt Svend Poulsen met een diepte in zijn stem, die zijn dialect duidelijker maakt. 'Ik heb altijd voor mezelf gezorgd. We redden ons wel.'

Marie ziet er gekwetst uit en houdt haar hand tegen, die zich weer over die van Poulsen wilde leggen. Magnus deelt nieuwe sigaretten uit en bestelt nog twee biertjes. Marie wil graag een glas fris hebben. Haar dienst begint bijna.

In een hoek was een jong stel gaan zitten. Ze leunen naar elkaar toe en houden elkaars handen vast. Zij praat. De jonge man is grijs in zijn gezicht en hij is net zo mager als de vrouw. Ze legt haar handen op haar buik en hij schuift wat van haar weg, en Meyer kan aan zijn gezichtsuitdrukking zien dat hij weet waarover ze het heeft, maar dat het nog niet tot zijn verstand wil doordringen.

'Welke opleiding hebt u genoten?' vraagt Magnus, wanneer de dikke ober hun bier en een bronwater met citroen heeft gebracht en de twee lege flesjes en de witte koffiekan en het kopje, de suikerpot en het roomkannetje heeft meegenomen.

'Kunnen we elkaar niet tutoyeren?'

'Hoe ben je opgeleid?'

'Als twaalfjarige kwam ik in de leer als tonnenmaker, maar ik vertrok naar zee toen ik klaar was. Ik heb gevaren tot ik eenentwintig was, toen ben ik getrouwd.'

'Dat is vast niet het hele verhaal.'

'Nee. Ik werd op jonge leeftijd lid van de partij, die mij op veel manieren opleidde. Ik leerde goed lezen. Ik leerde schrijven. Ik leerde mijn knappe hoofd te gebruiken, waarmee ik volgens iedereen ben geboren. Ik volgde een jaar lang cursussen in Kopenhagen en iets meer dan een jaar zat ik op de partijschool in Moskou.'

'Dus je hebt in Rusland gewoond?'

Svend Poulsens intelligente gezicht begint te stralen.

'Ja.'

'Hoe was dat?'

'Alsof je in de toekomst keek. Armoede is overal hard voor mensen, maar in Rusland is er hoop, omdat ze een heel nieuw land bouwen. Een heel nieuwe plek voor mensen. Ze werken aan een toekomst waar armoede en onrecht zal verdwijnen.'

'Daar geloof je nog steeds in?'

'Ja. Daar geloof ik in. Natuurlijk geloof ik in het socialisme.'

'Ondanks showprocessen en executies en willekeurige arrestaties daar in Moskou en in Spanje en niet te vergeten je eigen situatie?'

'Waarin zou ik anders moeten geloven, anders dan dat het mogelijk is om gezamenlijk een andere en rechtvaardige wereld te bouwen? Dat zou een inhoudsloos leven zijn. Waar geloof jij in?'

'Ik ben niet religieus, dus ik geloof in mijzelf.'

'Dat klinkt inhoudsloos.'

'Dat klinkt rationeel.'

'Dus kun je ook minder verliezen.'

Een stilte daalt neer over de tafel. Het gesprek verloopt anders dan gepland. Het was de bedoeling dat Poulsen Magnus op de hoogte zou brengen van de situatie in Spanje en hem zou vertellen hoe hij het gemakkelijkst in contact komt met Mads, maar alles staat op zijn kop. Magnus is ook meer beïnvloed door – ja, zelfs meer geïrriteerd over de openlijke affaire tussen Marie en Svend dan hij eerst wilde erkennen. Het is geen liefde. Hij kent zijn zus. Voor haar is het berekening en vast ook seks. Uit de manier waarop Svend naar haar kijkt, maakt hij op dat hij onder de indruk is van haar uiterlijk, maar ook onbewust van haar klasse. Magnus ergert zich aan zichzelf. Hij heeft het verloop van het gesprek niet onder controle. Het wordt tijd om het weer in juiste banen te leiden. Hij is niet de hoeder van Poulsen, ook al maakt de relatie van Marie tot hem Magnus' houdingen en gevoelens gecompliceerder voor de nu duidelijk radeloze man, die zijn levensgrondslag ziet afbrokkelen en nog niet in de gaten heeft wat dat voor hem en vooral voor zijn zelfkennis zal betekenen.

Ze sturen Marie naar haar werk, vragen de ober op de reistas van Poulsen te passen en maken zelf een wandeling naar het meer en verder langs de rivier. Ze lopen naast elkaar in de vriendelijke zonneschijn. Er lopen nog steeds koeien in de wei en in de verte zien ze een paardenspan, dat een eg achter zich aan trekt. De zwakke wind brengt vlagen aanmoedigend geroep van de boer met zich mee. De meeuwen hangen als een witte wolk achter het landbouwwerktuig. De bladeren aan de bomen hebben een grijsgroene gloed. Twee eksters verjagen een lichtbruine roofvogel. De rivier slingert zacht door het landschap, waardoor Magnus vindt dat het eruitziet als een ansichtkaart, zo idyllisch als het zich voor zijn ogen ontvouwt.

Het kost geen moeite om een gesprek te voeren met Poulsen. Magnus vraagt zich af waarom ze het meteen zo goed met elkaar kunnen vinden. Misschien komt het doordat Magnus de afgelopen vijf jaar veel is omgegaan met arbeiders, terwijl Svend Poulsen de arbeidersklasse is ontgroeid, maar zich nu een intellectuele bagage heeft toegeëigend. Misschien komt het door de oorlog. Misschien doet oorlog iets met mensen. Het lijkt in elk geval alsof ze elkaar al lange tijd kennen, ook al hebben ze elkaar net ontmoet.

Poulsen vraagt naar zijn reizen en of Magnus iets afweet van het Amerikaanse communistische milieu. Dat weet Magnus niet. Hij weet alleen dat de communisten vaak opgejaagd zijn in Amerika. Veel mensen beschouwen hen niet als patriottische burgers, maar vinden dat ze in de zak van Stalin zitten. Meyer weet dat er harde arbeidsgevechten zijn en dat de crisis pijn doet. Hij heeft de rondzwervende *hobo's*, die in de goederentreinen springen, gezien, en de vele armen in New York en Chicago, maar hij vindt dat het beter gaat. De nieuwe president, Roosevelt, heeft een *New Deal* gesloten, die goed is geweest voor de werkgelegenheid. Er worden wegen en bruggen gebouwd. Er is een nieuw optimisme in Amerika. Het is een land dat er wel weer bovenop zal komen, zegt hij.

Poulsen is van mening dat alleen de wereldrevolutie het onrecht en de uitbuiting van het werkende volk kan afschaffen, maar Magnus gaat de discussie niet aan. In plaats daarvan vertelt hij dat het in Argentinië heel anders is, waar elke poging tot communistische agitatie door de politie en het leger hard wordt aangepakt.

Ze beginnen snel te praten over boeken die ze allebei hebben gelezen, omdat ze zich realiseren dat ze van dezelfde auteurs houden, en de meeste daarvan zijn Amerikaans. Magnus kent niet zo veel Deense auteurs. Svend leest natuurlijk Nexø en Kirk, maar de nummer één op hun lijst is Upton Sinclair. Ze lezen allebei John Steinbeck, terwijl alleen Magnus houdt van Jack London, die Poulsen te individualistisch en burgerlijk vindt, hoewel hij het er wel mee eens is dat hij goed schrijft. Ze zijn beiden onder de indruk van Ernest Hemingway, die Poulsen niet alleen heeft gelezen, maar ook heeft gezien en zelfs heeft gesproken in Madrid. De grote Amerikaanse auteur had Poulsen een platte heupfles gevuld met een goede whisky aangereikt. Neem een slok, kameraad, had hij gezegd.

Dat was vlak na de slag bij Jarama, waar de brigade fascisten had tegengehouden en Hemingway had tegen hem gezegd dat die slag belangrijker is geweest in het rekken van een Europese oorlog dan wat pacifisten ooit hebben gedaan. Hij had de vrijwilligers geprezen en gezegd dat zij het verschil uitmaakten en dat hij er zeker van was geweest dat de regering de oorlog zou winnen. De regering moest de oorlog winnen.

Poulsen gaat verder: 'Het was merkwaardig om in Madrid te zijn. Op veel plekken zijn er ruïnes waar bommen zijn gevallen, vooral bij het front, maar op andere plekken is er bijna niets te zien. In het centrum bij iets wat de namen Puerta del Sol en Calle Alcála draagt, zijn enorm veel mooie restaurants en cafés, hotels en winkels. Nette officieren in smetteloze uniformen dansen met de knapste señorita's. We kwamen net van het front dat slechts enkele kilometers verwijderd was. We stonken een uur in de wind. In onze vieze kleding zaten gaten. Je probeerde je haar netjes te doen, een vlek te verwijderen en een nagel schoon te maken, wanneer je hen in hun deftige kleding weg zag wiegen. Dat was compleet onwerkelijk. Wat deden de nette Russische en Spaanse officieren? Die hadden nog nooit een aanval gezien of de bommen horen vallen vanuit de grote Duitse Junkers bij het front, waar men zich koortsachtig probeerde in te graven. Wij konden het niet verdragen en gingen naar een arbeidersvoorstad, die Carabanchel heet. Daar stonk het net zo erg als dat wij deden en het wemelde er van de armoedige kinderen, die ons allemaal naar een bordeel wilden lokken, waar vast 's werelds lelijkste hoeren waren. Er waren vervallen cafés, en overal stonden borden met *No hay carne. No hay leche. No hay pan.* Dat betekent ...'

'Ik weet wel wat dat betekent.'

'O ja. Dat is ook zo. Ik spreek alleen wat front-Spaans, vast niet zo goed als jij. Nou. Maar de mensen werden blij van een nette man als Hemingway, die zijn heupfles met whisky aan je geeft en gewoon zegt, neem een slok, kameraad, en je recht in de ogen aankijkt.'

Poulsens blik dwaalt af, waarna hij verdergaat: ''s Nachts was het heel anders in Madrid. 's Nachts begon de artillerie te schieten en de vliegtuigen vlogen over Madrid en lieten hun bommen vallen en de stad was zo leeg als het graf. Wij wisten wel dat er achter veel gesloten deuren en ramen met luiken ervoor fascisten zaten te wachten totdat Franco zou komen. In de hotels werd gefeest en gedronken. Ik hield niet van de hoofdstad. Ik hield niet van de corruptie en de officieren en de andere vooraanstaande mensen die hun eigen zaakjes regelen, alle journalisten en spionnen, wapenhandelaren en mensen van de zwarte markt. Madrid is als een snol. Het klinkt vreemd, maar ik was blij toen we het bevel kregen om terug te gaan naar het front.'

Ze zitten op een omgevallen boom, die is bezweken onder een storm van lang geleden en nu een natuurlijke bank vormt langs de oever van de rivier. Het water in de rivier stroomt rustig voorbij. Magnus ziet de rimpelingen in het water van een zalm of een forel, die een insect vangt. Het is er stil en het ruikt er naar nazomer en het beginnende verval van het vroege najaar. Een witte vlinder klapwiekt boven het bruine water en verdwijnt tussen twee vlieren.

Hij zegt: 'Hoe is de novelle van mijn broer door de censuur gekomen?'

'Dat is niet gebeurd. Een kameraad heeft hem mee naar huis genomen. Hij was zo geveld door de tyfus dat hij naar huis werd gestuurd.'

'Ben je van plan geweest om hem te drukken?'

'Dat kan niet. Niemand wil hem drukken.'

Meyer biedt hem een sigaret aan en ze roken, waarna hij vraagt: 'Waarom heb je hem aan Marie laten zien?'

'Dat weet ik niet.'

'Wat is dat voor antwoord?'

'Het juiste. Ik weet het niet. Ik had de brief 's ochtends van Mads gekregen en ik had zijn verhaal diverse keren gelezen. Alles kwam terug. Marie kwam 's middags laat zoals ze zo vaak deed, en toen we hadden, je weet wel ...'

'Gevreeën?'

'Zo kun je het wel noemen. "Geneukt" is net zo'n goed woord, sorry dat ik het zeg, maar zo is het toch wel?'

Hij kijkt naar Magnus, die hem niet uit de benarde positie wil helpen waarin Svend zichzelf heeft gebracht. Hij draait zijn hoofd opzij en schiet de sigaret met zijn vingers in het water. Poulsen inhaleert diep, maar houdt zijn peuk vast en gaat verder: 'Toen dacht ik alleen: ze moet weten hoe het in elkaar steekt, en toen stond ik op en gaf haar het verhaal. Ze las het en begon te huilen, en toen sloeg ze me in mijn gezicht en huilde nog harder. Toen wilde ze weer vrijen. Toen huilde ze opnieuw. Ik had het waarschijnlijk niet moeten doen.'

Magnus wil hem nog steeds niet helpen. Hij wil hem niet troosten en hij wil hem niet veroordelen. Hij wil hem niet uit het morele dilemma bevrijden, waarin hij volgens hem gevangen zit. Hij wil niet worden betrokken bij de gecompliceerde verhouding tussen Marie en Svend. Het is een liefdesrelatie die ten dode is opgeschreven. Die heeft vanaf de eerste dag in geleende tijd geleefd.

Poulsen staat op en keert zijn rug half naar Meyer toe en zegt: 'Ik weet niet of ik van je zus hou. Af en toe denk ik van wel. Ik weet gewoon dat ik haar begeer, zoals ik nog nooit een vrouw heb begeerd.'

'Dat effect heeft Marie blijkbaar op mannen', zegt Magnus en hij gaat verder met dezelfde brutaliteit: 'Je bent in elk geval slim genoeg om begeerte niet te verwarren met liefde.'

'Niet voortdurend.'

'Dan zal het geen pijn doen.'

'Maar dat heeft het wel gedaan. Zullen we teruggaan? Het is mijn beurt om op een biertje te trakteren.' Hij gooit zijn peuk in de rivier. Magnus ziet hoe een stroomversnelling de peuk meetrekt en ronddraait, waarna ze hem loslaat, weer meetrekt, ronddraait, totdat het ding uit zijn gezichtsveld verdwijnt.

Ze lopen zonder iets tegen elkaar te zeggen terug naar de stad. Pas wanneer ze de kerktoren zien, begint Poulsen weer te praten. Hij vertelt Magnus dat hij naar Aalborg verhuist, waar zijn vrouw en kinderen wonen. Magnus weet dat dat zijn manier is om te zeggen dat het gesprek van daarvoor niet belangrijker moet worden gemaakt dan het was. Magnus weet niet of hij hem op zijn woord moet geloven. Poulsen is een afgewezen man, die nu als een sigarettenpeuk ronddrijft in de stroom. Hij is zijn kompas verloren en moet op eigen benen staan, maar dat zegt Magnus niet tegen hem. Hij luistert zonder commentaar te geven.

Poulsen heeft in twee kamers boven de redactie van *Arbejderbladet* gewoond. Ze hadden hier in de stad een redacteur nodig, toen hij terugkwam uit Spanje, en de partij stuurde hem hiernaartoe. Het zou in elk geval slechts tijdelijk zijn, maar niet op deze manier. Hij heeft altijd verbleven op de plekken waar de partij hem opdroeg te verblijven, of het nu in Rusland was of in een provinciestad waar hij een afdeling van de partij moest besturen of de dagelijkse agitatie moest leiden. Zijn vrouw, Ingeborg, is eraan gewend dat hij vaak weg is. Het is alsof ze is getrouwd met een zeeman.

Poulsen voelt zich wel wat schuldig dat hij zijn kinderen zo weinig ziet. De twee jongens zijn vijf en zeven jaar. Ze kennen zijn vader eigenlijk niet, geeft hij toe. Hij praat niet zo veel over Ingeborg. Ze ontmoetten elkaar op een bal. Zij was samen met een partijkameraad, maar ze was zelf geen lid. Ze kregen een relatie en toen ze zwanger raakte, sloten ze een burgerlijk huwelijk. De partij hielp hen door een appartement bij een woning- bouwvereniging te regelen. Vanwege de kinderen wilde ze niet met hem mee naar Rusland. Haar vader was procuratiehouder bij een bedrijf in de haven van Aalborg, haar moeder werkte niet, maar hielp haar dochter, dus Ingeborg bleef in de stad wonen.

Poulsen is wel eerlijk. Hij houdt niet van haar, hij weet niet eens zeker of zij nog wel van hem houdt. Ze zijn goede vrien- den. Ze hebben het erover gehad om te gaan scheiden, maar hij zal altijd zijn kinderen onderhouden. Hij wil naar Aalborg om te kijken wat er gaat gebeuren. Hij heeft hier in de stad ook geen woonplek meer. Hij gelooft niet dat het huwelijk stand zal houden. Hij weet niet meer wat hij wel of niet gelooft. Hij heeft zoals gezegd altijd gedaan wat de partij hem had opgedragen. Wijs mij een weg en ik zal die weg loyaal volgen. Of die nu naar Moskou of naar Aalborg leidt.

'Of naar Spanje?' zegt Magnus.

'Of naar Spanje', zegt Poulsen en hij voelt met zijn linker- hand aan de stomp van zijn rechterarm, en Meyer voelt een ver- rassend grote sympathie voor hem.

'En nu ga jij daarheen, Magnus. Het is een akelige plek. Ik heb het idee dat de Spanjaarden gek zijn op de dood. Daarom hielden ze waarschijnlijk ook stierengevechten. Die werden ver- boden door de regering, maar ze worden nog steeds gehouden. En ze rennen rond en schrijven en schreeuwen voortdurend *Viva la muerte*. Nu kan ik het zeggen: ik werd misselijk van het gemoord. Onze kant vermoordde priesters en iedereen van wie we dachten dat ze fascisten of overlopers waren. De andere kant is niet beter. Die zijn eigenlijk erger, als je zoiets kunt vergelijken. Een rode waas aan de kant van de regering hield op en werd gestopt na de eerste wilde weken, maar hij bleef aanwezig aan de kant van de nationalisten. Ze schieten iedereen die ze ook maar enigszins verdenken dood. Dat volk is dol op de dood. Ze zijn ook onwetend, Magnus. De helft van de bevolking kan niet lezen of schrijven. De armoede is zo groot dat het pijn doet. Gerotzooi doet pijn. Wees voorzichtig daar. Als ze slechts het vermoeden hebben dat je een spion bent, schieten ze je dood.'

Hij pakt de arm van Meyer vast, kijkt hem recht in de ogen en zegt met een stem die bijna een beetje begint te beven: 'Daarom wil ik dat Mads weer naar huis komt. Hij is te goed. Hij is een dichter. Hij kan een groot schrijver worden. Hij is veel te jong en veel te goed om in dat gerotzooi dood te gaan. Eerst wilde ik helpen omdat Marie mij dat vroeg, maar zo is het niet meer. Nu doe ik het ook voor mezelf. Begrijp je wat ik zeg?'

'Ja, Svend. Ik begrijp wat je zegt. Jij hoopt en denkt dat als je Mads kunt redden, dat je dan ook je eigen verloren ziel kunt redden, maar dat is bijna nooit de uitkomst. Het leven is geen algebraïsche som die je kunt oplossen.'

Deel 2

Spanje, najaar en winter 1937

The Spanish Civil War was the happiest period of our lives. We were truly happy for when people died it seemed as though their death was justified and important. For they died for something that they believed in and that was going to happen.

Ernest Hemingway in het voorwoord van
Gustav Reglers boek *Great Crusade*.

9

In de trein naar Parijs denkt Magnus Meyer veel na over de informatie die hij kreeg van Svend Poulsen, hoewel hij zich niet alle uren even duidelijk kan herinneren. Ze hadden bij de lunch bier en borrels gedronken en waren doorgegaan met drinken in diverse cafés in de stad. Ze waren uiteindelijk beland in een dansrestaurant en de ochtend erna was hij wakker geworden naast een vrouw, van wie hij zich de naam niet meer kan herinneren, in een groot appartement in het centrum van de stad. Svend was verdwenen met een andere vrouw, wist hij nog wel. Ze was erg onder de indruk van zijn oorlogsverwonding. Zijn eigen vrouw was onder de indruk van zijn Amerikaanse sigaretten en zijn gevulde portemonnee. Uit die portemonnee waren ook de drie hotelovernachtingen voor Svend betaald, totdat Svend naar Aalborg moest. Zelf zorgde Magnus ervoor de naamloze vrouw niet meer tegen te komen. Overdag hoorde hij Svend uit, zodat hij voorbereid zou zijn op wat hem stond te wachten in Spanje. 's Nachts gingen ze aan de boemel, maar Magnus ging niet meer met vrouwen mee naar huis en Svend wist dat Marie nu in het hotel wachtte.

Svend ging naar Aalborg en Magnus en Marie deden alsof hij niet meer was dan een merkwaardig haakje in hun leven. Magnus zag Marie 's avonds in de grote tuin van het sanatorium. Ze stond onder de bruine beuk de ene sigaret na de andere te roken. De tweede avond regende het, maar toch bleef ze staan. Ze leek op een donkere, maar niettemin stralende spookachtige fee onder de bijna kale bomen.

Magnus regelde tickets en papieren. Hij pakte een eenvoudige bruine leren reistas en een handtas en nam de trein richting Duitsland. Marie had hem omhelsd. De chef-arts had hem formeel een hand gegeven, erin geknepen en gezegd: 'Moge God je bijstaan en jou en Mads veilig thuisbrengen.'

Dat was de eerste keer dat hun vader de naam van zijn jongste zoon noemde. Magnus had hem recht in de ogen gekeken en overwogen iets te zeggen, maar hij liet het erbij zitten. Er waren te veel onuitgesproken woorden tussen hen, zodat het onmogelijk was dat één zin een brug kon slaan over de afgrond van wantrouwen, dat het eigenlijke fundament van hun relatie was.

Nu zit hij in de trein die zich door Duitsland beweegt, en hij probeert zich de vrouw in het bed in de hotelkamer te herinneren. Ze was begin twintig geweest, dochter van een schoorsteenveger in Århus en werkte in het ziekenhuis. Het lukt hem niet. Hij kan zich haar gezicht niet voor de geest halen. Hij kan zich alleen haar hartstochtelijke gekreun herinneren en de sterke geur van haar schoot voordat hij bij haar binnendrong. Hij kan zich daarentegen zonder problemen het bleke gezicht van de Duitse douanier herinneren, die naar zijn paspoort had gekeken, er met vaste hand een stempel in had gezet en complimenten had gegeven voor de keurige kleding van de heer, waarna hij salueerde, maar het gezicht van de vrouw kan hij zich niet herinneren. Hij wil proberen haar helemaal te vergeten. Hij wil haar verbannen naar de rij van andere naamloze erotische relaties.

Bij de Deens-Duitse grens was hij even bang geweest voor de revolver die hij in zijn reistas had, maar het gebeurde uiterst zelden dat de bagage van een passagier in de eerste klasse werd onderzocht. Nette mensen val je niet lastig. Hij heeft hem voor de reis uit elkaar gehaald, de trommel apart van de rest en de munitie. Daarmee is de revolver in elk geval geen actief wapen.

Zijn oude paspoort was bijna verlopen, dus hij had een nieuwe geregeld. Daarin waren de woorden gestempeld die de non-interventiepolitiek vanaf februari 1937 vereiste: 'Niet geldig voor reizen naar Spanje en de Spaanse bezittingen'. De chef-arts gebruikte zijn connectie met de hoofdcommissaris van politie in de stad die de aantekening zonder wachttijd annuleerde, omdat Magnus als journalist was geaccrediteerd.

Het landschap aan de andere kant van de ruit is gehuld in regen, keurig en goed geordend. Aan officiële gebouwen in de stadjes waar de trein stopt ziet hij vlaggen met het hakenkruis hangen. Hij stapt uit en rookt een sigaret. De grote, zwarte locomotief wordt gevuld met water en stuurt een grijswitte damp de lucht in. Het lijkt net alsof de machine zucht als een groot dier, dat zijn prooi heeft neergelegd of misschien zelf een prooi is die aan het uitademen is.

Meyer krijgt gezelschap van een kleine, gedistingeerde man, die zichzelf voorstelt als Gerd Müller, directeur en net als Magnus onderweg naar Hamburg, waar hij bepaalde zaken heeft. Ze converseren wat over het weer en over de nadelen van reizen, maar prijzen de zegening van de eerste klasse, en hij geeft Meyer complimenten voor zijn goede beheersing van de Duitse taal. Ze rijden door het Noord-Duitse landschap en ergens wacht een lange militaire colonne voor een spoorwegovergang.

'Nu kunnen we de wereld weer in de ogen kijken', zegt Müller. 'Onze Führer maakt Duitsland weer groot en stopt de Joods-bolsjewistische samenzwering, nietwaar, meneer Meyer? U hoort als Deen ook tot het Arische ras.'

'Inderdaad', zegt Magnus en hij steekt een sigaret op. Müller hoest discreet.

'Mijn Führer vindt roken een schadelijke, degenererende gewoonte en hij heeft die zelf niet. Om dezelfde reden ben ik zelf opgehouden.'

'Jammer voor hem', zegt Magnus en hij rookt met veel genoegen. 'En voor u natuurlijk. Een schoon Duitsland klinkt niet als een erg aantrekkelijke plek. Heine had het vast niet aangenaam gevonden.'

Ze rijden verder in stilte en in Hamburg gaan ze uiteen, zonder elkaar de hand te drukken. Magnus vindt een hotel in de buurt van het centraal station. Hij eet een verse worst met gebakken aardappelen en drinkt een groot glas bier in het restaurant van het hotel. Hij heeft de energie niet om naar buiten te gaan. Overal hangen vlaggen met het hakenkruis en overal zijn mannen in uniform en bandeliers. Op een bord bij een winkel staat VERBODEN VOOR JODEN. Hij is ook moe en de kroegentochten met Svend voelen aan als een onaangename echo in zijn lichaam, ook al was dat lang geleden.

Hij slaapt prima, maar wordt een keer wakker wanneer hij op straat geroep hoort. Het geluid komt duidelijk naar binnen door het raam, dat hij zoals gewoonlijk op een kier heeft gezet. Hij kijkt naar buiten en ziet hoe twee geüniformeerde mannen een man tussen hen in meeslepen naar een zwarte auto. Ze verliezen hun greep op de man en hij valt. Hij probeert weg te krabbelen. Ze schoppen hem een paar keer, vloeken en schoppen hem opnieuw, waarna ze hem weer oppakken en naar de auto trekken. Zijn voeten slepen over het asfalt.

Magnus kan zijn bebloede gezicht zien, wanneer hij even zijn hoofd omdraait. Het bloed is zwart in het zwakke licht van de lantaarnpaal. Hij gaat op de rand van zijn bed zitten en rookt een sigaret, waarna hij weer gaat slapen. Hij droomt over Argentinië. Het is een vrolijke droom, waarin hij in de ochtendschemering op zijn paard rijdt, terwijl het zware vee rustig om hem heen graast en hij vrede met zichzelf heeft.

Magnus' sneltrein vertrekt de volgende ochtend vroeg. Onderweg naar Parijs maakt hij de balans van zijn situatie op. Hij weet wat hij moet doen. Hij heeft het besluit genomen. Er is geen weg meer terug. In de Duitse ochtendkranten, die hij in Hamburg koopt, leest hij over de succesvolle vooruitgang van Franco en de nationalisten op bijna alle fronten. Het is slechts een kwestie van tijd voordat Madrid zal vallen. Net zo erg is het dat er een groot risico bestaat dat het republikeinse Spanje in tweeën wordt gesplitst. Ondanks zijn accreditatie als journalist weet hij dat het lastig voor hem zal worden om het territorium van de rebellen over te steken om van de ene republikeinse sector in de andere te komen. Svend heeft hem verteld dat journalisten slechts één kant van het verhaal verslaan. Doen ze daarna ook de andere kant, lopen ze het risico te worden doodgeschoten als spionnen.

De Duitse ochtendkranten zijn vol optimisme. Hij gelooft niet dat het de rebellen zo gemakkelijk af zal gaan. Hij is onder de indruk van wat Svend hem heeft verteld. Over hoe de internationale brigades en de reguliere republikeinse legereenheden vechten met een gloed en een moed, die ondanks alle tegenslagen waarmee ze te maken krijgen alleen maar lijken toe te nemen, ondanks de onderlinge conflicten. In de trein die door het vlakke landschap naar Parijs rijdt na opnieuw een onproblematische grensovergang, kan hij de aangename stem van Svend net zo duidelijk horen alsof hij tegenover hem in de coupé zat: 'Wij hebben de dichters aan onze kant. Over hen horen we natuurlijk veel. Zij hebben het woord in hun macht. En de goeden staan aan onze kant. Hemingway, Malraux, Nexø, de grote Rus Ilja Erenburg. Hun propaganda betekent veel, hoewel die nog niet de schadelijke non-interventiepolitiek heeft kunnen veranderen, die Denemarken en het Westblok voeren. We hebben wapens nodig. We hebben moderne wapens nodig. Er zijn ook dichters en intellectuelen die in de loopgraven vechten, Magnus. Jouw broer is een van hen, fantastische mensen. Daar bestaat geen twijfel over. Maar de arbeiders uit Europa en de vs maken het grootste deel van de internationale brigades uit. Heel gewone arbeiders uit de fabrieken en de mijnen. Zij krijgen de kogels, maar de dichters krijgen de aandacht. We zitten in een wereldwijde crisis. Dat weet je. Dat is akelig, maar het zorgt voor goede strijders in Spanje. Je wordt moe van jong zijn en niets doen. Dan liever naar het front in Spanje.'

Magnus hoort zijn rustige stem en bemerkt zijn grote woordenschat, die op een bepaalde manier niet bij zijn uiterlijk, zijn versleten kleding, zijn pet en zijn ene grove hand met de brede nagels past. Ze praten niet veel over zijn exclusie, hoewel Magnus voelt dat het vreet aan Svend, die zich gedraagt als een gelovige katholiek, die als een verachtelijke ketter geëxcommuniceerd is. Hij voelt dat Svend zijn houvast in het bestaan mist en veel zit te peinzen over hoe hij op audiëntie kan komen bij het bestuur van de partij, zodat hij zijn zaak kan uitleggen. Verbeten verdedigt hij de rechtszaken van Stalin in Moskou tegen alle partijschadelijke elementen en hij ziet zelf niet het tegenstrijdige van die houding in. Magnus plaagt hem en noemt hem een communist zonder partij, een gelovige zonder een kerk. Svend glimlacht, maar hij vindt het niet grappig.

Magnus begint zijn eenarmige vriend steeds meer te waarderen. Hij vertrouwt hem intuïtief en kan niet uitleggen waarom. Normaal gesproken bewaart hij afstand tot mensen, maar nu kiest hij ervoor om naar de verklaringen van Svend te luisteren en die bijna blind te accepteren, zolang het gaat om de toestand in het door een burgeroorlog getroffen Spanje. Misschien omdat Svend zijn enige directe verbinding met Mads is. Misschien omdat hij zelf een vriend en een vertrouwenspersoon mist.

Hij kan zich herinneren wat Svend bij de rivier had gezegd, toen Magnus terloops had verteld dat hij als kind bij dezelfde rivier had gespeeld: 'Ik weet niet wat het is om te spelen. Ik begon als zevenjarige met werken en het ergste is dat mijn kinderen waarschijnlijk hetzelfde gaan doen.' Hij had het zonder bitterheid gezegd, alleen met een berustende acceptatie van de situatie in zijn stem. Omdat zijn kerk hem had laten vallen? In de trein analyseert Meyer de woorden. Waarom interesseert hij zich zo voor de toestand van een toevallige arbeider? Nauwe banden aangaan met andere mensen is het recept voor een catastrofe. Dat vond hij tenminste ooit. Hij komt er niet uit en schuift de gedachten opzij, wanneer ze zich 's ochtends aan hem opdringen of zoals nu hij werkloos in een treincoupé zit.

Hij kan zich wel Svends woorden over de angstaanjagende vijanden herinneren, waar Mads en de anderen de confrontatie mee aan moeten gaan.

Er zijn natuurlijk gewone Spaanse soldaten, maar velen vechten halfhartig. Ze zijn dienstplichtig zoals de eigen dienstplichtigen van de republikeinen en willen zich het liefst drukken. Ze willen terug naar huis in hun stoffige dorpen met de vervallen kleine woningen en de troosteloze armoede. De ergsten zijn de zogenoemde *Regulares*, Marokkaanse beroepssoldaten, die Franco heeft meegenomen uit de kampen in Noord-Afrika. Ze schreeuwen als gekken wanneer ze aanvallen en ontzien zelfs gewonden niet. Bijna net zo gevreesd is het Spaanse vreemdelingenlegioen, waarvan de wreedheden vergeleken kunnen worden met die van de Marokkanen. Het legioen bestaat voornamelijk uit Spanjaarden, vaak ex-criminelen en andere brutale apen, zegt Svend. Verder heb je de Italiaanse hulptroepen van

Franco, die niet zo moedig zijn als ze zelf geloven, en als laatste zijn er nog de kille, Duitse beroepseenheden, vooral het *Legioen Condor*, dat beschikt over bommenwerpers die zelfs de dapperste brigadist de stuipen op het lijf jagen.

Daartegenover staat de bonte groep van verdeelde strijdkrachten van de republiek. Je hebt het reguliere leger, waarvan de dienstplichtigen de kern vormen. De Sovjet-Russische adviseurs proberen hun discipline bij te brengen. Er zijn de vele verschillende militiegroepen, de anarchisten en de syndicalisten, die nu onder leiding van de Sovjets door de republiek worden bestreden. De republiek besteedt bijna net zo veel energie aan onderlinge meningsverschillen en gevechten als aan de gevechten tegen de vijand. De conflicten weerspiegelen de verdeling in de gehele socialistische beweging, waarin de Sovjet-Unie door de Komintern de opperheerschappij probeert te krijgen. Een kerk die niet weet wat hij wil, had Magnus gezegd, en Svend had met tegenzin instemmend geknikt. Als laatste heb je de Internationale Brigades, die ook worden gekenmerkt door verdeeldheid met de eis van de Duitse vrijwilligers om discipline en de wens van anderen om een onhiërarchische militaire troepenmacht te handhaven, waar ze kameraden zijn en geen officieren en gewone soldaten.

Het begon als een droom, had Svend gezegd. Een idealistische droom, maar daar is geen ruimte meer voor. Als je de oorlog wilt winnen, heb je militaire en politieke discipline nodig. Dat moet hij met tegenzin toegeven. Over één ding verbaast hij zich ten zeerste. Hij herhaalt diverse malen dat hij niet begrijpt waarom jonge Russen zich niet bij de brigades aansluiten. Er zijn Sovjet-Russische adviseurs, maar geen vrijwilligers. Dat wil Stalin niet hebben. Dat begrijpt Svend niet. Ze zouden de gelederen kunnen vullen met gemotiveerde arbeiders uit de nieuwe socialistische natie.

Hij wil niet luisteren naar Magnus, wanneer hij het heeft over de cynische wereld van de realpolitik. Svend ziet voor zich hoe de Sovjet-Russische troepen op de maat naar het front marcheren, terwijl ze 'De Internationale' zingen, en daarmee zal het oorlogsgeluk werkelijk keren.

Hij hoort de stem van Svend door het monotone ritme van de wielen van de trein over de Franse stukken rails heen: 'Het is een wonder dat we het zo lang hebben volgehouden. Het ontbreekt ons enorm aan goede wapens. De Spaanse regering heeft al haar goud naar Moskou gestuurd, dus we kunnen wapens kopen in Frankrijk en Groot-Brittannië, en we krijgen ook wel wat materiaal, maar dat is niet genoeg vanwege de blokkade tegen ons. We krijgen wat van de Sovjet-Unie, met dank aan Stalin, maar dat is niet genoeg. En de kwaliteit ervan is niet te vergelijken met wat de Duitsers sturen, moet ik zeggen.'

'Hoe zit het met het Spaanse goud?' had Magnus gevraagd, en Svend had opzij gekeken en gezegd: 'Er doen veel geruchten de ronde. Er wordt gezegd dat de regering in Madrid aan het begin van de oorlog al het Spaanse goud dat in de Nationale Bank in Madrid lag, naar Cartagena stuurde, dat de veiligste haven is die de republiek heeft. Daarvandaan werd het verscheept naar Odessa en verder naar Moskou. Dat gebeurde vorig jaar september. Men was bang dat Franco Madrid zou veroveren, maar men was ook bang dat de anarchisten de Nationale Bank zouden bestormen. Overal heerste chaos.'

'Om hoeveel ging het?'

'Er doen zo veel geruchten de ronde, Magnus. Vele duizenden kisten met goud en zilver. Daar praat men niet graag over. De propaganda wil het doen voorkomen alsof Stalin onbaatzuchtig de zaak helpt. Dat dit internationale solidariteit is.'

'Duizenden. Zo veel?'

'Volgens sommigen. Ik weet het niet. Nu ligt het grootste deel in Moskou. Het is enigszins rechtvaardig dat het in een land gekomen is, waar de arbeiders aan de macht zijn.'

Hij zit in de coupé te denken aan de woorden van Svend en dat de dingen zelden zijn zoals ze aan de oppervlakte lijken te zijn. Er steekt altijd iets onder. Er zijn altijd dubbelzinnigheden en geheimen. Er bestaat niet iets als één waarheid. Elke zijde heeft een keerzijde. Rechtvaardigheid bestaat niet. Hij denkt aan zijn eigen overtuiging dat het leven een keten van toevalligheden is waar de mens in verwikkeld raakt. Hij kan het niet laten om te glimlachen om zijn eigen onverzettelijkheid. Strooit hij zelf niet met beweringen om zich heen alsof het wetenschappelijk bewezen feiten zijn?

Het is bewolkt wanneer hij aankomt op Gare du Nord in Parijs, waar hij uit de trein stapt en wordt overvallen door dragers met hun donkere trekkarren, maar hij reist slechts met één grote tas en handbagage, dus ze geven hem snel op en storten zich op de andere passagiers en hun bergen koffers, plunjezakken en tassen. Hij hoort de snelle Franse taal, die hij niet begrijpt. Het ruikt er naar kolen, zwarte tabak, ongewassen lichamen en goedkope parfum, en hij hoort het sissende geluid van de damp die vrijkomt uit de locomotief. Er hangt een zachte kilte in de lucht, die toch warmer aanvoelt na de koudeaanval in Denemarken.

Voor het station krioelt het ook van de mensen en er staat een hele rij zwarte taxi's. Hij geeft een teken naar een ervan en zegt, zoals Svend hem heeft opgedragen: 'Place de Combat, numéro neuf.'

De chauffeur heeft een dikke snor en ruikt naar knoflook. Hij zegt snel iets in het Frans, maar Magnus schudt gewoon zijn hoofd en herhaalt zijn Franse zin en laat zijn francs zien. Ze rijden door de grijze en toch stralende stad. Hij ziet de Seine en de statige witte huizen met imposante beelden en houtsnijwerk en de vele mensen die nog steeds op de terrassen een krantje zitten te lezen. De lange vinger van de Eiffeltoren is net zo majestueus als hij zich had voorgesteld.

Het verkeer is hectisch met auto's en voetgangers dwars door elkaar heen, in één stroom. Hij kijkt naar buiten en de stad komt op hem over als een jazznummer, vol sprongen in het ritme en een voortdurend veranderlijke beweging. Hij heeft zin om uit de taxi te stappen om ook over de boulevards met de mooie bomen te flaneren om uiteindelijk in het gezelschap van een knappe vrouw in een café te belanden. Hij glimlacht om zijn dagdromen. Hij voelt zich plotseling heel goed. Hij is zich gewaar van zijn bloed, zijn sterke ademhaling en elke spier en vezel in zijn jonge lichaam, en hij voelt zich enorm levendig en gelukkig omdat hij is waar hij is. Hij wil nooit zo worden als de anderen. Hij

laat de anderen burgerdieren worden, die elke dag voor dezelfde saaie sleur opstaan. Hij wil net zoals de onvoorspelbare jazz
zijn en niet op de maat marcheren van de voorzienbare, vaste
melodie van de maatschappij.

Hij betaalt de chauffeur. Nummer negen is een grijs, massief
gebouw, dat – zo weet hij van Svend – het rekruteringskantoor
voor de brigades huisvest, geleid door de mensen van de Komintern, maar ze zorgen ook voor anderen dan alleen de leden van
de communistische partij. Sociaal-democraten, socialisten en
partijloze vrijwilligers komen op het kantoor langs, net als dat
ze journalisten helpen die over de rechtvaardige zaak willen
schrijven, als ze uit hun vaderland van een loyale man een aanbeveling hebben meegekregen, welteverstaan. Mads is destijds
van Place de Combat nummer negen verder gestuurd. Magnus
vermoedt dat ze misschien enige wetenschap hebben van waar
de vrijwilligers zich in Spanje bevinden.

Op alle verdiepingen wordt gerookt en op typemachines ge-
tikt, en jonge mannen uit vele landen zitten langs de wand op
ongelijke stoelen, terwijl ze hun pet in hun zenuwachtige handen verkreukelen. Hij ziet harde omstandigheden uit vele landen weerspiegeld in de jonge en toch op een vreemde manier
verouderde gezichten en de brede handen met het eelt, waar de
viezigheid nooit de fijne barstjes in de huid lijkt te verlaten, ongeacht hoeveel zeep ze gebruiken. Hun kleding is netjes, maar
versleten. Aan hun ogen is zowel angst als verwachting af te lezen. Er worden meerdere talen gesproken. De vrouwen tikken
op de typemachines. Het ritmische getik overstemt bijna de kakofonie van Europese talen. Duits domineert samen met Engels
en Frans, maar hij hoort ook Deens, Zweeds en Fins.

Hij gaat helemaal aan de zijkant zitten om het tafereel te aan-
schouwen en probeert erachter te komen tot wie hij zich moet
wenden. De toekomstige vrijwilligers worden een voor een naar
voren geroepen. Men bekijkt in welke taal ze kunnen communiceren, waarna ze achter gesloten deuren in een lange gang die
in het grote huis lijkt te verdwijnen apart worden genomen. Hij
vermoedt dat ze verhoord worden en misschien een medisch

onderzoek ondergaan. Hij heeft gehoord dat er voedselbonnen uitgedeeld worden, misschien wat geld en uiteindelijk trein-kaartjes en proviand voor de reis naar de Frans-Spaanse grens, waar ze over gesmokkeld moeten worden.

Hij weet dat hij er anders uitziet in zijn nette, goed zittende kaki kleding en zijn solide leren laarzen dan het grootste deel van de andere mannen in de ruimte. Hij heeft er een half uur gezeten, wanneer een gedrongen man hem oproept naar de tij-delijke balie te komen. Het is Magnus opgevallen dat hij de op-drachten verder het systeem in lijkt te sturen.

'Nationaliteit, kameraad?' zegt de man in het Duits. Zijn stem klinkt hees door de vele zwarte sigaretten.

'Deens', zegt Magnus.

'Een moment.'

'Ik spreek prima Duits.'

'Een moment, kameraad.'

Er wordt een jongere man bij gehaald. Hij heeft felblauwe ogen onder kortgeknipt haar in de kleur van leverpastei. Zijn kleding zit heel ruim, alsof hij onlangs is afgevallen. Hij heeft een gejaagde blik in zijn ogen. Zijn stem is iel en hij spreekt de woorden zo nauwkeurig en een beetje zalvend uit alsof hij voor priester had geleerd, denkt Magnus.

'Je bent Deens, begrijp ik. Wie ben je, wat is je naam en wie heeft je gestuurd? Heb je een codewoord bij je?'

'Ik moet de groeten doen van Aage', zegt Magnus.

'Dat is oké. Ben je door de partij gestuurd? Of ben je zelf ge-komen?'

'Ik ben geen vrijwilliger. Ik ben journalist. Dat is een deel van het verhaal, maar privé ben ik ook op zoek naar informatie over een Deense vrijwilliger. Het gaat om mijn jongere broer.'

'Dat kan iedereen zeggen.'

'Ik heb papieren bij me. Ik wil graag mijn broer vinden.'

'Papieren kan iedereen regelen.'

'Ik moet ook de groeten doen van Svend.'

'Svend? Dat is een heel gewone naam.'

'Hij heeft maar één arm.'

De jonge man lijkt een zin binnen te houden die zich in zijn hoofd had gevormd, maar die nog niet helemaal geformuleerd is. Hij heeft een tic bij zijn ene blauwe oog. Zijn ooglid fibrilleert ritmisch. Het neemt toe wanneer hij zegt: 'Wacht hier. Ik kom zo terug. Ik moet even vragen ... Hoe heette je? Ik heb je documenten nodig.'

Magnus zegt zijn naam en geeft zijn paspoort en zijn officiële accreditatiebrief aan hem, ziet herkenning in de vreemde ogen en gaat weer zitten wachten, terwijl hij een sigaret rookt. De jonge man komt terug en leidt Magnus helemaal tot aan het einde door een lange gang, een groot kantoor in, waar een man van middelbare leeftijd achter een bureau zit. Hij spreekt in een zwarte telefoon, terwijl hij een sigaar rookt. Er staat een leeg koffiekopje voor hem. Hij spreekt Duits met een Deens accent. Hij draagt een wit overhemd en een smalle stropdas, en zijn zwarte broek wordt omhooggehouden door brede bretels. Zijn jas hangt over de rugleuning achter hem. Het ruikt bedompt en toch is het koel in de ruimte, waar aan de ene wand een foto van Stalin hangt. Aan de wand ertegenover hangt een poster, waarop een man staat die zijn geweer optilt. Boven hem staat op een rode vlag: NO PASARÁN. Er liggen papieren op het bureau naast een vulpen, een volle asbak en Meyers paspoort en accreditatiebrief, die in het Deens, Duits en Spaans is geschreven.

Naast het bureau staat een magere man in een zwarte leren jas. Hij heeft een smal gezicht met een vreemde spitse neus, die onder de bril zonder montuur vooruit steekt. Zijn ene oor is weg. Hij probeert zonder succes de afwijking te verbergen door zijn donkere haar over het gat te kammen. Hij rookt nerveus een sigaret in een gele ivoren houder. De man achter het bureau legt de hoorn op de haak en zegt in het Deens met een glimlach, die ervoor zorgt dat zijn gezicht, dat onder de fijne rimpels zit, gaat glimmen: 'Meneer Meyer. Welkom in Parijs. Ik ken uw broer en bewonder hem. Ik ken ook Svend Poulsen, die nu bepaalde problemen met de kameraden in Kopenhagen heeft, begrijp ik. Ik ken de details van de zaak niet en hou mijn oordeel tot die tijd voor me. Uiteraard moet je aan de discipline gehoorzamen,

maar het is niet verboden om na te denken en Svend is een verdomd dappere man, dus ik weet zeker dat het misverstand in de
competente organen zal worden opgehelderd. Mijn naam is Karl
Møller. In het civiele leven ben ik advocaat, maar op dit moment
werk ik hier mee om er zeker van te zijn dat we geen vijfdeco-
lonnespionnen naar de kameraden in Spanje sturen.'

Hij staat op terwijl hij praat, steekt zijn hand uit, Meyer schudt
die en gaat op de stoel voor het bureau zitten. De stem van Karl
Møller is goed gemoduleerd en luid, alsof hij in een rechtszaal
staat te procederen: 'Er moet een oplossing voor te vinden zijn.
We hebben in deze tijd alle goede kameraden nodig.'

'U toont verbazingwekkend veel sympathie voor een man die
in ongenade is gevallen.'

'Ik ben een man met een week hart. Bovendien mag ik Poulsen graag.'

'Ik mag hem ook graag. Ik beschouw hem bijna als een
vriend', zegt Magnus en hij verbluft zichzelf met zijn eerlijkheid. Møller heeft blijkbaar het vermogen om woorden uit mensen te trekken met wie hij spreekt. Hij hangt een beetje over het
bureau met zijn achterwerk onflatteus achteruit stekend.

'Ik wil meer feiten op tafel hebben. Ik ben lange tijd niet in
Denemarken geweest.'

'Ik dacht dat er onvoorwaardelijke gehoorzaamheid werd vereist.'

Møller gaat met enige moeite zitten en zegt: 'Ik heb veel mensen verdedigd die de maatschappij uitschot noemt. Zelfs een
crimineel heeft een hart. Zoals gezegd, ik wacht met het vormen van mijn oordeel. Svend Poulsen is een eerlijke man. Hij
verdient mijn geduld. Misschien mijn verdediging. Dat is het
minste wat ik hem kan geven.'

'U speelt met vuur. Moskou is vast heel besmettelijk. Daar
wordt niet geluisterd naar de argumenten van de verdediging.'

'Dat is misschien wel zo, maar u verspreidt waarschijnlijk
geen roddels, als u ook maar een heel klein beetje op uw broer
lijkt.'

De zwijgende man, die erbij staat als een schaduw, dooft zijn

sigaret, peutert de peuk uit de houder en steekt hoestend meteen een nieuwe op. Møller wijst naar de zwijgende, rokende
man: 'Dit is kameraad Berisjkov uit Moskou. De beste *tavaristsj*
spreekt geen Deens, maar wel uitstekend Duits. Evenals uw
broer. En u? Dan kunnen we het gesprek misschien voortzetten
in die taal.'

'Dat is geen probleem', zegt Magnus in het Duits en hij pakt
zijn sigarettenetui en biedt een sigaret aan, maar Møller schudt
zijn hoofd. Zijn sigaar ligt in de asbak en is uitgegaan. Magnus
pakt zelf een sigaret en steekt hem aan met zijn aansteker.

'Uitstekend. Prima. Laten we het hebben over de krant waarvoor u bent uitgezonden. Die staat niet bekend als bijzonder
progressief, maar met de aanbeveling van Svend en uw broer in
gedachten, geven we u graag een brief mee die voor u instaat.
Zo'n brief is belangrijk. Er zijn veel fascisten die bij ons proberen te infiltreren door zich voor te doen als journalisten. Als u
zo'n brief bezit, kunt u een vliegticket naar Spanje kopen en
landen in Valencia en vanuit daar verder reizen naar Madrid, als
u dat wenst. U kunt er ook voor kiezen om een bezoek te brengen aan Albacete, waar we de nieuwe vrijwilligers ontvangen.
Dat is altijd een reportage waard, begrijp ik. Ik hoop dan dat u
positief wilt schijven over onze zaak.'

'Ik zal proberen de waarheid te schrijven', zegt Magnus. Hij
denkt dat er van journalisten verwacht wordt dat ze dat zeggen.

Møller lacht: 'De waarheid uitgedrukt in schrift is een burgerlijke illusie. De waarheid is nooit eenduidig. Mijn waarheid is
niet dezelfde als de waarheid van mijn vijanden.'

'Of de waarheid van uw vrienden?'

'Laten we ons niet op het sofistische pad begeven.'

'Wanneer u het zegt.'

'Wanneer ik het zeg, ja. Bovendien is het een oude waarheid
dat het eerste slachtoffer in elke oorlog de waarheid is.'

Hij leunt over het bureau: 'Uw krantenschrijverij is één ding.
Onze rechtvaardige strijd oogst grote interesse en we zijn dankbaar dat grote intellectuelen in de hele wereld de zaak van de
republiek steunen. En dat u ervoor kiest om naar onze kant te

reizen. Heel wat burgerlijke journalisten baden in luxe bij de fascisten. Maar waarom wilt u uw broer opzoeken?'

'Is dat echt zo vreemd? Ik heb mijn jongere broer al meer dan vijf jaar niet gezien.'

'Zo lang?'

'Ik heb in het buitenland verbleven.'

'Waar?'

'In Argentinië.'

'Dus u spreekt Spaans?'

'Ik kan mij redden.'

Magnus merkt dat de Rus van houding verandert, het gewicht van zijn ene voet naar de andere verplaatst. Hij gaat ervan uit dat Berisjkov een man van de Komintern is of van de inlichtingendienst of waarschijnlijk allebei. Buiten pakken wolken zich samen en het geluid van het verkeer dringt door onzichtbare spleten in de voegen van het houtwerk.

'U kunt zich redden. Vast wel. Ik denk niet dat we u kunnen meedelen waar uw broer zich bevindt. Uw broer is belangrijk voor de strijd. En het is eerder voorgekomen dat een familielid – wat zal ik zeggen – een ander familielid overhaalt om de strijd op te geven en naar huis te gaan.'

'Mijn broer is een zelfstandig man. Hij is in alle opzichten een idealist die naar Spanje vertrok, zoals u weet, niet omdat een partij hem dat had gevraagd, maar omdat hij het moreel juist en noodzakelijk achtte.'

'Dat klopt. Idealisme is prima, maar daarmee win je de oorlog niet. Wel met discipline en doorzettingsvermogen.'

'Nu is mijn broer vrijwilliger, en als vrijwilliger kan hij toch in principe naar huis gaan als hij dat wil?'

'In principe wel, ja. Maar hij moet toestemming krijgen, die wij *salvoconducto* noemen. Zonder die toestemming is hij een deserteur en deserteurs worden doodgeschoten.'

Magnus zit even stil, waarna hij met zo veel eerlijkheid in zijn stem zegt dat het gemak waarmee hij de leugen produceert, hem even doet schrikken: 'Ik ben niet van plan om mijn broer mee naar huis te nemen. Ik wil hem een groet overbrengen van onze vader en mijn zus, en verder wil ik mijn broer graag weerzien, die niet meer dan een grote jongen was toen ik Denemarken verliet en die zich nu blijkbaar heeft ontwikkeld tot een gerespecteerd man.'

'Zeer zeker, meneer Meyer. Uw broer wordt enorm gerespecteerd.'

'Kunt u mij dan helpen?'

'Nee. Dat kan ik niet, moet ik tot mijn spijt zeggen. Mads Meyer is betrokken bij diensten voor de zaak, waarover ik niet in detail kan treden – details, waarvan ik zelfs de details niet weet. Kameraad Berisjkov heeft mij verteld dat het zowel de zaak als Mads Meyer zou schaden.'

'Waarom zou ik al mijn kaarten op tafel leggen als ik van plan zou zijn om Mads over te halen om naar huis te gaan? Zou dat niet dom zijn? Ik heb geen bijbedoelingen. Ik wil gewoon graag mijn broer zien.'

'Ik geloof u wel, maar de oorlog maakt de dingen lastig. Openheid is in principe een goede zaak, maar geheimen moeten af en toe in dienst van een grotere zaak worden bewaard. Dat spaart levens. En wij verliezen veel levens in Spanje.'

'U wilt mij niet vertellen waar ik hem kan vinden?'

'Dat kan ik niet', zegt Møller en zijn stem wordt dieper wanneer hij verdergaat. 'En ik wil ten zeerste benadrukken, meneer Meyer, dat het geen goed idee is om uw broer op te sporen. De republiek vecht voor haar leven en er is geen ruimte voor sentimentaliteit.'

'Dat klinkt bijna als een dreigement, Møller', zegt Magnus in het Deens.

'Het is gewoon goede raad, Magnus', zegt Karl Møller in dezelfde taal en hij staat op en steekt zijn hand uit om afscheid te nemen, terwijl hij met zijn andere hand de papieren van Meyer naar hem toe schuift: 'Goede reis naar Spanje. Wees voorzichtig, landgenoot. Het is een duistere plek, waar mensenlevens niet als iets bijzonders worden beschouwd, en alle katten zijn grijs. Ik heb onze accreditatie in uw paspoort gestopt. Goedendag.'

10

Magnus Meyer landt in de middag in Valencia. Hij is enigszins verdwaasd door het enorme lawaai in het propellervliegtuig van Duitse makelij, dat hem van Parijs via Toulouse over de Middellandse Zee naar Valencia heeft gebracht. Net als de overige passagiers voelde hij zijn hart sneller kloppen tijdens de vlucht over zee en langs de Spaanse kust. Ze weten dat de luchtwapens van de nationalisten veel sterker zijn dan die van de republiek en er zijn al diverse burgervliegtuigen uit de lucht geschoten. Het is hoe dan ook een oorlog zonder regels.

De zee had blauw en uitnodigend onder hem gelegen. Hij kon zien hoe twee grijze oorlogsschepen vijf vrachtschepen naar Cartagena escorteerden, waarvan hij weet dat het de belangrijkste haven van de republiek aan de kust is. De stad is diverse keren door het Duitse Legioen Condor gebombardeerd, maar fungeert nog steeds als logistiek knooppunt. Hier komt het grootste deel van de Sovjet-Russische wapens aan die Stalin naar de behoeftige wettige regering stuurt, die op het punt staat omver te worden geworpen door de rebellen van Franco.

Hij voelde grote opluchting toen Valencia steeds groter werd, eerst vernam hij de delta bij de monding van de rivier voor de gele en rode daken van de stad, en daarna kon hij het land als een uitgestrekte vlakte met wazige bergen op de achtergrond zien. Hij zag zowel groene velden als grijs, stoffig zand en roestig gekleurde aarde. De rivier slingerde van het binnenland naar de zee. Ze vlogen laag over een militaire colonne, die voortkroop met vrachtwagens en door paarden getrokken artillerie op het midden van de weg en marcherende soldaten aan weerszijden.

Hij werd vervuld met een onverklaarbaar gevoel van spanning en blijdschap, omdat hij nu eindelijk aankwam in het land dat zo vaak in zijn gedachten was geweest. Hij was in Argentinië beland, omdat hij geen plek kon bedenken die verder weg was van het huis waarin hij was opgegroeid, maar hij had als kind vaak over Spanje gedroomd. Door de verhalen die hij had gelezen, had hij de indruk gekregen dat het land precies het tegenovergestelde was van het vlakke, saaie Denemarken. In zijn dromen was het land een drukte van kleuren en geuren, van sterke mannen en geheimzinnige vrouwen, van hoge bergen en stromende rivieren, van trotse vechtstieren en krachtige rode wijn, die hij nog nooit had geproefd toen hij in de provinciestad woonde.

In het vliegtuig waren zijn gedachten teruggegaan naar zijn nog jongere ik met een stille verbazing over de naïviteit en gecompliceerde eenvoud in zijn jeugd, over het voorspelbare leven, waarvan je dacht dat het nooit zou veranderen, maar toen had een beeld van zijn jongere broer zich aan hem opgedrongen en hij was overvallen door een plotselinge angst.

Ondanks het jaargetijde is het nog steeds warm wanneer hij samen met de andere passagiers naar het luchthavengebouw loopt. Dat waren voornamelijk mensen van de pers uit Frankrijk en de vs. Twee van de twaalf passagiers houden zich afzijdig. Ze spreken Spaans en Magnus denkt dat ze wapenhandelaren zijn, die zijn uitgezonden door de republiek om wapens te kopen op de zwarte markt in Frankrijk. Het doet hem goed Spaans te horen spreken. Ze spreken het op een andere manier dan in Argentinië, maar hij kan zonder problemen verstaan wat de douanier zegt.

De douanier draagt een slordig uniform met de kraag van zijn overhemd open en vlekken op zijn broek. Er zit een pistool in zijn riem. Hij kijkt naar het paspoort, de accreditaties en de stempels van Meyer en zegt: 'Welkom in het strijdende Spanje.' Hij stinkt naar zweet, tabak en knoflook.

Naast Magnus staat een grote Amerikaanse man. Hij heeft brede schouders en zwart haar, dat recht achterover is gekamd vanaf zijn voorhoofd, waar rimpels voor een uitdrukking van voortdurende verwondering zorgen. Een zwarte snor bedekt de smalle bovenlip boven een kleine onderbeet. Zijn hoofd is groot en vierkant. De zware schouders wegen op tegen het buikje dat hij begint te krijgen. Hij draagt een openstaand overhemd, een donkere leren broek en een jas, die Magnus herkent als zo een die de Amerikaanse cowboys in het westen dragen. Aan zijn voeten heeft hij zachte laarzen in een lichte kleur. Hij wuift zijn gezicht even koelte toe met een breedgerande hoed, waarna hij die weer recht op zijn hoofd plaatst.

De Amerikaan kent geen Spaans. De douanier pakt zijn paspoort en geeft het aan een man in burger. Het is een gedrongen man met een wit litteken op de olijfkleurige wang. Iets achter hem staat een andere man in burger. Hij staat goed geproportioneerd in een licht kostuum met overhemd het paspoort van de Amerikaan te bestuderen. Hij geeft het terug aan de gedrongen man, maar ze lopen beiden op de Amerikaan af. Magnus blijft staan.

De gedrongen man zegt in het Spaans: 'Welkom terug, senõr Mercer. U hebt een stempel van Malaga. Wat hebt u daar aan de andere kant gedaan?'

Mercer zegt in het Engels dat hij geen Spaans spreekt. De man in het lichte kostuum herhaalt de vraag in het Duits met een sterk Slavisch accent. Mercer kijkt smekend naar Magnus, die in het Spaans zegt dat de Amerikaanse gentleman geen Spaans of Duits spreekt en vraagt of Meyer hun wellicht van dienst kan zijn.

Dat kan hij en de situatie wordt snel opgelost. Iedereen is vriendelijk, maar toch voelt Magnus dat er vlak onder de oppervlakte een wantrouwen schuilgaat dat elk moment de stemming kan doen omslaan van vriendelijk in vijandig. Maar de Amerikaan haalt een Spaanse brief uit zijn schoudertas. De brief is afkomstig van het Amerikaanse comité dat middelen inzamelt voor de republikeinse zaak. Het verblijf aan de zijde van de fascisten in Malaga was op het hoogste niveau gesanctioneerd en onderdeel van de propagandastrijd. Hij heeft een andere brief, ondertekend door de auteur Hemingway, die verzoekt Joseph Mercer alle mogelijke steun te geven.

De douanier en de gedrongen Spanjaard glimlachen alleen en spreken vriendelijk, terwijl de Rus kil en zakelijk blijft. Hij vraagt ook om de papieren van Meyer, die hij nauwkeurig bestudeert, waarna hij ze teruggeeft.

'Bedankt. Wie heb ik het genoegen ontmoet te hebben?' vraagt Magnus in het Spaans en hij doet een stap naar achteren, terwijl hij oogcontact houdt. De ogen van de Rus zijn bleek in het smalle gezicht.

'Kameraad Stepanovitj, SIM.'

'De Komintern?'

'Noem het wat je wilt, kameraad Meyer. Welkom in Spanje. Ik hoop dat je je lezers de waarheid zult vertellen.'

De Amerikaan legt zijn papieren terug in zijn leren tas, die over zijn schouder hangt. Ze lopen zij aan zij en de Amerikaan glimlacht en bedankt hem. Hij heeft zeer witte tanden in het vierkante gezicht.

'Joe Mercer', zegt hij en hij geeft Magnus een hand.

'Magnus Meyer.'

'Ik ben reporter voor de *Chicago Daily News*', gaat Mercer verder.

'Dan zijn we collega's. Ik ben een journalist uit Denemarken.'

'Aangenaam kennis te maken. Heb je een hotel in deze mooie stad gevonden?'

'Niet echt.'

'Ga met mij mee. Het is moeilijk om een kamer te vinden, maar ik heb een particuliere slaapplaats aanbevolen gekregen. Dollars zullen een mooie kamer voor ons regelen.'

Het krioelt van de mensen in Valencia. Overal staan rijen voor bakkers, slagers en andere levensmiddelenwinkels. Vooral vrouwen in zwarte kleding staan geduldig te wachten. Ze hebben vermoeide, verweerde gezichten. In de bars zitten veel mannen. Ze gieten rode wijn of muscat naar binnen uit kleine glazen, ziet Magnus door de open deuren. Overal zijn soldaten in de nieuwe uniformen van de republiek. Ze zien er stuntelig uit, vindt hij. De uniforms zijn gemaakt van een grove kaki stof en voorzien van een riem en een bandelier. Veel soldaten hebben hun broodzak met bord, kop en bestek aan hun riem hangen naast twee veldflessen. De soldaten dragen stalen helmen of allerlei soorten mutsen. De populairste lijkt een platte baskenmuts of alpino, zoals hij vast ook wordt genoemd. De zeer jonge soldaten hebben oude Russische of Tsjechische geweren. Hij hoort voornamelijk Spaans, maar ook Duits, Frans en Engels om zich heen.

Joe Mercer heeft een man met een kar gevonden, getrokken door een vermoeid muildier, die hen voor een peseta over de rivier naar het centrum van de stad brengt. Onderweg zien ze grote posters, die de komende overwinning aankondigen en die waarschuwingen bevatten op te passen voor spionnen en andere vijfdecolonnemensen. Magnus leest *Venceremos* en *No Pasarán*. WE ZULLEN OVERWINNEN en ZE KOMEN ER NIET DOOR, staat er met grote letters op de kleurrijke, manshoge posters. Andere aanplakbiljetten spreken over de revolutie en de rechtvaardige en grote toekomst voor de republiek.

'Glorieuze woorden, waarvoor dagelijks mensen sterven', zegt Mercer rustig. 'Zo is het aan beide kanten. Woorden die moorden.'

'En onze woorden?'

'Wij zeggen dat ze een waarheid blootleggen, maar ze gooien olie op het vuur. Zonder woorden geen oorlog. Wij zeggen dat we voor de rechtvaardigheid vechten. De fascisten zeggen dat ze een kruistocht houden tegen heidenen en communisten. Wat steekt er achter die woorden? Niets.'

'Dat is een zeer cynische manier om het bestaan zo te bekijken.'

Mercer lacht en zegt boven het geroep van de koetsier naar het muildier uit: 'Dat is ons vak, Meyer. Uit woorden bent u gekomen, tot woorden zult u worden, en uit woorden zult u opnieuw verrijzen.'

Het appartement met de kamers ligt aan het centrale plein, Magnus ziet dat het Plaza Castelar heet. Er staat een grote kaart van Spanje op het plaza. Het gebied van de fascisten is zwart gemarkeerd en dat van de republiek rood. De zwarte kleur heeft het Baskenland overstroomd en de frontlinie loopt nu bij Teruel, Zaragoza en Huesca. De dominerende zwarte kleur lijkt nog groter te kunnen worden en de republiek door midden te

snijden als de fronten instorten. Joe Mercer zegt dat er nu offen-
sieven verwacht worden op het Aragónfront na de val van Baskenland. Madrid is nog steeds onder beleg. De republiek staat
onder druk.

Het ziet er zwart van de mensen, paarden, door ezels getrokken karren en kleine wagens op twee wielen, die heen en weer
rijden en stof doen opwaaien. De posters spreken over overwinning en vooruitgang, over tegenstand en eeuwige strijd. Het
plaza is groot en je kunt zien dat het gebombardeerd is. Op een
hoek ligt een huis in ruïnes. Er staan zandzakken rond de ingang van een officieel ogend gebouw. Op het platte dak staat
luchtafweergeschut, ook beschermd door zandzakken. De vlag
van de republiek wappert boven de klok op het gebouw. De bomen op het plaza zijn als een spiegel van de stad: misvormd en
vol littekens. Rond een fontein zijn zandzakken gestapeld ter
bescherming.

Mercer steekt een sigaret op, wijst naar het officieel ogende
gebouw en zegt: 'Daar zat de regering, maar die is gevlucht naar
Barcelona', waarna hij zijn kleine reistas oppakt.

Twee bewapende mannen in zwarte uniformen met bandelier lopen langs hen en staren naar Meyer en Mercer alsof ze
potentiële spionnen zijn.

'Guardia de Asalto's', zegt Mercer met zijn sterke Amerikaanse accent. 'Communistische stormtroepen. Schooiers, die
de nieuwste wapens krijgen zodat ze anarchisten en trotskisten
en andere interne vijanden kunnen overmannen. Ze verspillen
bijna meer energie aan het bestrijden van elkaar dan van de fascisten. Maar voor die duivels moet je oppassen. Er wordt gezegd
dat ze gevangenkampen in Catalonië hebben met martelkamers
en zo.'

'Dat lees je niet in de krant. En al helemaal niet in de krant
die aan de kant van de republiek staat.'

'Het is een oude waarheid, Meyer. Dat juist de waarheid als
eerste sterft in een oorlog. Vooral in een burgeroorlog. We mogen de strijd om de harten thuis niet verliezen. Wij hebben
steun nodig.'

'Wij?'

'Fuck. Noem ze zoals je wilt. Zij. Hen. De republiek. De goeden. De juisten. Noem ze zoals je wilt, maar fascisten zijn niets voor mij. Voor jou misschien wel?'

'Nee, maar ik vind niet dat ik er zo bij betrokkenen ben dat ik een kant moet kiezen.' Magnus kijkt naar Joe. Hij weet niet precies waar hij aan toe is met de Amerikaan, die de gewoonte heeft zijn uitspraken met een glimlach of een lachje gepaard te laten gaan. Alsof hij niet meent wat hij zegt.

'Hier raak je erbij betrokken, of je dat nu wilt of niet. Bovendien hebben wij de beste auteurs en de beste muziek, terwijl Franco helaas de beste soldaten heeft. Laten we onze slaapplaats zoeken. Misschien moeten we een kamer delen, maar dat zal vast wel gaan. Kun jij dit adres lezen?'

Joe Mercer geeft hem een stuk papier met een adres erop, dat Magnus aan een passerende man in een keurig, netjes geperst uniform laat zien. Hij wijst over het plaza en groet met zijn vingers aan zijn uniformpet.

Op het plaza ligt het post- en telegraafgebouw, dat wordt beschermd door vier soldaten met een machinegeweerstelling achter een barricade van zandzakken. In tal van huizen zitten kogelgaten. Op de terrassen voor de cafés drinken veel mensen koffie en brandy. De tabaksrook hangt boven de tafels. Uit een dansrestaurant klinkt bonkende jazzmuziek. Er zijn veel mannen in uniform, maar ook jonge vrouwen en mannen in burger, die volgens Mercer journalisten of illegale handelaren zijn.

'Er bestaat niets wat de hormonen zo heen en weer laat slingeren als de oorlog', zegt Joe Mercer met zijn Amerikaanse lach, terwijl ze dwars over het plaza lopen. 'Wanneer je weet dat je morgen dood kunt gaan, kun je net zo goed vandaag neuken. Oorlog is niet goed voor het geslachtsmoreel.'

'Of misschien juist wel', zegt Magnus.

Joe Mercer lacht weer en zegt dat Meyer een goede jongen is. Hij ruikt naar de whisky die hij uit een heupfles drinkt, en hij biedt hem Magnus ook aan, die ervoor bedankt.

De tijd glipt hem door de vingers als zand. De tijd verstrijkt veel te snel, en Magnus ziet bij vlagen Mads in het rode zand liggen, dat nog roder wordt gekleurd door zijn sijpelende bloed. De tijd rust zo zwaar op de borstkast van Meyer, dat hij het gevoel heeft dat alle lucht uit zijn longen wordt geperst. Hij kan niet wachten tot hij Mads vindt. Hij weet niet waarom, maar zijn onderbewustzijn vertelt hem dat het zijn laatste kans is.

Het appartement ligt drie huizen verderop in een zijstraat van het plaza. De eigenaresse is helemaal in het zwart gekleed en heeft een smal, getergd gezicht. Haar leeftijd is moeilijk te bepalen. Ze kunnen ieder hun eigen kamer krijgen, aangezien een Franse gentleman net naar Madrid is vertrokken. Magnus onderhandelt met de vrouw over een prijs. Hij vindt dat ze een te hoge prijs moeten betalen voor een smal bed, een wankele toilettafel en een nachtpo onder het bed, maar het is er zeer schoon en de lakens en dekens zijn luizenvrij. Er is een badkamer, die ze met drie andere huurders moeten delen. Joe Mercer zegt dat het helemaal in orde is.

De vrouw stopt de peseta's van Mercer in de zak van haar schort. Ze vertelt dat haar man aan het front in Baskenland is gevallen. Ze heeft het verhaal duidelijk eerder verteld, maar ze lijkt de drang te hebben om het elke dag opnieuw te vertellen. Ze heeft twee zonen. De een vecht voor de republiek in het noorden. De ander is dienstplichtig in de strijdkrachten van Franco bij Madrid, heeft ze gehoord, maar ze weet het niet zeker. Het is lastig om informatie van de andere kant te krijgen. Hij had de pech dat hij in Malaga was toen de stad viel, en hij werd meteen opgeroepen.

'Zo is een broederstrijd, senõr', zegt ze en ze stopt ook Meyers geld in de zak van haar schort, waarna ze snel een kruisje slaat. 'Voor een *duro* per dag riskeren mijn zonen elkaar dood te schieten. Vijf peseta's voor een broedermoord. Moge God hen allebei bijstaan. Mogen ze elkaar nooit tegenkomen bij het front. Moge de oorlog snel afgelopen zijn.'

Valencia is een vreemde plek. Er is eten en drinken in restaurants en cafés, maar bij de slagers en bakkers staan lange rijen. Hier wachten vooral vrouwen geduldig met hun bonnenboekje. Er zijn soldaten, hoeren en zakkenrollers en er heerst een roekeloze sfeer, die wordt afgewisseld door een plotselinge collectieve angst, wanneer de luchtalarmen klinken en de straten leeg maken. Er zijn magere kinderen en goed gevoede officieren met een pistool aan hun riem, naar parfum ruikende vrouwen aan hun arm en een van de overwinning overtuigde uitdrukking op hun gladgeschoren gezichten. Er wordt 's nachts doorgedronken. Af en toe wordt de lucht open gescheurd door schoten in het donker. Er wordt intiem gedanst in de rookwolken op gladde vloeren. In cafés van gering allooi wordt opgetreden met nummers waar erotische hints worden vermengd met grove politieke satire gericht op de fascisten. Vaak ontstaan er gevechten die eindigen op straat. De vechtersbazen gaan flink tekeer, zodat er bloed vloeit, totdat de militaire politie ingrijpt en hen met knuppels slaat en wegsleept. Elke dag marcheren soldaten de stad uit onderweg naar een van de fronten. In tegengestelde richting komen gewonden terug die laag op laag in de bak van hobbelende vrachtwagens liggen. Door de stank van dood en verrotting moeten mensen de hand voor hun neus houden en wegkijken van de magere, ongeschoren gezichten met de lege ogen. Er wordt aan één stuk door gevloekt en getierd, en Magnus vindt het onbegrijpelijk, maar ook fascinerend, hoeveel grove uitdrukkingen de Spanjaarden kennen met de zelfstandige naamwoorden 'moeder' en 'melk', 'pik', 'kut' en 'kloten'.

Het is een merkwaardige stad, waar je alles kunt krijgen, als je maar geld hebt, terwijl anderen straatarm zijn en kinderen bedelen bij de duurste restaurants en hotels. Magnus vindt het eten heerlijk en ontdekt voortdurend nieuwe gerechten. Hij wisselt geld en nodigt Joe Mercer uit voor een lunch aan de andere kant van de rivier in de buurt van de haven, waar hij een restaurantje heeft gevonden dat wordt gedreven door een man en zijn vrouw en een dochter, die een been mist. De man, die Juan Carlos heet, heeft een zoon die vist en hem van ingrediënten voorziet. Hij heeft een neef, die boer is en groentes en rijst voor hem regelt, en een oom die is aangesteld bij het stedelijk bestuur en ervoor zorgt dat de overheid een oogje dichtknijpt.

Er zijn maar tien tafels, zonder tafellaken, het bestek is van blik, en het eten wordt bereid in grote, zwarte ijzeren pannen boven een open grill, die wordt opgestookt door hout, maar het eten smaakt fantastisch. Ze krijgen een grote salade om mee te beginnen en daarna een geweldig gerecht, dat de lokale bevolking 'paella' noemt. De rijst is geel door de saffraan en gevuld met schaaldieren en vis. Magnus vindt het een van de lekkerste gerechten die hij ooit van zijn leven heeft geproefd. Hij voelt zich kinderlijk blij dat hij het restaurant heeft gevonden en dat Mercer zijn vreugde over de smaakvolle maaltijd met hem deelt. Er is ook vers brood, dat moeilijk verkrijgbaar is, maar de vrouw des huizes bakt het zelf. Ze drinken er een gouden, fruitige witte wijn bij.

Vier mannen van middelbare leeftijd en goed zittende burgerkleding eten hetzelfde. Ze bevinden zich in het gezelschap van vier tamelijk jonge vrouwen. Ze zitten afzijdig in een hoek in de patio en negeren de twee buitenlanders. Het is voor het jaargetijde aangenaam warm en de wind brengt een zoute geur van zee naar hen toe en zorgt ervoor dat de hoge palmbomen in de patio zacht ruisen.

'Het is fantastisch', zegt Joe Mercer. 'Je kunt eten in de deftigste restaurants in Chicago of Parijs met verwaande obers en gesteven witte damasten tafelkleden en zilver opgesteld als een peloton soldaten, maar een in feite eenvoudige maaltijd als deze, als je echt honger hebt, kan niemand beter doen.'

'Het voelt alsof de oorlog ver weg is.'

'Die is nooit ver weg in dit land.'

'Waarom ben je teruggekomen?'

'Het is mijn werk.'

'Dat is gemakkelijk praten.'

'Oorlog is als drugs of vrouwen of alcohol. Je raakt verslaafd wanneer je er ooit kennis mee hebt gemaakt.'

'Dus jij bent een oorlogsjunk.'

'Dat word jij ook. Oorlog zorgt ervoor dat je je allerverschrikkelijkst in leven voelt.'

'Zolang je dat bent.'

'Precies. Je bent zo verschrikkelijk bang dat je bijna in je broek schijt en daarna ben je in staat om de hele nacht lang te drinken en te neuken. Want je bloed suist maar door. Je bent zo verschrikkelijk in leven en blij dat je niet zelf als lijk aan het front ligt. Je zult het wel ervaren.'

'Dat denk ik niet. Ik ga zo snel mogelijk naar huis.'

'Okay. Het gaat mij niets aan, maar als je erover wilt praten, dan ...'

'Misschien een andere keer', zegt Magnus en hij strekt zijn hand uit naar het wijnglas en slaat de inhoud in een paar lange teugen achterover. Hij houdt zijn arm omhoog om een nieuwe fles te bestellen.

'Helemaal in orde. Jij zegt het maar.'

'Die mensen op de luchthaven, Joe. SIM? Wie zijn dat?'

Mercer drinkt zijn glas ook leeg, waarna hij zegt: 'SIM is een nieuwe militaire inlichtingendienst. Die wordt gedomineerd door communisten en staat erom bekend effectief te zijn. Hij wordt bemand door een aantal idioten die als taak hebben wat ze "vijfdecolonnemensen" noemen een halt toe te roepen.'

'Wie zijn dat?'

'Spionnen, overlopers, saboteurs, verraders en trotskisten ... dus eigenlijk iedereen behalve communisten en andere Kominternmensen.' Mercer lacht, maar er is ernst aan zijn ogen af te lezen.

'Dat is nogal wat.'

'Nee. De republiek vreet haar eigen kinderen op. SIM werd niet zo lang geleden opgericht, toen de regering Negrín van Valencia naar Barcelona trok. Barcelona zit vol milities en andere anarchisten, dus zij moeten worden bestreden. Met vastheid, zoals ze zeggen. Kameraad Stalin en Moskou zwaaien nu met de maatstok.'

'Okay. Waar is SIM een afkorting van?'

'Ik spreek geen Spaans, maar het is zoiets als de militaire inlichtingendienst.'

'SIM. *Servicio de Investigación Militar?*'

'Dat klinkt juist. SIM is onderdeel van de hele centralisatie van de tegenstand tegen de fascisten, maar daarmee ook van de macht. Waar heb jij Spaans geleerd?' gaat Mercer zonder aanleiding verder, alsof hij vindt dat het andere onderwerp afgerond is of te risicovol om zelfs op een open patio onder palmbomen over te praten.

'In Argentinië', zegt Magnus, en hij vertelt over het leven als gaucho op de vlaktes, maar niet over hoe hij halsoverkop moest vluchten, omdat hij, om zelf te overleven, iemand moest vermoorden. Dat heeft hij verdrongen, dat wil hij niet met anderen delen.

Mercer vertelt over zijn leven als reporter in de vs en in China, waar hij ook is geweest. Hij is achtentwintig jaar en is al een keer getrouwd geweest. Wanneer hij lang genoeg heeft rondgezworven als journalist, wil hij een belachelijk goede roman schrijven en stinkend rijk worden. Het meeste zegt hij met zijn grote Amerikaanse lach, zodat Magnus niet altijd weet wat hij eigenlijk bedoelt, maar hij geniet van het gezelschap van de informele, *easygoing* Amerikaan.

Ze bestellen koffie en cognac en roken sigaretten. Op een bepaald moment wordt Joe serieus, leunt over de tafel en zegt, zodat Magnus aan Svend Poulsen moet denken: 'Magnus. Dit land is bezeten van de dood. Het is logisch dat de Spanjaarden het stierenvechten hebben uitgevonden, wat een geritualiseerd spelen met de dood is. Je moet goed sterven, zeggen ze. Je moet eervol sterven, zeggen ze. Wat een onzin. De fascisten roepen: lang leve de dood en ze stormen vooruit. De milities en legereenheden van de republiek roepen: dood aan de fascisten en ze stormen het machinegeweervuur in. Het grootste deel van het voetvolk kan niet lezen of schrijven, maar ze kunnen schreeuwen om de dood, alsof dat het aantrekkelijkste ter wereld is. Velen van hen hebben überhaupt geen opleiding. Het is allemaal puur instinct. Eer en schaamte gaan voor hen hand in hand. Eer en schaamte en de man met de lach gaan in dit land hand in hand. De eerste weken van de zomer van 1936 werden ze overmand door een rode waas. Ze vermoordden burgergardisten, grootgrondbezitters, priesters en nonnen. Ze verbrandden kerken en kloosters. Ik begrijp hen eigenlijk wel. De lagere klasse kon eindelijk wraak nemen op hun plaaggeesten, die hen zo lang in hun macht hadden gehad, maar het was een *fucking* akelig gezicht. De rode waas ebde weg. De regering kreeg meer greep, maar de dodendans gaat verder. De fascisten zijn alleen veel beter georganiseerd. Zoals je weet, ben ik net in Malaga geweest ...'

Mercer zwijgt even en steekt een nieuwe sigaret op. Magnus geeft een teken naar de man des huizes, die zowel kok als ober is, en hij komt met de fles cognac en schenkt hun in. Magnus steekt ook een sigaret op en wacht, en Joe gaat verder: 'Malaga is een mooie stad aan zee, mooie palmbomen, zeer elegante huizen, knappe vrouwen en de heerlijkste stranden die je je kunt voorstellen. Er is natuurlijk ook een arena voor stierengevechten. De gouverneur heeft mij er mee naartoe genomen. We zaten in de loge, waar de vooraanstaande mensen zitten wanneer er stierengevechten zijn. Hij zei dat ik het recht moest zien zegevieren en dat rapporteren, zodat de wereld zou begrijpen dat vijanden van het kruis geen genade wordt getoond. Ze lieten honderdzeven mannen binnen marcheren. De jongsten waren zo'n vijftien tot zestien jaar. De oudsten misschien zestig. Ze stelden zich op in rijen van tien soldaten. Boem. Niet iedereen schoot raak en al helemaal niet dodelijk, maar toen liepen er een paar mannen op af die met messen of bajonetten een einde aan hun leven maakten. Ze hebben verdomme iets met messen bij de fascisten. Er doen geruchten de ronde over een verschrikkelijk bloedbad in de arena voor stierengevechten in Badajoz, waar de falanges in een ware rode waas buiten zinnen raakten met messen en bajonetten. We hebben het over duizenden mensen die werden vermoord, Magnus. Dat is niet te bevatten. *Well*, terug naar Malaga. Dat was erg genoeg. De mensen die niet ernstig gewond waren geraakt, werden opnieuw overeind gezet. Het was een geschreeuw en geroep, en het stonk er naar bloed en poep. Sommigen riepen: "lang leve de vrijheid, en jullie zijn een stel klotenloze rot-fascisten", maar de meesten krijsten uit angst. Zo gaat het immers. Het gele zand kleurde rood. Er waren er een paar die volgens de gouverneur homo's waren. Net als die klotedichter Lorca, die ook zijn portie kreeg. Ze legden hen in het zand en schoten hen in hun kont. Het duurde verschrikkelijk lang voordat ze waren gestorven. De gouverneur die mij meenam, was erg trots. Het schouwspel vond elke dag om half vijf plaats, zei hij. Ik was de volgende dag weer van harte welkom. Maar dat was niet het ergste. Weet je wat dat was?'

Magnus schudt zijn hoofd.

'Fuck, man. Dat was dat de gouverneur erop stond dat we een discussie moesten voeren over de vraag of Mozart of Beethoven de grootste componist was die ooit had geleefd. Hij noemde ook een reeks opera's, waarover ik volgens hem ook een mening moest hebben. Daarover moesten wij praten, terwijl in het zand de moorden plaatsvonden. Zoals de gouverneur zei: daar gaat de strijd om: de terugkeer van de beschaving naar het vaderland.'

Mercer drinkt de helft van zijn cognac op en schudt zijn hoofd, alsof hij moeite heeft zijn eigen verhaal te begrijpen.

'Heb je erover geschreven?'

'Uiteraard. Mijn redacteur verwijderde de naam van de gouverneur en mijn bloederigste bijvoeglijke naamwoorden, de sukkel, maar het beeld was wel duidelijk.'

'Dus je hebt gekregen waarvoor je naar Malaga ging?'

'Daarvoor ging ik er niet naartoe.'

'Okay. Weet ik veel.'

Mercer kijkt naar hem: 'Je bent een goede vent, Magnus. We worden vrienden. Misschien zal ik het je op een dag vertellen, maar nu is het te vroeg. Misschien krijg ik jouw echte bedoeling op een dag te horen, en jij het mijne, maar het is nu wat te vroeg om onze harten te openen, vind je niet? Maar bedankt voor het eten.'

'Je hebt vast gelijk. Maar hoe kwam je in de buurt van de gouverneur?'

Mercer kijkt hem opnieuw aan met zijn ondoorgrondelijke ogen: 'Je bent niet zo dom als andere bladenvullers, maar ben je dat wel, amigo? De gouverneur is een goede bekende van de eigenaar van mijn krant, Jerome J. Jekyll the Third, die uit een van de rijkste families van Chicago komt. Ze stammen af van de mensen op de Mayflower, zeggen ze zelf. Ze sponsoren ook het symfonieorkest in de stad. De gouverneur kwam om naar concerten te luisteren. Het is volgens zeggen een tamelijk welgestelde man. Hij bezit een grote stierenfokkerij. Ik heb hem een aantal keer in de vs ontmoet. Een vriendelijke en beschaafde man, dacht ik toen. Weten wij veel waartoe de mens in staat is? Waarom denken wij dat een man die van Mozart of Goethe houdt, geen grote idioot kan zijn, hè, Magnus?'

'*Quien sabe?*'

'Die woorden ken ik wel. Dus ja, wie weet. Ik weet dat hij zijn middagbloedbaden met dezelfde nonchalante blik aanschouwde als wanneer hij in Chicago tijdens de receptie na de opera de diva complimenten gaf voor alweer een stralende aria. En nogmaals dank voor het eten. Het was geweldig', zegt Joe en hij kijkt Magnus met zijn krachtige, geheimzinnige ogen aan.

Een paar dagen later gaat Magnus met Joe Mercer naar het post- en telegraafstation. Het witgele gebouw stamt nog maar uit 1922, maar het is getekend door de gevechten die er op 18 juli 1936 hebben plaatsgevonden, toen de opstand begon. De klok in het midden van de toren van het postkantoor is stil komen te staan. Een van de standbeelden op het dak mist een hoofd.

Mercer en Meyer lopen langs bewakers een koele duisternis in, waar postfunctionarissen achter getralide loketten zitten. Joe Mercer weet wat hij moet doen en Magnus doet alsof hij het ook weet, terwijl hij achter Mercer aanloopt die een artikel naar zijn krant in Chicago gaat telegraferen. Achter een balie zitten vier mannen en twee vrouwen. Op een handgeschreven bord staat ENGELS. Op het bord bij de twee andere mannen staat FRANS en RUSSISCH. Op de witte borden voor de vrouwen staat SCANDINAVISCH. Italiaans en Duits is niet nodig. Het is onmogelijk om van deze kant over de oorlog te schrijven aan de twee naties waar de fascisten de macht hebben, weet hij.

Hij kijkt naar de Scandinavische vrouwen, terwijl Mercer twee getypte papieren aan een van de mannen geeft. De Scandinavische vrouwen zijn allebei donkerblond en dragen grijze, onflatteuze uniformen. Ze roken, en ze spreken Noors, kan hij horen, terwijl hij tegelijkertijd de discussie van Joe Mercer met een van de censoren probeert te volgen die blijkbaar een alinea over een arrestatie wil weghalen, die Joe een groep Guardia de Asalto's heeft zien uitvoeren op drie militiesoldaten. Die waren naar Barcelona gekomen om te zien of ze hulp konden krijgen om in Catalonië te overleven. Ze hadden Joe verteld over gevechten tussen republikeinse fracties in de stad.

De vrouwen draaien zich om wanneer ze de luide stemmen horen, maar hun interesse verdwijnt snel en ze praten verder. Magnus weet niet waarom, maar hij heeft geen zin om zich kenbaar te maken. De vrouwen praten over een man die ze blijkbaar allebei kennen. Ze noemen hem een waardeloze vent. De vrouwen hebben iets broos over zich, alsof ze te weinig te eten krijgen, maar tegelijkertijd stralen hun ogen en hele mimiek een hardheid uit die Magnus niet aanstaat. Ze krijgen in de gaten dat hij naar hen kijkt en een van hen zegt in het Noors: 'Kunnen we je helpen, kameraad?'

Magnus maakt een beweging met zijn armen en geeft met zijn hoofd aan dat hij op de grote Amerikaan wacht en de vrouwen keren terug naar hun gesprek.

'Fuck iedereen', zegt Joe en hij loopt met zijn gestempelde papieren naar de kassa waar hij betaalt, waarna hij de twee papieren, waar een alinea met rood is doorgestreept, aan een Spanjaard geeft die zijn peseta's aanneemt. Die draait zich om en begint de tekst van Mercer te telegraferen. Ondertussen hoort Magnus een Britse journalist discussiëren met de censor. Mercer krijgt zijn papieren terug met een kwitantie, die ook van de noodzakelijke stempels is voorzien.

'Kom, Magnus. Ze kunnen mijn rug op, maar ze kunnen me niet tegenhouden. Ik heb een langere versie per post verstuurd, dus het is te hopen dat die ertussendoor glipt. Laten we wat gaan eten en ons daarna bezuipen.'

Dat doen ze. Ze eten eerst een groot stuk lamsvlees met witte bonen die in olijfolie drijven en drinken ieder een fles zure rode wijn, waarna ze van kroeg naar kroeg gaan en cognac drinken.

Magnus kan zich niet goed herinneren waarover ze tot diep in de nacht praten, tot Joe Mercer erg dronken is. Hij kan veel hebben, maar hij drinkt toch te veel, terwijl Magnus zich vrij snel inhoudt, hoewel hij merkt dat ook hij tamelijk aangeschoten is. Hij vergeet echter niet wat hij hoort over het Spaanse goud en heeft een vermoeden wat mogelijk de ware missie van Joe Mercer kan zijn.

11

Magnus heeft ontdekt dat Joe ondanks zijn gewicht niet zo goed tegen alcohol kan als hij. Hij begint al snel te kletsen. Hij is hem bekend dat Joe is opgegroeid in een hecht bankdirecteurengezin in Chicago. Dat de eerste vrouw van Joe een bitch was en dat Joe graag nog een keer wil trouwen. Magnus denkt dat mensen door geborgenheid tijdens hun jeugd een veel te groot vertrouwen hebben in hun medemens. Vertrouwen vindt hij gevaarlijk. Dat leidt veel te vaak tot verraad. Als kind vertrouwde je op je ouders en waartoe leidde dat? Tot niets meer dan straf en bedrog. Je toont vertrouwen in een vrouw die je bedriegt en je wordt achtergelaten met je pijn. Je hebt een vriend die je misschien moet vermoorden, omdat die vriend ervoor moet kiezen de eer van zijn zus te verdedigen, hoewel hij daarmee hun vriendschap verraadt. Misschien met uitzondering van zijn zus Marie vertrouwt hij geen andere mensen. Mads was niet meer dan een grote jongen toen Magnus van huis vertrok. Misschien kunnen ze opnieuw broederschap vinden.

Hij luistert naar het verhaal van Joe Mercer, dat hij zacht en treuzelend, maar toch samenhangend vertelt in de rokerige bodega met het lage plafond, waar ze omringd worden door dronken jonge mannen in uniform en vermoeide hoeren met afgematte gelaatstrekken waarover het duistere licht niet eens een troostende sluier kan leggen. Het regent buiten – de eerste regen die hij heeft meegemaakt in Spanje. Die kwam plotseling uit zwarte wolken die van zee binnen kwamen drijven, en ze kunnen het onweer als verre rollende kanondreunen boven het lawaai in de kroeg horen uitkomen.

Het was aan het begin van de oorlog, toen de Marokkaanse troepen van Franco en zijn Vreemdelingenlegioen met hun ervaring uit de kolonie-oorlogen in Noord-Afrika oprukten naar Madrid. De republiek streed voor het op poten zetten van een verdediging, terwijl generaals en burgergardisten vanaf 18 juli

1936 overal in Spanje in staat van beroering kwamen. De regering zag geen andere mogelijkheid dan vakbonden en de partijen en groeperingen aan de uiterste linkervleugel te bewapenen. Er doken anarchistische milities op die de grond van de grootgrondbezitters en de fabrieken van de kapitalisten nationaliseerden. Het was een revolutionaire situatie. Wie zou Madrid innemen? De fascisten? Of zou de hoofdstad vallen voor de anarchie van de milities? Ze waren op straat. Ze waren bewapend. Ze gingen voor de macht. Dat was de grote vraag, die de wettig gekozen volksfrontregering zichzelf in het vroege najaar van 1936 stelde. De republiek had ook wanhopig wapens nodig. Frankrijk en Groot-Brittannië wilden die slechts met tegenzin leveren. En alleen tegen contante betaling. Het lukte om wat wapens in Frankrijk te kopen, die Spanje betaalde met goud, maar de non-interventiepolitiek was in aantocht, waardoor de wapenexport stopte. De fascisten kregen manschappen en wapens uit het Italië van Mussolini en het Duitsland van Hitler. Alleen de Sovjet-Unie van Stalin was bereid om wapens te leveren aan de loyale Spaanse legereenheden en de vrijwillige brigades die werden gevormd.

Maar ook Stalin wilde geld hebben voor de wapens, het materiaal en de politieke en militaire adviseurs. En de Spaanse regering had een vermogen verborgen in de kelder van de Nationale Bank in Madrid. Daar lag het Spaanse goud.

Magnus kan zich plotseling herinneren wat Svend Poulsen hem in Denemarken vertelde over hetzelfde onderwerp. Hij had beter naar Svend moeten luisteren.

Mercer gaat langzaam verder: 'Magnus. Er was zo veel goud dat je je ogen niet geloofde. Spanje had de op vier na grootste goudvoorraad ter wereld in bezit. De conquistadores hadden Latijns-Amerika eeuwenlang geplunderd. En wat voor goud! Niet alleen saaie goudstaven, maar allerlei waardevolle dingen: sieraden, bekers, vazen, *sovereigns*, gouden en zilveren munten in alle maten. Enorme schatten van de Azteken en Inca's. Een verzameling goud die niet alleen veel waard is omdat het goud is, kameraad. Nee. De waarde is nog groter, omdat het een verzameling kunstschatten is. Dus de regering had alle reden om nerveus te zijn. Als Franco ze zou stelen, kon de regering net zo goed inpakken. Als de anarchisten de Nationale Bank zouden overnemen, kon je niet weten wat ze met het goud zouden doen. Anarchisten zijn van nature onberekenbaar. Er stroomden wel vrijwilligers naar Madrid, maar Franco stond voor de stadspoort. Die hoefde hij alleen maar in te trappen, vond hij, en daar was de regering bang voor. Een van de generaals van Franco zei: Morgenmiddag drink ik een kop koffie in Café Central. Dat gebeurde niet. De koffie werd fucking koud, maar dat kon je niet weten, dus toen gooiden ze het over een andere boeg.'

Mercer drinkt zijn glas leeg, kijkt met glazige ogen naar Magnus en gaat verder: 'In september 1936 hoorde de nieuwe premier, Largo Caballero, geruchten dat anarchisten de Nationale Bank wilden bestormen. Hij beval zijn minister van Financiën om de goudreserves in de bank naar een veiliger plek te verplaatsen. Enkele dagen later begon de operatie al. In het diepste geheim werden de goudreserves op een wagon geladen. Het was een grote klus. Het goud en ook de zilverreserves werden in tienduizend kisten gepakt en naar de veiligste stad aan republikeinse zijde vervoerd – Cartagena, dat aan de Middellandse Zee ligt en het hoofdkwartier van de vloot is. Het vervoer werd begeleid door bewapende Spaanse bewakers en mensen van de NKVD, die zoals je weet de geheime dienst van Stalin is. Een Rus leidde alles, maar hij had valse papieren gekregen, waarop stond dat hij Mr Blackstone van de Bank of America was. Een kwart van de kisten werd meteen aan boord van een vrachtschip geladen, dat naar Marseille vertrok. Op 25 oktober werd de rest – in totaal 7.800 kisten – op een ander vrachtschip geladen, dat naar Odessa in Oekraïne voer. De kisten werden verder vervoerd naar Moskou per trein, en verwelkomd door representanten van de Spaanse en Sovjet-Russische regering. Het ging in totaal om 510 ton goud en zilver. Daarmee zijn later de Sovjet-Russische wapenleveringen betaald. *End of story.* Misschien. Misschien niet?'

Magnus kijkt naar Joe, die terugkijkt met de blik van een schooljongen die er spijt van heeft dat hij een iets te bombas-

tisch verhaal heeft verteld. In de progressieve kranten in Denemarken en Spanje staat dat de Sovjet-Unie onbaatzuchtig
Spanje helpt in de strijd tegen het fascisme. Hij overweegt een
van de vele vragen te stellen die op komen borrelen, maar hij
zit afwachtend, nipt van zijn brandy en ziet Joe hetzelfde doen,
waarna de Amerikaan verdergaat: 'Er ontbrak iets. Om precies
te zijn ontbrak er 52 kilo aan zeldzame Portugese gouden munten, waarvan de waarde vele malen groter is dan hun pure goud-
waarde. Het was een deel van de in totaal 318 kilo Portugese
munten die in Madrid waren ingepakt. Er ontbrak ook een kist
met gouden dukaten, zo rond de 50 kilo. In het grote geheel van
510 ton is het misschien niet zo veel, maar geloof mij, Magnus,
die 102 kilo is een fucking vermogen. Ze ontdekten het pas in
Moskou. De Russen ontdekten het niet, maar de Spanjaarden.
Ze kozen ervoor niets te zeggen. Ze kozen ervoor het probleem
mee naar huis te nemen om de zaak discreet te onderzoeken.
Waar was de rotte appel? De republiek zat in het gedrang en ze
wilden een schandaal en meer interne verdeling dan er al was
vermijden, dus ...'

'Waar is het?' zegt Magnus en hij voelt zijn hartslag stijgen.

'Precies, mijn vriend. Waar is het?'

'Dat weet jij wel.'

'Dat weet ik bijna. En toch ook weer niet.'

'Daarom was je in Malaga. Aan de andere kant, bij de fascisten.'

Mercer lacht en wendt zijn hoofd af, maar draait het weer
terug en kijkt Meyer recht aan. Mercers ogen zijn vochtig, maar
ook berekenend, ondanks zijn dronkenschap.

'Je bent een slimme vent, Magnus.'

'Waarom vertel je mij dit allemaal?'

'Ik heb hulp nodig. Ik heb iemand nodig die Spaans spreekt
en die ik kan vertrouwen. Iemand die het net als ik geen fluit
uitmaakt wie deze oorlog wint. Ik heb iemand nodig die bovenal aan zichzelf denkt.'

'En dat doe ik?'

'Bovenal ja, denk ik, maar ook aan iets anders.'

'Ik ben hier om mijn jongere broer te vinden en hem mee

naar huis te nemen', geeft Magnus toe.

'Dat dacht ik al. Dat is hulp bij desertie. Daar kun je voor worden doodgeschoten.'

'Mijn broer is vrijwilliger.'

'Toch zullen ze hem en jou doodschieten.' Mercer heft zijn glas en gaat verder: 'Wat zeg je ervan? Doe je mee? Anders kun je dit gewoon vergeten en het voor dronkenmanspraat aannemen.'

'Ik moet mijn broer vinden. Dat kan ik niet zomaar laten vallen.'

'Het ene sluit het andere niet uit.'

'Hoe delen we?'

Mercer lacht opnieuw: 'Dat dacht ik wel. Ieder de helft. Dat is alleen maar fair. Er is voldoende om het de komende jaren rustig aan te doen.'

Magnus leunt achterover en drinkt zijn glas leeg. Het duizelt in zijn hoofd, maar hij voelt zich eigenlijk meer blij dan aangeschoten. Hij voelt de adrenaline als een heerlijk gesuis.

'Ik doe mee', zegt hij. 'Wat moest je in Malaga? Aan de andere kant?'

Mercer steekt een nieuwe sigaret op: 'Ik kreeg er enkele maanden geleden lucht van. Ik hielp een arme Amerikaan van Zweedse komaf, een zekere Olaf, een laatste brief naar zijn vriendin en zijn ouders in de Verenigde Staten te schrijven. De wond aan zijn been was door koudvuur aangetast en hij had koorts en zo, en hij trilde zo heftig dat hij zijn potlood niet kon vasthouden. Hij ijlde, maar ik begreep wel dat hij samen dienst had gedaan met twee Spanjaarden die het goudtransport hadden geëscorteerd. De een, die hij Pedro noemde, ging ervandoor en werd doodgeschoten toen hij naar de andere kant probeerde te vluchten, de idioot. De ander, die Manuel heette, vertelde hoe ze het bevel hadden gekregen om samen met twee andere soldaten twee kisten uit het havengebied in een gesloten, zwarte auto te laden, die werd bestuurd door een Rus samen met een civiele Spanjaard, die Engels met de Rus sprak. De soldaten kregen te horen dat ze doodgeschoten zouden worden als ze iets zouden verraden. De vriend van Olaf werd doodsbenauwd toen hij ontdekte dat de twee soldaten die hielpen, twee dagen later vermoord werden gevonden. Ze waren gewurgd en in de haven van Cartagena gegooid. Toen ontsnapte Pedro, maar Manuel zocht toevlucht bij een van de internationale brigades, waar hij hoopte dat de huurmoordenaars hem niet zouden kunnen vinden. Dat lukte hen wel, maar hij had het verhaal aan Olaf kunnen vertellen. Olaf was zijn politiek commissaris en zo'n priestertype, dat mensen graag iets wil toevertrouwen. Eigenlijk net zoals jij.'

Mercer leunt over de tafel. Hij lijkt niet meer zo dronken en Magnus overweegt of het allemaal toneelspel is geweest – een langzame verleiding van hem. Als dat het geval is, is hij erin geslaagd, want hij is helemaal in de ban van het verhaal. Joe gaat weer verder. 'Olaf overleed, moge God zijn ziel genadig zijn, en toen begon ik rond te snuffelen. Daar ben ik goed in. Mijn vader en de eigenaar van de krant hebben veel connecties en ik heb Uncle Sam ook af en toe een handje geholpen. Ik kan op heel wat bronnen terugvallen. Ik heb een oom die voor het Amerikaanse ministerie van Justitie werkt en in Spanje goede connecties heeft. Hij kende de man die verantwoordelijk was voor het onderzoek naar de twee verdwenen kisten. Het zijn zware tijden, dus voor een paar goede dollars wilde hij mij graag helpen. Er zijn niet zo veel Spaanse ambtenaren die Engels spreken, dus ik kreeg de namen van de twee Engelssprekende mannen die met het transport te maken hadden gehad. De een is dood. Het is bijna een besmettelijke ziekte, hè? De ander was ervandoor gegaan naar Malaga met enkele papieren die vertrouwelijk waren verklaard, waarvan hij vermoedde dat het de valuta konden zijn die een vreedzame tijd achter het front kon opleveren. Hij was dus een verrader en werd bij verstek ter dood veroordeeld. Hij ging ervan uit dat hij daar kon zitten totdat de oorlog was afgelopen en dan zijn twee kisten met goud kon gaan ophalen. Maar zo gemakkelijk ging het niet. Zijn nieuwe vrienden wilden er zeker van zijn dat alles was zoals het moest zijn, dat hij geen dubbelagent was, dus ze onderwierpen hem voor de zekerheid aan een derdegraadsverhoor, en dat kon zijn hart niet aan.'

'Dat heeft de gouverneur jou verteld?'

'Zoals gezegd. Hij is een vriend van mijn vader en is in ons huis op bezoek geweest en kent mij al van kinds af aan. Hij zei het niet direct, maar hij vertelde mij dat wanneer de oorlog was afgelopen, in elk geval een deel van het Spaanse goud dat Stalin heeft gestolen, terug zou kunnen keren naar het vaderland. Omdat het nooit het vaderland had verlaten, maar zich nog steeds in Cartagena bevond. Waar precies wist hij niet. Helaas. Hij is een sadistisch zwijn dat van Mozart houdt, maar hij is eerlijk. Dat kan hij zich veroorloven met al het geld dat zijn familie heeft.'

'Cartagena is een vrij grote stad, voor zover ik weet.'

'Met jouw Spaans is het een begin.'

'In hoeverre ben jij spion voor de vs?'

'Wat bedoel je?'

'Als we het vinden, is er dan een derde deel over, wanneer het verdeeld moet worden?'

'Ik ben freelancer. Dit heeft niets met Uncle Sam te maken. Dit is puur privé. Het is iets tussen jou en mij.'

'Tussen twee rovers?'

'Wie moet de diefstal aangeven bij de politie, wanneer de gestolen goederen al zijn gestolen en eigenlijk niet meer bestaan? Formeel gezien is het goud in Rusland. De mensen die weten dat het anders zat, zijn bijna allemaal dood. Mijn hemel. Het gaat maar om 102 kilo van 510 ton. Dat stelt op het grote geheel niets voor.'

'Dat zeg jij. En je hebt gelijk. Met uitzondering van jou zijn ze toch allemaal dood?'

'En jij, Magnus. En jij.'

'Want het stond in de Spaanse kranten, Joe.'

'Wat?'

'Het lot van de gouverneur. Dat wordt als een overwinning voor de republiek gezien. Hij werd met een schot door zijn hoofd gevonden – een pure liquidatie. Ik heb er niet bij stilgestaan toen ik het artikel las, maar nu krijgt het eigenlijk een andere betekenis, hè?'

Joe's gezicht krijgt een harde uitdrukking. Het is net alsof de dronkenschap van hem af wordt geplukt en er verschijnt een andere uitdrukking.

'Dat heeft niets met de zaak te maken, Meyer. Daar heb jij niets mee te maken. Ik wil gewoon graag weten of je meedoet of niet.'

Magnus houdt het oogcontact vast. Ze proberen elkaar te peilen. Magnus kijkt als eerste weg, pakt zijn glas, heft het en zegt: 'Laten we proosten op de samenwerking.'

'*Salud*', zegt Joe en hij kijkt weg.

'Maar ik moet nog steeds eerst mijn broer zien te vinden.'

'Als het niet anders kan.'

'Het kan niet anders. Dat heb ik mijn zus beloofd.'

De volgende dag neemt Magnus het hele gesprek nog eens in zijn hoofd door, terwijl hij water drinkt om zijn kater kwijt te raken en een koude tomaatachtige groentesoep eet, die de Spanjaarden 'gazpacho' noemen, en waarvan hij erg is gaan houden. Hij schrijft de hoofdpunten van het gesprek met Joe in zijn notitieboekje. Het verhaal lijkt logisch, maar toch vertrouwt hij Joe niet helemaal. Hij is ervan overtuigd dat Joe Mercer vooral over één punt liegt.

Hij gelooft niet dat Joe freelancer voor de Amerikaanse inlichtingendienst is. Hij denkt dat Joe fulltime als agent voor de Amerikanen werkt, of zelfs voor de Fransen, met wie de vs nauw samenwerken. Joe spreekt geen Spaans, maar Magnus heeft hem vloeiend Frans horen spreken. Hij is ervan overtuigd dat er meer achter zijn agentenwerk steekt dan Joe heeft verteld.

Magnus is er zeker van dat het goud bestaat, maar hij is er niet zeker van dat Joe de waarheid heeft verteld over hoe hij ervan op de hoogte is gekomen. Magnus wil graag zijn broer vinden, maar hij gebruikt hem ook als afleidingsmanoeuvre. Nog een paar dagen doorgaan met de zoektocht zal hem in de gelegenheid stellen om zijn nieuwe partner te bestuderen, om erachter te komen wie deze nieuwgeboren uitgave van Joe Mercer, agent en journalist, eigenlijk voor iemand is.

12

Magnus Meyer heeft eindelijk geluk. Enkele dagen later loopt hij drie Deense vrijwilligers tegen het lijf die zijn broer kennen en bijna vlak ervoor met hem samen zijn geweest. Hij heeft eerder Deense vrijwilligers van de Internationale Brigades in Valencia ontmoet, maar die kenden Mads niet. Laat op de middag hoort hij de drie landgenoten voor een kleine bar aan de Calle Mayor luid Deens praten. Ze zijn behoorlijk aangeschoten en praten er vooral over hoe hun een oor aangenaaid wordt, omdat ze niet het materiaal en de hulp krijgen die noodzakelijk is. Ze klagen over hun nieuwe Duitse bevelhebbers en dat de bevoorrading zo gering is in het veld. Ze krijgen vijf peseta's per dag als gage en hebben zojuist hun loon uitbetaald gekregen na weken in het veld. Ze willen zien of ze het grootste deel kunnen opdrinken en de rest ervan besteden in een bordeel, voordat ze weer naar het front gestuurd worden.

Magnus stelt zich aan hen voor en geeft rondjes. Hij krijgt te horen dat ze ervan uitgaan dat kameraad Mads nog steeds in Albacete is, waar ze net vandaan komen. Mads is een goede man, zeggen ze. Maar ze kunnen niet weten of hij in de stad blijft of wat er met hem gaat gebeuren. Alles is altijd zeer onvoorspelbaar. De brigades trainen in de dorpen in de buurt. Mads is een dappere man, die naar een van de speciale eenheden is overgeplaatst. Mads zal blij zijn om zijn broer te zien. Dat weten ze heel zeker. Je bent altijd blij als je iets van je familie hoort. En dan niet alleen in de vorm van een brief, maar in hoogsteigen persoon. Dat kan niet beter. Zegt een van hen drieën, een grote negentienjarige smid uit Jutland.

Magnus is verheugd over het feit dat ze weten wie Mads is en dat ze blij zijn zijn oudere broer te ontmoeten, en tegelijkertijd is hij opgelucht dat hij niet tegemoet wordt getreden met een instinctieve achterdocht.

Joe Mercer wil graag mee naar Albacete. Hij wil over de Amerikaanse vrijwilligers schrijven, zegt hij. Maar Magnus heeft het gevoel dat Joe het liefst in de buurt van zijn nieuwe partner blijft. Ze leggen hun geld bij elkaar voor een auto met chauffeur. De oorlog stuwt de prijzen omhoog, maar Magnus onderhandelt voor een redelijke prijs bij een man van middelbare leeftijd die over een grote auto beschikt, die hij vanuit Barcelona hiernaartoe heeft gereden en waar hij de mooie Hispano-Suiza uit 1921 blijkbaar heeft geprivatiseerd.

Hij is zwart met een groot houten stuur, is bekleed met zachte grijze leren zittingen en heeft een sterke 8-cilindermotor. De banden van de auto zien er netjes uit en de motor maakt een goed brommend geluid wanneer hij aanslaat nadat er aan de zwengel is gedraaid. Er hangt een reservewiel aan de zijkant. In Barcelona was hij in het bezit van een fabrieksdirecteur, die op de derde dag van de revolutie werd doodgeschoten, vertelt Juan Montero, de chauffeur. Het lijkt erop dat hij de mooie auto zorgvuldig onderhoudt. Hij heeft een goed onderhouden calèche, maar na de regen is de lucht weer droog en verschijnt er een hoge blauwe hemel en Juan Montero laat de calèche omlaag. Hij leeft van de pers, zegt hij. Oorlog is een goede zaak voor hoeren en chauffeurs, zoals Joe zegt.

Montero heeft voor een extra vat brandstof gezorgd, dat hij achter op de wagen vastbindt. Magnus heeft brood gekocht, worst en een sterk ruikende geitenkaas, een paar tomaten, een beetje olijfolie, twee zakken met een krachtige rode wijn, twee zakken met schoon water, en een net sinaasappels.

Het is iets minder dan tweehonderd kilometer naar Albacete en aangezien de rit de hele dag in beslag zal nemen, vertrekken ze 's ochtends in alle vroegte, wanneer slechts een dunne rand van de zon zichtbaar is aan de horizon en de ochtendkou ervan getuigt dat het korte najaar nu echt ten einde loopt. Montero draait de voorzijde van de auto richting het zuiden en rijdt vanuit de trieste oorlogsarmoede in Valencia over de stoffige landweg naar Albacete in La Mancha.

Mercer is aangenaam gezelschap op de lange rit, waarbij het stof door alle gaten naar binnen dringt. Ze spreken niet over hun nieuwe partnerschap, maar vooral over Mercer en zijn relatie tot Spanje. Hij is diverse malen aan het front geweest en heeft met de soldaten in de loopgraven gelegen. Hij is misschien agent van de inlichtingendienst, maar hij werkt hard aan zijn dekmantel als journalist. Ook al beweert hij dat het hem niet bezighoudt wie de oorlog wint, hij kan zijn sympathie voor de republikeinse zaak niet verbergen.

Magnus geeft hem gelijk. Voor hem geldt hetzelfde. Hij wil er niet bij betrokken worden, maar zijn sympathie gaat uit naar de republiek, al was het alleen maar omdat Mads ervoor vecht. Hij hoopt ondanks alles dat Franco zal worden overwonnen en hij uit dat ook. Mercer is het met hem eens, maar hij is een pessimist. Hij is bang dat de onderlinge verdeeldheid de ondergang van de republiek zal worden. Hij zegt dat hij echt geen communist is, maar de communisten hebben gelijk: zonder discipline gaat het niet. Mercer heeft niet veel goede woorden over voor de milities met hun blauwe overalls, rode sjaals, stoere baretten, hoogdravende woorden en roekeloze, ongedisciplineerde moed.

Twee keer worden ze aangehouden bij wegversperringen. Hun papieren zijn in orde en de documenten, samen met het vloeiende Spaans van Meyer, zorgen ervoor dat ze zonder problemen kunnen doorrijden. Ze komen eerst door gebieden met citrusfruit. De sinaasappels stralen geel in de groene bomen. In de ochtendschemering plukken vrouwen sinaasappels en uit andere bomen citroenen. Ze komen niet snel vooruit, omdat de chauffeur de hele tijd moet uitkijken voor ezelkarren of muildieren beladen met de gele vruchten. De grote auto kruipt moeiteloos over een lage bergketen, waar ze een marcherende colonne soldaten inhalen, die met de gebalde vuist aan de licht gebogen rechterarm groeten.

Aan de andere kant is het landschap droger en bijna verlaten. Het is woestijnachtig met grote knoestige rotsen verspreid in de spaarzame vegetatie. Het enige verkeer bestaat uit militaire transporten, die hen tegemoet komen en ervoor zorgen dat hun auto in een deken van witachtig stof verdwijnt. Ze drinken de wijn en het water uit de leren zakken, die ze koel houden, en

Magnus geniet van de nu warme wind in zijn gezicht, wanneer ze op plekken rijden waar ze geen last van het stof hebben. Af en toe rijden ze door gebieden waar misschien ooit landbouw is geweest, maar waar nog maar weinig mensen op de vlakke akkers lopen. De dorpjes lijken verlaten en desolaat. Lage grijze huizen duiken uit het niets op, met luiken voor de ramen en afwijzend. Maar waar zijn de mensen? Ergens slaat een man een magere ezel met een dunne stok om het dier een kar te laten trekken die met gras beladen is. De ezel komt niet van zijn plaats wanneer ze langsrijden. Het beest keert gewoon zijn kop om en volgt hen met zijn ogen, totdat hij verdwijnt wanneer ze een hoek omslaan en langzaam over de slingerende weg omhoogrijden.

In de loop van de dag bereiken ze de stad Requena en daar staat het verkeer helemaal stil. De stad ligt aan een verkeersknooppunt, waar vrachtwagens, door paarden getrokken artillerie en duizenden marcherende soldaten een totale verkeerschaos creëren, die de gestreste militaire politie tevergeefs probeert op te lossen. De geur van knoflook en goedkope wijn uit kroegen en restaurants mengt zich met dieselwalm en paardenpoep.

'De republiek bereidt zich voor op een aanval', zegt Joe Mercer en hij wuift met zijn hoed. De zon staat aardig hoog aan de hemel waardoor de temperatuur gaat stijgen. 'We zien hier de regulaire Spaanse troepenmachten. Ik weet zeker dat ze onderweg naar het noorden zijn.'

Magnus kijkt om zich heen en hoort de luide Spaanse commandokreten. Op een hoek van de stoffige provinciehoofdstraat staan vier van de nieuwe T26-tanks van Sovjet-Russische makelij naast drie vrachtwagens, die elk een kanon trekken. Een muildier trekt een kleine wagen, waarop een groot machinegeweer is geplaatst. Ook dat is Russisch. Misschien krijgt de republiek eindelijk modernere wapens.

Hij hoort een luid gegil en ziet een paard door zijn knieën gaan. Hij trekt een ander groot machinegeweer op een kar. Het ene voorbeen van het paard ziet er totaal verkeerd uit. De koetsier springt van de bok en maakt de buikriem los, waarna hij een stap achteruit doet, de trekker van zijn geweer spant en het paard door zijn hoofd schiet. Het schot galmt en de soldaten lijken even door angst te worden overvallen. Ze lijken verder vooral met hun hoofd strak op de kameraad voor zich gericht te zijn, wanneer ze niet met angstige blikken naar de blauwe hemel kijken om te zien of de superieure luchtmacht van de fascisten onderweg is. Drie mannen springen van een keukenwagen en beginnen meteen het dode paard midden op straat open te snijden. Meyer ruikt het bloed en de darminhoud boven de stank van de menselijke uitwerpselen en het zweet uit.

Juan Montero manoeuvreert de auto eromheen en rijdt door een zijstraat terug naar de hoofdweg, waar de infanterie hen langzaam tegemoet marcheert in een enkele colonne. Na een paar honderd meter moeten ze weer stilhouden om voor een nieuwe colonne vrachtwagens plaats te maken. Ze staan stil voor een klein plaza, wanneer ze de vrouwenstem horen: 'Joe! Hallo Joe. Wat doe jij hier?'

De stem is van een kleine vrouw, die aan de rand van het plaza staat. Magnus kijkt haar betoverd aan. Ze is slank, heeft lange armen en benen en kortgeknipt, bruin haar met krullen en lichtblauwe ogen in een fijn, smal gezicht met een lachende rode mond. Hoewel ze een loszittende kaki broek en een mannenoverhemd draagt, vermoedt hij haar knappe, goed gevormde lichaam door de mannelijke kleding heen. Ze is waarschijnlijk ongeveer net zo oud als hij. Naast haar voet staat een kleine plunjezak, ze heeft een Leica-camera om haar nek en een schoudertas op haar heup hangen. Ze pakt de plunjezak op en rent lichtvoetig naar hen toe en gaat op de treeplank van de auto staan. Ze heeft een heerlijk sexy uitstraling, die ze niet benadrukt, en daarom is de uitwerking des te sterker.

Joe staat op in de auto en zegt, zodra ze elkaar op de wangen gekust hebben alsof ze een stel Spanjaarden zijn: 'Irina, mijn schat. Wat doet mijn kleine favoriete bolsjewiek in dit gat?'

Ze tilt haar camera op: 'Mijn werk. Waar gaan jullie naartoe?'

'Albacete.'

'Fantastisch. Dat was ik ook van plan. Wil je deze dame geen lift geven?'

'Natuurlijk, knapperd.'

Magnus kijkt van de een naar de ander. Irina's Engels komt wat langzaam op gang, maar het is correct en met een Russisch accent. Ze springt naar beneden, zodat Mercer het portier kan openen en ze gaat zitten met een *Hola compañero* naar Montero, die zijn pet voor haar afneemt en groet. Ze neemt plaats op de stoel tegenover Magnus en Joe; met de rug naar de rijrichting toe.

Joe zegt: 'Mag ik je voorstellen aan mijn collega en vriend, Magnus Meyer. En mijn Russische collega en helaas alleen vriendin, nog geen minnares, Irina Sjapatova uit het rijk van kameraad Stalin. Zij maakt foto's van de rechtvaardige strijd.'

Ze geeft hem een hand. Magnus kijkt in haar heldere blauwe ogen en ziet de plagende glimlach, die erin schuilgaat. Hij gelooft niet in liefde op het eerste gezicht, maar hij kan de spontane aantrekkingskracht die hij voelt voor de Sovjet-Russische fotograaf niet verklaren. Iets in haar trekt hem aan; hij voelt zich tegelijkertijd sterk en zwak en is totaal sprakeloos wanneer Montero de auto behendig om een vrachtwagen weet te sturen die pech heeft, een gebroken achteras, en verder de landweg op. Hij heeft zin om de zachte mond te kussen, die een sigaret rookt die Mercer voor haar heeft aangestoken, en hij heeft zin om het kleine behendige lichaam vast te houden. Het is niets voor hem om zich als een verlegen schooljongen te voelen, alleen maar omdat een aantrekkelijke vrouw tegenover hem is komen zitten.

Joe en Irina praten over de oorlog en over het Madrid dat Irina een paar dagen geleden heeft verlaten. Ze kennen veel dezelfde mensen, zoals vaak het geval is bij journalisten die over hetzelfde onderwerp schrijven. Er wordt gestrooid met namen van bekende auteurs. Irina heeft net Nordahl Grieg gefotografeerd voor een Russisch literair tijdschrift. Ze heeft ook een reportage gemaakt over de communistische vrouw, leider en agitator La Passionaria, die ze allebei kennen. Ze wisselen anekdotes uit over kroegen, hotels en restaurants en over de voortdurende bomaanvallen. Het klinkt allemaal zo gemakkelijk en elegant dat hij trilt van een innerlijke, kinderlijke jaloezie. Magnus houdt niet van de flirtende toon die er tussen hen is. Ze kennen elkaar overduidelijk heel goed en ze converseren moeiteloos. Haar Engels heeft een zweem van Britse kostschool over zich. Ze vangt de straal wijn uit de wijnzak ervaren in haar mond op en geeft de zak door aan Magnus, die ook drinkt, maar een paar druppels morst.

Ze lacht: 'Het is niet zo eenvoudig als het eruitziet, mr. Meyer.'

'Noem me maar Magnus.'

'Magnus? Dat is een grappige naam. Waar kom je vandaan?'

'Uit Denemarken.'

'Denemarken? Dat is een klein land.'

'Qua oppervlakte wel, ja. Zelf vinden we het wat belangrijkheid betreft een heel groot land.'

'Is dat zo?'

'Ja, dat is zo. Je spreekt netjes Engels. Waar heb je dat geleerd?'

'In Londen. Als groot meisje heb ik een paar jaar met mijn vader en moeder in Londen gewoond.'

Mercer onderbreekt haar: 'Irina's vader is een hoge pief in Moskou.'

'Hij was diplomaat en dient nu de revolutie in Moskou, zoals hij het het beste kan, Joe. We hebben geen klassen meer in mijn land. We creëren een nieuwe maatschappij. Net zoals ze dat hier proberen.'

Het valt Magnus op dat ze wegkijkt wanneer ze dat zegt, en het lijkt erop alsof er een schaduw over haar ogen trekt, een deken van bezorgdheid die het licht erin dooft.

Mercer zegt: 'Natuurlijk, baby. Dat weten we wel. Wat moet je in Albacete?'

'Hetzelfde als jullie. Rode Ster wil graag een serie foto's van het dagelijks leven van de brigadisten in de stad hebben voordat ze naar het front gaan.'

'Heroïsche jonge, solidaire mannen, die met opgeheven hoofd en ranke socialistische ruggen de oorlog tegen de fascisten in gaan. Die niet dronken zijn en nooit een bordeel bezoeken.'

'Je hoeft er niet mee te spotten, Joe. We spelen allemaal een rol.'

'Natuurlijk, baby. Natuurlijk.'

Montero heeft het ergste verkeer weten te omzeilen en ze beginnen omhoog te rijden. Magnus ziet bergen in de verte en de weg begint al te stijgen. Hij maakt flauwe bochten en het landschap verandert opnieuw van karakter. Er komen dennenbomen en andere naaldbomen, en af en toe kan hij groen gras zien, waardoor delen van het landschap aan een Noorse bergweide doen denken. Mercer laat zijn hoofd achterover zakken en trekt zijn hoed over zijn ogen. Magnus kijkt naar Irina, die kort naar hem glimlacht. Magnus spreidt zijn armen alsof hij dit mooie landschap heeft besteld en zegt zonder er verder over na te denken in het Spaans: 'Ik ben uiterst verwonderd over en onder de indruk van dit geteisterde land. De landschappen lijken voortdurend van uiterlijk en karakter te veranderen, net als het licht.'

Irina antwoordt in dezelfde taal, wat hem blij stemt. Dan hebben ze een taal samen, die Mercer niet beheerst: 'Dit land is mooi en wreed. Brutaal en vriendelijk tegelijk. De Spanjaarden zijn fantastische mensen en tegelijkertijd in staat om geweld te gebruiken dat onbegrijpelijk is. Wanneer de revolutie heeft gezegevierd, kan het hier zo prachtig worden. Mensen kunnen leren lezen en schrijven – ook de arbeiders en de kinderen van de plattelandsbevolking. Dit land kan zo goed worden wanneer de oorlog is afgelopen en het socialisme zijn intree doet. Er moet een geheel nieuwe en rechtvaardige maatschappij worden opgebouwd.'

'Dat zal een hele tijd kosten.'

'Ben je net zo cynisch als Joe?'

'Vast. Maar dat ben jij niet?'

'Als je de hoop vermoordt, vermoord je je menselijkheid.'

'Je spreekt goed Spaans.'

'Ik heb het op de universiteit in Moskou geleerd en verder in dit land. Waar heb jij de taal geleerd?'

'In Argentinië.'

'Argentinië! Daar wil ik graag meer over horen.'

Hij vertelt met genoegen, terwijl de auto langzaam de bergen in klimt. Er is meer warmte in de lucht gekomen, maar onder het klimmen daalt de temperatuur geleidelijk, terwijl hij als een schooljongen een mooi beeld schetst van alles van het leven op de pampa's en de elegantie bij zowel de mannen als de vrouwen in Buenos Aires tot de grote, fabelachtige en angstaanjagende onweersstormen, die hij in andere gebieden van het grote land heeft meegemaakt.

Diep van binnen verbaast hij zich erover dat hij zo nodig zo enorm veel indruk wil maken op de Russische vrouw en denkt dat hij dat kan doen door Argentinië af te schilderen in mooie impressionistische kleuren. Ze is wel knap, maar er zijn veel knappe vrouwen in deze wereld en zo uitzonderlijk knap is ze nou ook weer niet, houdt hij zich voor.

Hij vraagt naar haar leven in Rusland en zij vertelt dat er binnen afzienbare tijd sneeuw zal vallen in Moskou, waar haar vader een groot appartement in het centrum van de stad heeft in een complex dat kameraad Stalin heeft gebouwd. Het ligt vlak bij de rivier in Moskou tegenover het Kremlin en is gewoon een voorbeeld van hoe het volk een geheel nieuwe maatschappij aan het creëren is. Haar beheersing van het Spaans is vloeiend en met de uitspraak zoals in Spanje. Ze spreekt veel beter Spaans dan Engels.

'Er gebeuren zo veel grootse dingen in mijn land, Magnus. Ik voel me zo bevoorrecht dat ik deel uitmaak van de opbouw van het socialisme.'

'Er gebeuren toch ook andere dingen?'

'Wat?'

'Ik heb gelezen over de vele mensen die worden geëxecuteerd.'

'Burgerlijke propaganda.'

'Dus er wordt niemand geëxecuteerd?'

'Alleen trotskisten en andere verraders. De revolutie heeft veel vijanden en moet zichzelf verdedigen.'

Weer wordt het licht in haar ogen gedoofd en hij heeft er spijt van dat hij een politiek spoor is ingeslagen. De interne aangelegenheden in haar land gaan hem niet aan, dus hij zegt snel iets banaals, terwijl hij haar een sigaret aanbiedt die hij voor haar aansteekt: 'Mis je de sneeuw?'

Ze lacht en blaast rook door haar neus naar buiten. Wanneer ze lacht, beginnen haar gezicht en haar ogen weer te stralen. Haar onderlip is iets dikker dan haar bovenlip en het geeft haar mond de vorm van een hartje: 'Er is ook sneeuw in Spanje, maar ik denk dat ik weet wat je bedoelt. Ik ben al meer dan een jaar niet thuis geweest, Magnus. Ik was hier toen de verkiezingen afgelopen, nee, vorig jaar februari plaatsvonden, en ik was in mei 1936 heel even thuis, toen kwam ik weer terug. Ik ben dol op Spanje. Ik hou van het licht boven de landschappen, de manier waarop het de hele tijd verandert, en de wijn en de mensen en het klimaat hier in het zuiden. Ik hoop dat ik hier kan wonen wanneer de oorlog is gewonnen. Er zijn zo veel foto's die ik wil maken, misschien kan ik ook schilderen. De mensen hier. De landschappen. De dorpjes. In Andalusië zijn ze helemaal wit. Die moet je zien.'

Hij vindt het leuk wanneer ze enthousiast wordt. Haar krullen dansen om haar hoofd, haar ogen beginnen te stralen en haar mond glimlacht, zodat hij het helemaal tot in zijn pik voelt.

Ze lacht naar hem: 'Maar Moskou is 's winters ook mooi, wanneer alles is bedekt met sneeuw en je rondloopt en rode wangen krijgt en ervan droomt om met je aanbidder in een trojka te rijden.'

'Heb je zo iemand?'

'Ik heb er hopelijk veel, Magnus. Of vind je me lelijk?'

Hij merkt tot zijn schrik dat zijn wangen warm worden en tot zijn nog grotere schrik dat zij het ziet en lacht.

'Nee. Natuurlijk niet ...'

'Ik ben niet zo netjes als jouw elegante dames in Buenos Aires. Zulke kleding heb ik niet.'

'Je bent netjes genoeg. Zo bedoelde ik het niet.'

'Wat bedoelde je dan?'

'Ben je getrouwd?'

'Nee.'

'Verloofd?'

'Dat doe je niet meer in mijn land, Magnus. Dat hoort bij vervlogen tijden. Dat doen graven en gravinnen in de romans van Tolstoj.'

'Dus je bent niet verloofd?'

'Nee', lacht ze. 'Ik heb veel aanbidders, maar niet iemand in het bijzonder aan wie ik de voorkeur geef, dus je kunt in de rij gaan staan.'

Hij kijkt haar verbluft aan: 'Wat bedoel je?'

'Daar kom je vast zelf wel achter, als je zin hebt.'

Ze geeft Joe een por en gaat verder in het Engels: 'Laten we een liedje zingen voor Magnus. Kom nou Joe, word wakker.'

Mercer duwt de hoed op zijn plaats en zegt: 'Ik heb niet geslapen. Hoe kan een man slapen, wanneer jullie als een stelletje kleuters in het Spaans zitten te kwetteren? Okay. Laten we de brigades huldigen, kameraad Irina. *Adelante!*'

Ze beginnen te zingen. Irina zingt voor en hoewel Joe geen Spaans spreekt, heeft hij blijkbaar de woorden van het populaire lied over de vijftiende brigade geleerd. Hun stemmen klinken goed samen. Irina heeft een mooie lage alt en Joe een klassieke tenor, dus Magnus denkt even terug aan het kerkkoor in zijn geboorteplaats, waar hij in zong vóór en nadat hij de baard in de keel kreeg. Marie kon goed zingen, maar ze wilde niet. Magnus was dol op zingen. Hetzelfde gold voor Mads. De chef-arts zong natuurlijk niet; hij zei dat ze hun zangtalenten van hun moeder hadden.

Na enkele verzen kan hij invallen bij het eenvoudige refrein van het strijdlied en de herhaalde regels:

Luchamos contra los moros
Rumba la rumba la rumba la
Luchamos contra los moros
Rumba la rumba la rumba la
Mercenarios y fascistas.
Ay Manuela! Ay Manuela!
Ay Carmela! Ay Carmela!

Zelfs Juan Montero achter het stuur wordt meegesleurd door de goede stemming, terwijl hij de auto door de bochten de heuvels in stuurt, en zingt met het refrein mee. Magnus heeft een uitstekende bariton en Irina en Joe hebben meer liederen op hun repertoire. Mercer laat zijn heupfles met whisky rondgaan en ze nemen om de twee liederen een slok. Montero wil graag wat wijn hebben, maar geen whisky. Er heerst in de auto de sfeer van een uitstapje en Magnus kan zijn ogen niet van Irina afhouden, ook al doet hij zijn best. Misschien laat hij zich daarom zonder al te veel moeite overhalen, wanneer ze nog een revolutionair Spaans lied met ritmisch geklap afsluit en zegt: 'Je hebt een mooie stem, Magnus. Zing eens een tango voor ons? Een uit Argentinië. Die zijn zo mooi en weemoedig.'

'Ze dampen van de seks', zegt Mercer.

'Dat ook, Joe. Dat ook. Toe nou, Magnus.'

'Wie zegt dat ik er een ken?'

'Natuurlijk ken je er wel een. Zoals jij zingt. Zing er een voor mij.'

Magnus leunt achterover, sluit zijn ogen half en begint te zingen, terwijl hij zijn eerste Argentijnse minnares, Inés, naakt voor zich op bed ziet liggen.

Zij leerde hem eerst Argentijnse *canciones* zingen en daarna de tango dansen. Elke keer als hij daarna met andere vrouwen op de vloer in danstenten kwam, drong het beeld van het naakte, sensuele lichaam van Inés zich op als een onafwendbaar innerlijk beeld, want ze dansten vaak naakt en gelukkig, zowel vóór als nadat ze hadden gevreeën. Haar hartstocht was als van een andere wereld.

Hij ziet haar opnieuw voor zich, maar wanneer hij zijn ogen helemaal opent, verdwijnt haar gezicht, en in plaats daarvan krijgt hij oogcontact met Irina, die hem met haar dromerige glimlach aankijkt, terwijl ze een sigaret rookt. Wanneer ze inhaleert, sluit ze een moment haar ogen, en wanneer ze ze weer opent, zijn ze vol leven en licht, terwijl hij de tango over zijn geliefde Buenos Aires zingt en Irina probeert te laten begrijpen dat als hij liefde voor de stad uit, dat het dan zijn overijlde verliefdheid voor haar is, die hij probeert te tonen met de slepende, erotische ritmes van de tango.

Wanneer hij klaar is, klappen Joe en Irina enthousiast, en zij legt even haar hand op zijn knie. De heupfles gaat weer rond, waarna ze achteroverleunen op hun stoel en elkaar tevreden aankijken. Ze zijn jong en in leven, en ondanks de verschrikkingen om hen heen beleven ze het bestaan als een wonderlijk avontuur.

Wanneer de zon op zijn hoogste punt aan de hemel staat, houden ze siësta, ergens aan de rand van het vlakke La Mancha, en delen hun eten met Juan Montero, die niet veel zegt, maar beleefd het brood, een stuk worst en een brokje kaas aanneemt en op een afstandje snel zijn eten opeet, alsof hij lange tijd niets heeft gehad, waarna hij met zijn hoed over zijn gezicht onder een olijfboom gaat liggen.

Mercer heeft een groot zakmes gepakt en wil het brood snijden, maar Irina pakt het mes van hem af en snijdt de dikke korst door. Ze druppelt langzaam wat olijfolie op de twee stukken brood en belegt het met tomaat, kaas en worst, klapt de stukken op elkaar en geeft de sandwich aan Magnus, waarna ze een vergelijkbare voor Joe maakt en een voor zichzelf. Ze eten duidelijk met genoegen en kijken elkaar aan, alsof ze zich erover verbazen hoe goed de simpele maaltijd samen met de frisse, sterke wijn smaakt. De kaas smaakt zoals hij ruikt en het brood is knapperig en fijn, al is het wel wat droog. De kaken van Mercer malen en wanneer hij zijn mond opent, lichten zijn tanden wit op in de zon. Irina maakt nog een sandwich en ze leren Joe de Spaanse uitdrukking zeggen: Wanneer er honger is, is er geen brood dat droog is.

'Wijn, kaas en brood, dan hoef je verder niet zo veel meer', zegt Irina en ze glimlacht gelukkig en kijkt van de een naar de ander.

Magnus voelt zich toch wat gespannen. Er gaat veel om in zijn hoofd. Op een gegeven moment hoort hij in de verte lawaai van een vliegtuig. Montero wordt wakker en zoekt de horizon af, waar het vliegtuig eruitziet alsof het een vogeltje is. Hij pakt een verrekijker uit het dashboardkastje. Montero heeft de auto onder de bomen gereden en er een dekzeil over gespannen, zodat hij vanuit de lucht moeilijker te spotten is.

'Dat is er een van ons', zegt hij. 'Ik kan het ook horen en de fascisten vliegen meestal met drie samen. Dat is er een van ons, señor Meyer. Dat weet ik zeker, dus laten we rustig blijven en genieten van onze siësta. Albacete loopt niet weg.'

Irina trekt zich even terug. Wanneer ze terugkomt, slaapt Joe met een zacht gesnurk. Magnus ligt onder een olijfboom en voelt zich verzadigd en doezelig. Irina gaat op haar rug naast hem liggen met haar tas als hoofdkussen. Ze zucht genoeglijk. Hij kijkt naar haar mooie borsten, de tere huid bij haar kleine oren en haar slanke taille, die op en neer gaat. Ze glimlacht naar hem en valt net zo plotseling in slaap als een klein kind. Ze draait zich op haar zij, in haar slaap denkt hij, en ze laat haar hoofd op zijn schouder vallen en haar arm glijdt over zijn borstkas. Hij kan haar borst tegen zijn lichaam voelen en merkt hoe zijn eigen hart bonst. Hij ligt muisstil tegen zijn slaap te vechten, omdat hij het gevoel van haar borst op zijn lichaam wil koesteren, maar alles verdwijnt en wordt donker.

Wanneer hij wakker wordt, ligt ze op zijn elleboog naar hem te kijken. Ze schuift zijn haar opzij, dat zoals gewoonlijk over zijn ogen is gevallen, en zegt in het Spaans: 'Je lijkt net een kleine jongen als je slaapt. Weet je dat? Zo'n lief, onschuldig jongetje.'

'Ik ben in elk geval geen jongetje meer.'

'En onschuldig?'

'Wie is dat wel?'

'Heb je veel aanbidders?'

'Moet ik niet juist aanbidden?'

'Jij bent een gevaarlijke man, Magnus. Heb je goed geslapen?'

'Ja. En jij?'

Ze knikt en zegt, terwijl ze met haar hand kort eerst zijn snorretje en daarna zijn kin streelt: 'Je hebt niet veel baardgroei. Daar hou ik wel van. Je moet wel die dwaze kleine moustache afscheren. Mag ik een sigaret van je?'

Die wil hij liever niet geven. Dat betekent dat hij rechtop moet gaan zitten. Hij wil niet reageren op haar woorden. Hij wil het liefste het gevoel van haar zachte hand op zijn gezicht koesteren, maar hij gaat natuurlijk rechtop zitten en steekt voor hen allebei een sigaret op: 'Wat schrijf je, Magnus? Schrijf je de waarheid?'

'Wat is de waarheid?'

'Precies. Daarom vraag ik het aan jou.'

'Er is meer dan één waarheid, denk je niet?'

Er trekt een schaduw over haar blanke gezicht, wanneer ze zegt: 'Ik geloof eigenlijk niet in woorden. Ik geloof meer in foto's. Die liegen niet. Ooit wilde ik schrijver worden, maar dat wil ik niet meer. Wilde jij wel schrijver worden?'

'Nee, maar mijn jongere broer wel. Hij is het eigenlijk al. Hij is een goede dichter.'

'Ah, poëzie. Dat is wat anders. Goede poëzie is mooi. Ze spreekt tot je hart, niet tot je hersenen. We hebben heel goede dichters in Rusland en we houden van hen. Is je broer in Denemarken?'

'Hij is hier misschien in Albacete. Hij zit bij de brigades.'

'Dus je broer is communist?'

'Mijn broer is idealist. Ik geloof niet dat hij lid is van een partij. Ben jij dat?'

'Ja natuurlijk. Anders zou ik hier helemaal niet kunnen zijn.'

'En de foto's die je van de partij moet maken?'

'Niet alleen daarom.'

'Foto's kunnen net als al het andere worden gemanipuleerd.'

'Niet die van mij. Ik weet dat sommige fotografen mensen opstellen. Ze allerlei dingen laten doen. Situaties in scène zetten. Ze praten het goed door te zeggen dat het de zaak dient, maar toch is het verkeerd, dus dat doe ik niet. Mijn foto's kunnen afgewezen worden, maar niet aangepast', zegt ze, maar hij heeft het gevoel dat ze die woorden zelf niet geloven, en ze kijkt weg. Hij wil haar terug hebben: 'En jij? Heb jij broers of zussen?'

'Ik heb een oudere broer. Hij is officier in het leger. Het is lang geleden dat ik hem heb gezien.' Haar stem klinkt wat zwevend en hees.

'Je vader is diplomaat. Hoe zit het met je moeder?'

'Zij is overleden.'

'Wat erg voor je.'

'Het is jaren geleden. Ze kreeg tuberculose.'

'Dat is een akelige ziekte.'

'Dat is zo, ja.'

'En verder? Heeft men grote families in de Sovjet-Unie?'

Ze kijkt hem aan en zegt zonder te glimlachen: 'Sommigen wel. Ik heb geen grote familie. Ik had een oom, maar ik heb geen contact meer met hem. Ook niet met mijn tante.'

'Wat bedoel je?'

'Je bent erg nieuwsgierig, Magnus. Ze zijn ergens in Siberië. In een kamp, maar daarover hoeven we het niet te hebben. Het is niet altijd gemakkelijk.'

Ze wendt haar blik af, gooit de sigarettenpeuk weg, staat snel op en geeft een zacht schopje tegen de slapende Mercer: '*Arriba*, luilak. We moeten verder.'

Ze gaan weer op pad en de sfeer is een beetje anders. Alsof ze niet echt wakker kunnen worden of misschien omdat ze dichter bij hun reisdoel komen en het speelkwartier is afgelopen. Er wordt gezwegen in de auto die op de vlakte komt die naar Albacete leidt, dat zonnebadend in het geel gespikkelde landschap ligt. Montero is ook erg nerveus. Hij houdt niet van de platte hoogvlakte van La Mancha, waar de vliegtuigen van de fascisten hem en zijn geprivatiseerde, mooie zwarte auto gemakkelijk kunnen raken.

Eindelijk zien ze de stad tegen de horizon opduiken als een merkwaardige stapel stenen op de gele vlakte, waar een opstekende avondwind het stof laat dansen. Ze passeren twee dorpen, die verlaten lijken. Op de akkers staan op diverse plekken de resten hooi of koren die gebundeld zijn, maar nooit zijn binnengehaald. Ze zien kerktorens boven de grijze stad verrijzen, die net als de vlakte van kleur verandert wanneer ze dichter bij de rand ervan komen. De landweg lijkt getrokken te zijn met een liniaal en er rijdt geen verkeer over. Ze rijden in de ondergaande zon en Magnus wordt overmand door een vreemd een ontstellend gevoel dat ze in een zee van gestold bloed rijden die de hele aarde bedekt.

13

Albacete komt op Magnus over als een lelijke, vieze provinciestad met smalle straten met kinderkopjes en kleine ineengedoken huizen van grijswitte klei. De kleinere zijstraten zijn stoffig
en hij verwacht dat ze door de modder blubberig zullen worden
als in de winter de eerste regen valt. De beter onderhouden huizen neigen naar beige of grijs en hebben donkere luiken voor
de ramen. De grotere buurthuizen in het centrum zijn voorzien
van mooie geornamenteerde balkons van zwart smeedijzer. Hij
heeft het gevoel dat de bourgeoisie achter de van luiken voorziene ramen vol verlangen zit te wachten op de komst van de
fascisten, zodat ze de terugkeer van de natuurlijke orde kunnen
vieren. Mercer heeft verteld dat Albacete eerst aan de kant van
Franco ging staan, maar in de pan werd gehakt door de arbeidersmilitie toen die werd bewapend.

Overal ziet hij mannen die messen en ander bestek verkopen.
Irina weet dat de belangrijkste industrie van deze stad juist het
vervaardigen van messen is. De stad lijkt gesloten en ontoegankelijk ondanks de vele soldaten die overal zijn en wier stemmen
de lucht met veel verschillende Europese talen vullen. Het stinkt
uit open riolen. De schade die de bommenwerpers in Albacete
hebben aangericht, is duidelijk zichtbaar. Er staan rijen bij de
weinige winkels die levensmiddelen verkopen. Joe en Magnus
moeten een paar schurftige honden, die voedsel zoeken in het
afval, een trap geven. Op een hoek ligt een groot hondenkada-
ver, waar de maden zich te goed aan doen.

Ze zijn samen met Irina niet ver van Plaza Altozano uit de
auto gezet, waar ze vermoedelijk in een groot hotel kunnen
overnachten, dat volgens Mercer Gran Hotel heet. Irina knikt,
maar ze zegt niets. Het is net alsof ze afstand neemt van de twee
mannen. De lichamelijke en mentale afstand wordt langzaam
groter, voelt Magnus. Montero heeft gezegd dat hij een goedko-
per hotel kent, waar hij ook de auto beter kwijt kan. Ze willen

hem graag nog een paar dagen bij zich hebben, wat hij prima vindt, zolang ze een borg betalen, zegt hij en hij kijkt veelzeggend omhoog naar de hemel. Ze begrijpen wat hij bedoelt, wanneer ze de steenbrokken en afgebrande, ingestorte huizen van eerdere luchtbombardementen zien. De gaten in de rijen huizen doen Magnus denken aan getrokken tanden in een al verrotte tandenrij.

Uit de kroegen en cafés in de hoofdstraat komt gevloek en de geur van zwarte tabak, goedkope wijn en ongewassen lichamen. In groepjes van vier loopt de militaire politie van de Guardia de Asalto door de straten. Ergens ontstaat een gevecht tussen twee dronken mannen, die met knuppelslagen uit elkaar worden gehaald. Ze vloeken in het Vlaams en kreunen als ze worden geslagen, maar ze worden niet meegenomen.

Mercer schudt zijn hoofd en loopt in een boog om de militaire politie heen. Hij is net zo groot als een stoomschip en baant zich een weg door de mensenmassa voor zich alsof het golfjes op zee waren. Irina en Magnus lopen achter hem zonder met elkaar te praten.

Hij reserveert kamers voor hen in het grote hotel aan de rand van het centrale plaza. Een café heeft tafels en stoelen op het plaza neergezet, ondanks de zandzakken voor een officieel ogend gebouw, dat door drie soldaten in de zwarte uniformen van de Guardia de Asalto wordt bewaakt. Een groep mannen in uniform zit aan een tafel koffie te drinken. Midden op het plaza staan een paar verfomfaaide palmbomen rond een opgedroogde fontein met verdorde bladeren.

Het hotel is verbluffend schoon en netjes. Er is al een reservering voor Irina. Daarover had ze niets gezegd. De meeste gasten zijn hoogstaande Spaanse officieren en een klein groepje Russische adviseurs, bij wie Irina zich volgens eigen zeggen later moet melden. Magnus ziet haar haar kamer binnengaan, die naast die van hem ligt, en hij voelt een vreemde leegte wanneer ze de deur dichtdoet en weg is.

'Laten we wat gaan drinken, Magnus', zegt Joe en hij kijkt hem aan met iets wat Magnus opvat als een spottende blik. Joe heeft een kamer verderop in de gang gekregen. Magnus heeft eigenlijk geen zin en hij ergert zich plotseling onmetelijk aan de grote Amerikaan, maar hij overweegt een moment om toch ja te zeggen. Alcohol kon weleens de pijn verzachten en de leegte in hem vullen.

'Later. Ik wil eerst in bad. Ze zeiden bij de receptie dat hier warm water is', zegt hij toch maar.

'Dan zien we elkaar later.'

'Daar komen we vast niet onderuit.'

Het water is heerlijk en op een vreemde manier voelt de douche erotisch aan, omdat hij het water kan horen stromen in de badkamer ernaast, waar Irina is. Een kamer met een douche waar dagelijks een paar uur warm water uit komt kost geld, maar het is het waard, denkt hij, wanneer hij zijn haar wast. Hij scheert zich daarna zorgvuldig, staat even stil en zeept dan ook zijn snor in en verwijdert hem met twee lange halen van het mes. Hij bekijkt even zijn kale gezicht.

Hij denkt dat hij haar kan horen zingen, maar hij weet niet zeker of hij het zich gewoon verbeeldt. Hij droogt zich af en gaat naakt in het halfopen raam staan om te genieten van de koele wind op zijn lichaam, terwijl hij naar het plaza kijkt en geklop op de deur van Irina hoort. Ze zegt in het Spaans 'een moment', en dan hoort hij een luide stem iets in het Russisch zeggen en Irina antwoordt in dezelfde taal.

Magnus trekt zijn lichte kleding aan met een donkerder overhemd, maar zonder stropdas, die taboe lijkt te zijn aan de republikeinse zijde, en hij doet ook zijn gemakkelijke laarzen aan. Hij pakt zijn vieze kleding bijeen tot een bult, die hij het kamermeisje wil laten wassen. Terwijl hij zich aankleedt, kan hij in de kamer ernaast luide stemmen horen. De wanden zijn eigenlijk dik genoeg, maar het geluid komt via het halfopen raam van Irina naar buiten en door zijn eigen naar binnen. Hij zou willen dat hij kon verstaan waarover ze spreken. Het klinkt ernstig. Hij hoort met name de twee diepe mannenstemmen en de pogingen van Irina die lijken op een verdediging. Ze antwoordt met een stem die een octaaf stijgt en hij hoort dat ze kwaad is. Hij verstaat een van de Russische woorden. *Njet.* Dat herhaalt ze diverse keren. Njet, zegt ze tierend, en de mannen vertrekken en gooien de deur achter zich dicht.

Magnus stapt de gang op. Die is leeg. Hij staat even bij Irina's deur. Hij legt zijn oor ertegenaan, maar hoort niets. Hij klopt aan en hoort haar stem in het Russisch. Die klinkt vreemd. Hij klopt nog een keer aan en zegt in het Spaans: 'Irina. Ik ben het, Magnus. Is alles in orde?'

'Magnus. Het komt nu niet zo goed uit.'

'Ik wil zeker weten dat je in orde bent.'

'Dat ben ik.'

'Doe de deur dan open, Irina.'

'Ga nou weg, Magnus.'

'Ik begin een serenade te zingen als je de deur niet opent.'

'Ga nou weg, gek.'

Hij begint een Argentijnse tango te zingen, maar hij komt maar tot het vijfde couplet, waarna ze de deur opent.

'Magnus. Doe nou niet zo kinderachtig.'

Er staan tranen in haar ogen en haar haar is vochtig en krult om haar hoofd. Haar gezicht ziet er jong en broos uit in het schemerlicht, dat door het grote raam de kamer binnenvalt. Ze kijkt naar hem op en streelt met de wijsvinger van haar rechterhand zijn bovenlip, als een liefkozing of misschien meer als een verpleegster die een stukje huid onderzoekt. Hij voelt vooral het erotische in de aanraking en om zijn ongemak te verbergen, loopt hij langs haar de kamer in, die het spiegelbeeld is van zijn eigen kamer met een tweepersoons bed, een meubel met een spiegel erop, een bureau met een stoel met een hoge rugleuning en een fauteuil op een vloerkleed met een donker patroon dat overgaat in de donkere wanden. De twee lampen aan het plafond branden en hij voelt de vochtige damp van de badkamer.

'Kom maar binnen, kameraad', zegt Irina. 'Maar het staat je goed. Zonder snor, bedoel ik.'

'Dank je wel.' Hij draait zich om en vraagt: 'Wie waren die Russische heren? Ik kon ze nogal duidelijk horen.'

'Bekenden. Mag ik een sigaret van je, Magnus?'

Hij haalt zijn pakje tevoorschijn. De voorraad is bijna op, dus hij moet weer naar de zwarte markt. Hij steekt voor hen allebei een sigaret op. Ze loopt naar het raam en staat met haar rug naar hem toe. Ze heeft een schone broek aangetrokken en een lichte bloes. De nieuwe broek zit strakker dan de wijdere broek waarin ze reisde. Ze heeft een ranke rug en een mooi kontje, denkt hij. Veel vrouwen hebben geen kont voor de broeken die ze hier dragen, denkt hij verder en hij kijkt naar haar slanke taille, waar de broek smal toeloopt, op de plaats gehouden door een dunne riem. Haar blote voeten zijn klein en meisjesachtig, en hij krijgt zin om haar vast te houden en haar te beschermen tegen alle gevaren in de wereld.

Ze spreidt haar armen en om de situatie minder ongemakkelijk te maken zegt ze voor zich uit: 'Dit is mijn camera. Hij is kapot. Ik kan hem niet open krijgen. Het is mijn beste camera.'

'Mag ik eens kijken?'

'Je bent behalve journalist en cowboy misschien ook fotomechanicus?'

'Misschien. Mag ik eens kijken?'

Ze draait zich om en wijst naar het bureau. De zwarte Leica ligt naast een Russische camera die hij niet kent. Hij pakt de Leica en draait hem rond in het licht.

'Zit er een film in?'

'Ja. Die is nog niet vol. Ik durfde hem niet vooruit te spoelen.'

'Het sluitmechanisme is vast gaan zitten. Dat regel ik wel.'

Hij pakt zijn kleine rode zakmes en opent de functie met de schroevendraaier. Hij kan zien dat het om een minuscule schroef gaat, die een beetje scheef en in de weg zit, waardoor de camerabehuizing niet open kan zonder dat je daarvoor geweld moet gebruiken. Hij maakt de schroef voorzichtig los, maar houdt de camera dicht.

'Nu kun je hem openen, maar je kunt het beter ...'

'In mijn filmwisselzak doen? Natuurlijk. Je bént fotomechanicus.'

Ze pakt een zwarte zak uit haar tas, stopt de camera erin, doet hem dicht en haalt de film er met ervaren bewegingen uit. Ze geeft hem de camera. Hij draait de schroef aan en stelt ook het koppelstuk juist in, dat een tik lijkt te hebben gehad. Hij doet de camera een paar keer open en dicht, waarna hij hem aan haar geeft en zijn zakmes dichtklapt. 'Dank je wel. Dat is een handig mes dat je daar hebt. Mag ik het eens zien?'

Hij opent de verschillende functies van het mes – twee messen, een schroevendraaier, en kleine vijl, een blikopener, een schaartje – en bewondert haar geïnteresseerde en levendige gezicht, terwijl ze zijn mes bewondert. Hij kan zien dat ze weet dat hij naar haar kijkt. Ze begint er een beetje van te blozen.

'Dat is heel handig. Waar heb je het vandaan?'

'Ik heb het in New York van een Zwitser gekregen, die ik een dienst heb verleend. Jonge mannen in Zwitserland krijgen er een wanneer ze in het leger gaan. Het is rood, dus ze kunnen het gemakkelijk in de sneeuw vinden als ze het laten vallen.'

Als een klein kind dat blij is met een nieuw stuk speelgoed, sluit ze langzaam een voor een de verschillende bladen, waarna ze het zakmes aan hem teruggeeft en zegt: 'Handig. Hoe kan ik je bedanken?'

'Door me je te laten trakteren op avondeten.'

'Ik weet niet ...'

'Kom nou, Irina. Zo kun je me bedanken.'

'Door een uitnodiging aan te nemen?'

'Precies.'

'Geef me dan vijf minuten.'

Hij knikt blij en denkt dat hij haar alle tijd van de wereld gunt als ze dat zou verlangen.

Ze eten in een restaurantje achter het hotel. Een stijlvolle man in een zwart pak achter de bruine receptie van het hotel had het aangeraden. Misschien is hij familie van de eigenaar van het restaurant, want het eten – een dunne groentesoep gevolgd door een groot stuk lamsbout met witte bonen – smaakt niet bijzonder goed. Maar ze hebben honger, de wijn is krachtig, en ze drinken er volop van. Vooral Irina grijpt naar de fles. Ze raakt niet merkbaar aangeschoten, maar hij kan aan haar Spaans horen dat de wijn effect heeft. Ze praten eerst over de oorlog, waarover iedereen spreekt, maar dan vraagt hij opnieuw: 'Wie waren die twee mannen, Irina?'

Ze kijkt hem met enigszins bloeddoorlopen ogen aan, glimlacht en accepteert zijn sigaret: 'Och Magnus, Magnus, Magnus. Je bent een gevaarlijke man. Je bent net als een van die priesters die de katholieken hebben aan wie je alles vertelt. Aan wie je alles opbiecht. Je hebt zulke goede manieren, maar je bent een gevaarlijke man, Magnus.'

'Wie waren het?'

'Wat weet jij van mijn land, de Unie der Socialistische Sovjetrepublieken? Het eerste socialistische land ter wereld, waar we het socialisme opbouwen, waar we het communisme creëren. Wat weet jij daarvan?'

'Wat jij zegt. En dat Jozef Stalin met harde hand regeert ...'

'Kameraad Stalin is de grootste leider sinds Lenin.'

'En de meest brutale.'

'Waar gehakt wordt, vallen spaanders.'

'Als jij het zegt.'

'We worden omringd door vijanden. Het vereist kracht en moed om door te voeren wat Stalin doorvoert. We kunnen niet weifelen. Het is net als hier in Spanje. Als we weifelen, dan winnen de fascisten. We moeten op onze hoede zijn voor de mensen van de vijfde colonne, voor agitatoren en trotskisten, voor de geheime fascisten en anderen die de revolutie proberen te verpesten, toch, Magnus? Begrijp je dat niet? Dat moet wel.'

'Je probeert zeker vooral jezelf ervan te overtuigen?'

Ze drinkt haar glas leeg, Magnus schenkt weer in en geeft de ober een teken dat hij nog een fles wil. In een hoek zitten drie Spaanse officieren zacht samen te praten. Ze werpen af en toe blikken naar hun tafel, maar hij denkt dat vooral de schoonheid van Irina aandacht trekt. In een andere hoek zijn twee Spaanse illegale handelaren bezig zich te bezuipen na de maaltijd.

Irina's stem is intens, maar ze houdt hem gedempt, alsof ze iemand is die gewend is zacht te praten.

'We moeten op onze hoede zijn. Daarom hebben we toch de Organen?'

'De Organen?'

'De inlichtingendiensten natuurlijk. NKVD. De nieuwe Tsjeka? Het zwaard en het schild van de partij, zoals ze in Lubjanka zeggen.'

Ze kijkt naar haar sigaret, alsof ze pas nu in de gaten heeft dat ze hem vasthoudt. Ze neemt een trekje en blaast de rook langzaam door haar neusgaten naar buiten, waarna ze over de tafel leunt en zegt: 'Ik weet niet waarom ik je dit vertel. Ik ben vast te lang van huis. Ik voel me waarschijnlijk te beschermd door mijn vader en mijn idealisme. Want ik wil geloven in de revolutie en het socialisme. Dat wil ik. Anders heeft het allemaal geen nut. Het is niet zoals met mijn grootmoeder. Zij had haar God. Ik hield van mijn grootmoeder, mijn lieve baboesjka, maar zoals zo veel andere grootmoeders droeg ze haar hart op haar tong en dat kon gevaarlijk zijn voor mijn vader. Baboesjka noemde de bolsjewieken anti-christenen, omdat ze de kerken sloten. Ze zegt dat ze mij heeft laten dopen. Kun je je dat voorstellen, Magnus? Ik. Die niet in God wil geloven. Maar ik hield van haar. Ik zie haar voor me in de datsja, die mijn ouders in het bos aan de rivier hadden. Een mooi houten huisje met een grote tuin, waarin mijn moeder en mijn grootmoeder, toen ze nog leefden, groentes en bloemen kweekten en sap voor ons kinderen maakten. Ik heb het beeld dat de zon in de zomer altijd scheen, en de winter was zo mooi met sneeuw en heldere vorst. Baboesjka droeg altijd een lange rok met een bloes en een sjaal en een gebloemde hoofddoek om haar grijze haar. Ze kende zo veel sprookjes over trollen en kabouters, over vreemde elfen en feeën met holle ruggen. Over Vader Vorst en de kleine Sneeuwmaagd, die het zo verschrikkelijk koud had. Haar familie was afkomstig uit het noorden, uit Karelië. Ze dronk haar thee het liefst met jam en koekjes met suiker erop. Is dat niet raar? Zelfs toen ze bijna geen tanden meer had, was ze nog steeds dol op van die harde zandkoekjes, die mijn moeder bakte. Ik zie haar voor me, hoe ze niet bijt, maar langzaam het koekje bijna maalt, dat ze in de thee met de rode, eigengemaakte jam doopt. En mijn vader en moeder zijn blij – of bijna altijd blij. En mijn broer is er ook, en hij is sterk en brutaal en plaagt zijn zusje, maar voor mijn grootmoeder heeft hij respect. En de zon. De warme zon boven de berken en de rivier, die zo blauw als de allerblauwste ogen is.'

Hij laat haar zitten. Ze is diep verzonken in gedachten, waartoe hij zelf ook kan worden verleid als hij niet oppast. Ze schudt haar hoofd zodat haar krullen dansen, kijkt hem met de lichtblauwe ogen aan, glimlacht een beetje triest, drinkt wat wijn en gaat verder: 'Ze kende veel sprookjes, mijn grootmoeder. Een ervan gaat over een kleine trol, die Osip heet. Hou jij van sprookjes, Magnus? Wil je het horen?'

Hij knikt, zij drinkt meer wijn en haar ogen dwalen weer af wanneer ze begint: 'Er was eens een kleine trol die Osip heette, en die met zijn ouders in het land woonde dat de trollen hun land noemen en waar zij de dienst uitmaken. Het ligt diep in het bos, ergens tussen de ondergaande zon en de opkomende maan. Osip had talenten die de andere trollen niet hadden en daarom werd hij geplaagd en was hij niet geliefd, omdat hij apart was. Osip kon namelijk liedjes maken die zo mooi klonken dat de dieren in het bos het niet konden laten om te gaan dansen wanneer ze hem zijn liedjes hoorden spelen op de mooie kleine fluit, die hij van een tak van de vlierbessenstruik had gesneden. De vogels wilden meteen meezingen en zelfs de wolf huilde zo mooi boven de bevroren sneeuw dat de beer en het hert stilstonden om naar de muziek van Osip te luisteren.

Sommige andere trollen in het bos hielden van de muziek van Osip wanneer ze zijn liedjes eerst een paar keer hadden gehoord. Ze waren wel vreemd, maar af en toe ook zo vrolijk dat je zin kreeg om in het licht van de volle maan te dansen. Andere keren klonken ze zo verdrietig dat je wel moest huilen, maar het was een goed gehuil, dat de ziel reinigde, dus je voelde je erna veel beter. De meeste trollen in het bos vonden echter dat de muziek van Osip lelijk, modern en niet trollerig genoeg klonk. Trollenmuziek klonk op een bepaalde manier, want zo had trollenmuziek geklonken al zolang goede trollen zich konden herinneren. Ze zouden Osips muziek hebben verboden in trollenland, maar de Raad van de Wijze Trollen, die het trollenland bestuurde, wilde de muziek van Osip niet verbieden, ook al vonden ze haar wel apart en misschien niet zo trollerig zoals ze gewend waren. Maar, zeiden ze, er moet ruimte zijn voor alle soorten muziek, ook de muziek die Osip speelt.

Dus Osip leefde diverse winters en zomers gelukkig en liet zijn vlierfluit vrolijk spelen wanneer hij in dat humeur was en verdrietig wanneer hij in zo'n stemming was. Dat kon een trol nooit weten voordat de dag voorbij was, zoals Osip zei. Zijn humeur was als het weer. Het wisselde zo onvoorspelbaar als de liefde van een trollenmeisje. De oude, verstokte trollen gaven echter niet op. Ze begonnen erover te praten – eerst in het klein en achter de ruggen van de andere trollen om, maar later veel luider – dat de liedjes van Osip bijna menselijk klonken, en dat was het ergste scheldwoord in het trollenrijk.

Twee trollen in het bijzonder hadden er alles voor over om Osips muziek te doen stoppen. De een heette Baba. De ander Buba. Baba en Buba waren klein en gedrongen en ze hadden zo veel mooie wratjes op hun gezicht dat ze diverse malen wedstrijden hadden gewonnen voor het knapste trollenpaar in het hele bos. Hun vaste refrein was: muziek moet thuis worden gespeeld en mag de openbare orde niet verstoren. Alle andere muziek dan goede trollenmuziek moet ogenblikkelijk verboden worden. En verder vinden we trouwens dat Osips muziek te menselijk is voor echte trollen. Ze vroegen alle trollen die ze tegenkwamen terloops of ze niet hadden gezien dat er niet zo veel wratten in het gezicht van Osip zaten, waardoor hij een lelijk en onheilspellend uiterlijk kreeg, en een echte trol zou kunnen denken dat het een mens was. Baba en Buba werden steeds bezorgder en onrustiger – namens de maatschappij natuurlijk – omdat steeds meer trollen het leuk vonden om met veel plezier op de vlierfluitliedjes van Osip te dansen.

Baba en Buba wisten wel dat er iets bijzonder voor nodig zou zijn om de Raad van de Wijze Trollen ervan te overtuigen dat Osips muziek het zwijgen moest worden opgelegd, dus ze begonnen te fluisteren en te smoezen, en toen dat niet hielp, bedachten ze een trol die ze Bibu noemden. Bibu was een bijzondere trol die de wereld in trok en allerlei dingen zag in het mensenrijk. Het was een geheime trol, die in de schaduw leefde en alles zag. Hij kon vertellen hoe de mensen op de muziek van Osip dansten. Dat vertelden ze aan de Wijze Trollen, die zeer geschokt waren. Ze waren zo geschokt dat ze er niet eens om vroegen om Bibu zelf te spreken, maar ze slikten de leugens voor zoete koek en verboden Osip op zijn fluit te spelen. Geen enkele andere trol durfde zich ermee te bemoeien, dus niemand kwam voor Osip op, ook niet degenen die van zijn muziek hielden. Geen enkele trol wilde graag menselijk genoemd worden.

Osip moest met tranen in zijn ogen aanzien hoe ze zijn fluit doormidden braken. Hij sneed een nieuwe, maar daar stampten ze op, zodat hij kapotging. Toen hij de derde sneed, was het geduld met zijn mensengekte afgelopen en werd hij verbannen uit het trollenrijk. Dat was de zwaarste straf voor een trol, want iedereen wist dat geen enkele trol buiten de gemeenschap kan leven. Dan kwijnen ze weg en worden ongelukkig. Het werd Osip dan ook te veel. Hij sneed de laatste fluit van zijn leven uit een grote en ranke vlier, waarna hij een gat in het ijs in de rivier hakte en zich liet opnemen door het ijskoude water. Dat was het verhaal van Osip.'

Ze heeft weer vochtige ogen en Magnus steekt zijn hand over de tafel en pakt de hare en mag die een paar minuten vasthouden, waarna ze hem terugtrekt en zich nog een sigaret laat aanbieden. Hij zegt niets en zij lijkt te genieten van hun gezamenlijke zwijgen, zolang het duurt.

'Baboesjka zei dat je het geluid van Osips klagende fluit hoort wanneer het ijs zingt in de harde vorst en dat je Osips tranen op je vingers krijgt wanneer je een gat maakt in de stengel van de vlier en het witte sap eruit stroomt.'

'Het is een mooi en tragisch verhaal. Zoals dat van jouw land.'

'Zoals dat van mijn vaderland, ja.'

'Dat heb je als kind vast niet gehoord?'

'Nee. Dat vertelde baboesjka mij, toen ik ouder werd. Ze zei dat ik een laatste sprookje mee moest krijgen op mijn reis, voordat zij stierf.'

Irina zwijgt even, waarna ze verdergaat: 'De twee mannen die
in mijn hotelkamer waren zijn van de Organen. Ze zijn op deze
plek geplaatst om de vijanden van de revolutie te ontmaskeren
en te straffen. Er zijn er veel, maar ik ben niet een van hen.'

'Wat wil de NKVD van je?'

'Ze willen dat ik een Bibu ben, maar dat wil ik niet. Dan ga ik
liever naar huis.'

'Dat is een slecht idee.'

'Misschien, maar dat beslis ik als puntje bij paaltje komt niet
alleen.'

'Ik heb je nog maar net ontmoet.'

Ze glimlacht echt en de glimlach gaat over in haar heldere
lach: 'Magnus. Nu moet je rustig aan doen. We zijn volwassen
mensen.'

'Het leven is te kort om dat te zijn.'

'Ik wil gewoon geen Bibu zijn. Dat wil ik niet, dus ze kunnen
net zo hard roepen, schreeuwen en dreigen als ze willen.'

'Wie is Osip in het echte verhaal?'

'Dat wil ik niet vertellen, maar het is iemand die ik zeer waardeer. Ik wil geen kwaad woord over hem tegen de Organen zeggen. Ik wil hem niet aanklagen. Het is geen trotskist of fascist.
Hij is geen agent voor Franco of voor de Amerikanen. Hij houdt
van kameraad Stalin en de revolutie. Er wordt alleen maar over
hem gekletst. Het zijn gewoon Baba en Buba die fluisteren en
smoezen, maar zoals ze tegenwoordig in Moskou zeggen: waar
rook is, is vuur, toch Magnus?'

'Ze bekennen in elk geval allemaal zodra ze in de rechtbank
moeten verschijnen.'

'Bedankt voor het eten, Magnus. En omdat je een luisterend
oor had. Zoals kameraad Stalin heeft gezegd, kun je geen omelet
bakken zonder een ei kapot te slaan. Ik zal mijn vader schrijven;
hij kent de grote leider persoonlijk. Al van voor de revolutie.
Wanneer Stalin het hoort, wordt het misverstand opgehelderd
en kunnen we allemaal verder.'

14

De volgende ochtend gaan Magnus en Joe vroeg op pad om het hoofdkwartier van de Internationale Brigades te vinden. Het is een donkere ochtend met grote zwarte wolken, die dikker worden boven de vlakte en in de richting van de stad en het licht bijna wurgen. Magnus voelt de lichte, koele wind op een nieuwe manier op zijn gladde bovenlip. Toen hij zich 's ochtends scheerde, stond hij opnieuw een tijdje naar zijn blote, tere gezicht te kijken. Hij weet wel waarom hij het heeft gedaan, hoewel hij het vooral ziet als een bijgelovige bezwering.

Mercer kijkt naar hem. Zijn ogen zijn een beetje bloeddoorlopen: 'Het staat je goed, man. Je ziet er alleen wat jong uit, maar liever dat dan het lichte streepje dat je wist te produceren.'

'Hou je bek, Joe', zegt Magnus zonder zijn stem te verheffen.

Hij kan nog steeds de wijsvinger van Irina voelen. Vanochtend, toen ze elkaar tegenkwamen voor de deur bij het ontbijt. Snel als een illusionist liet ze hem nog een keer over zijn bovenlip glijden en ze herhaalde in het Spaans dat het hem goed stond. Twee Russen in het restaurant staarden naar hem met een blik in hun ogen die hij opvatte als ontevreden. De ene man herkent Meyer als Stepanovitj van de luchthaven in Valencia. De ander is een dikkere man met dezelfde zwarte, halflange leren jas en een leninpet.

Hij denkt aan Irina en hoe hij haar naar haar hotelkamer had gebracht, voor haar deur een kuise kus van haar had gekregen, en hoe belachelijk blij hij zich had gevoeld als een schooljongen, die toestemming had gekregen om de uitverkorene thuis te mogen brengen na het slotbal in het Huis van de Industrievereniging.

Hij is in gedachten verzonken wanneer Joe Mercer duidelijk zijn opmerking herhaalt met een luidere stem: 'Natuurlijk, mijn vriend. Ik zal mijn mond wel houden en hij zal vast volgend jaar op dit tijdstip weer aangegroeid zijn.' Hij pakt zijn volle snor beet.

'Erg grappig. Zullen we op zoek gaan naar die brigadisten?'

'Dat doen we.' Mercer kijkt achterom. 'Ik moest even kijken of jouw mannen van de Tsjeka ons vandaag zouden gaan volgen.'

'Heb je hen bij het ontbijt gezien?'

'Ik hoorde hen gisteren naar jou vragen.'

'In welke taal?'

'Een die ik versta, Magnus.'

'Klootzakken.'

'Dat zijn ze inderdaad, dus pas voor hen op en laten we vragen waar we onze strijdende broers kunnen vinden.'

Ze worden eerst de verkeerde weg gewezen door een messenverkoper met één been, die zijn grote keuze aan messen in een leren schort met veel zakken op zijn buik heeft hangen. Het is net een klein bakje. Hij ziet er net als de andere mensen vermoeid en arm uit met een ongeschoren gezicht, een dunne jas en een slobberbroek. Aan de ene voet draagt hij een dunne stoffen schoen met een zool van touw. Hij leunt op zijn krukken. Hij heeft ook sigaretten van de zwarte markt en ze kopen allebei een paar pakjes.

Joe en Magnus komen bij de arena waar stierengevechten gehouden worden aan, waar heel wat jonge mannen in groepjes bij elkaar staan te roken met ransels of versleten koffers naast hun voeten. De gele verf bladdert op diverse plekken van het ronde gebouw af dat vrij ligt aan de rand van de stadskern. Magnus bewondert toch het fijne houtsnijwerk, de rode poorten en de manier waarop ze de moeite hebben genomen om het houtsnijwerk helemaal op de muren te laten aansluiten, net als vestingwerken van een oude ridderburcht. Het is een mooi gebouw, zegt hij tegen Joe, die alleen maar knikt.

Ze moeten wachten, terwijl een groep van ongeveer veertig rekruten door de hoofdpoort onder het zingen van De Internationale in meerdere talen naar buiten marcheert. Ze zingen beter dan ze marcheren. Het ziet eruit alsof er de hele tijd een paar uit de pas lopen. Aan de muur hangen een paar posters van stierengevechten van voor de oorlog. Ze zijn vaal geworden door het weer, maar Magnus leest over zes mooie en dappere stieren, die zondag om 17.00 uur vermoord zullen worden, als God en het weer het toelaten. De namen van de stierenvechters zeggen hem niets.

'Waar zouden de mooie stieren nu zijn?' zegt hij vooral tegen zichzelf, maar Mercer antwoordt: 'Ze zijn stuk voor stuk opgegeten' en hij kijkt naar de poster. 'De stierengevechten hielden op toen de oorlog begon. Bovendien zijn de beste stierenvechters vreemd genoeg bijna allemaal fascisten.'

'Dat is niet zo vreemd. Ze hebben land, grote lappen grond, of ze zijn afhankelijk van de grondeigenaren die hier het grootste deel van de grond in bezit hebben. Dit is ook een oorlog om grond.'

'Verdomme zeg, Magnus. Je klinkt nu als een echte communist.'

'Zo is het ook in Argentinië. Weinig mensen bezitten de aarde, waarop veel mensen van zonsopgang tot zonsondergang keihard werken voor een schamel loon. *Sol al sol y pagan un duro*, zoals ze hier zeggen.'

Mercer trekt aan de poster, die ondanks de verbleekte kleuren in het schemerlicht glanst en hij probeert het papier van de muur te rukken.

'Valse reclame. Laten we naar binnen gaan', zegt hij en hij steekt een sigaret op. Er komt een man naar buiten die eerst in het Duits en daarna in het Engels roept dat ze een groep moeten vormen en de arena binnen moeten gaan.

In de arena ligt een grote bult kleren in het grijsgele zand. De tribunes zijn leeg, maar een oude man met maar één arm vertelt hun dat de kleding van de vrijwilligers zijn die vandaag met de trein zijn aangekomen. Ze zijn medisch onderzocht en ingelijfd. Ze hebben hen net naar buiten zien marcheren alsof ze meesters in *el arte de torear* waren. Magnus bedankt de oude man, die alle tanden in zijn bovenkaak mist en drie in zijn onderkaak, en hij geeft hem een sigaret, die hij aansteekt met een lucifer door hem langs de geribbelde zolen van zijn platte schoenen te strijken. Hij wacht en Magnus geeft hem er nog een, die hij achter zijn oor steekt. Hij krijgt er nog een voor zijn andere oor en de man zegt dat hier niet het hoofdkwartier is, als ze daarnaar op zoek zijn, terwijl hij naar de stad wijst.

'De oude kazerne van de burgergarde, *compañeros*. Daar zullen jullie de buitenlanders vinden. Maar pas op. De geesten zijn dol op die plek. Er is bloed genoeg voor allemaal.' Hij spuugt met zijn bijna tandenloze mond en maakt met zijn rechterhand het teken met de duivelshoorns en wijst in hun richting, zodat Magnus er koude rillingen van krijgt.

'Wat bedoelde hij daar in vredesnaam mee?' zegt hij en hij vertaalt wat het oudje heeft gezegd.

Mercer schudt zijn hoofd en zegt: 'Het wemelt van de gekken in dit land. Voor de oorlog verbleef de burgergarde in die vierkante gebouwen. Zoals het geval was op de meeste plekken, kwam de burgergarde in Albacete ook in opstand tegen de legaal gekozen regering, maar na zware gevechten kwam de arbeidersmilitie eind juli 1936 weer aan de macht. De overlevende burgergardisten gaven zich over, maar er hing bloed in de lucht, dus de militie schoot gaten in de witte vlag en vermoordde hen allemaal, inclusief hun vrouwen en kinderen. Je weet het misschien niet, maar in Spanje zijn de kampen van de burgergarde net kleine steden, waar de gardisten met hun gezinnen wonen. Er was overal bloed, dus niemand had zin die gebouwen te gebruiken, tot een jaar geleden, toen een aantal efficiënte Duitse communisten schoon schip maakte en de plek als hoofdkwartier voor de Internationale Brigades inrichtte. Er was immers voldoende ruimte en functionerende telefoons, en kamers voor kantoren en bewoning. Er moest gewoon goed worden schoongemaakt.'

Het kazernegebouw lijkt van buiten in eerste instantie op één groot huizenblok, maar het bestaat uit meerdere panden die rond een grote binnenplaats staan, alsof het een Amerikaans fort was. Er leidt maar één poort naar de binnenplaats. Boven de poort staat het motto van de Burgergarde: POR LA PATRIA, maar de verbleekte woorden worden omgeven door kogelgaten.

Voor het vaderland, denkt Magnus. Maar welk vaderland en hoe omschrijf je een vaderland? Is dat waar je bent geboren, of waar je je thuis voelt? Hij heeft moeite met al die hoogdravende retoriek van mensen wanneer ze het hebben over het vaderland en de nationale plicht. Hij heeft het idee dat die woorden altijd uitmonden in grote plassen bloed. Je bent beter dan de anderen en daarom moeten zij sterven. Hij denkt aan Irina en haar socialistische vaderland, wat weer een heel ander geval is. Er werd ooit over Rusland gesproken, maar nu is het een heel ander land, dus wie geldt haar vaderlandsliefde: het oude Rusland, waaruit ze afkomstig is, of de nieuwe Sovjet-Unie, waarin ze nu gelooft? Hij ziet wel dat ze haar ogen sluit voor de verschrikkingen, die volgens de berichten in de Sovjet-Unie plaatsvinden, als het klopt wat sommige journalisten en auteurs schrijven. Het zijn vast niet allemaal door het kapitalisme betaalde agenten. Hoe zit het met de dichters uit het oude Rusland, die het Rusland waarmee de nieuwe Sovjet-Unie afrekent juist prijzen? Kun je meer van een idee houden dan van een land, of hou je gewoon van de gedachten aan een land?

De Duitsers gebruiken het woord *Heimat* op een bijna religieuze wijze. Zijn Duitse kindermeisje kon een gelukzalige blik in haar ogen krijgen, wanneer ze vertelde over het leven in het dorp waar ze vandaan kwam. Of misschien de droom van een leven dat er nooit was geweest. Wanneer Magnus denkt aan het huis waarin hij is opgegroeid, wil hij het het liefst uitschreeuwen van de pijn of de hele stad in brand steken. En elke dag sterven er mensen, omdat ze geloven in een land of een idee.

In werkelijkheid zat er meer eer dan verstand in de manier waarop de criminele familie in New York haar territorium bestuurde. De enige spil was juist de naaste familie en de geallieerden van de familie, denkt hij zonder zijn reeks gedachten af te maken, dus hij probeert het van zich af te zetten, omdat men ook in New York van praten overging in geweld, als de belangen van de familie geschaad werden. Het is lood om oud ijzer. Zou hij moorden kunnen plegen voor zijn land? In Spanje kon hij met een duidelijk 'nee' antwoorden, als ze hem de vraag zouden stellen.

Hij schudt zijn hoofd en Mercer kijkt hem vragend aan, maar hij krijgt geen uitleg.

Mercer wil representanten van de vijftiende brigade vinden, waarbij veel Amerikaanse staatsburgers dienstdoen, terwijl Magnus navraag doet naar de Scandinavische afdeling. Ze spreken af om elkaar later in het café tegenover hun hotel weer te treffen.

Magnus zegt niets, maar hoopt dat hij Irina in het hotel kan vinden zodat hij haar kan uitnodigen. Hij kan de gedachte dat ze nu alleen rondloopt niet verdragen, maar hij begrijpt ook niet waarom ze geïnteresseerd kan zijn in Joe en hem. Maar door hun etentje hoopt hij dat Irina en hij iets meer verbondenheid krijgen. Hij probeert te verdringen dat de gesprekken tussen Joe en Irina verraden dat ze heel wat vaker samen hebben gegeten. Ze delen die gemakkelijke kameraadschappelijke toon, die mensen van de pers onderling gebruiken. Hij kan net zo goed tegenover zichzelf toegeven dat hij hoopt dat zij verliefd op hem wordt. Hij merkt dat ze hem leuk vindt – erg leuk zelfs – maar dat is wel wat anders dan verliefdheid. Hij begeert haar enorm, maar dat geldt voor de meeste enigszins aantrekkelijke vrouwen. Dit is iets meer. Ze draagt geheimen met zich mee, die net zo geheimzinnig zijn als haar grote raadselachtige land. Hij kan de gedachte dat zij uit zijn leven zal verdwijnen niet verdragen. Hij ziet haar knappe, levendige gezicht voor zich, dat eigenlijk zo a-Russisch is qua levendigheid. Hij voelt zich zo dwaas als een schooljongen die een manier probeert te bedenken om in contact te komen met de uitverkorene op de voorste rij in het klaslokaal.

Er lopen mensen af en aan in de lange gangen en hij hoort het getik van de typemachines achter half openstaande deuren. Er zijn meer vrouwen dan hij had verwacht. Ergens in een grote ruimte met een laag plafond zijn acht vrouwen bezig met het sorteren van post en pakketten. Hij weet dat Albacete de stad is waar de vrijwilligers worden gemonsterd, medisch onderzocht en opgelapt in de veldhospitalen en ziekenhuizen, en hij kan zich herinneren dat Albacete ook het adres was dat Mads had aangegeven op zijn brieven. Hij vermoedt dat de brieven hier worden gesorteerd en door de censuur worden gelezen, waarna ze aan het Rode Kruis worden gegeven.

De brieven liggen in hopen op een lange tafel en worden in sierlijke stapels gesorteerd. Langs de wanden staan grote ringbanden die de vrouwen raadplegen, waarna ze een brief op een stapel leggen. Op andere tafels liggen pakketten in verschillende formaten met postzegels uit vele landen. De vrouwen besteden geen aandacht aan hem, maar wanneer hij glimlacht, komt er een magere vrouw in een lichtgrijze uniformrok en een donkere bloes naar hem toe. In eerste instantie denkt hij dat ze dichter bij de veertig dan bij de dertig is, maar hij ziet al snel in dat dat onterecht is. Door de uitputting in haar gezicht ziet ze er ouder uit.

'Kan ik u helpen?' vraagt ze wel vriendelijk in een aarzelend Spaans, en ze heeft vermoeide ogen.

'De Scandinavische afdeling. Waar kan ik die vinden?'

'Bent u Deens of misschien Zweeds?' vraagt ze in het Deens.

'Deens. Magnus Meyer. Journalist. Goedendag.' Hij steekt zijn hand uit en ze schudt hem slap en kort.

'Tove Hansen. Oorspronkelijk administratief medewerker. Nu aangesteld op de afdeling censuur en post. Heb je misschien iets te roken?'

Hij biedt haar een sigaret aan en gebruikt zijn aansteker, die Tove Hansen aanschouwt met iets wat lijkt op begeerte of jaloezie.

'Je bent hier misschien nog maar net gearriveerd?' vraagt ze.

'Het is nog niet zo lang geleden. En u?'

'Hier spreken we elkaar aan met jij. Ik ben hier al een tijdje.'

Haar ogen worden wazig, alsof ze zich in zichzelf terugtrekt. Ze rookt langzaam en met haar ogen halfdicht, waarna ze verdergaat: 'Bedankt voor de sigaret. Je moet de binnenplaats van de kazerne oversteken en door de deur waarop het Romeinse cijfer x staat. Daar vind je de Scandinaviërs. De meesten zitten in het Thälmann-bataljon.'

Hij bedankt haar en geeft haar de rest van het pakje sigaretten. Haar ogen lichten een moment op en ze stopt het pakje snel in de zak van haar rok.

'Bedankt. Het zou leuk zijn om wat nieuws uit Denemarken te horen.'

'We zien elkaar misschien later nog?'

'*Quien sabe?* Zoals ze hier zeggen.'

Ze glimlacht en door de glimlach ziet ze er jonger uit, ook al mist ze een tand in haar onderkaak. Haar gezicht is smal, net als haar lichaam, alsof ze niet voldoende te eten krijgt.

'Morgen is er weer een dag', zegt ze.

'*Mañana será mejor*', zegt hij en hij houdt zijn hand ter begroeting tegen zijn denkbeeldige hoed.

'Dat heb je snel begrepen, Meyer, als je hier nog maar net bent aangekomen. Dat morgen alles beter wordt. Aan de andere kant van de binnenplaats. Het Romeinse cijfer x. Je kunt het niet missen.'

Magnus loopt meteen goed, maar hij krijgt geen hulp. Daarentegen ontmoet hij een afwijzende en vijandelijke houding bij een man die zich voorstelt als Gerhardt Pandrup, politiek commissaris van het Thälmann-bataljon.

Pandrups kantoor is klein met kale, witte wanden. Je kunt vaag aan de wand achter het bureau zien waar een crucifix heeft gehangen. De schaduw van een kruis op de witgekalkte wand is net als vergeten stigma's. Magnus vermoedt dat de ruimte eerder werd gebruikt als kantoor voor de onderbevelhebber in de burgergarde. Een zwarte telefoon staat op het bureau, waarop de vlag van de republiek aan een kleine vlaggenmast wappert. Gerhardt Pandrup is ongeveer dertig jaar en heeft een rank postuur. Hij scheert zich, maar toch zit er een zwarte schaduw op de krachtige kaakpartij. Hij draagt een grijsgroen uniform met een riem en een bandelier. In zijn riem zit een gesloten pistoolholster. Over de rugleuning van de stoel hangt een donkerbruine, versleten leren jas. Hij staat achter zijn stoel en het bureau, en vraagt Magnus niet om plaats te nemen. Zijn woorden zijn wel vriendelijk, maar zijn toon is kil en afwijzend.

'Het is volstrekt uitgesloten dat u die informatie zult krijgen', herhaalt Pandrup, nadat hij het paspoort en de accreditieven heeft bestudeerd, en de Deense brief waarin staat dat Magnus de oudere broer van Mads is en dat hij persoonlijke informatie van een puur privékarakter voor hem heeft.

Pandrup geeft de papieren aan Magnus, die ze terugstopt in zijn schoudertas, waarin ook zijn revolver onder in een gesloten vak ligt.

'We hebben het over mijn broer.'

'Dat maakt mij niet uit. U kunt uw broer schrijven en dan zullen wij ervoor zorgen dat hij uw brief zal ontvangen ...'

'Die zal worden gelezen door ik weet niet hoeveel mensen.'

'Dat is een noodzakelijke maatregel om te vermijden dat de vijand informatie krijgt.'

'Het is puur privé.'

'Dat geloof ik graag, maar uw broer heeft een belangrijke missie voor de republiek. Ik kan niet verraden welke missie en waar die plaatsvindt. Dat moet u toch kunnen begrijpen.'

'Dus u kent mijn broer?'

'Uiteraard ken ik kameraad Mcyer. Hij is een moedige soldaat met een gezonde en ideologisch juiste instelling.'

'Ik wil hem graag spreken.'

'Dat is helaas niet mogelijk. Op dit moment in elk geval niet.'

'Kunt u ten minste mijn broer ervan op de hoogte brengen dat ik in het land ben?'

'Mogelijk, maar dat kan ik u niet beloven.'

'Waarom niet dan?'

'Uw broer is verwikkeld in iets wat belangrijker is dan familiekwesties. Dat weet hij, anders zou hij zich niet vrijwillig hebben gemeld voor wat hij nu doet.'

'Zeg hem nou maar gewoon dat ik naar Spanje ben gekomen.'

'We zullen zien. En ik heb andere en belangrijkere taken te vervullen. Nu zal ik u uitlaten.'

'Ik red mezelf wel.'

'Uitstekend. En als u over het bataljon wenst te schrijven, dan willen anderen en ik u daarbij van harte helpen. De oorlog aan het propagandafront is belangrijk. Dat realiseren wij ons.'

'Dat zal ik onthouden.'

Hij vertrekt zonder een hand te geven.

Hij staat op de binnenplaats van de kazerne. Het stinkt er naar paarden uit de stallen aan de ene kant. Hij kan het gezellige geluid van hoeven tegen stro horen en ruikt de geur van hooi en paarden. Plotseling mist hij het paardrijden. Hij denkt aan de ochtenden in Argentinië, wanneer ze bij zonsopgang vertrokken en de hoeven van de dieren mooie patronen in de ochtenddauw tekenden.

Twee mannen komen aanlopen met ieder een baal hooi achter zich aan slepend en ze knikken naar hem. Er hangt een bleke zon boven de witte gebouwen en het licht werpt een spookachtig schijnsel over de daken. Hij hoort een vogel krijsen en in de verte blaft een hond, die snel gezelschap krijgt van een heleboel andere. Hij steekt zijn sigaret op en loopt over de oude binnenplaats van de kazerne. Hij voelt de ogen van commissaris Pandrup in zijn nek prikken, maar wanneer hij zich omdraait, is de deur met het Romeinse cijfer x gesloten.

Er brandt licht in de postkamer, waar nu nog maar vier vrouwen aan het werk zijn. Een van hen is Tove Hansen. Hij kijkt achterom. Er is niemand. Een man in uniform loopt langs hem zonder te groeten. Magnus kucht; Tove Hansen glimlacht en gebaart hem binnen te komen.

'Ik ben zo klaar. Misschien wilt u mij trakteren op een kop koffie? Ik ken een uitstekend café.' Spraken ze elkaar niet aan met jij? Dat is ze misschien vergeten of hij doet haar denken aan de gedragsregels in Denemarken.

'Als we erop kunnen proosten dat we elkaar aanspreken met jij, trakteer ik op een lunch.'

'Dat sla ik niet af. Ik sla een maaltijd zeer zeker niet af.'

'Als je tenminste een plek weet in dit gat?'

Ze lacht met een meisjesachtige lach.

'Jazeker, Magnus Meyer.'

'Dan wacht ik even.'

'Ah. Ik kan nu wel gaan', zegt ze. Ze verheft haar stem en zegt 'gedag, kameraden' in het Spaans tegen de andere drie vrouwen. Ze tillen hun hoofd op van de stapels post en zeggen *adios*, maar ze keren snel terug naar het sorteerwerk, wat tijdrovend is, omdat ze de hele tijd de soldatenpapieren in de vele ringbanden moeten raadplegen.

Magnus en Tove Hansen lopen naar het centrum. Uit een kerk komt het geluid van harde mannenstemmen, die blijkbaar bespreken wat ze 's avonds gaan doen. De wolken hangen zwart boven de stad en lijken zich op de hoogvlaktes samen te pakken. Er staat een rij bij een slagerij en een nog langere rij bij een bakker, waar de mensen rustig met neergeslagen ogen staan te wachten. Een poster waarschuwt voor spionnen en andere fascisten. Een andere belooft dat de overwinning aan onze zijde is, en een derde in dezelfde mooie rode kleuren beweert dat de fascisten nooit zullen doorbreken.

Tove Hansen heeft haar lippen een beetje rood gestift en een kam door haar haar gehaald, maar toch ziet ze er verwaarloosd en moe uit, vindt Magnus, die medelijden met haar krijgt. Ze loopt wel vlot en vertelt in langzaam Juts over haar leven, en waarom ze beland is waar ze nu is beland, terwijl ze ervaren een messenverkoper wegwuift. Ze is niet ouder dan zevenentwintig.

Een deel van het verhaal krijgt hij te horen onder de wandeling en de rest tijdens de lunch.

Ze wilde iets beleven en was lid van de communistische partij omdat haar verloofde dat was en hij sleepte haar mee naar de eerste bijeenkomsten. Er kwam een man uit Spanje, die hen aanspoorde om zich te melden om de legaal gekozen regering te helpen. Hij sprak zo vol vuur en positief over de zaak. Het had geen nut om alleen te praten. Nu moest er iets gebeuren, als het fascisme niet mocht winnen, eerst in Spanje en daarna misschien in Denemarken. Het voelde zo natuurlijk. De laffe woorden van de politici over de wet, waaraan je je moest houden, waren zo huichelachtig. Het fascisme moest hier en nu een halt worden toegeroepen, voordat het heel Europa zou overstromen. Poul – dat was haar verloofde – was opnieuw zijn baan kwijtgeraakt en ze sloegen zich erdoorheen met wat dagloon. Er was met andere woorden niets wat hen thuis hield in Randers, dus ze vertrokken, liepen samen met de andere vrijwilligers over de Pyreneeën en eindigden in Barcelona.

Het lukte Tove zelfs om wat militaire training te krijgen en een oud Tsjechisch geweer in handen te houden en ze bracht drie weken aan het front in Aragón door, maar er waren geen echte gevechtshandelingen. Ze loste maar vier schoten en ze gelooft niet dat ze iemand daarmee heeft geraakt. Wat ze zich vooral herinnert is hoeveel pijn de terugslag in haar schouder deed. Poul en zij hadden er verder niet bij stilgestaan. Ze maakten gewoon deel uit van een volksfront, maar ze hadden zich aangesloten bij een Catalaanse anarchistisch geaarde arbeidersmilitie, die snel op slechte voet kwam te staan met de Komintern en de partij, dus Poul meldde zich in plaats daarvan bij de brigades.

De communistische partij was waarschijnlijk voor een volksfront, maar de leiders wilden liever dat partijleden bij de georganiseerde internationale brigades kwamen. De milities waren ongedisciplineerd en werden gekenmerkt door neigingen tot verdeeldheid en een vals bewustzijn, wat leidde tot het trotskisme. Toen de regering tegelijkertijd vrouwen verbood om wapens te dragen en samen met de mannen te vechten, ging ze met hem naar Albacete waar ze een baan als censor en manusje van alles voor het administratieve bestuur van de Internationale Brigades kreeg. In Denemarken kon ze al wat Duits en ze heeft zichzelf naast het Scandinavisch wat bruikbaar Spaans geleerd.

'Poul is gevallen bij Madrid', zegt ze toonloos. 'Ze zeggen dat hij in zijn hoofd is geraakt en ter plekke te overleden. Dit is niet zo'n slechte plek, maar misschien wel wat duur.'

Het is een klein restaurant, dat aan de Calle de Feria ligt. De ober, een kleine man met een bol gezicht en een dun snorretje, gebruikt een theedoek als schort. Hij mist drie vingers aan zijn linkerhand. Er zijn zo'n tien tafels. Ze zijn vroeg, dus ze zijn de eerste gasten.

Er liggen geen kleden op de tafels, waarin krassen zitten, maar ze zijn schoon. Aan de wand hangen oude zwart-witfoto's, die diverse taferelen van stierengevechten laten zien. Een paar *banderilla's*, waarvan de kleuren op de zijden linten bijna helemaal verbleekt zijn, hangen gekruist tegen de achterwand boven een foto, waar de fotograaf de banderillero elegant zwevend in de lucht met de twee banderilla's met gestrekte armen boven de stier heeft gefotografeerd, die zoals je kunt zien onder hem door zal gaan. Magnus denkt de gelaatstrekken van de ober te herkennen in het destijds slanke lichaam, dat voor eeuwig is vastgelegd als een engel van het licht zwevend boven het zwarte, sterke dier.

Ze gaan zitten aan een tafel die is gedekt met twee borden, bestek en vier glazen. De gastheer zet een fles rode wijn zonder etiket op tafel en een fles helder water, terwijl hij zegt: 'Ik heb *sopa de fideos* en kip met wat bonen. Ik heb geen brood, maar wel pudding als dessert, en ik heb koffie.'

'Dat nemen we', zegt Magnus en hij schenkt hun beiden wijn in, terwijl hij naar het verhaal over Poul en haar luistert. Ze vertelt nog meer over hun korte tijd samen in Spanje en over het harde leven in Denemarken. Ze herhaalt meerdere keren, alsof ze zichzelf eraan moet herinneren, dat hij is gevallen bij Jarama, en dat hij een genadige dood is gestorven.

De soep komt bijna meteen. Het is een heldere kippenbouillon, waar de vetdruppels verleidelijk en rijkelijk aan de oppervlakte liggen, en de kok heeft niet bespaard op de dunne noedels waaraan de soep zijn naam te danken heeft. Daarna komt de halve gegrilde kip, die behoorlijk droog is en zeer waarschijnlijk eerder een oude dan een jonge kip is. Als bijgerecht krijgen ze witte bonen. Magnus laat de helft van zijn kip staan en drinkt het leeuwendeel van de wijn op, terwijl Tove zijn bord pakt en zijn restanten opeet zonder ook maar enigszins verlegen te zijn. Je zou denken dat ze op intieme voet met elkaar stonden, maar hij kan aan haar zien dat ze net als vele anderen vaak hongerig naar bed gaat. Ze eet naast haar eigen pudding ook die van hem, maar ze weigert medelijden met zichzelf te hebben, zegt ze en ze rookt een van zijn sigaretten, terwijl ze een kop sterke koffie en een brandy drinken.

Ze glimlacht naar hem en zegt: 'Ik geloof nog steeds in de

overwinning. Echt waar. Ik zeg elke ochtend wanneer ik wakker word tegen mezelf dat ik daarin geloof. Ik wil niet dat Poul voor niets is gestorven. Maar het is niet altijd gemakkelijk om erin te geloven dat het goede wint. Dat is een van de nadelen van de plek waar ik werk. Ik heb veel te veel informatie over hoe het gaat.'

'Dus het gaat niet zo goed?'

Ze kijkt weg: 'Ik mag niet zo veel zeggen over wat ik weet. Je moet op spionnen passen.'

'Denk je dat ik een spion ben?'

'Nee. Dat geloof ik niet. Bedankt voor het eten, Magnus. Het smaakte heerlijk. Je bent een sympathieke man.'

'Het stelde niets voor.'

'Jazeker wel.'

Hij zegt: 'Ik zat te denken, Tove. Aangezien jij bij de post werkt en wij landgenoten zijn, ben jij misschien de persoon die over de post van mijn broer gaat. Zijn voornaam is Mads.'

'Mads Meyer? Ik ging er eigenlijk al vanuit dat jouw broer was. Zo'n gewone naam is Meyer nou ook weer niet. Grappig hoe klein de wereld is. We hebben vandaag twee brieven van de censuur teruggekregen voor je broer, die ik naar hem heb doorgestuurd. En is het niet grappig dat jij hier bent en dat hij zich op de plek bevindt waar hij nu is, terwijl hij net zo goed op zo veel andere plekken ver hiervandaan had kunnen zijn?'

'Waar?'

'In Madrigueras. Dat is een dorp ongeveer dertig kilometer ten noorden van Albacete. De internationale soldaten trainen daar, voordat ze naar het front worden gestuurd. En je komt daar, voordat je naar andere plekken wordt gestuurd.'

'Dat weet je zeker?'

'Natuurlijk. Een Zweedse kameraad heeft de brieven voor je broer meegenomen. Wij als postzusters weten beter waar mensen zijn dan de meeste generaals. We hebben een zeer verantwoordelijke baan. We zorgen ervoor dat brieven en pakketten alle kanten op worden gestuurd. Naar alle fronten. Naar de ziekenhuizen. Naar de trainingskampen. Naar iedereen, ongeacht rang. Het is uiterst belangrijk voor het moreel dat de strijdende kameraden nieuws van het thuisfront krijgen. Dat wordt uiterst serieus genomen. We voelen ons zeer gekwetst als we ervan worden beschuldigd dat we tabak of chocola stelen. Dat doet ons pijn. We doen ons best. Zullen we gaan? Ik moet weer aan het werk.'

15

Een paar dagen later gaat Magnus naar het dorp Madrigueras. Het is een vreemde plek, die door het grootste deel van de bevolking is verlaten. De enigen die nog over lijken te zijn behalve de bakker, de slager en de smid, zijn de mannen en vrouwen die de rekruten in een aantal kroegen en cafés bedienen, waar jonge mannen uit veel verschillende landen drinken en praten en vrouwen zoeken, wanneer ze niet trainen. Ze zijn ingekwartierd in de verlaten huizen of in graanschuren ten westen van de stad.

In andere dorpen in de buurt trainen andere jonge mannen en nieuw opgerichte compagnieën, die de internationale brigades opvullen met Spaanse staatsburgers. Ze worden omgevormd tot reguliere legereenheden in plaats van compagnieën met idealistische, dappere, maar ongetrainde vrijwilligers. Hij krijgt de indruk dat er nu systeem is aangebracht in de gekte. Dat is vast ook nodig, maar misschien is het te laat.

Het dorp heeft smalle straten en lage huizen met luiken en zwart traliewerk voor de ramen. Een regelmatige wind blaast droog stof rond in de ongeasfalteerde straten. Een bleekgele stenen kerk met een rood dak, dat aan de ene kant zwartgeblakerd is, staat schuin tegenover het café. De geur van vet eten komt uit de ruimte achter de open zware kerkdeur, wanneer hij uit de grote auto van Juan Montero stapt en naar het café loopt. De kerk wordt gebruikt als veldkeuken en vergaderzaal. Hier prenten de politiek commissarissen de rekruten elke avond in waarom ze vechten en wie de vijand is. De oorlog op het ideologische front wordt ook de hele tijd verscherpt, weet hij.

Joe Mercer heeft hem toestemming gegeven om de auto te gebruiken, als hij hem maar niet achterlaat in Albacete. Ze moeten ook snel naar Cartagena, had Mercer gezegd. Hij wilde zelf een paar dagen naar Madrid gaan, waar hij 'iemand' zou ontmoeten. Wanneer hij terug zou komen in Albacete, moesten ze vertrekken. Hij had er moe en opgejaagd uitgezien met bloeddoorlopen ogen. Hij wilde niet vertellen met wie hij had gesproken, of dat hij een brief of een telegram had gekregen, maar hij kwam nerveus over, vond Magnus toen ze elkaar 's ochtends spraken.

De rit naar Madrigueras had Magnus door een vlak, saai landschap gevoerd, dat er onvruchtbaar en verschroeid bij lag met enkele verlaten, in elkaar gestorte huizen, gemaakt van zwerfkeien. Het leek alsof er ooit wat landbouw was geweest, maar dat was waarschijnlijk een hele tijd geleden. In de verte waren lage, wazige bergen zichtbaar. Het weer was iets tussen echt najaar en vroege winter, hoewel het vast nooit echt koud werd. Montero liet de calèche omlaag en de lucht voelde helder en scherp aan, maar nog steeds zeer aangenaam. Magnus had de jas aan die hij draagt wanneer hij paardrijdt en zijn laarzen uit Argentinië. Hij had de revolver in zijn schoudertas gestopt, die hij met de riem dwars over de borst droeg.

Onderweg in de auto had hij behalve aan Mads ook veel aan Irina gedacht, en wat hij met haar aan moest. Met haar woorden en met de angst, die hij in haar lichte, mooie ogen bespeurde, die net zo snel van vrolijk konden veranderen in verdrietig als een kaars die wordt uitgeblazen. Er was voldoende om je zorgen over te maken. Haar verhaal was ontstellend. Als het machtige NKVD eenmaal had besloten dat ze een informant moest zijn, zou ze zich daar bijna niet tegen kunnen verweren. Zelfs haar vader zou haar vast niet kunnen redden van de aanklacht dat ze een volksvijand zou zijn. En was haar vader zelf veilig? Was er überhaupt iemand, behalve de grote Stalin zelf zeker van dat hij de aanklacht, de foltering en de veroordeling na de gebruikelijke bekentenis kon vermijden?

Hij gelooft niet alles wat ze schrijven over de processen in Moskou, maar wél dat als je de stoomwals van Stalin de weg verspert, je onherroepelijk wordt geplet. Dat heeft niets met rechtvaardigheid te maken, maar is uitsluitend een kwestie van geluk. Want wat gebeurt er eigenlijk in haar Rusland? Hij kan het niet weten. Zij wel? Ze houdt iets voor hem verborgen. Hij heeft geprobeerd het uit haar te trekken, maar ze wilde hem geen antwoord geven. Er waren heel wat redenen om geen al te goed humeur te hebben, had ze gezegd. Luisterde hij dan niet naar de depêches van de fronten? Op de meeste fronten ging het achteruit. De republiek moest snel in de verdediging, anders was zij ten dode opgeschreven. Hij gaf haar natuurlijk gelijk, maar hij geloofde niet dat dat de reden was van haar neerslachtigheid en de angst, waar ze uit alle macht tegen probeerde te vechten en die ze voor hem verborgen trachtte te houden.

Hij liet de speculaties doelloos door zijn hoofd galopperen, terwijl Montero hen door het lege landschap reed, totdat het dorp op maar dertig kilometer afstand van Albacete opdook als een vreemde hoop keien en vergeelde bakstenen die in het stof lagen. Het dorp zag er tamelijk onbewoond uit.

Hij had het geluid boven het rustige gebrom van de auto uit horen komen, waarna hij de mannen had gezien, toen Montero de auto stilzette bij een grote exercitieplek, waar honderden jonge mannen in het Spaans werden uitgekafferd. Ze marcheerden, draaiden zich om, vielen neer, presenteerden geweren, vielen weer in het stof en gingen weer op een rij staan tot in het oneindige. Verder weg tegen de groen gevlekte heuvels konden ze regelmatige salvo's horen, zoals op een schietbaan.

Hij was uitgestapt en had een paar sigaretten gerookt, totdat er rust en pauze werd bevolen. De soldaten gingen in het stof zitten en haalden hun tabak tevoorschijn. Magnus vroeg hardop in het Deens of er misschien ook landgenoten ter plekke waren en een jongensachtige vent met sproeten in een veel te grote jas en met een zwarte pet op was naar hem toe geslenterd en had een sigaret van hem aangenomen. Hij had Magnus verteld dat hij zijn broer misschien in Pedro's café kon vinden, waar de Scandinaviërs vaak rondhingen. Het lag schuin tegenover de kerk, waar Mads mogelijk ook te vinden was, maar hij zat in de regel bij Pedro wanneer hij op trainingskamp was. Hij was geen rekruut en omdat hij bijzondere opdrachten uitvoerde, nam hij niet deel aan de gewone training.

'Hij hoort bij de geheime brigades in Pozo Rubio', had de jonge Deen met een scheve glimlach gezegd. Maar hij kende

Mads zeker wel. Mads had onlangs gedichten voorgedragen, toen ze een kameraadschaps- en cultuuravond hadden gehad. Zowel zijn eigen als die van anderen. Dat was een groot succes geweest. Mads was een goede jongen. Dat kon iedereen beamen, ongeacht welk partijboek ze in hun zak hadden.

Er was geen vijandigheid of wantrouwen te bespeuren bij de knul, die vertelde dat hij Kaj heette en uit Randers kwam. Hij had korporaalstrepen op zijn uniformjasje en antwoordde bereidwillig op de vragen van Magnus. Hij had ook niet gevraagd of hij zijn papieren mocht inzien. Het was alsof het voldoende was dat ze beiden Deens spraken.

Nu staat Magnus in de deuropening het café in te kijken, waar misschien zo'n tien tafels staan, waarvan de helft bezet is door drinkende mannen. Vier mannen zitten achter in de door de tabak zwart gerookte ruimte met een bijna lege wijnfles midden op tafel. Magnus gaat het café binnen en doet een stap naar links, maar niemand lijkt aandacht aan hem te besteden in het blauw walmende licht. Hij kan het zichzelf toestaan een tijdje zijn jongere broer te bekijken, die luid Duits spreekt met de bekende modulaties van hun kindermeisje.

Hij kijkt naar Mads en probeert de vijftienjarige jongen in hem te zien, die hij meer dan vijf jaar geleden achterliet, in de magere, maar ook *toughe* en volwassen jongeman, die met zijn gezicht naar de deur gericht zit en een mening lijkt te benadrukken met zijn rechterhand. Mads heeft zulke mooie gelaatstrekken dat ze bijna vrouwelijk zijn, met het zachte, bruine haar met de natuurlijke slag over het hoge, rechte voorhoofd, net als dat van zijn vader. Hij heeft de meest oprechte bruine ogen met lange wimpers en een mond die veel glimlacht. Hij heeft nog steeds bijna geen baardgroei. Zijn oren hebben een mooie vorm en zitten dicht tegen het lange hoofd aan. Hij lijkt nog steeds een halve kop kleiner te zijn dan Magnus, maar hij is voller geworden.

Hij is niets veranderd en toch ook weer wel. Zijn magere lichaam lijkt op een gespannen veer, niets meer dan pezen en spieren. Hij draagt een kaki overhemd met de mouwen opgerold tot midden op zijn biceps. De twee bovenste knopen staan open en hij heeft losjes een rode sjaal om zijn nek geknoopt. Er hangt een zwarte jas over de rugleuning van zijn stoel en omdat Mads de stoel een beetje naar achteren heeft geschoven, kan Magnus de rand van de kolf van een pistool bij de brede riem zien. Pistolen of revolvers zijn niet zo gemakkelijk te verkrijgen en worden in de regel alleen aan de politiek commissarissen gegeven, dus Mads heeft vast een belangrijke positie, als het tenminste geen oorlogsbuit is.

Het is zeer rumoerig in het café, maar Magnus vangt flarden van zinnen op, waarin woorden als 'overwinning', 'socialisme', 'vrijheid' en 'rechtvaardige strijd' steeds maar weer herhaald worden door Mads. Aan de linkerzijde van Mads zit een grote, knokige man, die zijn wijnglas vasthoudt zodat het in zijn hand verdwijnt, terwijl hij rookt en toegeeflijk zijn hoofd schudt. De derde man lijkt niet te kunnen begrijpen wat Mads zegt, terwijl de vierde antwoordt en herhaalt dat discipline beslissend is. Hij is Duits, hoort Magnus. Een van de vele Duitse communisten of sociaal-democraten, die in ballingschap zijn gevlucht voor Hitler en vechten in het Thälmann-bataljon.

Hij kijkt naar zijn jongere broer en wordt week om het hart en hij zou willen dat Marie hier was, of dat hij in elk geval het beeld van Mads zou kunnen bevriezen en het door de lucht naar het huis waarin hij is geboren kon transporteren. Hij zou willen dat er een methode bestond die het mogelijk maakte om een foto te maken en die te versturen, zodat ze haar jongere broer kon zien, precies op dit moment, op de seconde dat hij gezond is en zeer aanwezig in het primitieve Spaanse café.

Hij blijft geduldig staan wachten. Het lijkt erop dat Mads langzaam voelt dat hij bekeken of begluurd wordt. Hij kijkt recht in de ogen van Magnus, de sigaret houdt hij onbeweeglijk, en het is net als een studie voor een stilleven van een kunstenaar, geschilderd op de seconde, waarna het lawaai weer tot hem doordringt, en Mads zijn stoel helemaal naar achteren schuift en opstaat.

Magnus doet een stap naar voren en wacht. Mads loopt om de

tafel naar hem toe, terwijl de grote, knokige man verbaasd toe-kijkt. Misschien ziet hij de gelijkenis, want ondanks de verschillen lijken ze op elkaar zoals broers dat kunnen, hoewel Mads in het bezit is van een gemak en een charme die Magnus niet van hun gezamenlijke moeder heeft geërfd.

Mads stopt voor hem en ze staan een moment stil, totdat hij zijn armen spreidt en zijn oudere broer naar zich toe trekt en hem tegen zich aandrukt. Hij is sterk, voelt Magnus. Ze staan even zo, waarna Mads hem loslaat en een stap naar achteren doet en zegt met een lage, diepe en mannelijke stem, die heel anders is dan de jongensstem die Magnus zich kan herinneren: 'Verdomme, Magnus. Ik dacht dat ik een spook zag.'

'Nee. Ik ben het echt, broertje.'

'Dat zal wel, maar toch ... Wat doe je hier in 's hemelsnaam?'

'Je bent een man geworden.'

'Het is een hele tijd geleden dat je ervandoor ging.' Het is alsof Mads spijt heeft van de hardheid in zijn uitspraak, want hij gaat snel verder: 'Je bent niets veranderd. Het is echt heel onwerkelijk, maar natuurlijk vind ik het fijn om je weer te zien. Je hebt toch niet geschreven? Toch? Waarom ben je hier? Heb je je vrijwillig gemeld? Is dat de reden?'

'Nee. Ik moet je de hartelijke groeten doen van Marie. Ze mist je verschrikkelijk.'

'Dus je bent thuis geweest?'

'Ja. Inderdaad.'

'Moest je ook de groeten van vader doen?'

'Ja. Dat klopt. Van God en van vader.'

'Ja. Dat is ongeveer hetzelfde, alleen dan in de verkeerde volg-orde.'

Ze beginnen allebei te lachen en moeten elkaar weer omhelzen. Ze kloppen elkaar op de rug als twee uitgelaten schooljongens die elkaar weer tegenkomen na een heel lange zomervakantie.

Mads trekt Magnus mee naar de tafel en stelt de drie mannen aan hem voor. Hij verstaat de naam van de Duitser en de derde man, die blijkbaar uit België komt, niet, maar de grote, knokige man staat op en geeft hem een hand en herhaalt zijn naam, Bertil, de Zweed uit Kiruna. Magnus herinnert zich hem uit de novelle van Mads, die hij voor zijn gevoel honderd jaar geleden heeft gelezen. Ze willen plaats maken voor Magnus aan tafel, maar hij zegt dat hij zijn broer moet spreken.

'Is er thuis iets aan de hand? Is er iets met Marie?' zegt Mads, wanneer hij Magnus' ernstige gezicht ziet.

'Nee. Nee. Ik moest je echt de hartelijke groeten doen. Het gaat goed met haar. Ze wil gewoon graag dat je weer naar huis komt. Dat je hier stopt.'

Mads kijkt naar hem en zegt: 'Dat dacht ik al. Je bent een loopjongen.'

'Kunnen we niet ergens anders onder vier ogen praten?'

'Laten we een wandeling gaan maken. Ik heb ook wat frisse lucht nodig', zegt Mads en hij pakt zijn jas, waarna hij naar de tafel knikt. De Zweed zegt dat hij wel zal betalen.

Ze lopen door het dorp, waar de huizen zich verbergen in de koele, droge lucht, en over een groot weiland en een flink stuk langs een rivier, die achter het dorp door een kleine kloof slingert. Ze kunnen het geluid van de bellen van geiten horen, verder is het stil. Het is blijkbaar pauze op de schietbaan. In de lucht zweven drie zwarte gieren. Aan de horizon hangen grijze wolken boven de bergen. Ze kunnen het stof van een militaire colonne zien, die daar ergens rijdt. Magnus ziet hoe Mads instinctief en systematisch het luchtruim afzoekt naar vliegtuigen.

Ze herhalen automatisch dat ze het fijn vinden om elkaar weer te zien, maar de oprechte gevoelens in de uitspraken, zoals toen ze elkaar in het café troffen, ontbreken. Magnus doet de groeten van Svend Poulsen. Mads bedankt hem met een glimlach, die zijn gezicht heel jong maakt, en hij vraagt hoe het met Svend gaat en hoe hij zich redt met één arm. Magnus vertelt dat Svend hem heeft geholpen en dat hij formeel in Spanje is als journalist, maar dat Marie hem inderdaad heeft gevraagd om Mads te vinden en mee naar huis te nemen. Mads antwoordt niet, maar zijn jonge gezicht wordt donker. Er liggen onuitgesproken en harde woorden tussen hen op de loer.

Mads vraagt naar zijn tijd in Argentinië en in de vs, en Magnus vertelt zijn gebruikelijke half waargebeurde verhalen. Misschien komt er ooit een dag dat hij Mads zal vertellen hoe het in werkelijkheid zit met die tijd, maar de sfeer tussen de twee broers is te gekunsteld wanneer ze zij aan zij een flink stuk langs de rivier lopen.

Mads praat eromheen en bagatelliseert, wanneer Magnus over de oorlog praat en zegt dat hij de novelle heeft gelezen. Mads praat als een propagandablad en kijkt weg, wanneer hij in holle frasen beweert dat de brigades zullen overwinnen, omdat ze voor iets vechten wat groter is dan henzelf. Het is bijna alsof ze een echtpaar zijn dat inziet dat hun relatie zich in een crisis bevindt, maar niet de moed heeft om elkaar ermee te confronteren. Magnus herhaalt dat Marie hem mist en graag wil dat hij weer thuiskomt, maar Mads antwoordt niet.

Ergens is een rots die de natuur op zo'n manier heeft gevormd dat het bijna op een tuinbankje lijkt. Mads gaat zitten en steekt een sigaret op.

'Hier zit ik af en toe, wanneer ik uit Pozo Rubio kom en wat rust wil hebben', zegt hij. 'Ik hoop ook dat ik misschien weer een gedicht zou kunnen schrijven, maar ik krijg geen inspiratie wanneer ik hier alleen zit.'

Magnus denkt aan zijn gesprek met Svend Poulsen. Toen zaten ze op een omgevallen boomstam. Twee rivieren. Twee landen. Twee totaal verschillende situaties, maar toch zijn ze aan elkaar gerelateerd. Zonder Poulsen had Mads hier waarschijnlijk niet gezeten en zonder Mads was Magnus nooit naar Spanje gegaan. Draden van het noodlot zonder doel en richting. Alles is toeval en het is onmogelijk om een idee of een patroon te zien in wat er gebeurt, denkt hij, wanneer Mads zegt: 'Ik ga niet met je mee naar huis.'

'Kunnen we er niet over praten?'

'Ik zal worden doodgeschoten als deserteur.'

'Je bent vrijwilliger.'

'We schieten elke dag deserteurs dood. Ik moet een *salvocon-*

ducto hebben om te mogen vertrekken en zo'n verlofbrief zullen ze mij nooit geven. Denk je dat dit voor de lol is, Magnus? Denk je dat?'

'Nee.'

'Het is uitgesloten dat ze mij zullen laten gaan, ook al zou ik het willen. En moet ik mijn kameraden in de steek laten? Zeg jij dat ik Bertil in de steek moet laten?'

'Je zult het hart van Marie breken. Ze is enorm bezorgd.'

Mads staat op, draait zich naar Magnus toe en kijkt hem aan: 'Je moet Marie niet tegen mij gebruiken.'

'Ik heb haar beloofd om je mee naar huis te nemen.'

Mads lacht verachtelijk: 'Haar beloofd! Wat gaat jou dat aan? Wat maken mij jouw beloften uit? Denk je dat ik nog steeds het jongetje ben dat ik ooit was? Je bent jarenlang niet thuis geweest. Ik hou van mijn zus. Ik weet wel dat ik haar een plezier doe wanneer ik hier stop, maar dat kan ik niet. Ik ben niet zoals jij.'

'Wat bedoel je? Dat ik niet van onze zus hou? Suggereer je dat?'

'Waarom denk je dat ik net zoals jij ben? Denk je dat ik een lafaard ben, die zijn kameraden in de steek laat? Ik weet wel dat jij met de staart tussen je benen afdruipt wanneer de toestand penibel wordt, maar zo ben ik niet.'

'Wat bedoel je daar in godsnaam mee?'

Magnus staat op en voelt zijn woede toenemen. Ze staan tegenover elkaar met minder dan een halve meter tussen hen in. Hij ziet niet dat zijn jongere broer volwassen is geworden. Hij voelt hoe het bloed in zijn hoofd ruist en ziet duidelijk de agressie in zijn broer groeien. Mads verbreekt als eerste het oogcontact, doet een stap achteruit en kijkt uit over de rivier, terwijl hij met de rug naar Magnus toe zegt: 'Ik denk aan de dag dat jij vertrok. Het was koud en onstuimig, en af en toe trokken er buien over de meren, zodat het oppervlak schitterde alsof God er duizenden zilveren munten in had gegooid. Ik kon vader en jou horen. Jullie raasden en tierden, zoals jullie altijd deden, verwensten elkaar met grof geschut. Ik weet wel waarover jullie ruziemaakten. Over mij, natuurlijk. Vader had mij zoals gebruikelijk huisarrest gegeven en jij had gezegd dat ik mijn vormsel had ontvangen en dat het nu moest ophouden. Ik zei dat het niets gaf. Ik was het gewend alleen op mijn kamer te zijn. Mijn eenzaamheid maakte een dichter van mij. Dat wist ik toen niet, maar dat realiseer ik me vandaag de dag. Jij herhaalde steeds luider dat het genoeg was. Nu moest de tirannie stoppen. Ik stond voor de deur na te denken wat ik moest doen om jullie te laten ophouden. Marie was niet thuis, weet je nog? Ze zat op school. Ik wilde graag naar jullie toe gaan, maar ik durfde het niet. Toen werd het bijna stil. Jullie stemmen veranderden. Ze klonken nog steeds woedend, maar het was een akelige woede. Het was veel griezeliger dan jullie luide, kwade stemmen.

Ik kon niet meer horen wat jullie zeiden. Plotseling klonk er een klap. Vader sloeg jou. Dat had hij al een paar jaar niet meer gedaan. Je was immers volwassen. Hij had je in plaats daarvan met kilte en zwijgen gestraft. Maar nu sloeg hij je. Ik hoorde meerdere klappen, overwon mijn angst en opende de deur. Vader lag op de vloer met bloed over zijn hele gezicht. Je had zijn neus gebroken, wist je dat? En je maakte het litteken bij zijn oog. Je stond boven hem met de pook hoog in de lucht en je wilde hem ermee slaan. Je stond op het punt om zijn hoofd kapot te slaan. Je stond klaar om hem te vermoorden. Ik kon het aan je gezicht aflezen. Ik riep je naam. Meerdere keren, maar ik kon niet tot je doordringen. Aan het bloederige gezicht van vader was de schrik af te lezen. Je draaide je naar mij om en zei dat ik op moest rotten. Je joeg me de stuipen op het lijf, Magnus. Wat moest ik doen? Ik was vijftien jaar, tenger en klein. Ik had een enorme bewondering voor je. Ik kon aan je ogen zien dat je in een andere wereld was – een wereld die ik toen nog niet kende, maar die ik vandaag de dag maar al te goed ken. Het is een wereld waarin je kunt moorden en mishandelen zonder erover na te denken. Ik heb hier zo veel schandaligs gezien, maar die dag staat beter in mijn geheugen gegrift dan vele andere dingen. Je haalde naar me uit met de pook, weet je dat nog? Ik ontkwam aan de klap en je probeerde het nog een keer, en plotseling kon ik de pijn in je ogen zien. Je draaide je om en gooide de pook op vaders been. Hij heeft nog steeds een litteken op zijn scheenbeen. Hij schreeuwde het uit van de pijn. Je liep me straal voorbij zonder een woord te zeggen.

Ik zag je een uur geleden weer voor het eerst. Je staat hier plotseling voor me en wilt dat ik gehoorzaam aan jouw wil. Je liet Marie en mij in de steek. Je vertrok zonder een woord te zeggen. Ik heb bijna dagelijks aan je gedacht. Ik werd verscheurd door tegenstrijdige gevoelens, Magnus. Dat ik enorm veel van je hield en dat ik je uit de grond van mijn hart haatte, omdat je een lafaard was die wegging toen het echt pijn deed. Jij dacht bovenal aan jezelf. Toen moeder overleed, had ik jou en Marie. Jullie waren mijn houvast in het leven. Ik had natuurlijk Marie nog, maar zonder jou was ik net een man met maar één been.'

Magnus voelt hoe een knoop in zijn maag wordt aangetrokken. Het schouwspel staat duidelijk op zijn netvlies. Hij wil het verhaal van zijn jongere broer onderbreken, dat hem, omdat het zo nuchter wordt gepresenteerd, pijn doet. Hij kan zijn eigen stem niet herkennen, wanneer hij zegt: 'Ik durfde niet te blijven ...'

'Je nam geen afscheid. Je was mijn centrum na moeders dood.'

'Ik durfde niet te blijven, Mads. Ik vertrouwde mijzelf niet. Ik had hem vermoord als ik in Denemarken was gebleven.'

Mads draait zich om en zegt: 'Dat begrijp ik wel, Magnus, maar dat helpt jou niet.'

'Denk je er nooit over na dat je net zo egoïstisch bent, Mads?'

'Wat bedoel je?'

'Ik moest weg om te kunnen overleven. Als ik thuis was gebleven, had ik vader vermoord of zelfmoord gepleegd. Ik ging in werkelijkheid weg om te voorkomen dat jij een oudere broer zou hebben die of in een tuchthuis zat of in het graf lag.'

'Je zit achteraf te redeneren. Je ging ervandoor, Magnus. Je had best afscheid kunnen nemen. Je had in vredesnaam met mij of Marie kunnen praten.'

'En jij dan? Jij bent zeker de goedheid zelve? De laatste idealist ter wereld. Je wilt je liever opofferen voor dwaze ideeën dan dat je aan je zus denkt, die elke dag gekweld wordt, omdat ze vreest voor het lot van haar broertje.'

'Ik zei het net ook al. Je moet Marie niet tegen mij gebruiken.'

'Je gebruikt je woede voor mij tegen haar.' Magnus doet een stap in de richting van zijn broer. Hij ziet niet dat zijn ogen hard staan.

'Weet je wat, Mads? Je vlucht zelf voor je verantwoordelijkheid. Net als ik misschien deed ...'

'Dat kun je niet vergelijken.'

'Waarom niet? Waarom ben je hier? Om het fascisme te bestrijden? Om de republiek te helpen? Daarom? Nee. Je bent hier omdat het jouw manier van vluchten is. Het is jouw manier om mij te straffen, ook al straft het Marie meer.'

'Je begeeft je op glad ijs, Magnus.'

'Maar ik heb wel gelijk, toch?'

'Moet je jezelf eens horen, egoïstische klootzak. Op geen enkel moment zeg je dat ik de zaak hier in de steek moet laten omdat jij daar blij van wordt. Je gebruikt Marie tegen mij. Je moet jezelf eens horen. Je denkt alleen aan jezelf. Je koopt gewoon een aflaat, omdat je het af liet weten toen het pijn deed. Je bent een lafaard, Magnus. Je verschuilt je achter de rokken van een vrouw ...'

'Hou je grote bek', zegt Magnus en hij slaat hem met gebalde vuist tegen zijn schouder. De klap is niet echt hard, maar het overvalt Mads toch, die een paar stappen achteruit moet doen. Hij hervindt zijn evenwicht en springt op Magnus, zodat ze allebei op de grond vallen.

Magnus voelt de woede in zijn hele lichaam. Het is dezelfde woede als die hij in New York voelde, toen hij bijna een van Don Giacomo's andere handlangers had vermoord, omdat die hem had beledigd en hem een 'flikker' had genoemd. Hij kent zijn woede. Die is stormachtig en agressief, maar ook kil en berekenend. Alsof er twee mensen in zijn lichaam huizen. De een analyseert nuchter welke geweldsmethodes ervoor nodig zijn om de tegenstander zo veel mogelijk toe te takelen. De ander is het instrument van het geweld, dat zonder menselijkheid en moreel de agressie in een soort rode waas uitvoert zonder rekening te houden met de consequenties ervan.

Mads is sterk, lenig en snel. Hij glipt onder Magnus vandaan en probeert op de been te komen, maar Magnus pakt zijn enkel beet en werpt hem aan de oever van de rivier weer om. Magnus is het zwaarst en gooit zijn gewicht in de strijd. Mads raakt hem twee keer vol in zijn nieren, zodat het brandt van de pijn, maar het lukt Magnus om zijn arm vast te pakken. Ze rollen over elkaar heen. Het stof om hen heen vliegt op. Mads weet zich los te maken en staat op. Zijn gezicht is wit en vertrokken. Zijn gebalde linkerhand raakt Magnus op zijn wang. Hij probeert een rechtse op zijn kaak te geven, maar Mads blokkeert de slag en hij raakt hem nog een keer vol met zijn linkervuist. Magnus verplaatst zijn voeten en ramt met zijn rechtervuist de borst van Mads, zodat hij een paar stappen achteruit moet doen om zijn evenwicht te bewaren. Mads rommelt aan de pistoolholster wanneer Magnus hem hard tackelt, alsof ze op een voetbalveld stonden, waardoor ze allebei in de rivier vallen.

Het water is niet meer dan een halve meter diep, maar het is voldoende om elkaar los te moeten laten en om te vallen, maar ze proberen weer op de been te komen. Mads heeft zijn pistool kunnen pakken en richt hem op Magnus, die de woede en agressie uit zijn lichaam voelt vloeien, wanneer hij helemaal overeind staat.

Hij kijkt naar zijn jongere broer, die zich in een andere wereld lijkt te bevinden. Het water druipt van zijn vertrokken gezicht en plakkerige haar, en van zijn kleren. Hij ziet als in slowmotion hoe Mads het pistool ontgrendelt en het nog wat hoger richt, zodat het recht naar zijn hart wijst. Hij voelt een leegte en kan de woede niet begrijpen die hem nog maar enkele seconden geleden verteerde.

Hij gaat met een plons in het lage water zitten en zegt met een verbluffend rustige stem: 'Verdomme, broertje. Nu stoppen we. Ik geef me over.'

Mads laat zich ook in het lage water vallen. Het pistool rust op zijn bovenbeen. Ze zitten elkaar recht in de ogen aan te kijken zonder een woord te zeggen. Het enige wat ze horen, is een vogel en hun eigen zware, moeizame ademhaling.

16

Ze zijn allebei afgepeigerd wanneer ze op de door de natuur geschapen stenen bank naast elkaar zitten. De wind is een beetje
aangewakkerd en ze kunnen hem tegen hun natte kleding voelen. Ze kijken elkaar niet aan. Magnus heeft een droog pakje
sigaretten in zijn tas gevonden en heeft er voor hen beiden een
opgestoken. Er was geen oogcontact toen hij de sigaret van Mads
aanstak. Ze zitten te roken, terwijl het water op de droge aarde
met het stugge, verschroeide gras drupt. Geen van hen lijkt zich
te ergeren aan de kletsnatte broeken, die aan hen vastkleven.
Ze zitten eerst voorovergebogen op een afstand van elkaar. Ze
horen het geluid van de wind in de bomen, een kraai die krijst,
het water dat krachtig door de rivier ruist, en hun langzame
ademhaling, die ze onder controle proberen te krijgen. Ze kunnen en willen niet onder woorden brengen wat zich net tussen
hen heeft afgespeeld.

Communiceren mannen echt op zo'n manier, denkt Magnus, die opstaat, zijn tas pakt en weer gaat zitten. Hij pakt zijn
revolver en geeft die aan Mads met de kolf naar voren. Mads
geeft hem zijn eigen pistool, een Duitse Luger met een bruine
kolf. Ze zitten met de wapens in hun handen en draaien ze
rond, bekijken ze van alle kanten en vermijden elkaar aan te
kijken.

'Dat is een Parabellum', zegt Mads en hij inhaleert de rook tot
diep in zijn longen. 'Het is een 7.65 kaliber. Acht schoten in het
magazijn. Het is de betrouwbaarheid zelve. Duits, weet je.'

Zijn stem is neutraal en vast, dus Magnus krijgt het gevoel dat
zijn broer naast soldaat ook wapeninstructeur is.

'Ja. Ken je die van mij? Dat is een Smith & Wesson, kaliber 38,
zoals ze zeggen in de vs. Zes schoten. Het is het model dat de
fabriek ontwikkelde en in 1905 vernieuwde.'

'Een trommel met zes kamers. Zo, zo.'

'De eerste werd al in 1899 gemaakt. Het is een model 10. Hij is heel beroemd in de States. En in zuidelijker gelegen landen als Mexico en Argentinië.'

'Zo, zo.'

'Maar jij geeft de voorkeur aan de Luger?'

'Die had die Duitser.'

'Van wie je hem hebt gepakt?'

'Dat deed Bertil, maar het maakt niet uit. Die Duitser is overleden.'

'Okay.'

'Grappig woord dat "okay". Het is een paar maanden geleden gebeurd. Ik weet niet ...'

Mads kijkt weg naar de zwarte revolver met de grijze kolf, tilt hem op en richt hem op de overkant van de rivier en het lege landschap. Aan de andere kant staan een paar bomen met stoffige bladeren, die zacht ritselen in de wind. Hij praat zacht, maar duidelijk.

'Hij is niet geladen. Wil je 'm proberen?' vraagt Magnus en hij zuigt hard aan de sigaret, zodat hij te warm wordt.

'Een paar maanden geleden zoals gezegd. Achter de linies. Een van de Duitse hulppelotons zat vast. Een van hun nieuwe tanks, maar er was iets aan de hand met de motor. Een van hen prutste eraan. De infanterie was blijkbaar verdergegaan. Ze waren immers ook op eigen grondgebied. De schutter en de helper lagen in de schaduw van de tank te slapen. Het was erg slordig van hen, maar ze bevonden zich zoals gezegd achter hun eigen linies, dus misschien was het daarom? Nou ja. Het was zeer eenvoudig. Hun luitenant stond met de rug naar ons toe naar de monteur te kijken, dus Bertil ontfermde zich over hem, terwijl ik een granaat op de slapende mannen gooide en Michel schoot de monteur in zijn rug. Bertil heeft een Beretta, dus hij gaf mij de Luger.'

'Okay.'

'*Allright* zeggen we hier.'

'En toen?'

'En toen? Toen bliezen we de tank op. Zoals we altijd doen en we trokken ons terug tot achter de linies. De missie was geslaagd.'

'Over welke missie heb je het?'

'Dat maakt niet uit. Dat kun je niet allemaal onthouden.'

Nu draait Meyer zich om naar zijn jongere broer, die nog steeds de zwarte revolver vasthoudt en ermee richt. Hij knijpt zijn ene oog dicht, maar dat kan ook komen door de sigarettenrook die vanaf de peuk in zijn linkermondhoek opstijgt.

'Wat doe jij eigenlijk, Mads? Waar doe jij eigenlijk dienst?'

'Ik weet niet of ik dat wel mag zeggen. Ik wil graag je revolver uitproberen. Dan mag je mijn Luger proberen. Hij is geladen. Het is verstandig om hier in Spanje je wapen geladen te hebben, Magnus.'

Hij zuigt aan het laatste deel van de sigarettenpeuk en schiet de peuk tussen duim en wijsvinger weg in de rivier. Hij kijkt nog steeds niet naar zijn oudere broer. Magnus trekt zijn tas naar zich toe en pakt er een grijs kartonnen doosje met patronen uit. Hij telt er zes en legt die in zijn vlakke hand, die hij Mads toesteekt. Mads pakt de ontspanner en wipt de trommel opzij, stopt de patronen er een voor een in en wipt de trommel weer terug.

'Is er een vergrendeling?' vraagt hij. 'Ik heb nog nooit met een trommelrevolver geschoten.'

'Nee. Het vergt enige kracht om de trekker over te halen wanneer hij niet gespannen is. Wanneer dat wel het geval is, gaat het heel gemakkelijk. Dan is er weinig voor nodig.'

'Is dat niet gevaarlijk tijdens transport?'

'Dan heb je geen patroon in de eerste kamer.'

'Okay', zegt Mads en hij glimlacht voor het eerst en staat op. Hij houdt de revolver met gestrekte arm langs zijn bovenbeen. Er zitten natte plekken op zijn broek en rug. Magnus gaat ook staan met de Luger in zijn hand. Mads kijkt om zich heen en ziet een leeg conservenblikje. Magnus ziet nu dat er blikjes en papier in een barst tussen de stenen liggen, die als een kleine vuilnisbelt gebruikt lijken te worden. De soldaten uit Madrigueras komen hier blijkbaar graag picknicken. Mads zet het blikje een kleine tien meter verderop op een rots neer en loopt terug. Hij spant de trekker van de revolver en houdt hem met gestrekte armen met beide handen beet. Het schot klinkt luid en zorgt ervoor dat twee patrijzen uit het kreupelhout aan de andere kant van de rivier beginnen te klapwieken. Aan het opspringende stof naast het blikje kunnen ze zien dat het projectiel een centimeter naar links terechtkwam.

'Hij geeft weinig terugslag', zegt Mads. 'Nu ben jij aan de beurt.'

Hij steekt zijn arm uit en ontgrendelt het Duitse pistool, vergrendelt hem weer en laat Magnus hem zelf ontgrendelen.

Magnus gaat met zijn benen een beetje uit elkaar staan, maakt de klassieke greep met twee handen, richt langs de loop en haalt langzaam over, zoals zijn instructeur hem dat destijds had geleerd. Door het schot vliegen deze keer een paar kraaien hoog in de lucht. Ze kunnen niet zien waar de kogel terechtgekomen is, maar het is voorbij de rots. Mads gaat weer klaarstaan en schiet. De derde keer vliegt het blikje door de lucht. Magnus loopt ernaartoe. Hij loopt langzaam met zijn rug naar Mads gekeerd, die de geladen revolver met gestrekte arm langs zijn rechterbeen houdt. Hij zet het blikje weer neer en loopt terug naar Mads. Hij gaat weer in de schiethouding staan en deze keer spatten er splinters van de grijsgele rots. Pas bij de vierde poging vliegt het blikje, waarin ooit geconserveerde ham had gezeten, met een sprong naar rechts. Magnus geeft de Luger aan Mads nadat hij hem heeft vergrendeld.

'We kunnen maar beter niet meer munitie gebruiken', zegt hij.

Mads reikt hem de revolver aan en vraagt met een rustige stem: 'En jij, broer? Als het nou geen blikje was. Zou jij op een mens kunnen schieten?'

'Wie zegt dat ik dat niet heb gedaan?'

'Heb je dat?'

Magnus wendt zijn hoofd af en zegt met een zachte stem: 'Ik heb in Argentinië iemand vermoord met die revolver. Het was hij of ik. Hij kwam in de vroege ochtend achter mij aan om mij te vermoorden, omdat ik met zijn zus had geslapen. We waren vrienden, dacht ik, hoewel later bleek dat hij mij haatte als de pest, omdat zijn vader mij zo aardig vond. Hij dacht dat Don Pedro meer van mij hield dan van hem. Dat had ik niet in de gaten gehad. Ik wist dat hij zou komen, dus ik wachtte hem in mijn slaapkamer in het halfduister op. Ik zat de hele nacht op hem te wachten. Ik weet niet meer wat ik dacht. Ik zat daar gewoon met mijn revolver. Tot op die dag had ik hem alleen gebruikt om op slangen en ratten te schieten. Hij kwam de kamer binnen en schoot in mijn bed, maar daar lag ik niet. Hij schoot beide lopen van zijn jachtgeweer leeg. Ik zat op een stoel. Hij stond heel duidelijk als een donker silhouet in de deuropening, dus dat was niet moeilijk. Ik schoot hem drie keer in zijn borst. Dat was het.'

'Echt?'

'Op dat moment wel, ja. Ik voelde niets. Dat kwam later. Ik droomde over hem. Ik droom nog steeds over hem.'

'De doden laten je nooit met rust. Ze roepen je de hele tijd ter verantwoording, wanneer je je bewustzijn niet onder controle hebt.'

'Jij pleegt moorden in een oorlog, Mads. Dat is iets anders.'

'Zeg dat tegen de doden, wanneer ze 's nachts komen en hun schreeuwende, aanklagende gezichten laten zien. Je kunt proberen om het tegen hen te zeggen, maar ze luisteren niet. Ik zeg tegen hen dat ze weg moeten blijven, maar ze geven geen antwoord. Ik weet gewoon dat miljoenen doden door heel Europa zullen marcheren als we het fascisme nu niet tegenhouden. Dat moet ik geloven.'

'In jouw geval is het anders, Mads.'

Mads legt de revolver in de hand van Magnus, waarna hij zegt: 'Dus daarom ben je uit Argentinië vertrokken?'

Magnus pakt de revolver, wipt de trommel opzij en leegt de gebruikte en ongebruikte patronen in zijn hand. Hij voelt zijn natte broek, natte overhemd en jas, die aan zijn rug kleeft, vocht dat zich mengt met zijn koude zweet.

Hij gooit de lege patroonhulzen in de rivier.

'Ja. Mads. Daarom ben ik vertrokken. Ik ben naar New York gegaan, waar ik een paar maanden voor een gangster met de naam Don Giacomo heb gewerkt. Ik was een soort chauffeur, lijfwacht en loopjongen. Dat is niet een periode waar ik trots op ben. Giacomo is net als alle andere gangsters in Amerika een brute pummel, dus het was een vuil en gewelddadig, maar ook zeer goedbetaald leven. Daar zeggen ze dat ik een *made man* was. Dat is een eerbetoon. Ik was blij dat Marie schreef, want toen had ik een excuus om terug te gaan naar Denemarken. Het begon wat verhit te worden, moet ik je zeggen. Dus ...'

'Dus ging je ervandoor.'

'Ik ging terug naar huis om onze zus te helpen. Als je dat een vlucht noemt, dan vind ik dat prima. Ik wil geen ruzie met je maken, Mads. Je bent mijn broertje, en ik hou van je, maar je bent nu een man. Als ik in God geloofde, zou ik tot hem bidden en vragen om zijn hand boven je hoofd te houden en je te beschermen. Het spijt me dat ik je heb gevraagd om het af te laten weten. Dat deed ik voor Marie en voor mijzelf. We willen je niet kwijt. We hadden elkaar kunnen vermoorden, Mads. Verdomme, man. Dat had gekund. Dat is een afschuwelijke gedachte.'

Mads strekt zijn armen naar hem uit. Ze staan dicht tegen elkaar aan en Magnus voelt hoe de tranen achter zijn oogleden prikken. Hij wil niet huilen, maar hij kan het niet tegenhouden. Hij huilt zonder geluid, maar hij voelt de tranen over zijn wangen lopen en zijn hele lichaam beeft.

Mads staat heel rustig en Magnus voelt zijn ademhaling tegen zijn hals. Hij voelt langzaam een rust tot zijn gemoed doordringen en verder zijn lichaam in, wanneer hij merkt hoe Mads hem stevig omhelst, alsof hij hem nooit meer zal loslaten. Dat is een heerlijk gevoel, maar ook verkeerd, want hij is immers de oudste, dus waarom is hij niet degene die troost en vergeeft?

17

Ze zitten naast elkaar op de steen naar de rivier te kijken, waarin het water zo stil en rustgevend kabbelt dat het bijna klinkt als een muziekstuk. De zon heeft de overmacht gekregen, de temperatuur is aangenaam en hun kleren worden langzamerhand droger. Ze hebben hun jas uitgetrokken en die over de stenen gehangen, samen met hun sokken en overhemd en ze hebben hun schoenen in de zon gezet.

Mads is mager, maar wel pezig en sterk. Zijn bovenlichaam is wit, maar zijn armen zijn zo bruin als die van de landarbeiders op de bietenvelden in Denemarken. Ze wippen hun blote tenen op en neer, roken en praten over het land waarin ze zijn opgegroeid, maar ze beperken zich tot goede herinneringen aan spelletjes die ze samen hebben gedaan en dingen die ze samen hebben meegemaakt. Vooral verhalen en flarden van herinneringen, waarin Marie of hun moeder in het centrum staat, vertellen ze graag en ze herhalen vaak een anekdote of een belevenis, als het fijn is om eraan herinnerd te worden en als erom gelachen kan worden. Het is bijna net alsof ze bij de rivier thuis zaten op een dag dat de zon zo heerlijk scheen en ze misschien gekanood hadden en zich hadden voorbereid om samen te gaan kamperen, alleen zij tweeën. Zo heerlijk vrijblijvend is de sfeer geworden, zodat de ontstoken wonden uit het verleden binnen no time verdwijnen en geheeld lijken te worden door de positieve herinneringen, die ze onafhankelijk van elkaar oproepen.

Het korte speelkwartier wordt al snel afgelost door het Spanje in oorlog, wanneer Mads vertelt wat zijn rol in de burgeroorlog is, en het is overduidelijk dat hij weigert in te zien dat het een gelopen race is. Dat blijkt, denkt Magnus, wanneer Mads zijn onschuldige herinneringen aan zijn kindertijd heel natuurlijk laat overgaan in de tegenwoordige tijd, alsof het tijden en gebeurtenissen zijn die met dezelfde woorden en op dezelfde aangename toon beschreven kunnen worden.

De stem van Mads is diep en melodieus geworden in de vijf jaar dat Magnus hem niet heeft gehoord. Hij heeft geluk dat zijn stem op zo'n harmonieuze en muzikale manier volwassen is geworden. Het is vast fijn om te beschikken over zo'n gevoelig instrument, wanneer hij zijn gedichten voordraagt aan zijn kameraden. Hij zou graag horen hoe Mads poëzie voorleest. Mads zou waarschijnlijk wel een baan bij de radio kunnen krijgen, het belangrijke nieuwe medium van deze tijd, als hij maar terug zou willen keren naar Denemarken, maar hij heeft geen zin meer om te proberen zijn broer over te halen. Of misschien ontbreekt het hem aan moed. Nu moet het gaan zoals het gaat en hij moet nadenken over wat hij Marie zal schrijven.

Hij leunt voorover, steunt op zijn handen en knijpt zijn ogen dicht tegen de zon, terwijl Mads praat: 'Weet je nog toen we kinderen waren, Magnus? We speelden net als andere jongens vaak met onze tinnen soldaatjes, maar vooral rond Oud en Nieuw was het extra leuk, omdat we dan kruit wisten te bemachtigen. Jij was wel wat ouder dan ik, maar je wilde altijd graag met mij spelen. Je was de beste grote broer. Je verdedigde me. Je ging op het schoolplein tussen de grote jongens en mij in staan. Je nam mij altijd serieus. Je hebt nooit de spot gedreven met een van mijn wilde dromen, hoe gek die ook waren. Je was goed in het bedenken van dingen. We speelden oorlogje. We speelden in het bos en bij de meren dat we ontdekkingsreizigers waren. We voeren op de rivier en kampeerden in tenten of hutten, die we zelf hadden gebouwd. We visten. 's Winters waren we Arctische onderzoekers op ski's of met de sneeuwschoenen aan die je voor mij had gemaakt. Weet je dat nog? Kun je je ook onze steden nog herinneren? We bouwden kleine steden. We maakten ze van takken en bladeren. Sommige woningen leken op indiaanse tipi's, terwijl andere bijna kleine blokhuizen waren. Weer andere bouwden we van meccano. We waren zeer nauwkeurig. We legden wegen aan en een muur eromheen. Er was een brug over een watertje dat we maakten. We bouwden winkels. Het was echt een kleine gemeenschap. Dan zetten we onze tinnen soldaatjes erin en poppetjes, die we maakten van de pijpenragers van vader en knijpers en andere dingen waarmee Marie ons hielp. Het waren onze mensen die we lieten verhuizen naar de stad die we hadden gecreëerd. We speelden een paar dagen met de stad, maar we wisten wel dat dat snel afgelopen zou zijn. Het allerbeste was wanneer het sneeuwde en de stad door een dikke laag werd bedekt en er kerstachtig wit en mooi bij lag. De stad lag achter in de tuin. Weet je dat nog? Bij de grote beukenbomen achter het beeld van de man die het sanatorium heeft opgericht.'

'Dat weet ik nog wel', zegt Magnus en hij leunt voorover. Door de ruwe steen beginnen zijn handpalmen een beetje te branden.

'We bereidden ons erop voor om alles op te blazen, wanneer jij vuurwerk had gekocht bij de fietsenmaker. Dat was ook een groot project. Het moest precies gebeuren. Het was spannend, hè? Om de verschillende rotjes aan elkaar vast te maken, hun kracht te bepalen, proberen te regelen in welke volgorde ze af moesten gaan. Dat kostte een hele dag. Wanneer het dan avond werd, staken we het lontje aan. Jij deed het de eerste jaren. Uiteindelijk mocht ik het doen en dan bliezen we alles op. Marie begreep niet wat we daar zo leuk aan vonden. Een jaar later werd ze woedend, toen ze zag dat het been van een van mijn soldaatjes was opgeblazen. Je onthoudt de vreemdste dingen, hè?'

'Waarom vertel je mij dit, Mads?'

'Omdat dat mijn taak is hier in Spanje. Ik blaas dingen en soms mensen op. Bertil en ik dringen tot achter de linies van de fascisten door en blazen hun bruggen en munitievoorraden en andere dingen op. Mijn eenheid heet *Servicio Especial*. Dat betekent ...'

'De speciale dienst. Ik spreek Spaans, Mads.'

'Dat is ook zo. Veel beter dan ik, wat helemaal niets zegt.'

'Dus je bent een partizaan of saboteur of zoiets geworden, omdat ik je als kind heb geleerd hoe je tinnen soldaatjes moest opblazen?'

Mads moet hard lachen en Magnus voelt een verwarmend gevoel in zijn middenrif. Hij herinnert zich de heldere lach van toen ze nog kind waren. Hoe Mads een bedrukte sfeer luchtiger kon maken met zijn blije lach. Zelfs als baby leek zijn gezicht één grote glimlach te zijn. Hij kon gemakkelijk huilen en lachen. Af en toe tegelijk, zodat je niet wist wanneer de lach gehuil was, of het huilen overging in lachen.

'Nee, Magnus. Dat heeft Bertil mij geleerd. Bertil werkt al sinds zijn vijftiende met dynamiet en springstoffen. En zijn vader voor hem. Bertil heeft tunnels in Noorwegen en mijngangen in China opgeblazen, voordat hij hier kwam.'

'Die Bertil is werkelijk een held.'

'Je moet niet zo sarcastisch doen. Bertil is een goede kameraad en ware revolutionair.'

'Dat geloof ik graag. Een pure heilige.'

'Hou nu toch op, verdomme', zegt Mads met toenemende irritatie in zijn stem. 'Hij is iemand die ik honderd procent vertrouw. Hij is sterk en hij is grappig.'

'Hij is een van Stalins jongens, toch?'

'Ja. En wat dan nog?'

'Ben je communist geworden, Mads?'

'Nee. Dat ben ik niet, maar Stalin doet meer dan vele andere doen. Hij helpt het strijdende Spanje, terwijl Frankrijk en Engeland en ons eigen minilandje het gewoon de rug toekeren en zich verschuilen achter de non-interventiepolitiek, terwijl Hitler en Mussolini hier troepen en materiaal naartoe sturen zonder dat te verbergen. Stalin helpt.'

'Hij laat zich er goed voor betalen.'

'Wat bedoel je?'

'Hij heeft het Spaanse goud. Daarmee worden de tanks en vliegtuigen van oom Stalin betaald.'

Tot zijn grote verrassing begint Mads te lachen. Hij schudt toegeeflijk zijn hoofd en zegt: 'Je klinkt net als Bertil. Er is echt een kant van hem die ik niet begrijp. Hij heeft het ook altijd over het Spaanse goud. Hij zegt dat het grootste deel naar Rusland ging, maar dat er wat is achtergebleven in Spanje. Hij zegt dat hij weet waar het is. Hij maakt er grapjes over dat als we de oorlog niet winnen – wat we natuurlijk wel doen – we het dan gaan ophalen en ermee vluchten. Bertil is soms een dagdromer, hoewel hij zelf gelooft dat hij een Zweedse arbeider van staal is.'

Magnus voelt hoe zijn keel wordt dichtgeknepen, hij moet een paar keer kuchen, waarna hij vraagt: 'Hoe weet hij dat?'

'Jij bent er toch niet ook ingetrapt, hè? De Spaanse goudreserves zijn net als de Heilige Maagd: iedereen heeft haar gezien, maar niemand weet precies waar. Het is Moby Dick, Magnus. Een grote witte walvis die niemand heeft gezien, maar waarover iedereen praat. Dan is het hier, dan is het daar. Het is een fata morgana, die ervoor zorgt dat de jongens in de loopgraven positief blijven.'

'Hoe weet hij dat, Mads? En waar is het?'

'Je neemt het echt serieus. Hij heeft niet gezegd waar het is. Of ik ben het vergeten. Je kunt het toch niet werkelijk geloven? Dat meen je toch niet? Bertil zegt dat hij het van een Zweedse Amerikaan heeft gehoord met wie hij veel praatte voordat de arme stakker stierf. Hij had een afschuwelijke wond aan zijn been, die werd aangetast door koudvuur.'

'Maar als ik je nou zeg dat het verhaal klopt, Mads?'

'Hou toch op, Magnus. Er is geen enkele vrijwilliger die niet over dat verdomde goud praat. Daar zijn meer verhalen over dan over hoe je seks kunt krijgen in Spanje, en dan hebben we het over echt heel veel verhalen.'

Mads voelt aan hun sokken en schoenen. Ze zijn nog steeds vochtig, maar Magnus volgt automatisch zijn voorbeeld en trekt de sokken aan, terwijl hij zegt: 'Mads. Het is waar. Het is een waar verhaal. Het goud werd in het begin van de oorlog naar Rusland getransporteerd, maar er is nog wat achtergebleven in dit land.'

'Dus jij bent ook op zoek naar de grote schatten van het rijk van de Inca's? Het is onderdeel van de propaganda van de fascisten, Magnus. Ze willen niet hebben dat de wereld te weten komt dat Stalin en de grote Sovjet-Unie ons helpen in de strijd tegen het fascisme, terwijl alle anderen ons gewoon laf de rug toekeren. Dat heb ik Bertil proberen duidelijk te maken, maar hij is er verdomme blind voor. En dat is echt vreemd, omdat hij verder slaafs de parolen van de partij volgt zonder bij welk woord uit

Moskou dan ook vraagtekens te plaatsen.'

'Mads. Luister nou toch ...'

'Ik wil het er niet meer over hebben. Het zijn bakerpraatjes. Ik heb andere dingen aan mijn hoofd.'

'Okay. Als je er zo over denkt, okay dan.'

Ze zitten een ogenblik stil naast elkaar. De situatie wordt vergemakkelijkt door een paar sigaretten op te steken en naar de overkant van de rivier en de wazige bergen in de verte uit te kijken.

Magnus zegt: 'Wat jij en Bertil doen, klinkt heel gevaarlijk. Dat heb je niet aan Marie geschreven?'

'Nee. Ik wil je ook vragen om dat niet tegen haar te zeggen. Dat is nergens voor nodig. Ik had het je helemaal niet moeten vertellen. Ons werk is geheim. Ik ben trouwens sergeant, maar je kunt de rangstrepen niet zien, hè?'

'Nee, maar ik weet wel hoe men tegen saboteurs aankijkt, Mads. Ze worden ter plekke geëxecuteerd. Jullie worden beschouwd als gemene moordenaars of spionnen. Ter plekke. Pang.'

'Zoals Bertil zegt, gaat het erom dat je niet wordt gepakt.'

'Mads, verdomme ...'

'Ik mag er niet over praten, maar je bent mijn broer, dus ...'

Mads staat op, pakt een tak op, gooit hem in de traag stromende rivier en kijkt hem na. Hij draait langzaam om zijn eigen as.

Hij zegt met de blote, smalle rug naar Magnus gekeerd: 'Bertil en ik en de groep vertrekken morgen. We gaan naar het noorden. We krijgen het doel te horen wanneer we daar aankomen, maar het is vast een brug of misschien een munitiedepot achter de linies van de fascisten. De republiek bereidt een groot offensief in het noorden bij Teruel voor, waar de fronten sinds het begin van de oorlog bijna stilstaan. Het is begin december. Het is natuurlijk geheim, maar iedereen heeft het over een kerstoffensief. Dat ligt eigenlijk voor de hand. Een offensief zal ook de druk op Madrid verminderen, nu het Baskenland is gevallen.'

Hij draait zich om: 'Zo is het, Magnus. Daar valt niets aan te doen.'

'Maar ik heb je net gevonden, Mads. Ik dacht dat we ten minste een paar dagen samen konden doorbrengen, voordat je ...'

'Misschien wordt vermoord? Bertil zegt dat het zonde van de tijd is om daaraan te denken. Als er een kogel met je naam erop is, dan is er een kogel met je naam erop. Zo is het gewoon.'

'Wat een onzin.'

'Wat weet jij daarvan? Ik blijf bij Bertil. Dat heeft me tot nu toe in leven gehouden. Ik ben er trouwens banger voor om invalide te worden dan om dood te gaan. Een been of een arm kwijt te raken zoals Svend. Of verminkt te worden in mijn gezicht. Dat mijn ballen of mijn pik eraf worden geschoten. En nu moet ik pissen.'

Mads draait zich om en loopt naar het stoffige groene kreupelhout dat langs de rivier groeit. Magnus staat ook op en voelt een irritante jaloezie tegenover deze Bertil, die het nieuwe voorbeeld van een vaderfiguur voor zijn broer is geworden. Hij gaat naast Mads staan en pist mee. Hij zegt, en probeert humor in zijn woorden te leggen om zijn wanhoop te verbergen: 'Hopelijk ga je niet dood zonder dat ding voor iets anders te hebben gebruikt dan om mee te pissen, broertje.'

'Nee, nee. Hij kan nog meer. Dat kon hij al in Denemarken', zegt hij met zijn fijne lach.

'Nou zeg, dat had ik niet verwacht.'

'Je kent haar wel. Jij hebt haar ook als eerste besprongen, zei ze.'

'Nee. Dat meen je niet. Niet zij.'

'Ja hoor. Else van de stomerij. Ze heeft me van mijn maagdelijke deugd ontdaan, net als dat ze daar bij vele anderen voor heeft gezorgd.'

Magnus lacht luid en knoopt zijn broek dicht: 'Ze zou een medaille van verdienste moeten krijgen. Maar toch ...'

Mads legt meer ernst in zijn stem: 'Verder was er een meisje op het gymnasium, op wie ik heel verliefd was, verrukt van was en met wie ik hand in hand liep en die ik kuste, maar ze wilde niet verdergaan, dus in plaats daarvan schreef ik veel gedichten waarin "hart" op "smart" rijmde. Gelukkig ontmoette ik tegelijkertijd een ander, die in de Kohls Fabrieken werkte. Ze wist niet veel over lyriek, maar wel veel over het andere, dus op die manier verenigde ik het geestelijke met het vleselijke.'

'Je bent echt volwassen geworden, broertje.'

'Dat word je in vijf jaar. Als je het echt wilt weten, was er ook een hoer in Barcelona, maar dat was waardeloos. Ik voelde me daarna slecht. Het was alsof ik de viezigheid niet van me af kon wassen. En jij?'

'Meer dan ik me kan herinneren', zegt Magnus, die wat verlegen wordt door Mads' directe eerlijkheid over dingen waarover je niet praat.

'En iemand voor wie je een moord hebt gepleegd.'

'Ik geloof eerder dat het was om mijn eigen vege lijf te redden. Zo ben ik immers, zeg jij.'

'Nu moet je niet met al die zelfhaat beginnen, broer. Zullen we teruggaan? Ik heb honger.'

Mads draait zich om en loopt weg, pakt zijn overhemd en zijn jas van de rots en trekt die snel aan, zodat Magnus moet rennen om hem bij te houden, terwijl hij ondertussen zijn kleren probeert aan te trekken: 'Kan ik je ergens trakteren op een lunch?' vraagt hij aan de rug van Mads.

'In Madrigueras? Ik denk niet dat je dat wilt. Ze zeggen dat het rundvlees is, maar als je geluk hebt, is het paardenvlees, want paardenvlees is in de regel een pezige, uitgeputte ezel die van ouderdom is gestorven. Bij de kameraden in de kerk kunnen we wat linzen met een paar brokken vlees erin en wat wijn krijgen. Misschien is er ook wat brood. Bertil is goed in het regelen van dat soort dingen. Ik ben bevelhebber bij de speciale troepen en krijg daarom tien peseta's per dag, maar ik kan ze nergens anders aan uitgeven dan aan drank en sigaretten op de zwarte markt, dus ...'

'Dat aanbod neem ik graag aan.'

Mads draait zijn jonge gezicht naar hem om en zegt: 'Dan doen we dat. Maar het normale goede eten mis ik wel enorm.

En dan heb ik nog een maag die het Spaanse vreten beter verdraagt dan de meeste andere mensen. Ik kan de vreselijkste en toch ook de meest fantastische visioenen krijgen over gebraden rundvlees of een gebakken schol met peterseliesaus, gehaktballen met gestoofde witte kool, een broodje haring met uitjes en kerrysalade of leverpastei met rode bieten op versgebakken roggebrood of kippensoep met daarna kip in mierikswortelsaus. Of wat denk je van ...'

'Verdomme, Mads. Hou op. Dit is me te veel. Mijn maag trekt samen.'

'Weet je nog hoe onze kokkin Signe gebraden varkensvlees met gezouten zwoerd bereidde, de eigengemaakte rodekool, de blanke, precies goed gekookte aardappelen, de bruine gekaramelliseerde aardappelen en haar saus – haar heerlijke bruine saus, Magnus, waar de lepel bijna rechtop in bleef staan.'

'Hou je bek, Mads', lacht Magnus en hij geeft hem een tik tegen zijn schouders. Mads legt zijn arm om hem heen en ze lopen lachend naast elkaar, terwijl ze elkaar overbieden met de beschrijving van steeds meer gerechten uit het verdwenen land van hun jeugd die hen doen watertanden.

18

De kerk in Madrigueras is natuurlijk het grootste gebouw van het dorp. Hij verrijst net als in andere arme dorpen als een machtige en rijke burcht boven de lage huizen op het plein, waar de bron van de stad zich ook bevindt. Vanaf het kerkplein lopen de stoffige wegen in alle richtingen. De kerk werpt lange middagschaduwen over armzalige krotten, die eruitzien alsof ze jarenlang niet onderhouden zijn.

Het is een van de ontelbare arme dorpen in Spanje, waar men altijd heeft gewerkt voor een habbekrats, van zonsopkomst tot zonsondergang. Alleen de onderwijzer, de priester, de grootgrondbezitter en enkele anderen konden lezen en schrijven. Elke ochtend vroeg gingen de mannen uit het dorp op het plein staan. De voorman van de grootgrondbezitter koos de gelukkige mannen uit die aan het einde van die dag een bescheiden dagloon mee naar huis konden nemen voor twaalf uur werken met een gebogen rug op de akker. Honger was een dagelijkse beslommering en van geboorte tot de dood was de hopeloosheid een trouwe metgezel tijdens hun miserabele leven. Voor veel mensen bood de katholieke kerk, zijn Heilige Maagd en de vele heiligen en beschermengelen troost en hoop. De Maagd luisterde veel te zelden naar de vele gebeden die naar de hemel opstegen, wanneer de kinderen het uitkrijsten van de honger. Veel te vaak zag men zijn eigen kind sterven in het eerste levensjaar. De gelukkigen die overleefden, moesten vanaf hun vijfde meehelpen om geld te verdienen voor voedsel. In de Spaanse dorpen is het gemakkelijk te begrijpen waarover de oorlog gaat en voor wat en wie er wordt gevochten. De armen, de onderdrukten en de uitgestotenen. De rechtvaardigheid en de droom van een betere maatschappij voor alle mensen. Een maatschappij waarin iedereen gelijk is en evenveel toegang heeft tot de fantastische geneugten van de aarde.

Mads praat, terwijl ze teruglopen naar het dorp. Magnus

voelt een vreemde mengeling van opluchting en wanhoop, terwijl hij luistert naar de woorden die zo goed geformuleerd uit de mond van zijn jongere broer komen. Hij bewondert zijn engagement en zijn idealisme, hoewel hij die ook naïef en zonder realiteitszin vindt. Hij zou willen dat hij net als zijn jongere broer kon geloven in de goede mens, maar niets in het leven heeft hem laten zien dat de mens goed is. Integendeel kan hij uit ervaring zeggen dat de mens een egoïstisch en gewelddadig wezen is. Hij voelt vaak afschuw over zijn eigen misantropie, maar beschouwt die niet als cynisme. Hij beschouwt die als verstandig en een houding die zich baseert op daadwerkelijke levenservaring. Toch is hij jaloers op Mads. Mads gelooft in iets en hij kan aan hem zien dat het leven zin voor hem heeft, ondanks de verschrikkingen die hij moet doorstaan.

Mads is jong. Hij is maar vijf jaar ouder dan Mads, maar in zijn hoofd voelt hij zich af en toe een oude man. Hij zou willen dat hij met dezelfde gemakkelijke tred als Mads door het leven kon lopen, maar tegelijkertijd is hij bang dat hetzelfde gemak de ondergang van zijn jongere broer kan betekenen, samen met de utopie waaraan hij zich vastklampt. Hij is ook wanhopig over het feit dat hij weet dat hij Mads weer zal kwijtraken. De opluchting dat hij hem heeft gevonden wordt gesmoord doordat hij weet dat het weerzien slechts van korte duur zal zijn.

De kerk is geen kerk geweest sinds de landarbeiders de grootgrondbezitter, de burgergarde en de priester in 1936 verdreven, toen ze in opstand kwamen tegen de onderdrukkers, zoals Mads zegt wanneer ze bij de kerk aankomen. De onderdrukkers steunden Franco natuurlijk, maar ze hadden geen rekening gehouden met de woede van de bevolking en de behoefte en wil om terug te vechten. De meeste oorspronkelijke bewoners zijn naar Albacete gevlucht. Ze zijn bang dat het dorp aangevallen zal worden vanuit de lucht, zegt Mads, terwijl Magnus er het zijne van denkt. Ze zijn misschien ook bang voor de wraak, wanneer het dorp weer in handen van de fascisten komt, en voor het bloed dat zal vloeien, omdat het onderdak bood aan de vrijwilligers uit het buitenland.

De zon staat lager en er hangt meer kou in de lucht, wat ze merken doordat hun kleren nog steeds vochtig zijn. Een groepje mannen in blauwe overalls zit bij de bron tegen een door de zon warm geworden muur en ze laten een wijnzak rondgaan, terwijl ze roken. Ze zwaaien naar Mads, die teruggroet met zijn hand tegen het bruine, zachte haar.

'Hebben jullie Bertil gezien, kameraden?' vraagt hij in het Duits.

'Hij is in de kerk. Hij vroeg zojuist nog naar je', zegt een kleine, gedrongen man, die een kortgeknipte volle baard in een rond gezicht heeft onder de zwarte baskenmuts. Zijn neus is erg rood en opgezwollen met blauwe aderen.

'Neem je kameraad mee naar binnen, Mads. Er is vandaag eten in overvloed.'

De kerkzaal is groot en er dringt een fel licht door de hoge ramen naar binnen. De kerkbanken zijn verwijderd, en in de ruimte staan in plaats daarvan diverse groepen tafels en stoelen. In een hoek staat een spreekgestoelte. Er zitten zo'n vijftig man aan de tafels van blikken borden te eten met een lepel in de ene hand en een homp witbrood met korstjes in de andere, die ze gebruiken om het vocht mee op te deppen. Er wordt gepraat, gerookt en gesmakt. Magnus ziet Bertil bij wat ooit het altaar geweest moet zijn. Grote ijzeren bielzen zijn op een rij zwerfkeien gelegd. Er brandt een levendig houtvuur onder drie grote ijzeren potten, die op de bielzen staan. Het eten in de kookketels ruikt naar olie, knoflook en schapenvlees, en het verspreidt een witte, verleidelijke damp. Er is een gat in het plafond gehakt, zodat de rook en de etenslucht eruit kunnen.

Bertil ziet Mads en Magnus, en wenkt hen.

Hij zegt in het Noord-Zweeds: 'Er is eten, Mads. We hebben een schaap geslacht en er zit wortel, peterselie, koolraap, ui en linzen in de pan, en er is brood bij. Manuel heeft gekokkereld. Wat zeg je me daarvan?'

'Ik zeg dat Manuel en jij ware revolutionaire helden zijn.'

'Je broer mag ook aanschuiven.'

'Bedankt', zegt Magnus.

'Wat doet je broer?'

'Hij is journalist, Bertil.'

'Hopelijk niet voor de burgerlijke pers?'

'Hij is mijn broer, Bertil.'

'Natuurlijk. Daarom is hij welkom, maar je kent mijn standpunt wat burgerlijke journalisten betreft of mensen die zich aan de strijd onttrekken.'

'We hebben honger, Bertil.'

Mads heeft een blikken bord, een lepel en een blikken beker in zijn rugzak, en Magnus leent het eetgerei van Bertil, die blijkbaar al heeft gegeten. De knokige, pezige Zweed steekt een kop boven de twee broers uit. Zijn ogen zijn bloeddoorlopen en hij ruikt naar alcohol en knoflook. Hij houdt een waterglas in zijn hand dat voor de helft is gevuld met cognac.

De ragout ruikt goed en ze genieten van de aanblik van de lokkende parels vet, die zo heerlijk aan de oppervlakte glinsteren. Het eenpansgerecht pruttelt met een heerlijk geluid en er trillen grote hompen vlees tussen witte bonen, oranje, grof gesneden wortels, grof gehakte peterselie, gesneden ui en stukjes koolraap.

Magnus begint te watertanden en zijn maag rommelt wanneer hij de knoflook ruikt en andere kruiden die hij niet herkent. Bertil schept op met een grote pollepel en geeft ieder van hen een stuk brood met een stevige geelachtige korst en verwijst hen naar een lege tafel, waar een fles rode wijn zonder etiket staat.

De wijn is koel, maar het smaakt Magnus goed, en hij heeft het idee dat het gestoofde schapenvlees misschien wel het beste is wat hij in lange tijd heeft gegeten. Het zit vol vet en kracht. Ze eten in stilte, kijken naar elkaar en drinken nadat ze met de blikken bekers hebben geklonken. Aan tafel zitten de twee mannen die eerder op de dag samen met Mads in het café waren. Ze houden zich afzijdig. Ze hebben alles van hun blikken bord opgedept met het laatste restje brood. Het vet stroomt langs hun kin. Mads haalt voor hen beiden nog een portie. Ze maken het volgende bord soldaat zonder te praten. Bertil komt naar hen toe en gaat zitten, steekt een sigaret op en kijkt met een tevreden uitdrukking op zijn gezicht toe hoe ze eten.

'Eet maar', zegt hij in zijn langzame Zweeds. 'Er is voor één keer genoeg voor iedereen. Nu gaan er weldra goede kameraden sneuvelen, aangezien ze ons wortels en een heel schaap sturen. Maar zo is het nou eenmaal. Heb je je broer over de kerk en de bron hier in de stad verteld?'

'Nee. Nog niet', zegt Mads met volle mond. Zijn sterke jonge tanden hebben moeite met een pezig stuk schapenvlees, dat hij uit zijn mond pakt en verbaasd bekijkt, waarna hij het terugstopt en verder kauwt.

'Dan doe ik het', zegt Bertil tevreden. 'Als vermaak bij het eten. Misschien kan zelfs een burgerlijke bladenvuller erover schrijven in zijn krant. Die drukt vast niet alleen leugens. Weet je, Magnus, deze kerk is voor sommige mensen misschien een christelijk gebouw, maar voor mij en goede kameraden is religie puur bijgeloof en opium voor het volk, zodat de stakkers niet gaan klagen over hun armzalige leven op aarde, omdat ze leven met de gedachte aan de eeuwigheid. Zo is het met elke religie. De vondst van de machthebbers om andere mensen in onwetendheid te houden. Deze kerk is een klassiek symbool van eeuwenlange onderdrukking. De katholieke kerk in Spanje is de kerk van de machthebbers. Franco en zijn fascisten zeggen dat ze bezig zijn met een kruistocht tegen ons roden. De kerk zegent de kanonnen van de fascisten, omdat de kerk er belang bij heeft om zijn macht en daarmee zijn vele geld en kostbaarheden terug te krijgen.'

Bertil wijst met zijn sigaret naar de kookketels op de bielzen en de zwerfkeien: 'Toen de eerste brigades hier kwamen, maakten ze van de kerk een vergaderruimte en eetzaal. Hij was perfect voor kameraadschapsavonden en als keuken en kantine. De kameraden tilden het altaar eruit en maakten verderop tegen de buitenmuur een haard. Dat functioneerde een tijdlang prima, totdat het op een dag plotseling allemaal instortte. Onder de vloer vonden ze toen een geheime ruimte met een mooie granieten geul met stromend water. Want daar ontsprong de helderste, natuurlijke bron die in verbinding bleek te staan met de bron daar op het plaza. De bron in de geheime ruimte kon ingesteld worden met een houten pin, die het water tegenhield. Af en toe stopte de priester de pin erin en dan liep de bron droog. In de regel tijdens de warmste maanden, wanneer water van levensbelang was. De priester moedigde de bewoners van het dorp dan aan om te gaan bidden en grote cadeaus te geven. Geld, schapen, varkens, koren, maïs, allerlei goede dingen voor de heilige Santa Margaretha, de beschermengel van de bron. Dat deden de arme en bijgelovige boeren en landarbeiders. Wanneer de priester en zijn vette bisschop uit Albacete tevreden waren met de buit, maakten ze langzaam de pin los, zodat het water terug sijpelde naar de bron en iedereen werd hier in de kerk bijeengeroepen voor een kerkdienst met dankzegging aan Onze Lieve Heer, die de gebeden van de bevolking had verhoord. Wat zeg je me van dat verhaal, Magnus?'

'De wereld wil bedrogen worden.'

'Ja. Daarom moeten we de wereld veranderen.'

'Als jij dat zegt.'

'Ik zég het niet alleen. Ik doe het. Net als jouw broer dat doet.'

'Wat doet?'

'De wereld veranderen. Vechten voor een nieuwe maatschappij, waarin geen plaats is voor kerken en andere bloedzuigende machthebbers. Waar het werkende volk beslist over zijn eigen bestaan. Wat doe jij?'

'Ik geniet van jouw eten.' Magnus neemt het laatste restje van zijn brood en beweegt ermee over de bodem van zijn bord, zodat er geen druppel saus verspild wordt.

'Waar andere mensen hard voor hebben gewerkt.'

'Je hebt mij zelf uitgenodigd, maar ik betaal graag.' Hij stopt het vochtige brood in zijn mond en kauwt langzaam.

'Denk jij dat het om geld gaat? Denk jij dat?' De grote Zweed neemt een slok cognac. Er zit bijna niets meer in het glas. Magnus ziet dat Mads Bertil een blik toewerpt en daarna Magnus, en hij schudt bijna onmerkbaar zijn hoofd.

'Ik heb geen zin om ruzie met je te maken', zegt Magnus. Het komt er een beetje onduidelijk uit, omdat hij net bezig is zijn laatste hap door te slikken.

'Ruziemaken? Wie heeft het over ruziemaken? Wij discussiëren als goede kameraden. Ik vraag naar je geweten.'

'Je bent mijn priester niet.'

'Wat bedoel je in 's hemelsnaam, Deen?'

'Ik ben jou geen biecht verschuldigd.'

'Je bent mij een antwoord schuldig op de vraag wat jouw geweten ervan zegt dat je broertje vecht, terwijl jij als een parasiet toekijkt en de wereld in brand staat.'

'Het klinkt anders alsof jij vindt dat ik geen geweten heb.'

'Je bent de broer van Mads. Dan moet je wel enig geweten hebben.'

'O ja? Ik zie niet in wat jou dat aangaat. Je veroordeelt mensen snel. Eén blik op een man en je weet alles over hem. Dat gaat je niets aan, Bertil. Laat me met rust.'

'Je zit hier tussen de kameraden. Alles hier gaat mij aan.'

'Ik breng gewoon een bezoekje aan mijn broer.'

'Dat is ook het gemakkelijkst, nietwaar? Op bezoek zijn. Je weghouden van de strijd. Jij denkt dat je neutraal kunt zijn. Dat kan niet. Wanneer je geen kant kiest, heb je toch gekozen.'

'Als jij het zegt.'

'Jij denkt dat je eraan kunt ontkomen. Dat kun je niet, Deen.'

'Je bent dronken. Laat me met rust. En bedankt voor het eten.'

Hij kijkt naar Mads, die zijn hoofd heeft gebogen en het laatste restje van de stoofmaaltijd opdept met zijn homp brood. Magnus heeft het eerder meegemaakt in andere landen. Het is overal hetzelfde, wanneer mannen bij elkaar zitten en gedronken hebben. Een gemoedelijke sfeer kan zonder oorzaak of zonder een bepaalde reden plotseling omslaan en agressief en gewelddadig worden. Dat is een geweld dat onlosmakelijk verbonden is aan kroegen, en de kerk is nu een kroeg. Hij kijkt naar de grote Zweed en weet dat hij geen kans tegen hem maakt als het uitdraait op een *fair fight*.

Mads staart naar de tafel, maar de twee mannen uit het café houden Bertil in de gaten en beginnen onrustig te bewegen.

Magnus kijkt naar het pistool van Bertil in de holster aan de riem en is bang dat het verkeerd kan aflopen als hij niet met een oplossing voor de situatie komt. Hij realiseert zich plotseling dat die waarschijnlijk is ontstaan doordat Bertil bang is dat hij is gekomen om Mads van hem af te pakken. Zijn eigen tas staat bij zijn stoelpoot, maar zijn revolver is niet geladen. Wat had Mads gezegd? In Spanje is het verstandig om je wapen geladen te hebben. Hij belooft zichzelf dat er in de toekomst vijf patronen in de trommel zitten, zodat hij in staat is om met een enkele duimgreep aan de trekker een schot te lossen.

Bertil heeft iets gezegd wat Magnus niet heeft gehoord. Misschien herhaalt hij het nu: 'Waarom denk je dat ik dronken ben? Denk je dat ik niet tegen een beetje cognac kan?'

Mads tilt zijn hoofd op: 'Bertil', zegt hij op gedempte toon, maar Bertil lijkt verzonken te zijn in zijn eigen aangeschoten bloederige wereld. Hij staat op en de stoel valt achterover. Mensen aan de tafels in hun buurt kijken op. Bertil torent boven hen uit en verheft zijn stem: 'Wat doe jij hier eigenlijk?'

'Ik breng een bezoek aan mijn broer.'

'Dat zeg je, maar wie zegt dat je geen spion voor de fascisten bent. Je bent journalist, zeg je. Maar ben je dat wel? Ben je niet een spion?'

'Bertil', zegt Mads, deze keer luider.

'Vijfde colonne. Dat is een stelletje gespuis. Een uitvreter kan ik misschien nog wel verdragen, maar geen fascistenspion.'

'Bertil, nou is het genoeg', zegt Mads.

De hand van Bertil beweegt naar de pistoolholster. Magnus schuift zijn eigen stoel naar achteren en in dezelfde beweging gooit hij de wijn in zijn halfvolle blikken beker naar het hoofd van de Zweed, die een paar passen achteruit doet met een brul, waardoor iedereen in de kerk opkijkt of begint op te staan.

'Magnus. Ga weg. Dit loopt niet goed af', zegt Mads appellerend.

'Dan kun jij toch helpen.'

Bertil rent om de tafel heen en stuift als een domme stier recht op Magnus af, die de bijna lege wijnfles van tafel pakt en hem tegen de zijkant van Bertils hoofd zwaait. De Zweed wankelt opzij en schudt zijn hoofd, maar hij heeft of een ongelooflijk sterke schedel of hij is te dronken om de pijn te voelen. Hij tilt zijn handen op in de klassieke bokshouding. Magnus trapt hem hard in zijn ballen en wanneer de handen van Bertil instinctief omlaaggaan om zijn pijnlijke geslachtsdelen vast te houden, slaat Magnus hem op zijn hoofd met de fles, zodat de ogen van de grote Zweed wazig worden wanneer hij op zijn knieën valt.

Magnus zet de fles, die gelukkig niet kapot is gegaan, op tafel neer. Zijn ademhaling is snel en stokt bijna. Hij ziet uit zijn ooghoeken hoe de twee kameraden zijn opgestaan en dichterbij komen. Hij ziet Mads die wit is weggetrokken en ook overeind is gekomen, afwerend naar hen zwaaien.

Magnus pakt zijn tas en doet een stap achteruit. Bertil tilt zijn hoofd op en probeert overeind te komen. Mads gaat naar hem toe en pakt zijn arm beet om hem op de been te helpen en Magnus voelt een pijn die zo groot en verlammend is dat hij de behoefte voelt om op de vloer te gaan zitten. Bertil staat bijna weer rechtop, hoewel hij tolt op zijn benen, en er stroomt bloed uit zijn hoofdhuid.

Hij zegt sissend: 'Weg jij. Uitvreters als jij hebben we hier niet nodig. Verdwijn of ik vermoord je. Je bent alleen nog in leven omdat je de broer van Mads bent.'

Magnus voelt meer dan dat hij ziet dat de menigte tegen hem is. Er hangt geweld in de lucht en er staat niemand aan zijn kant. Hij voelt hoe de mannen stuk voor stuk zijn opgestaan en zich gezamenlijk tegen hem keren. Bertil is een man die duidelijk gerespecteerd, maar ook gevreesd wordt, en natuurlijk steunen ze hem allemaal tegen die vreemde man, die buitenstaander. Hij is oprecht bang en voelt zijn hart als een gek tekeergaan.

'Mads?' Zijn stem is smekender dan hij zou willen.

'Je kunt maar beter weggaan, Magnus.' Mads spreekt zacht en wendt zijn hoofd af.

'Sta jij aan de kant van die klote-Zweed?'

'Ik denk dat je beter kunt weggaan.'

'Je bent mijn broer, verdomme.'

'Ga nou, Magnus. Kun je niet gewoon weggaan? Je had niet moeten komen. Dat had geen enkel nut.'

'*Fuck you*, Mads! Je bent mijn broer. Wat doe je?'

Hij voelt de verraderlijke tranen, maar Mads kijkt opzij en weer terug met zijn smekende ogen. Magnus draait zich op zijn hakken om en loopt op een drafje naar de kerkdeur. De jonge man, die Kaj heet en onderweg naar binnen is, kijkt hem vol verbazing aan, wanneer hij zijn schouder beetpakt en hem aan de kant duwt. Achter hem hoort hij het opkomende spottende gelach en Bertil, die roept met een stem, die nog steeds een beetje trilt door de pijn, maar die toch luid en duidelijk hoorbaar is: 'Vlucht maar, lafaard. Ga er maar vandoor. Dat kun je. Ervandoor gaan wanneer het moeilijk wordt. Terugrennen naar het veilige Denemarken en laat Spanje maar over aan de echte mannen. Je stelt toch niet meer voor dan een klote-*maricón*.'

19

Een paar dagen later zit Magnus vroeg in de middag in de bar van het Gran Hotel. Hij heeft nog steeds verdriet en tegelijkertijd vindt hij het behoorlijk jammer. Joe Mercer is irritant genoeg nog niet teruggekomen uit Madrid en Irina is naar Valencia vertrokken, heeft de receptioniste hem verteld. Ze heeft gelukkig haar kamer aangehouden, dus hij gaat ervan uit dat ze op een bepaald moment weer opduikt, maar hij baalt ervan dat ze niet even een briefje voor hem heeft achtergelaten. Maar waarom zou ze dat eigenlijk moeten doen? Is ze hem iets verschuldigd? Ze konden goed met elkaar praten, vlak voordat hij naar Madrigueras ging, en hij voelt een duidelijke sympathie – ja, misschien zelfs warmte van haar kant – wanneer ze samen zijn. Ze lachen ook samen, maar dat ze verliefd op hem zou kunnen worden, is toch wel iets meer. Een briefje was een goed teken geweest – iets wat hem had kunnen opvrolijken.

Hij ergert zich er ook aan dat zijn pogingen om Marie over Mads te schrijven voortdurend op niets uitlopen. Hij weet niet hoe hij het moet formuleren. Hij kan zich er niet toe zetten om over zijn nederlaag te vertellen. Hij schrijft 'Lieve Marie' en staart daarna voor zich uit, waarna hij het briefpapier van het hotel verfrommelt en in de prullenmand gooit. Dat hij ervan baalt, spreekt voor zich. Hij heeft Marie laten vallen, hij heeft Mads laten vallen, maar Mads heeft vooral hem laten vallen. Hij baadt in zelfmedelijden en zelfverachting over zijn eigen tekortschieten.

Hij heeft een lichte kater en drinkt langzaam nog een kop koffie. Het hotel is van een nieuwe lading bonen voorzien en hij kan net zo veel krijgen als hij wil. Hij zit aan de bar in het bijna lege lokaal, dat duister is met zware mahonie meubels en een lange brede zinken bar met een melancholieke barkeeper die hij niet eerder geeft gezien, maar die eruitziet alsof hij aan de vloer vastzit. De barkeeper heeft lege ogen als na een shellshock en draagt een wit overhemd, een zwart gilet en een zwarte broek, met een achterwerk dat net zo glimt als het glas dat hij mechanisch poetst.

Magnus heeft onder het koffiedrinken de kranten gelezen en een poging gedaan om hun verborgen herschrijvingen in de gecensureerde verhalen over het verloop van de oorlog te ontcijferen. Nu wil hij een biertje drinken en daarna opnieuw een poging doen om Marie te schrijven en er niet aan proberen te denken wat Mads op dit moment doet. Dat is lastig, want hij wordt bijna ziek van bezorgdheid om zijn broer, van wie hij niet meer weet waar hij zich bevindt.

Hij heeft Juan Montero met de auto teruggestuurd naar Valencia. Er is geen reden om hem nog langer te betalen. Hij besteedde het grootste deel van zijn geld aan de chauffeur, maar kon probleemloos nieuwe peseta's opnemen met zijn kredietbrief die hij had meegekregen van zijn bank. De inflatie is hard voor de republiek, dacht hij, toen hij zijn dikke stapel bankbiljetten kreeg in de bank die werd bewaakt door vier Guardia de Asalto's.

Hij voelt een kleine verandering in de lucht, draait zich om en ziet twee mannen in de deuropening te staan. De ene is Gerhardt Pandrup van het hoofdkwartier van de brigades in de oude burgergardekazerne. Hij draagt zijn grijsgroene commissarissenuniform met de bandelier en het pistool in de holster aan de riem en halfhoge, donkerbruine laarzen. Hij heeft een zwarte officierspet op zijn hoofd.

Magnus kan in eerste instantie de andere man niet plaatsen, maar dan herkent hij hem toch. Het is de Rus van de luchthaven in Valencia, waar hij voor Mercer had getolkt. Deze keer draagt hij geen lichte zomerkleding, maar een donkere broek met een grijs uniformoverhemd dat helemaal tot onder zijn kin is dichtgeknoopt onder een halflange, openstaande leren jas. Hij heeft zijn wapen in een dichte pistoolholster op zijn heup en een donkere baret op zijn hoofd. Stepanovitj heet hij. Hij werkt voor de nieuwe communistische inlichtingendienst. Op de luchthaven van Valencia had hij Spaans gesproken, maar kan Gerhardt Pandrup dat ook?

Hij voelt zijn eigen revolver tegen zijn rug, waar hij hem in de boord van zijn broek onder zijn jas heeft gestopt. Hij zal niet weer aangevallen worden zonder een geladen wapen, denkt hij tevreden, wanneer de twee mannen langzaam op hem af komen lopen.

'Goedendag, Pandrup', zegt hij in het Deens.

Gerhardt Pandrup heeft groeven van vermoeidheid in zijn gezicht en ziet er ouder uit dan de ongeveer dertig jaar die hij is. Hij rookt een dikke, eigen gerolde Spaanse sigaret met bitterzwart tabak.

'Goedendag, meneer Meyer', zegt Pandrup in het Duits. 'Mag ik je voorstellen aan mijn collega Dimitri Stepanovitj, die ...'

'Van de SIM. We hebben elkaar eerder ontmoet. Maar ik dacht dat jij niet voor de inlichtingendienst werkte.'

'Wat bedoel je?' Pandrup gaat over in het Deens.

'Je noemde hem "collega".'

'Een vaste uitdrukking. Hij is een kameraad van de grote Sovjet-Unie, die ons helpt in onze rechtvaardige strijd.'

Magnus geeft eerst Stepanovitj een hand en daarna Pandrup.

'Mag ik de heren iets aanbieden?' vraagt hij in het Duits.

Ze willen graag een brandy hebben, hij bestelt zelf een biertje, en de drie mannen vinden een tafeltje in een hoek. Magnus gaat met zijn rug naar de wand zitten en met zijn gezicht naar de ruimte en naar de deur gericht. Het geeft een goed gevoel dat hij het harde materiaal van zijn pistool tegen zijn rug voelt. Ze wachten totdat de zwijgende barkeeper hun drankjes heeft gebracht en kijken hem na wanneer hij teruggaat naar het glaspoetsen achter de bar, alsof ze er honderd procent zeker van willen zijn dat hij ver genoeg weg is om hen niet te kunnen horen. Stepanovitj neemt een slok van zijn brandy en zet het glas voorzichtig op de tafel, terwijl hij oogcontact houdt met Magnus. Hij kan de leeftijd van de Rus moeilijk inschatten, maar hij is vast ergens in de dertig.

'Wat kan ik voor de heren betekenen?' zegt Magnus.

'Misschien aanstalten maken om weer terug naar Denemarken te gaan?' zegt Stepanovitj brutaal. Magnus kan zich zijn bleke ogen in het smalle gezicht herinneren. Van dichtbij zijn ze nog bleker, alsof alle kleur eruit gedraineerd is. Net zoals in de ogen van vele anderen in Spanje heeft het dagelijks leven vage rode strepen in het wit getrokken. Pandrup hangt wat op zijn stoel, terwijl hij Meyer recht aanstaart.

'En waarom zou ik dat doen?'

'Omdat het erop lijkt dat je niets hebt om over te schrijven. Je hebt in elk geval nog geen enkel artikel naar Denemarken gestuurd.'

'Misschien heb ik niets gevonden wat de moeite waard is om over te schrijven.'

'Of misschien ben je in werkelijkheid geen journalist?'

'Natuurlijk ben ik wel journalist. Je hebt zelf mijn papieren gezien.'

'Papieren? Wat zijn die waard? Daarmee kun je je kont afvegen. Journalisten rapporteren. Ze schrijven. Ze staan in contact met hun redacteuren. Wat doe jij, Magnus Meyer?'

'Bier drinken.'

Stepanovitj leunt achterover op zijn stoel en spreidt zijn armen: 'Je speelt met vuur. Je denkt dat dit voor de lol is. Ik wil je een vriendelijke raad geven en jij zit te dollen, alsof we kinderen zijn in plaats van volwassen mannen.'

'Je spreekt goed Duits. Waar heb je dat geleerd?'

'Dat gaat je niets aan.'

'Berlijn, denk ik. Je hebt een Russisch Berlijns accent. Ik kende heel wat Duitsers in Argentinië.'

'Meneer Meyer. Doe ons een plezier en ga naar huis. Anders ...'

'Anders wat?'

'Anders kunnen we niet garanderen dat we niet nader onderzoek naar u moeten doen. Dan zullen we u dus moeten verhoren. Dat is niet altijd even aangenaam. We zijn onverzettelijk in onze strijd tegen vijfdecolonnesaboteurs en spionnen. We kunnen het ons niet veroorloven om genade te tonen of niet meer alert te zijn.'

'En nu spreken we elkaar aan met u.'

'Ja. En meer kan ik niet voor u doen. U bent gewaarschuwd. We houden u in de gaten. Bedankt voor het drankje. Gerhardt, kom je?'

Ze drinken beiden hun glas leeg en staan op. Pandrup draait zich half om en zegt in het Deens: 'Je had je broer niet moeten opzoeken. Ik had het je verboden. Waarover hebben jullie gesproken?'

'Privézaken.'

'Dat hoop ik. Waarover jullie ook hebben gesproken, ik raad je aan om dat voor jezelf te houden. Je had hem niet moeten opzoeken. Dat was fout.'

'Het is mijn broer.'

'Nu ben je gewaarschuwd, Meyer. Volg de raad van mijn Russische kameraad op. Ga terug naar Denemarken. Je hoort hier niet. De goede reputatie van je broer kan je slechts tot een bepaald punt helpen. Wees blij dat je hem hebt. Anders had je hier misschien niet kalm gezeten met een biertje voor je.'

'Erg subtiel, Gerhardt.'

'Ga terug naar huis, Magnus Meyer. Laat de oorlog over aan echte mannen.'

Magnus ziet hen vertrekken. Aan de oppervlakte is hij rustig, maar hij moet zich vermannen om niet veel te snel adem te gaan halen. Hij moet toegeven dat ze hem schrik aanjagen, maar hij is ook razend op hen en put kracht uit zijn woede. Zij hoeven niet te bepalen wat hij wel of niet moet doen. Hij weet ook niet goed waarom ze hem graag zien verdwijnen, maar dat heeft vast te maken met Mads en zijn geheime operaties. Ze zijn waarschijnlijk bezorgd dat Mads hem iets heeft verteld wat hij niet had mogen vertellen. En dat is ook gebeurd. Dat hij weet dat de republiek een offensief aan het voorbereiden is in het noorden, zou goud waard zijn voor de fascisten. Dat hij weet dat een groep partizanen door de linies gaat om te saboteren is vermoedelijk ook een zak geld of een kogel waard.

Hij maakt zich plotseling grote zorgen. Misschien hebben ze Mads opgezocht? Misschien is het onbedoeld zijn schuld dat Mads verdacht gemaakt is. De hele republikeinse kant heeft angst voor saboteurs en spionnen, die de gevangenissen en kampen bevolken. De angst zou niet afnemen als er niet snel vooruitgang wordt geboekt aan de fronten. Iedereen heeft zondebokken nodig.

Hij blijft nog wat zitten en drinkt zijn biertje op, waarna hij zijn lege glas pakt en het meeneemt naar de bar om een nieuwe te bestellen, wanneer hij de stem van Joe Mercer hoort: 'Trakteer je me op een drankje, makker?'

De grote Amerikaan ziet er stoffig en vermoeid uit met zijn ongeschoren kin, maar op zijn gezicht staat een grote, brede glimlach. Hij houdt zijn hoed in de ene hand en met de andere schudt hij die van Magnus.

'Fijn om je te zien', zegt Magnus en hij geeft een teken aan de barkeeper, die twee biertjes inschenkt.

'Insgelijks.'

'Hoe was het in Madrid?'

'Constructief en lucratief. Is er vandaag warm water? Ik ben vanochtend aangekomen met een troepentransport.'

'Ja.'

'Fijn', zegt hij en hij drinkt zijn glas half leeg. 'Ben je klaar voor vertrek?'

'Wanneer?'

'Morgenvroeg. We hebben in Cartagena een afspraak met een bandiet, maar hij is te koop.'

'Er is niets wat me hier houdt.'

'En je broer dan?'

'Er is niets waarvoor ik hier moet blijven, Joe.'

'Okay, maar pak je pistool ook in. We gaan naar het land van de indianen.'

*

Cartagena duikt de dag erna op met de Middellandse Zee als een blauw, egaal tapijt erachter. Van het beeld van een zee wordt Magnus meestal vrolijk, maar hij voelt een merkwaardige rusteloze verwarring, omdat hij liever op welke plek dan ook ter wereld zou zijn dan waar hij zich nu bevindt. Mads en gedachten aan hem malen door zijn hoofd. Het komt doordat hij een afkeer van zichzelf heeft dat hij Marie niet heeft geschreven. Het komt door zijn puberachtige, romantische, maar ook zeer opwindende gedachten aan Irina en haar kleine lenige lichaam.

De treinreis vanaf Albacetes lage, grijze station naar zee was saai en hobbelig geweest. De trein had ook vertraging opgelopen, omdat een nieuwe groep vrijwilligers was aangekomen die verscheept moest worden en opgesteld om naar de arena van de stierengevechten te marcheren, waarna de stoomlocomotief werd omgedraaid en de trein naar de kust werd gestuurd, waar het hoofdkwartier van de vloot van de republiek zich bevindt.

Mercer en Meyer hebben het grootste deel van de reis gedut. Joe heeft een paar keer naar Mads gevraagd, maar hij accepteerde snel dat Magnus niet over hem wil praten. Daarentegen wuift Mercer zijn verhaal dat het goud gewoon een fabeltje is, dat vermoeide soldaten aan elkaar vertellen, of onderdeel uitmaakt van de gebruikelijke fascistische propaganda die Stalin in diskrediet moet brengen, gewoon weg. Mercers ogen beginnen te vlammen en het bloed stijgt naar zijn gezicht, dus krabbelt Magnus snel terug. Achter het wat luie uiterlijk en een easygoing Amerikaanse houding gaat misschien een gewelddadiger persoonlijkheid schuil.

Ze hebben het grootste deel van hun bagage achtergelaten in het hotel in Albacete. Magnus zegt het niet hardop, maar hij wil terug omdat hij hoopt dat Irina er zal zijn wanneer hij terugkomt. Mercer zegt dat hij over enkele dagen een afspraak met drie Amerikaanse collega's heeft. De treinverbindingen vanuit Cartagena zijn ook prima naar Valencia en Albacete, een stad die, zegt Mercer, er zeer trots op is dat het als vierde stad in Spanje een spoorweg kreeg. Dat is een van de redenen dat de brigades hun hoofdkwartier daar hebben ondergebracht.

Joe is een goudmijn op het gebied van de vreemdste wetenswaardigheden, denkt Magnus en hij pakt zijn versleten gele tas op, waarin zijn geladen revolver zit. Hij weet dat Mercer ook bewapend is. Hij heeft hem zijn Coltpistool laten zien, dat hij in een op maat gemaakte schouderholster onder zijn losse jas heeft hangen. Het is een 9-mm met zeven schoten in het magazijn.

Cartagena werkt deprimerend op Magnus. Overal getuigen de kapotte gebouwen en hopen steen van de herhaaldelijke luchtbombardementen van het Duitse Legioen Condor. Het is vreemd om hoge woonhuizen te zien waarvan de hele gevel ontbreekt, zodat je in de verlaten huiskamers, afgebroken keukens en verweerde badkuipen kunt kijken. Hij vindt dat ze op buitenproportionele poppenhuizen lijken, waar ooit echte mensen in hebben gewoond. Het is de belangrijkste haven van de republiek, dus die is veel te vaak gebombardeerd, maar de bommen hebben de stad net zo vaak geraakt als de haven.

Er staan lange rijen bij de weinige levensmiddelenwinkels die open zijn, en er zijn veel magere en armoedige vrouwen en kinderen. Borden geven de prijzen aan die de regering als bovengrens heeft gesteld voor de meest basale voedselwaren, maar in werkelijkheid werkt dat waarschijnlijk niet. Andere oproepen waarschuwen dat illegale handel en hamsteren gestraft zal worden met de dood. Er zijn ook veel soldaten in diverse uniformen, maar de meesten dragen het blauwe van de vloot. Honden wroeten in vuilnishopen, en de stank van urine en ontlasting hangt overal en vermengt zich met de zoute geur van de zee en een wat weeïge geur van verrot zeewier. Overal in de ruïnes scharrelen vette ratten rond.

Ze vinden een hotelletje aan de Calle Mayor in de buurt van een restaurant dat Columbus heet, waar ze erin slagen om voor een te hoge prijs twee spiegeleieren met witte bonen in tomatensaus te krijgen. Joe Mercer kent de plek blijkbaar, maar hij verklaart zich niet nader.

Er ligt een bruine houten vloer in het café, er staan witte marmeren tafels op zwarte gedraaide smeedijzeren poten en aan de wanden hangen zwart-witfoto's met de grote stierenvechters uit vervlogen tijden. Tegen de achterwand is een grote stierenkop bevestigd aan een bruine houten plaat met een messing bordje.

Zijn naam was Barbudo en hij werd zondag 24 juni 1923 vermoord. De moord op Barbudo is vastgelegd op een zwart-witfoto, die ingelijst onder de massieve stierenkop hangt. De matador zit boven op de hoorns van de stier en zijn zwaard steekt halverwege in Barbudo's bloederige nek. Zijn voeten zijn vrij van de grond, dus hij hangt zwevend als een elegante engel in zijn lichte kleding, voor eeuwig vastgelegd in de triomf van de dood.

Het café heeft een korte bar, waaraan twee mannen in uniformen van de vloot anijs met water staan te drinken terwijl ze op zachte toon ruziën. De zwarte broeken, witte overhemden en zwarte gilets van de obers zijn groezelig en glimmen omdat ze versleten zijn. Het ruikt er naar zwarte tabak en mannenzweet, maar Magnus en Joe blijven zitten om hun bier te drinken. Er zijn net zo veel obers als klanten.

Wanneer hun ober met nog een biertje komt, merkt Magnus op dat er weinig gasten zijn. De ober kijkt hen met ogen als spleetjes aan. Hij heeft een gekarteld litteken op zijn linkerwang. Zijn dunne haar is recht achterover gekamd, zodat de restanten in het vet gesmeerde haar netjes naast elkaar liggen, net zo regelmatig als een net gewiede bietenakker.

Zijn stem is diep en hees: 'Het is oorlog, mijn heren. De mensen hebben geen geld. Er is hier niets anders te doen dan thuiszitten, naar de radio te luisteren en te wachten totdat de oorlog is afgelopen. Als je nog steeds een dak boven je hoofd hebt.'

Joe kijkt voortdurend op de klok. De ronde witte klok met de Romeinse cijfers en de zwarte wijzers die boven de bar in het café hangt, is op een middag om iets voor half vijf stil blijven staan. Buiten is het donker geworden.

Rond acht uur komt er een jonge man binnen. Hij is klein en erg mager met een beginnende donkere baard. Hij heeft behoorlijk lang haar en een blauwe overall aan met een smalle riem om zijn middel en de gebruikelijke alpargata's aan zijn voeten. Zijn ene oog zit dicht door de etter. Met het andere kijkt hij rond en wanneer hij Joe en Magnus ziet, probeert hij te glimlachen. Hij mist vier voortanden in de bovenkaak, terwijl zijn ondergebit is gereduceerd tot zwarte stompjes. Hij krabbelt naar hun tafel, schuift een stoel naar achteren en gaat zitten.

'Is een van jullie de yankee?' vraagt hij in het Spaans. Joe Mercer kijkt naar Magnus, die met zijn hoofd naar Joe knikt en zegt: 'Dat is señor Mercer, maar hij spreekt geen Spaans, dus ik help hem.'

'*Muy bien*, señor. Vraag hem alsjeblieft eerst naar het geld.'

'Hij vraagt naar geld, Joe.'

'Vraag de klootzak of hij een bericht voor me heeft.'

'Mijn kameraad wil weten of je een bericht voor hem hebt.'

'Dat heb ik.'

'En?'

'Het geld, señor.'

Dat verstaat Joe blijkbaar. Hij haalt een grote envelop uit zijn binnenzak, opent hem half en laat de magere, bange jonge man de vele pesetabiljetten in de envelop zien, waarna hij hem weer dichtdoet en net doet alsof hij hem weer in zijn zak wil stoppen.

'Don Irribarne wil de yankee morgenochtend klokslag negen uur op de top van de heuvel ontmoeten. Jullie moeten alleen komen.'

Magnus vertaalt en Joe zegt: 'Heeft hij morgen wat ik nodig heb?'

'U kunt tegen uw kameraad zeggen, señor, dat de informatie geregeld is en dat de prijs is zoals eerder afgesproken', zegt de man, wanneer hij de Spaanse vertaling van Meyer heeft gehoord.

Joe geeft de envelop aan de jonge man. Hij neemt hem gretig aan, staat snel op en verdwijnt als een lenig klein knaagdier door de deur.

'Voel je de behoefte om dit uit te leggen, Joe?' zegt Magnus rustig en hij neemt een slok van zijn bier.

'Er zijn dingen die je niet hoeft te weten. Jij tolkt. De rest kun je met een gerust hart aan oom Joe overlaten.'

Magnus leunt over de tafel. Hij zit vol vragen en twijfel, maar voordat hij zijn mond kan openen, wordt de lucht uiteengereten door het geloei van een luchtalarm, met hoge en lage tonen, dat uit de luidspreker vlak voor de deur van het café op de hoek van de zijstraat komt. Hier staat een groepje mensen te wachten tot de bakker opengaat. Door het geloei krimpt een van obers ineen, zodat hij het grote bierglas laat vallen dat hij aan het afdrogen was. Het valt op de rand van de bar en verder op de vloer, waar het misschien in duizenden stukjes uiteen valt. Ze kunnen niets boven het geloei van de sirene met de hoge en lage tonen uit horen.

'U kunt maar beter naar een schuilkelder gaan, mijne heren', zegt hun ober. De zweetparels staan op zijn gezicht. Zijn stem is geforceerd rustig, maar vooral wanhopig. 'We gaan toch dicht.'

Magnus gooit een paar bankbiljetten op tafel. Hij voelt zijn hart sneller kloppen. Joe is ook opgestaan. Ze lopen op een drafje de deur uit achter twee jongere obers aan, die zich overtuigend door de donkere stad bewegen. De anderen moeten blijkbaar achterblijven om af te sluiten. Ergens staan twee armoedige meisjes van ongeveer tien jaar onder een stenen bruggetje naar de door de maan verlichte hemel te kijken. Hun gezichten zijn verstijfd van angst. De ober pakt de hand van het ene kind vast en Magnus die van het andere. Hij is zweterig en koud tegelijk, maar het kind rukt zich los en rent samen met het andere kind in tegengestelde richting en verdwijnt de duisternis in. Zijn ze dakloos, of zijn ze gewoon niet in staat om zich te oriënteren in de duistere stad? Of zijn ze bang voor wat de volwassenen mogelijk met hen gaan doen?

Het schelle geluid van de sirenes komt uit verschillende richtingen en het overstemt het geluid van rennende voeten, wat vreemd schel klinkt op de straatstenen. Mensen zien eruit als schaduwen tussen de witgrijze huizen, terwijl ze voorovergebogen dicht langs de gevels rennen; allemaal in dezelfde richting. Ergens struikelt een oude vrouw, maar niemand blijft staan om haar overeind te helpen, ook al jammert ze luid. Er is nog geen geluid van de bommenwerpers te horen wanneer ze de ingang van de schuilkelder bereiken die uit de berg in de stad bij de haven is gehakt.

Binnen ruikt het naar angst, zweet en zwarte tabak. Er brandt een zwak licht in de ruw uitgehakte ruimtes. De kale rotsen zijn vochtig in de lange gangen, waaruit de schuilkelder bestaat. Er zijn net zo veel mensen als Magnus had gevreesd, maar Joe en hij vinden een plaats op de houten bank bij de ingang, waar een beetje meer frisse lucht is. Gezinnen zitten in groepen bij elkaar met lege gezichten. De kinderen klampen zich aan hun moeders vast. De meesten zijn behoorlijk mager en dragen armzalige kleren. De mannen roken en ergens gaat discreet een fles rond. De schuilkelder lijkt oneindig ver de berg in te lopen. Schaduwen dansen tegen het ruwe zwarte plafond met een bleekgele gloed. Mannen in zwarte jassen met rode banden om hun arm lopen twee aan twee door de grotten te inspecteren, terwijl ze met de lichtkegels van grote staaflantaarns over de uitgeputte, bleke gezichten schijnen. De stank is het ergste, denkt Magnus. De stank van verval, dood, angst en nederlaag.

'Gadverdamme', zegt hij in het Deens. Joe Mercer zucht ook, wanneer hij zegt: 'Ik weet niet wat je zegt, maar ik geloof dat ik het begrijp.'

Hij geeft Magnus een sigaret, geeft hem vuur en gaat verder: 'De wereld heeft gehoord over de Baskische stad Guernica, maar Cartagena was de eerste stad in de wereldgeschiedenis die onderworpen werd aan een massabombardement vanuit de lucht. In november 1936 werd de stad geraakt door een fucking massieve aanval en er kwamen vele, vele mensen om. Er kwam een hele golf van die verdomde Heinkels met gewone bommen en brandbommen, die het Duitse opperbevel graag wilden uitproberen. Laten we die troep eens uitproberen om te zien wat het met mensen doet; zo denken die klootzakken. Er was nog geen schuilkelder, want niemand had verwacht dat ze zo'n heel gewone stad zouden gaan bombarderen. Veel mensen vluchtten en zijn niet teruggekomen. Het is een stad vol angst en spoken, die ronddwalen in de smalle steegjes en zich schuilhouden in de ruïnes.'

Magnus kan de woede en verbittering van Mercer in het flikkerende licht zien wanneer hij over de kinderen en hun bange, levenloze ogen praat; en over de honger, die in vele huizen geleden wordt. Ze leven van slecht, weinig voedzaam brood, ezelvlees en witte bonen of linzen. Maar de stad is de reddingslijn, waar voorraden vanuit de Sovjet-Unie naar de behoeftige republiek aankomen. Die moet in stand worden gehouden.

'Maar Magnus. Het is een nieuwe vorm van oorlog, die we nog nooit eerder hebben gezien. Vliegtuigen tegen onbewapende burgers. Ze hebben nog maar net ontdekt hoe gruwelijk, maar ook hoe effectief het is. Als de grote oorlog ooit tijdens ons leven komt, zul je steden zien branden alsof de duivel het vuur zelf heeft aangestoken. Het is geen oorlog tussen soldaten. Het is een oorlog tegen moeders en kinderen. Daar word ik woedend van.'

'Dat begrijp ik, Joe. Ik wist gewoon niet dat je zo veel gevoel had voor je medemens.'

'Fuck, nee. Wat heeft dat ook voor nut? Wat kun je doen? Je hebt gelijk. Het is tijdverspilling, maar je ziet verdomme zo veel.'

Dan gaat hij toch verder: 'Want die Duitse klootzakken nemen geen genoegen met de haven, Magnus. Ze bombarderen alles. Ze zeggen dat er minstens veertig aanvallen hebben plaatsgevonden. Ze gebruiken ook de nieuwe Duitse He 111-bommenwerpers, Junkers met brandbommen en de huilende duikbommenwerpers, de Stuka. De Duitsers hebben er fluiten op gemonteerd, zodat ze huilen als wolven wanneer ze boven steden of soldaten een duikvlucht maken. Ze gooien met bommen die tot vijfhonderd kilo wegen. Ik heb ze op afstand gehoord bij Madrid. Ze jagen je de fucking stuipen op het lijf. Ze worden nog niet zo veel gebruikt, maar dat komt wel. Weet je wat erg is? De nachtelijke bombardementen. Oorlog wordt verdomme overdag gevoerd, maar ze komen graag 's nachts met net zo veel maanlicht als nu. Maar weet je wat het ergste is? Dat dacht ik wel. Maar dat is dat ik mijn kloteheupfles in het hotel heb laten liggen.'

Magnus glimlacht, maar hij reageert niet. Ze zitten zwijgend te roken.

In de grot horen ze gemompel en een collectief gezucht boven de voeten en lichamen die onrustige bewegingen maken, alsof ze allemaal deel uitmaken van een groot gemeenschappelijk organisme, dat de ademhaling en het bloed deelt. Het is verbazingwekkend hoe snel je gewend raakt aan de stank van verval en dood. Het luchtalarm is gestopt, dus ze kunnen de luchtafweer boven de stad horen, ook al horen ze geen vliegtuigen of explosies. Misschien schieten ze gewoon, omdat het een soort veilig gevoel geeft en het idee dat ze iets doen.

De eerste knallen zijn te horen als holle dreunen en voelen aan als licht getril in de rots. De knallen klinken enkele minuten lang regelmatiger en echoën in de rots, maar vooral in de mensenmassa die elke keer beeft wanneer een nieuwe explosie in de verte en toch zo dichtbij rommelt. Magnus kan zich voorstellen wat ze denken. Is het mijn huis of dat van de buren?

Het wordt stil. Magnus leunt met zijn hoofd tegen de rotswand achter zich en probeert te denken, maar er is niets anders dan angst. Er klinkt kindergehuil en het gesnik van een vrouw, maar verder is de menigte één gemeenschappelijke ademende stilte. Langzaam beginnen de mensen samen te praten. Het is een zacht gemompel, dat zich voortplant en veilige klanken rond de verstarde lichamen vormen.

Joe steekt twee nieuwe sigaretten op, reikt Magnus de ene aan en zegt: 'Jij denkt dat dit gaat om helden en schurken, om vrijheid en tirannie. Om socialisme of communisme of het fucking fascisme. Dat is niet zo. De mens is een gierig wezen en zal bovenal aan zichzelf denken. Ideologieën komen en gaan, Magnus. Eén ding bestaat al vanaf het begin. Dat is criminaliteit.'

'Waar wil je naartoe, Joe?'

'Hou je bek, Magnus, en luister naar wat ik heb te zeggen. Wie waren de eerste criminelen ter wereld? Eva, die met de appel lokte? Of Kaïn die zijn broer vermoordde? Wie zorgen er volgens jou voor dat alles blijft draaien, zelfs tijdens een oorlog? Dat doen de criminelen. Geld spreekt en denk jij echt dat de onderwereld is verdwenen, alleen omdat we midden in een burgeroorlog zitten? Eens een misdadiger, altijd een misdadiger. Onze vriend van vanavond komt uit die wereld en is gestuurd door iemand die hoger in aanzien is. Je kent het systeem toch? Je bent zelf een ingewijde. Je hebt gewerkt voor Don Giacomo. Ik heb een misdadiger nodig, geen politieke heilige. Daarom kan ik jou gebruiken. Jij kunt je mond houden, je kent de wet van *omertà*, en je weet wat er met de mensen gebeurt die de wet van het zwijgen schenden.'

Magnus schuift wat van hem af en kijkt hem met een blik van verbazing en grote afkeuring aan, omdat een reeks herinneringen zich ongevraagd aan hem opdringt. Hij hoort dat zijn stem vreemd klinkt, wanneer hij vraagt: 'Dus onze ontmoeting op de luchthaven in Valencia was geen toeval?'

'Ja en nee, partner. Ik zag je in het vliegtuig, hoorde je Spaans spreken en dacht meteen: dit is mijn man. Hier is de tolk die ik nodig heb. Het was net alsof ik de ontbrekende aas voor een royal straight flush trok. Dat gebeurt hooguit één keer in je leven, maar wanneer de kans zich aandient, pak je hem met beide handen aan.'

'Ik heb je nooit eerder gezien.'

'Nee, maar ik jou wel. Je was lijfwacht voor Giacomo toen hij een ontmoeting had met mijn *boss*. Dat was in een Italiaans restaurant in Chicago. Ken je die plek nog? Er was een grote spiegel achter de bar. Dat was een doorkijkspiegel.'

Magnus knikt.

Hij kan zich de ontmoeting nog wel herinneren. Giacomo en zijn mannen hadden veel gesproken over het risico waarmee een reis naar Chicago gepaard ging voor de zakelijke gesprekken, maar blijkbaar hadden ze voldoende garantie voor hun veiligheid gekregen. Magnus had aan de ene kant van het verder lege restaurant gestaan en had toestemming gekregen om zijn wapen bij zich te houden, terwijl een lijfwacht van de Chicagogroep aan de andere kant had gestaan. Bovendien hadden ze gijzelaars uitgewisseld, die zich op veilige adressen in respectievelijk New York en Chicago bevonden. Magnus was niet geïnformeerd over de inhoud van de zakelijke ontmoeting en wie de man uit Chicago was. Er werd zacht gesproken aan tafel en hij kon niet horen wat ze zeiden en dat wilde hij ook niet. Dat was te gevaarlijk en het ging hem niet aan. Het was altijd een goede regel om niet meer dan het hoogst noodzakelijke te weten. Hij moest gewoon bereid zijn om voor Giacomo te sterven of bovenal eruit te zien als iemand die daartoe bereid was, zodat niemand de behoefte had om iets onbedachtzaams te doen.

Joe kijkt naar hem en last een pauze in, terwijl hij Magnus laat terugdenken, waarna hij verdergaat: 'Mijn boss was erg paranoïde. En daar had hij goede redenen voor, zou later blijken. Zijn eigen broer vermoordde hem met een pianosnaar, maar dat is een ander verhaal. Net als alle anderen verdienden ze veel geld tijdens de drooglegging. Het waren goede jaren, totdat die klootzak van een Roosevelt er een einde aan maakte. Ik stond naar je te kijken en vroeg wie je was. Je zag er *tough* uit. Cool op een andere manier dan de *dago's*. Je was blond. Die spaghettivreters namen niet zo veel coole blonde jongens aan, toch, Magnus?'

'Nee. Waarschijnlijk niet. En wie was jouw boss, Joe? Ik weet het niet meer.'

'Dat is niet belangrijk. Hij is dood zoals ik zei, maar we opereerden vanuit Chicago, en verder hadden we belangen in Kansas. We hadden geen onenigheden met jullie, dus het was puur zakelijk. Dat is nu niet meer belangrijk.'

'Wel als ze betrokken zijn bij onze zaak. Ik heb het je eerder ook al gevraagd. Zijn er andere mensen die een aandeel verwachten?'

'Nee, Magnus. Die zijn er niet. Die tijden zijn voorbij.'

'Die tijden zijn nooit voorbij.'

'Deze wel.'

'En hoe ben jij dan in contact gekomen met de "familie" hier in Spanje?'

'Ik heb mijn connecties. Vertrouw mij nou maar, partner.'

'Dat is wel een beetje lastig, hè? Wat is waar en wat is juist?'

'De waarheid is de leugen, die jij tot waarheid maakt. Wat is dat in godsnaam voor vraag?'

'Hou op met die onzin, Joe. Wie ben je eigenlijk? Hoe zit dat met dat verhaal over jouw vooraanstaande vader in Chicago met relaties met vooraanstaande mensen in Spanje?'

'Fuck, Magnus. Je familie is wat je ervan maakt. Ik heb het

verhaal iets mooier gemaakt dan het is. Een kameraad op school had zo'n vader, maar ik heb de gouverneur wel ontmoet. Dat is echt waar. Ik was reporter. Ik ben een goede journalist, hoewel het in eerste instantie was bedoeld als dekmantel. En ooit zal ik een grote roman schrijven. Dat zeg ik niet zomaar. Met geld op zak ga ik in een huis aan de Stille Oceaan een vervloekt goede roman schrijven. Reken daar maar op, partner. Nou, ik kreeg een interview met de gouverneur en we konden het goed met elkaar vinden, dus ik stelde hem aan de beste hoeren in de stad voor. Hij had er het liefst twee in één keer. En in Chicago kun je krijgen wat je wilt, als je er maar voor kunt betalen. Ik nam wat foto's van hun ontmoetingen en sindsdien zijn we *pals* geworden.'

'Totdat hij stierf.'

'Dat klopt. Totdat hij stierf.'

'Onder geheimzinnige omstandigheden?'

'Zo gaat het tijdens oorlogen.'

Magnus schudt zijn hoofd en zegt: 'Je bent een rotvent, Joe. Maar op de een of andere manier vertrouw ik je nu meer dan eerder, toen je een of andere zieke komedie speelde. Het slaat nergens op, maar dat vind ik. Als jouw vader geen vooraanstaand man in Chicago was, wie was hij dan wel?'

Joe schatert het uit en slaat op zijn zak: 'Een drankje zou fijn zijn, shit. Mijn vader? Mijn moeder wist het niet zeker. Ze was enkele goede jaren de koningin van de nacht. Totdat de fles haar haar uiterlijk ontnam, was ze zeer gewild onder de gentlemen, die graag wilden betalen voor het gezelschap van een dame, maar wanneer ze dronken werd, zei ze altijd dat mijn vader een waardeloze gokker op een van de laatste pisschepen was die op de modderige wateren van de Mississippi voeren. Hij noemde zich Billy Joe Blackjack, moge zijn ziel verrotten in de hel, en hij stierf met drie schoten in zijn maag toen hij een aas te veel trok, omdat hij en Jack Daniels een iets te hechte vriendschap hadden, dus zijn hand was niet zo zeker meer wanneer hij de kaarten schudde. Hij was blijkbaar een klootzak, maar mijn moeder kreeg bijna altijd tranen in haar ogen wanneer ze over hem praatte. Zo, nu weet je het. Er zijn niet veel mensen die dat weten. Je bent godsamme erger dan een priester.'

'Hoe heet je moeder, Joe?'

'Mijn moeder? Ze heette Dolly. Ze was in haar jonge jaren geloof ik ook een soort variétéartieste. Ze zeggen dat ze heel knap was, maar daar weet ik niets van.'

'Dat denk ik wel. Ze klinkt als een nette dame.'

'Echt waar? Misschien. Ik had het slechter kunnen treffen. Ik denk trouwens dat het gestopt is buiten. Dan kunnen we uit dit hol gaan en een drankje nemen.'

'En morgen? Is dat familie?'

'Van Billy Blackjack? Fuck. Dat betwijfel ik.'

'Nee. Die andere familie, die jij en ik hebben gediend in de States.'

'Een soort. Niet echt, maar het lijkt er wel op.'

'Waar ken je ze van, Joe?'

'Luister. Dat is het eindsignaal. Hoor je dat? Het was vannacht blijkbaar niet zo erg. Laten we ervandoor gaan. Het zal je allemaal wel duidelijk worden als het zover is.'

'En dat moet ik geloven?'

'Oom Joe kun je altijd vertrouwen', zegt hij en hij slaat Magnus overdreven op zijn schouder, waarna hij opstaat en zich een weg naar de uitgang baant. Het eindsignaal van het luchtalarm zorgt voor een collectieve opluchting die door de menigte gaat, die opeengepakt in de schuilkelder in Cartagena zit.

20

Magnus kan niet meer uit Joe trekken wanneer ze een paar drankjes in Columbus nemen. Het café zit vol mannen en een paar vrouwen, die er ook behoefte aan en geld voor hebben om de zenuwen te onderdrukken, ook al zijn het vast de officieren in uniform die de rekening betalen.

Het ruikt naar explosieven in de stad. Er hangt stof van de bakstenen in de lucht, maar de meeste Duitse bommen zijn blijkbaar in zee en aan de rand van de stad terechtgekomen. Ze kunnen ook de rook van branden ruiken, die door restanten van de hete granaten van de luchtafweerbatterijen zijn aangestoken, maar de ober zegt dat Cartagena er vannacht genadig vanaf gekomen is. Joe heeft het idee dat er tijdens het nachtelijke bombardement maar drie of vier Duitse machines een formatie hebben getest. Er zaten niet van die rottige brandbommen bij, die als glinsterende zilveren sterren naar beneden vallen om daarna te exploderen en fosfor om zich heen verspreiden.

'Spanje is één groot gebied waar fucking oorlogsexperimenten worden uitgevoerd', herhaalt hij vloekend bij elk nieuw drankje dat hij naar binnen giet.

Magnus houdt het bij bier, terwijl Joe gin met maar een beetje tonic erin drinkt. Hij vloekt ook diverse malen over het feit dat de luchtmacht van de republiek er nooit is wanneer het nodig is, ook al is er slechts op enkele kilometers afstand van Cartagena een luchtbasis en hebben de Russen twee bevoorradingsbases gebouwd. Dus waar zijn ze in vredesnaam mee bezig? Zijn stem is luid en klinkt zo langzamerhand nasaal. De andere gasten werpen hun blikken toe, maar blijkbaar is de overduidelijke wanhoop van Mercer zo'n veel voorkomende uiting in de door oorlog vermoeide stad, dat niemand veel aandacht besteedt aan zijn gedrag.

Magnus geeft het op om meer uit de grote Amerikaan te trekken, die een slecht humeur heeft en al snel een behoorlijk aangeschoten indruk maakt, en ze zeggen elkaar goedenacht.

De volgende dag is het mooi en bijna zomers weer, en Joe Mercer heeft een veel beter humeur, alsof de gezegende zon en een sterke geur van zout water zijn zwaarmoedigheid en gal hebben opgelost. Hij gooit nog steeds niet om zich heen met informatie wanneer ze slappe koffie drinken en opnieuw een duur spiegelei met witte bonen in tomatensaus eten, maar hij vertelt wel dat de man die ze gaan ontmoeten Ramon Irribarne heet, en hij vertelt wat over zijn verleden.

Ze lopen naar de berg.

In de zon ontdooit Joe steeds meer en hij praat. Als Ramon de noodzakelijke informatie kan verschaffen over de locatie van de twee kisten met goud, krijgt hij meteen de duizend dollar die Joe in zijn schoudertas heeft zitten, die hij uit Madrid heeft opgehaald. Daarna zal er tienduizend dollar worden overgemaakt vanuit de vs naar een bankrekening in Parijs op basis van een gecertificeerde kredietbrief. Irribarne heeft geen schijn van kans om het goud uit het republikeinse deel van Spanje te vervoeren en hij wil gewoon een startkapitaal hebben om een nieuw leven in Frankrijk of de vs te beginnen, waar hij een familielid heeft wonen. Het is een vermogen voor hem als je bedenkt dat de Spaanse peseta enorm laag staat en de koers alleen maar blijft dalen.

'Hij leeft in geleende tijd', zegt Mercer. 'Hij wordt gezocht in Barcelona voor de moord op een havenbewaker. Het is wel wat belachelijk dat ze hem juist willen pakken voor die moord, als je weet wat hij verder heeft uitgehaald als bendeleider hier in Cartagena, maar zijn aantal mensen is uitgedund en een andere "familie" heeft de macht over de haven overgenomen. Hij heeft de strijd verloren, maar een van zijn mannen heeft geholpen bij het lossen van het goud. Die leeft niet meer. Aan het Spaanse goud gaan mensen dood.'

Ramon Irribarne kan niemand meer omkopen om niet gearresteerd te worden, dus nu wil hij samen met enkelen van zijn naasten ontsnappen. Irribarne moet Mercer wel vertrouwen en zoals Joe zegt, is de eer van de dief het belangrijkste wat er is, als je wilt overleven. Joe moet niet op slechte voet komen te staan met Irribarnes familielid in de States. Het heeft wat gekost om alle informatie over Irribarne te krijgen, maar Joe weet zeker dat het geld goed besteed is. Ramon Irribarne spreekt een beetje Engels en begrijpt waarschijnlijk meer, maar wil natuurlijk het liefst zijn eigen taal spreken.

Magnus krijgt de informatie terwijl ze de berg oplopen, die La Conception heet. Hij maakt Joe een beetje aan het lachen, wanneer hij zegt dat het 'bevruchting' betekent, maar in de religieuze betekenis van het woord, de onbesmette versie.

'Zou hij vandaag de dag niet Lenin of de fucking Stalinberg heten?' zegt Joe proestend.

Ze lopen over een smal paadje omhoog, waarvandaan ze luchtafweerbatterijen op de toppen van de heuvels aan de andere kant van de rustige baai zien, die de natuurlijke haven van Cartagena vormt. Vier grijze oorlogsschepen liggen voor anker. Er zijn schijnwerpers op gemonteerd. Het is hier duidelijk wat warmer dan in het binnenland, hoewel zware, zwarte wolken aan de horizon boven zee aankondigen dat er weersverandering en regen op komst zijn. In de bergen in het noorden is de eerste sneeuw allang gevallen. De kou is binnengedrongen. Bevindt Mads zich daar misschien en hoe gaat het met hem? Die gedachte is ondraaglijk en Magnus probeert het van zich af te zetten.

Onder hen bevindt zich de schuilkelder in de rots, waar ze de avond ervoor beschutting zochten. Mercer is behoorlijk buiten adem wanneer ze op de top aankomen, waar ze kunnen uitkijken over de haven, de zee en een gele kerk, die aan de noordelijke kant half lijkt te zijn ingestort, alsof hij is geraakt door een van de bommen van de fascistische vliegtuigen. Hij leunt bijna tegen de Conceptionsberg aan. Er zitten gaten in het dak van de vierkante toren. Hij lijkt meer op een schanstoren van een middeleeuwse burcht. Grote zwarte kraaien slaan krijsend met hun vleugels rond de kloof. De kerk is net als in andere gebieden van de republiek niet in gebruik. Hij ziet eruit alsof hij al eeuwenlang in Cartagena staat en misschien de eerste kathedraal van de stad is.

Rond de oude kathedraal liggen ineengedoken kleine huisjes. Magnus ziet voor een van de huisjes een vrouw kleding schrobben in een teil. Af en toe slaat ze erop met een dikke stok. Ze heeft een dik achterwerk, maar haar kleren hangen losjes om haar heen, alsof ze al lange tijd niet voldoende te eten heeft gekregen. Een man met een plat gezicht en een donkere snor zit zwijgend naar de wasvrouw te kijken, terwijl hij een pijpje rookt.

In het havengebied is een groepje mannen bezig een Sovjet-Russisch vrachtschip te lossen. Ze worden in de gaten gehouden door acht gewapende Guardia de Asalto's, die op een paar meter afstand staan. Een grote kraan tilt langzaam een tank over de reling en zet hem op de kade neer. De kleinere kisten worden weggedragen door havenarbeiders. De grotere worden op wagens met grote houten wielen geladen, die door muildieren worden getrokken. Meyer heeft het gevoel dat hij de zweepslagen hoort op de gespannen, zwarte ruggen, die de wagen in beweging duwen. Een officier van het gewone republikeinse leger houdt de hele operatie in de gaten.

Magnus en Joe zien tegelijkertijd hun contactpersoon.

Een eindje verderop staat een man bij een gammel hek. Hij is lang en mager en draagt een kaki uniform, dat er bijna uitziet alsof het zelfgemaakt is, maar hij heeft een pistool op zijn rechterheup in een gesloten holster en een bandelier over zijn borst. Hij heeft lange laarzen aan, die zwart glimmen in de zon. Zijn gezicht is pokdalig, maar eigenlijk wel aantrekkelijk, met een rechte neus, een hoog voorhoofd onder donker golvend haar en opvallende jukbeenderen. Zijn ogen zijn verrassend groen. Hij straalt een combinatie van een soort Iberische elite en een op de loer liggende brutaliteit uit, waardoor Magnus blij is dat hij de revolver tegen zijn rug kan voelen, waar hij hem in de boord van zijn broek heeft gestopt. De leeftijd van Irribarne is tamelijk moeilijk in te schatten, maar Magnus gokt dat hij ergens midden dertig is. Hij ziet er nog goed uit en heeft de veerkrachtige bewegingen van een bokser, wanneer hij met uitgestoken hand op hen afloopt.

Mercer heeft hem verteld dat hun contactpersoon zijn criminele loopbaan was begonnen toen hij dertien was, zijn eerste moord had gepleegd als vijftienjarige en de macht over de familie overnam toen hij begin twintig was, en het hoofd werd vermoord in een territoriumgevecht met een groep die uit Valencia kwam omdat ze graag aandeel wilden krijgen in de beschermingsmarkt in Cartagena.

'Ramon is een *tough cookie*', zoals Joe een paar keer heeft gezegd.

Magnus gelooft hem wanneer hij voor het eerst in de groene ijsogen kijkt. Hij vraagt zich af waar de lijfwacht van Irribarne is. Hij is niet echt een man die alleen komt, ook al treffen ze elkaar juist op de top van een berg, zodat geen van hen extra mensen kan verbergen. Er zijn open vlaktes om hen heen. Of hij komt misschien juist alleen omdat hij zijn reisverzekering niet met anderen wil delen, op enkele allernaasten in de familie na, biologisch of niet. De oorlog haalt bijna alles overhoop en niets is zoals het was. Magnus ziet al snel een gedrongen jongere man. Hij staat iets achteraf bij een paar grote struiken onder een misvormde palmboom. Hij is ook slecht verkleed, als een republikeinse militiesoldaat in een blauwe overall met een smalle riem. Vanwege de oorlog kan hij zijn pistool in een holster op zijn heup dragen. Hij heeft ook een karabijn, die op zijn elleboog rust.

'Je hebt artillerie meegenomen, Don Ramon', zegt Joe in het Engels.

Voordat Magnus het kan vertalen, antwoordt de Spanjaard in snel Spaans met het accent dat sommige Spanjaarden uit Andalusië hebben. Het klinkt een beetje als het Spaans dat Magnus uit Zuid-Amerika kent. Het is de Spaanse taal waarmee de conquistadores op reis gingen, denkt hij. De harde mannen uit de zonovergoten vlaktes in Extremadura of Andalusië. Mannen met een huid en ziel van leer.

'Je moet je in deze tijden verzekeren, Don Mercer. Wie is jouw vriend?' Magnus steekt zijn hand uit. Hij voelt het eelt op zijn handen. De man loopt als een bokser en hij heeft de vuisten van een bokser.

'Don Ramon Irribarne. Mijn naam is Magnus Meyer. Ik ben Joe Mercers partner en vriend en ik spreek uw taal. Ik heb de eer om te helpen, zodat misverstanden van welke aard dan ook niet zullen ontstaan.'

Ramon laat zijn hand los. Zijn ogen zijn klein, maar verbluffend groen en rustig, en ze houden de blik probleemloos vast, wanneer hij zegt: 'U spreekt zelfs uitstekend Spaans, maar met een accent zoals de mensen aan de andere kant van de zee, wat niet zo gebruikelijk is voor een, wat zal ik zeggen, buitenlander.'

'Gringo?'

'Gringo! Waarom niet? Zeer toepasselijk.'

'Ik heb het in Argentinië geleerd.'

'Dat verklaart alles.'

Hij zwijgt even, waarna hij zich half omdraait naar Joe en zegt, terwijl Magnus ondertussen zo goed hij kan alles vertaalt: 'Ik dank je voor onze samenwerking en we hebben weinig tijd. Ik moet deze stad snel verlaten en het liefst ook dit geplaagde en ongelukkige land, waar ik helaas ben geboren. Ik verkoop de waren voor een lage prijs, maar het is ook een eerlijke prijs, wanneer je denkt aan de ongunstige tijd en die kloteoorlog, die alle mogelijkheden om onder normale omstandigheden zaken te doen verpest. Ik weet dat Don Mercer een man van eer is, maar ik moet u vragen om het geld en de kredietbrief te tonen, daarna kan ik de waren laten zien, maar ik kan niet behulpzaam zijn bij het transport.'

Joe hangt zijn schoudertas op zijn buik en opent de leren gespen. Magnus ziet dat Ramon ietwat verstart. Achter het coole uiterlijk gaat een zeer nerveuze man schuil. De zweetdruppels staan op zijn gezicht, ondanks de koele en toch milde wind van zee. De jongere man is een stap dichterbij gekomen, maar Magnus ziet dat hij net zo veel in de gaten houdt of er geen andere mensen de Berg der Bevruchting op komen. Hij dekt hun flanken af. Magnus voelt opnieuw zijn revolver als een veilige druk tegen zijn rug.

Joe heeft de tas opengemaakt en laat hem zien aan Ramon, die de Amerikaanse stapels dollars ziet. Het zijn bankbiljetten van tien en twintig. Joe knikt uitnodigend en Ramon pakt een willekeurig stapeltje en laat het ervaren door zijn vingers gaan, zodat hij er zeker van is dat het stapeltje bankbiljetten bevat en niet gewone velletjes papier. Hij glimlacht en geeft het geld terug.

Joe haalt een dikke elegante envelop uit zijn schoudertas tevoorschijn. In de envelop zit een brief. Die is ook van deftig en mooi handgemaakt papier. Er staat BANK OF AMERICA en een adres als briefhoofd op, een tekst in het Engels en het Spaans over dat de drager van de brief het recht heeft om 10.000 US dollars op te nemen. Er staan een rekeningnummer en een wachtwoord op, dat gebruikt kan worden bij een eventuele overboeking of om krediet te krijgen. Het papier is gestempeld in New York en ondertekend door een man die zich *vicedirector* noemt, en door twee getuigen, beiden werkzaam als advocaat bij een kantoor in New York met meerdere namen, en ten slotte door Joe Mercer, journalist. Dat is vast het papier dat Joe heeft opgehaald in Madrid, waarschijnlijk op de Amerikaanse ambassade.

Ramon leest het nauwkeurig, bekijkt het van alle kanten, verzekert zich ervan dat het echt is. Het is duidelijk dat dit niet de eerste keer is dat hij een internationaal kredietpapier in handen heeft.

Hij vouwt het voorzichtig op, stopt het in de envelop en legt het terug in de tas.

'Het ziet er prima uit en zoals afgesproken is de Eurobank er niet bij betrokken.'

'Het spreekt voor zich dat we de communistische mantelbank er niet bij betrekken.'

'Het ziet er allemaal prima uit, Don Mercer.'

'We zijn mannen van eer, Don Ramon', zegt Joe en hij tilt de tas van zijn schouder en geeft hem aan Ramon, die de gespen zorgvuldig sluit, waarna hij hem over zijn eigen schouder hangt. Hij steekt zijn duim omhoog naar zijn lijfwacht.

'Is het ver hiervandaan?' vraagt Joe, maar voordat Magnus het kan vertalen, zegt Ramon Irribarne in een Engels met zwaar accent: '*You are looking at it, kid.*'

Hij wenkt zijn lijfwacht, terwijl Joe lacht en sigaretten tevoorschijn haalt die hij in de zonneschijn uitdeelt, waar de sfeer zo goed is geworden op de Berg der Bevruchting dat het even voelt alsof de oorlog heel ver weg is, en de mogelijkheden lijken oneindig aan de andere kant van de blauwe, uitgestrekte zee.

Ze lopen de berg af. Ramon Irribarne voorop, gevolgd door Joe, daarna Magnus en als laatste de jongere man, van wie de leeftijd net als zo veel anderen in het Spanje van de oorlog moeilijk precies in te schatten is. Hij is mager, maar op een pezige en gespierde manier. Zijn gezicht is uitdrukkingsloos onder de donkere baskenmuts. Die is vierkant en geeft een schaduw boven zijn bovenlip, alsof hij zich vanochtend slecht heeft geschoren of helemaal niet. Zijn neus ziet eruit alsof hij ooit gebroken is geweest. Hij heeft geen tanden in zijn onderkaak, zag Meyer toen hij zijn sigaret opstak. Hij zegt niets en Irribarne stelt hem alleen voor als Francisco. Zijn karabijn is een van de nieuwe moderne uit Rusland, die alleen de uitverkorenen krijgen.

Naar beneden lopen is een stuk gemakkelijker dan naar boven. Ze komen bij de kerkruïne aan de voet van de berg aan. De halve deur hangt los in de scharnieren, alsof hij nog niet heeft besloten of het de moeite waard is om te blijven zitten of het helemaal op te geven. De kerkruimte met het hoge plafond is duister en er hangt een vreemde geur van angst, zweet en poep. Er zijn geen kerkbanken, maar alleen de koude stenen vloer en hopen afval, waar vette ratten als snelle schaduwen wegstuiven. De altaarversiering is ook weg. Er zijn restanten van christelijke versieringen op de ruwe wanden, maar ook nieuwe graffiti die aangeeft dat het socialisme zal zegevieren, de revolutie zal overwinnen en iets merkwaardigs dat communisten de kinderen van de duivel zijn en dat Maria neukt als een konijn. Er zijn schietgaten en het glas in de meeste hoge ramen is kapot. Van het altaar is alleen nog de steen over, die ook het fundament onder een lijdende Christusfiguur zonder benen aan het kruis vormde, dat nog steeds onder een smal raam hangt, waar door het kapotte glas een beetje licht naar binnen kan dringen.

Het is een grote ruimte met zijkapellen en een gewelfd plafond, dat bijna verdwijnt in het halfduister. Magnus ziet dat zowel Mercer als Irribarne discreet een kruisje slaat voor de Christusfiguur, hoewel iemand zijn benen eraf geslagen of geschoten heeft. De schaduwen spelen op het smalle gezicht van de Verlosser, dat vertrokken is van pijn. Een rat vlucht weg langs de wand en verdwijnt in een gat in de vloer.

'Welkom, señores, in La Catedral de Santa Maria La Vieja', zegt Ramon en hij loopt achter het altaar langs en door een lage deur, waar iedereen moet bukken om erdoor te kunnen.

Ze komen in een smalle, donkere kamer, waar een doordringende stank van poep en urine hangt. In de hoek is een laag, onregelmatig gat, dat in het halfduister door mensenhanden in de grote, oude kerkstenen lijkt te zijn gehakt. Naast het uitgehakte gat in de wand liggen zwerfkeien en iets wat lijkt op restanten van het altaar in een zijkapel of misschien eerder een stenen kist, die voor het gat heeft gestaan.

Het is een sarcofaag, ziet Magnus, wanneer hij dichtbij genoeg is. In de restanten van het zware stenen deksel kan hij de gelaatstrekken van de man zien die in de sarcofaag begraven moet zijn. Een krijger? Een ridder? Een heilige? Het is niet te zien. Er is geen spoor van zijn skelet of de kleding, waarin hij eeuwen geleden was gewikkeld. Misschien heeft men de sarcofaag geopend in de hoop dat er kostbaarheden in de kist zaten.

Ramon moet helemaal op zijn knieën gaan zitten om door het gat te kunnen kruipen. Kort daarna verschijnt er een flakkerend licht. De jongere man heeft zijn korte karabijn dwars over zijn rug gehangen, buigt zich voorover en verdwijnt in het gat. Joe kijkt naar Magnus, schudt licht zijn hoofd en heeft moeite om zijn grote lichaam door het gat te wurmen, zonder dat zijn kleren blijven haken.

Magnus kruipt als laatste naar binnen en kan tot zijn verbazing rechtop staan in een lange gang, die in de rots is uitgehakt en naar beneden voert. Ramon heeft twee petroleumlampen aangestoken en loopt voorop met Francisco achter zich aan. Het is een gang die door mensenhanden is gemaakt, want de vloer bestaat uit nauwkeurig uitgehakte, grote keien, die zorgvuldig

zijn neergelegd, ziet Magnus in het flakkerende licht van de petroleumlampen. Twee vette zwarte ratten rennen langs de wand
en Joe trapt er nijdig naar. Magnus is aan ze gewend. Ze doen
hem niets. Hij schiet ze dood als ze hem tot last zijn en laat ze
rennen als ze hem niets doen, maar Joe sist: 'Wat een rotbeesten! Ratten worden tijdens een oorlog altijd dik.'

'Ben je bang voor ratten, Joe?'

'Ik heb het eerder tegen je gezegd, partner. Dat ik nergens
bang voor ben, maar die rotbeesten haat ik.'

Ze komen in een grotere ruimte, waar het lijkt alsof de wand
uit stenen treden bestaat, die omhooggaan als in een theater of
een arena voor stierengevechten. De terrasachtige zitplaatsen
zijn aan de ene kant in elkaar gestort, maar aan de andere kant
is het theater relatief goed bewaard gebleven. Ramon leidt hen
eromheen en verder een volgende ruimte in, die aan de rechterkant ligt. Hier steekt hij nog twee petroleumlampen aan. Ze
hangen aan de wand en werpen een geel flikkerend licht op de
grof gehakte, maar eigenlijk wel mooie wanden. Daarin zijn
met regelmatige tussenruimtes inkepingen voor stenen banken
geconstrueerd. Het is allemaal heel mooi handwerk.

Ramon Irribarne zegt: 'Het is een oud Romeins theater dat
onder de kerk ligt. Hier zijn ooit baden geweest, dus pas op, in
de hoek zit een diepe put.'

'Wat zegt hij?' De stem van Mercer klinkt vreemd en veroorzaakt een holle echo. Magnus vertaalt het en doet tegelijkertijd
een paar stappen naar voren.

Ramon houdt waarschuwend zijn handen omhoog. Magnus
en Joe zien waarom. In de hoek van de rechthoekige ruimte zit
een diep rond gat met een diameter van enkele meters. Joe buigt
voorover en pakt een stukje rots van de grond dat hij in het zwarte gat gooit en ze vinden dat ze lang moeten wachten totdat ze
een zwak geluid horen, wanneer de steen de bodem raakt.

'*Pozo Romano*', zegt Ramon Irribarne.

'Romeinse put of bron', vertaalt Magnus en hij gaat verder:
'Realiseer je je hoe fantastisch dit is? Dit moet tweeduizend jaar
oud zijn. Hoe oud zou de kerk zijn? Duizend jaar misschien? Ze

hebben gewoon over de tempel van de heidenen, of wat het dan ook maar geweest is, heen gebouwd en toen is het bestaan ervan vergeten. Dat is toch fantastisch?'

'Het zijn gewoon een paar stomme oude stenen, Magnus. Wat interesseert mij dat nou? Ik kom uit een land waar iets oud is als het er vijftig jaar heeft gelegen. En dan breken we het af en gaan we weer verder. Dat vind ik prima. Ik laat die oude troep over aan archeologen. Dus vraag onze vriend liever waar hij het goud heeft verborgen.'

Magnus schudt moedeloos zijn hoofd en vraagt in plaats daarvan: 'Wat is dit, Don Irribarne? En hoe hebt u het gevonden?'

'Ik zie dat u respect hebt voor het verleden en wat onze voorvaderen ons hebben nagelaten. Het is natuurlijk Romeins, zoals zo veel in mijn land. Kan het iets anders zijn? Ik ben misschien geen goed opgeleide man, maar ik waardeer kwaliteit. De Romeinen bouwden zodat het bleef staan. Accuratesse is een woord dat hier volgens mij goed bij past. Niemand wist dat het hier onder de kathedraal lag. Het lijkt erop dat ze stenen uit het oude Romeinse theater hebben gebruikt om de fundamenten van de kathedraal te leggen, er zijn huizen gebouwd, er zijn hier wanden verrezen, en de mensen die kennis hadden van de Romeinse geschiedenis zijn dood en het is niet opgeschreven. Ik ben zoals gezegd geen beschaafde, goed opgeleide man, señor. Maar deze plek bezorgt mij kippevel en ik voel de geschiedenis door mijn bloed ruisen. Ook de wetenschap dat maar weinigen van deze plek afweten, zorgt ervoor dat het bloed sneller door mijn aderen stroomt.'

Magnus heeft geen zin om het te vertalen voor de ongeduldige Joe en hij vraagt in plaats daarvan weer hoe hij de plek heeft gevonden.

'Dat heb niet ik, maar Francisco gedaan. Toen de opstand van de officieren onder Franco speelde, waren er natuurlijk ook gevechten hier in Cartagena. De kathedraal werd gedeeltelijk verwoest en daarna gesloten, toen de republiek de opstand had neergeslagen. Enkele maanden lang gebruikte het nieuwe bewind de kathedraal als gevangenis voor politieke tegenstanders;

Francosympathisanten, priesters en monniken en anderen, van wie ze dachten dat ze een bedreiging voor de revolutie vormden, werden opgesloten en verhoord. Francisco zat hier. Hier verloor hij zijn tanden tijdens een verhoor. Een oude gestoorde monnik vertelde hem dat er onder de kathedraal een Romeins bouwwerk lag, waar de spoken van het verleden huishielden. Het lag achter de sarcofaag van de heilige Andreas, maar iedereen die erachter probeerde te komen, zou een pijnlijke dood sterven en voor eeuwig in het vagevuur branden.'

Hij slaat een kruisje en gaat verder: 'De monnik zei dat je 's nachts het geschreeuw van de stervende gladiatoren en het gejubel van de menigte kon horen, wanneer de slaven werden afgeslacht of werden verscheurd door leeuwen of andere roofdieren, die de Romeinen uit hun Afrikaanse koloniën importeerden. Francisco is een prozaïsch mens. Het geschreeuw kwam niet van dode Romeinen, maar van veel te levende mensen, die werden verhoord door Russen en hun beulen, meende hij, toen hij mij over de monnik vertelde, die zelf in de kathedraal overleed. Zijn hart kon de overredingsmethodes van de verhoorleider niet aan – moge ze allemaal rotten in de hel en moge de melk van hun moeders en zussen generaties lang vergiftigd zijn.'

'Hoe is Francisco ontsnapt, zodat hij jou dit verhaal kon vertellen?'

'Tijdens een van de luchtbombardementen werd de kathedraal geraakt en in de ontstane chaos ontsnapten Francisco en andere gevangenen. Sommigen werden vermoord. Anderen werden gevangengenomen. Met weer anderen wilden ze zich niet meer bezighouden. De eerste maanden werden gekenmerkt door grote chaos. Francisco vertelde mij het verhaal van de monnik toen ik hem opnam in mijn familie, en ik dacht eraan toen ik een plek zocht waar ik de twee behoorlijk waardevolle kisten kon verbergen.'

'Zijn jullie bijna klaar met de geschiedenisles?' De stem van Joe klinkt geïrriteerd. 'Waar is het goud en het zilver, verdomme?'

Magnus snapt niet helemaal waarom hij zo nerveus is. Alles loopt op rolletjes, hoewel ze nog geen plan hebben hoe ze de kisten hiervandaan krijgen. Als hij het zich goed herinnert, wegen ze ongeveer vijftig kilo per stuk, misschien wat meer. Ze kunnen ze naar buiten trekken, maar ze moeten in elk geval wachten tot het avond wordt, zodat het door de duisternis veiliger zal zijn om de buit door de zwarte straten te transporteren. Misschien vertrouwt Mercer de Spanjaard eigenlijk niet? Zenuwachtig is hij in elk geval wel.

Ramon Irribarne moet het Engels tamelijk goed kunnen verstaan, denkt hij verder, want de Spanjaard zegt met een glimlach: 'Draai je om, *americano*. Dan kun je je nieuwe bezit zien.'

Magnus vertaalt het en Joe draait zich om.

Achter hem in het flakkerende licht zien ze twee rechthoekige voorwerpen, die bedekt zijn met een licht, stoffig kleed, waardoor ze qua kleur niet veel afwijken van de stenen die zijn uitgehakt uit de wand op de plek waar ze staan. Joe wil het kleed eraf trekken, maar hij aarzelt een moment. Opnieuw kruipt er een rat langs de wand omhoog die in een gat op anderhalve meter hoogte verdwijnt. Joe vermant zich en trekt het stoffige kleed er snel vanaf. Er staan twee kisten, allebei ter grootte van een ouderwets appelkistje. Ze zijn afgesloten met grote ijzeren hengsels, die blijkbaar tijdens het transport afgesloten zijn geweest met hangsloten, die nu open hangen, niet met een sleutel erin, maar kapotgeknipt. Op het deksel staat de stempel BANCO DE ESPAÑA, en er is een onduidelijk leesbare zegel. Joe's ogen stralen, wanneer hij de hangsloten en het deksel van de eerste kist af rukt.

De gouden munten schitteren in het licht, fonkelend en verleidelijk. Joe legt zijn handen erop en graaft er voorzichtig in. Ze rinkelen niet erg hard, maar ze geven een warm, rijk geluid.

'Fuck', zegt Joe Mercer alleen en hij beweegt zijn vingers liefkozend door de dikke gouden munten.

Dit moet de kist met de tweeënvijftig kilo Portugese gouden munten zijn, die een of andere Spaanse kapitein honderden jaren geleden voor het koningshuis heeft veroverd. Irribarne en

Francisco kijken toe. Is in hun ogen spijt af te lezen dat ze zichzelf voor te weinig geld hebben verkocht? Magnus weet het niet. Joe maakt het andere deksel open. In die kist zitten nog meer gouden munten, maar ook munten die zilver lijken. Opnieuw liefkoost Joe de inhoud alsof het een tere vrouwenhuid is, waarover hij met begeerte in zijn ogen langzaam zijn vingers laat glijden. Magnus kijkt met gemengde gevoelens naar de gouden dukaten en het zilvergeld. Aan de ene kant voelt hij een bijna zinnelijk verlangen om de schat te bezitten en aan de andere kant wordt hij overmand door een vreemd gevoel dat het verkeerd zal aflopen.

Magnus zweert dat hij zijn leven moet leiden met een burgerlijk geweten. Hij is niet op aarde gezet als zijn broeders hoeder, maar om een rijk en spannend leven voor zichzelf te creëren. Ik ben ik, en alleen ik zal bepalen wat ik wil bereiken, heeft hij vaak gedacht. Maar nu hij in een oude Romeinse ruïne tegenover het grootste vermogen staat dat hij ooit heeft gezien, wordt hij overvallen door een merkwaardige twijfel. Is het correct en redelijk dat hij en Joe het vermogen van de Spaanse, strijdende natie stelen, hoewel het slechts een minimaal deel is van de hoofdsom?

'Ik dacht dat je zei dat je niet geïnteresseerd was in oude troep, Joe', zegt hij en hij herkent zijn eigen stem niet. Die klinkt hees en fluisterend en trilt als die van een oude man.

'*Fuck you, man.* Moet je eens voelen. Heb je ooit zoiets gezien?' zegt Joe, en zijn diepe stem is minstens een octaaf hoger dan normaal.

Magnus' twijfel was van korte duur, maar was wel aanwezig, totdat hij zijn eigen handen eerst door de Portugese goudmunten en daarna over de dukaten en zilvermunten laat glijden. Hoewel het koel is in de onderaardse oude Romeinse ruimte, voelen de munten warm aan. Alsof hun waarde zich manifesteert als een hitte, die zich voortplant in de zenuwdraden van zijn vingertoppen, verder door zijn arm en het centrum van zijn bewustzijn in waar de inhaligheid huist, en die heeft zo'n sterke kracht dat elke gewetenswroeging verdwijnt in het rattenhol.

'Fuck. Dit is geweldig', zegt hij en hij buigt zich voorover, ver over de kisten heen, alsof hij de geur van het rijke goud wil opsnuiven. Daarom heeft hij niet in de gaten hoe Joe Mercer een stap opzij moet hebben gedaan en zijn rechterhand onder zijn lichte leren jasje moet hebben gestoken, want het fluit verrassend in zijn oren wanneer Joe schiet. De dreun is enorm in de gesloten ruimte en de stank van cordiet is er ogenblikkelijk en het brandt in zijn ogen.

Magnus draait zich om en ziet Francisco omvallen met een verbijsterde blik in zijn ogen, waaruit het leven snel wegstroomt. Er zit een mooi gat midden in zijn voorhoofd en een groter gat in zijn nek, waar het 9 mm-projectiel de verwoeste hersenen heeft verlaten. Joe draait het pistool snel om. Hij houdt hem geoefend en zeker met twee handen vast. Het gaat snel, maar Magnus ziet het toch als in een langzaam draaiende film, als door een lange tunnel.

Joe schiet twee keer. Het ene projectiel gaat door de keel van Irribarne naar binnen en doorboort zijn slagader, zodat het rode bloed de ruimte in straalt. Het volgende projectiel raakt hem in zijn linkeroog en hij zakt in elkaar op de stoffige stenen vloer. De dreunen zijn opnieuw enorm en het suist in Magnus' oren. De kruitdamp brandt in zijn keelgat en in zijn ogen. Joe haalt diep adem, maar zijn handen zijn rustig en zijn ogen mat.

Magnus voelt zijn hartslag tekeergaan en roept: 'Verdomme, Joe! Waar ben jij mee bezig? Wat doe je in 's hemelsnaam?'

Joe laat het pistool tot zijn opluchting wat zakken en wijst weg van Magnus.

'Waarom moeten we delen met die klootzakken? Zij zullen niet worden gemist, maar ik zal wel tienduizend dollar missen. Dat is alles wat ik bezit en heb. En nog wat meer. Ik heb ook moeten lenen. Waarom moet ik in godsnaam alles wat ik bezit aan een paar Spaanse crimineeltjes geven? Kun jij mij dat vertellen, Magnus?'

'Je hebt ze verdomme vermoord.'

'Oorlog maakt het gemakkelijk om onder moord uit te komen, toch, Magnus?'

'Hoe zit het met de contacten van Irribarne in de vs? Ze zullen achter ons aankomen ...'

'Ze zullen niet weten dat ik het heb gedaan. Zoals ik net al zei: mensen sterven dagelijks in een oorlog. Er zijn bijna meer lijken dan levende mensen in dit land, dus twee meer of minder zal niet opvallen. Snap je dat niet? Ze verdwijnen gewoon. Mensen verdwijnen dagelijks in massagraven.'

Magnus ziet een verandering in de ogen van Joe. Ze worden kleiner en zwarter, en het pistool wijst niet meer naar de vloer, maar naar de borstkas van Magnus.

Joe zegt met een fluisterende, maar ook scherpe stem: 'Je krijgt toch geen koudwatervrees, Magnus? Je laat me toch niet vallen, Magnus? Je doet nog steeds mee. Er is nog steeds veel voor jou over, zelfs wanneer ik mijn kosten ervan aftrek.'

Magnus voelt angst en kou wanneer hij zich realiseert dat hij dit hoe dan ook niet zal overleven. Joe zal hem sowieso vermoorden. Hij heeft hem eerst nodig om de kisten hiervandaan te krijgen. Hij heeft vast een plan, waarin hij zijn vermeende partner niet heeft ingewijd. Daarna zal Magnus geen nut meer hebben en dan zal Mercer zich van hem ontdoen, zoals hij net koelbloedig Ramon en Francisco liquideerde, wier bloed door het stof zwart kleurt.

Hij voelt het geritsel bij zijn rechteroor beter dan dat hij het hoort. Hij verneemt het boven het gerinkel en gesuis dat de schoten heeft veroorzaakt uit. Hij steekt zijn hand uit en krijgt het lichaam van de rat te pakken, maar zo ver omlaag dat hij voelt hoe de rat zijn tanden in zijn hand zet, zonder dat het beest echt beet krijgt, voordat hij hem met een onderhandse worp tegen Joe's borstkas gooit. Het pistool van Joe gaat af, waardoor er steensplinters door de ruimte vliegen. Hij voelt de luchtdruk van het projectiel en een brandend gevoel in zijn ene oor, dat tot bloedens toe wordt gescheurd.

Magnus gaat op zijn linkerknie zitten en trekt zijn revolver onder zijn jas vandaan, spant de haan en schiet in een vloeiende beweging. Het projectiel schiet ondanks de korte afstand naast Joe, die panisch met de pistoolhand en met de andere hand schermt om de rat weg te krijgen. Die heeft een moment zijn klauwen in zijn overhemdsborst gezet, maar hij valt op de vloer en glipt weg.

'Verdomme, Joe', roept Magnus, hij pakt zijn revolver met beide handen beet en schiet snel twee keer achter elkaar op korte afstand in de borstkas van Joe. Hij merkt de terugslag in zijn hand, maar voelt alleen een koele leegte, wanneer hij ziet hoe Joe Mercer achterovervalt en met een harde klap op de grond terechtkomt, waarbij zijn achterhoofd tegen de stenen vloer knalt, waar het witgele stof donker wordt van zijn bloed.

Magnus gaat op zijn hurken zitten en leunt met zijn rug tegen de wand. Zijn ademhaling is heftig en snel, en zijn handen beven van de adrenalineshock wanneer hij probeert een sigaret te pakken en die op te steken. Dat lukt pas bij de vijfde poging. Hij inhaleert de rook tot diep in zijn longen en houdt die daar zolang hij kan vast. Het brandt in zijn ogen en ook in zijn buik, waar het zuur opkomt. Hij voelt aan zijn oor. Het bloedt maar een beetje. Hij rookt gulzig en langzaam worden zijn hartslag en zijn ademhaling weer normaal.

Het is alsof hij niet nadenkt en toch handelt hij koelbloedig en systematisch. Hij doet de deksels van de kisten dicht en zet de hangsloten erop, ook al kunnen ze niet worden afgesloten, voordat hij ze toedekt met het als stof gekleurde kleed.

Hij begint met Francisco, die het lichtst is, omdat hij waarschijnlijk al lange tijd te weinig te eten heeft gehad. Hij trekt hem naar de put en laat hem erin vallen. Hij hoort hoe die de bodem raakt. Hij smijt zijn geweer achter hem aan. Daarna trekt hij de riem van de schoudertas over het mishandelde hoofd van Irribarne en sleept hem moeizaam naar de rand van de put en laat hem ook in de ronde duisternis vallen.

Joe is het zwaarst. Zijn ogen staan open en zijn misschien geschrokken of verbijsterd. Magnus weet niet hoe hij het doet, maar hij sluit ze. De borstkas van Mercer is rood van het bloed, dat afgeeft op de handen van Magnus en de rattenbeet bedekt, wanneer hij hem moeizaam over de grond naar de rand van de Romeinse put sleept. Magnus ademt zwaar en stopt bij de rand.

Hij kan zich er niet toe zetten om Joe met zijn hoofd eerst erin te laten vallen, dus hij draait hem om, hoewel dat door zijn gewicht een hele worsteling is. Joe's benen hangen half over het donkere gat. Hij hoeft hem alleen maar een laatste duw te geven. Hij staat een tijdje besluiteloos. Het is alsof alles een grote nachtmerrie is, waaruit hij elk moment kan ontwaken, maar zijn bewustzijn zegt hem iets anders. Hij heeft ontzettend veel dorst.

'Wat ben je een grote idioot, Joe', zegt hij hardop en hij schrikt van zijn eigen stem in de lege ruimte, waar het licht griezelige misvormde schaduwen op de grove wanden aftekent. Hij gaat op zijn hurken zitten en duwt met beide handen tegen Joe's schouders en de grote Amerikaan verdwijnt in het donker. Magnus hoort de doffe klap en kijkt om zich heen. Hij pakt zijn revolver, haalt er drie lege patroonhulzen uit en gooit ze in de put, voordat hij hem opnieuw laadt. Hij ziet de zwarte baskenmuts van Francisco op de grond liggen en gooit die ook de diepte in. Alles is weg. De mensen en de wapens. Alleen het goud is er nog en dat moet er blijven.

Hij pakt een van de petroleumlampen, hangt de tas met de dollarbankbiljetten en de bankbrief over zijn schouder, stopt zijn revolver erin en loopt terug door de gang. Hij laat de andere lampen branden en gaat ervan uit dat ze snel zullen doven. Het is niet waarschijnlijk dat iemand de oude Romeinse ruïnes onder de kathedraal zal vinden. In elk geval niet meteen en weldra zal hij zich op grote afstand van Cartagena bevinden.

Hij komt uit in de zijkapel en doet de lamp uit, waarna hij de kerkruimte in kijkt. Er zijn geen mensen. Alleen een paar ratten die wat eetbaars in een hoek hebben gevonden. Hij loopt terug en begint stenen voor het onregelmatige gat in de wand te slepen. Het is een zware klus, hij haalt er zijn handen tot bloedens toe aan open, zodat zijn eigen bloed zich vermengt met dat van Joe. Hij is stoffig en vies wanneer hij klaar is, maar in plaats van een gat in de wand zie je nu alleen een hoop stenen. Een ruïne in de ruïne zoals zo veel andere ruïnes in het platgebombardeerde Cartagena.

De zon is verdwenen wanneer hij buiten komt. Hij heeft geprobeerd om zich zo goed mogelijk af te borstelen, maar realiseert zich dat hij nu gewoon nog een armoedige en vieze burger is in de lijdende stad, waar mensen ronddolen om iets eetbaars te vinden.

Niemand kijkt naar hem wanneer hij naar het strand loopt. Het begint te regenen, een langzame, stromende bui. Op het strand is geen mens te zien – voor een grijze zee, waar meeuwen krijsend op een school vissen jagen die te dicht aan land gekomen is. Hij kijkt om zich heen, waarna hij al zijn kleren behalve zijn onderbroek uittrekt. Hij duikt met open ogen in het grijze niets. Het water is erg koud, maar het kan de hitte niet verdringen die in hem lijkt te groeien en zijn ziel in vuur en vlam lijkt te zetten.

21

Magnus Meyer zit aan de bar en denkt aan Joe Mercer, maar vooral aan Mads, omdat hij niet weet waar die zich bevindt en wat hij moet doen om hem te pakken te krijgen. Hij voelt zich niet goed. Het lichamelijke kan hij wel uitleggen en begrijpen. Hij heeft een kater van de avond ervoor, omdat de alcohol rijkelijk had gevloeid, alsof hij met drinken de gebeurtenissen onder de kathedraal in Cartagena in een genadige vergetelheid kon wegstoppen. Mentaal voelt hij zich gewoon verloren en verward. De eerste dagen keek hij over zijn schouder uit angst voor de politie, de SIM of wie anders in dit kloteland misschien achter hem aanzat, maar wat stellen drie doden voor in Spanje, wanneer het land baadt in het bloed?

Het is middag. De bar is voor de helft gevuld met officieren en de zwartemarkttypen die in Albacete woonachtig zijn. Elke keer als de deur opengaat, voeren ze een stank van verderf en regen met zich mee.

Hij had de trein naar Valencia genomen, overnacht in een hotelletje en was de volgende dag met de ochtendtrein verder naar Albacete gereisd. Joe was een man van de pers. Die zijn hier en daar en overal en dat is moeilijk te overzien, dus toen een collega had gevraagd waar Joe eigenlijk was, had Magnus koel en heel overtuigend geantwoord dat Joe waarschijnlijk naar Madrid was vertrokken, maar dat hij het ook had gehad over Barcelona. *Quien sabe?*

Mentaal voelt hij zich onzekerder dan ooit tevoren in zijn volwassen leven. Hij weet niet wat hij wil. Moet hij teruggaan naar Denemarken of misschien weer naar New York of moet hij in Albacete blijven en als een schooljongen opnieuw op Irina wachten in de hoop dat ze van hem kan worden? Hij is hopeloos verliefd. Hoe idioot mag je zijn?

Twee keer hadden ze samen geluncht sinds hij was teruggekomen uit Cartagena. Eén keer hadden ze samen gedineerd, waarbij de alcohol rijkelijk vloeide en hij dacht dat ze zich zou overgeven en mee naar zijn kamer zou gaan, omdat ze hem zo hartstochtelijk had gekust, maar plotseling was er een schaduw over haar gezicht getrokken en had ze zich losgerukt en was naar haar eigen kamer gegaan. Hij had zo duidelijk gevoeld dat ze wilde. Waaraan of aan wie had ze plotseling gedacht? De ochtend erna was ze samen met een Russische journalist opnieuw op een reportagereis vertrokken. Nu wachtte hij weer. Buiten is het koud en het regent pijpestelen uit een inktzwarte hemel. De straten staan blank van ezelpis en rioolwater.

De gedachte aan Mads kan hij niet verdragen, maar hij denkt toch bijna voortdurend aan hem. Hij kan ook niet vertrekken. Hoe moet hij ooit Marie onder ogen komen? De onwetendheid is het ergst. Waar is Mads? Hij kan geen informatie krijgen over zijn dienstplek als hij het officieel probeert. Deense kameraden weten niets. Bovendien zijn de meesten in het noorden bij de aanval rond Teruel, of ze zijn naar het front bij Madrid gestuurd. Pandrup kan hij niet bereiken. Stepanovitj heeft hij weer gezien, maar hij wil hem niet spreken. Tove van de postcensuur weet niets of ze wil of mag niets zeggen. Ze wordt erg zenuwachtig wanneer hij het onderwerp aansnijdt.

Hij had getrakteerd op een avondmaal en in een plotselinge vlaag van wanhoop had hij haar mee naar zijn kamer genomen en haar magere lichaam geneukt. Hij had er geen spijt van. Waarom zou hij dat hebben? Ze zijn volwassen mensen. Hij wil er geen spijt van hebben, maar de daad gaf hem een slechte smaak in zijn mond. Hun seks was erg ongeduldig en wanhopig geweest, alsof ze beiden lange tijd niets hadden gekregen en bang waren dat ze zouden worden ingehaald door de dood, voordat een nieuwe kans zich aandiende. Toch was het een vreemde vreugdeloze bedoening geweest en hij had moeite gehad om klaar te komen. Daarna had hij haar het liefst buiten de deur willen zetten, maar zo'n klootzak was hij nou toch ook weer niet. Ze leek plotseling zo blij en lag tevreden te glimlachen in zijn bed, terwijl ze zijn sigaretten rookte en kletste.

Hij had haar 's ochtends weer geneukt, maar sindsdien had

hij er alles aan gedaan om haar te vermijden. Het was nu bijna een week geleden, dus hopelijk begreep ze nu dat het maar eenmalig was geweest. Hij had eigenlijk medelijden met haar, maar wilde het niet nog een keer met haar doen. Helaas was zij de enige die hem misschien van informatie over Mads kon voorzien, maar ondanks de seks en de intieme weerloosheid, die ze vlak erna uitstraalde, was ze onverzettelijk geweest. Ze wist niets. Ze weet niets. Mads behoort tot de geheime mensen en het is gevaarlijk om naar hen te vragen.

Hij drinkt zijn bierglas leeg, drukt de zure sigaret in de volle asbak uit en vraagt om een nieuw groot glas bier. Hij drinkt te veel. Dat doet iedereen in Albacete, maar dat is verdomme nog geen excuus om je niet te vermannen. Hij heeft het altijd belangrijk gevonden dat je verplicht bent om je leven onder controle te hebben en dat de slachtofferrol, die sommigen zo gemakkelijk aannemen, onmannelijk is.

Er zit hem nog iets dwars. Hij heeft het gevoel dat er de afgelopen vier à vijf dagen twee keer iemand op zijn kamer is geweest. En dat was niet het kamermeisje. Hij kent de manier waarop zij schoonmaakt en opruimt. Er zijn kleine tekenen dat professionele handen zijn spullen hebben doorgenomen en onderzocht op zoek naar documenten of waar de jongens van de SIM verder ook maar naar op zoek zijn. Het toezicht voelt als een onrust in zijn lichaam, een rilling langs zijn ruggegraat, die hem bang maakt. Net als andere mensen in Albacete weet hij dat de schoten in de vroege ochtend op de verafgelegen binnenplaats van de Burgergarde van het executiepeloton afkomstig zijn, wanneer nog een verrader of een vermeende spion tegen de muur wordt gezet om zijn straf te krijgen.

Maar de nachtmerries over Joe versterken het sluipende zelfmedelijden, dat hij veracht. Hij is bang voor de nachtmerries en probeert ze op afstand te houden met alcohol voordat hij gaat slapen, maar het helpt niet.

Het is elke keer dezelfde nachtmerrie met enkele kleine variaties. Joe komt met een boeket bloemen in zijn hand op hem aflopen. Ze bevinden zich in een vreemd woestijnlandschap. Het ziet er warm uit, maar ze zweten niet. Joe's hele hoofd straalt en hij draagt alleen een klein overhemd met korte mouwen en merkwaardig lange shorts. Joe ziet er verdomd vriendelijk uit, maar Magnus is als de dood voor hem. Hij weet dat Joe komt om hem te vermoorden en dat de bloemen alleen maar een dekmantel zijn. 'Ga weg, Joe!' wil hij roepen, maar zijn keel wordt dichtgeknepen. Hij wil de revolver trekken die bij zijn riem zit, maar hij kan zijn hand niet bewegen. Die is vastgebonden met prikkeldraad, waardoor zijn handen beginnen te bloeden. Joe's gezicht verandert. Het wordt gruwelijk en kleurt rood, en er loopt rood-geel pus uit zijn ogen. Het boeket bloemen in zijn hand verandert in een bijl, die al druipt van het bloed. Joe tilt de bijl op. Zijn gezicht zit nu vol kruipende, slijmerige maden. Op dat punt in de droom wordt hij gelukkig meestal wakker. Enkele keren wordt hij pas wakker op het moment dat Joe's gezicht met de vette, pusgele larven zich over hem heen buigt om hem een laatste kus te geven.

Magnus vloekt in zichzelf in de bar en neemt een grote slok bier, waarna hij een nieuwe sigaret opsteekt. Hij zit op zijn stamplaats aan het einde van de lange bar. Er heerst vandaag drukte en de regen komt met bakken naar beneden in de door de oorlog vermoeide stad. Hij heeft Albacete de afgelopen paar weken veel te goed leren kennen. Het is een paradijs voor zwendelaars, illegale handelaren, spionnen, deserteurs en wapenhandelaren, die de vele cafeetjes en speelholen bevolken. Hij heeft zich veel te veel aan de verloren zielen in de stad opgedrongen en weet dat dat een vlucht is geweest. Hetzelfde geldt voor de drie artikelen die hij heeft geschreven. Een vlucht om nog geen beslissing te hoeven nemen of hij wel of niet naar huis zal gaan, omdat hij heeft gefaald. Een vlucht van de hopeloze, kinderlijke verliefdheid op Irina.

Hij schreef de artikelen als lange brieven.

De ene was een beschrijving van Albacete. Hij gaat ervan uit dat redacteur Brodersen thuis in zijn geboorteplaats de sappige details over hoeren en zakkenrollers eruit zal redigeren, maar aan de andere kant past de zonde en het immorele misschien juist erg goed bij de mening van een burgerlijke redacteur over het hoofdkwartier van de Internationale Brigades.

Hij heeft ook een artikel geschreven waarin hij een inschatting maakt van de kansen van de republiek om de oorlog te winnen. Hij heeft haar niet veel mogelijkheden gegeven, maar wel de dapperheid van de brigades geprezen.

Ten slotte heeft hij met goedkeuring van Tove haar verhaal geschreven. Ze kreeg toestemming om het door te lezen. Hij heeft het artikel via de postkamer verstuurd, dus hij moest het haar wel laten lezen. Ze werd emotioneel en was dankbaar en verlegen dat er nu in Denemarken over haar kon worden gelezen. Nu was ze eigenlijk bijna een beroemdheid. Hij trakteerde haar op avondeten en ze sliepen met elkaar. De andere twee artikelen heeft hij meegegeven aan een Deense reporter, die hij 's nachts in een bar had ontmoet. Hij wist niet zeker of ze zonder wijzigingen door de censuur zouden komen.

Meyer heeft ook antwoord van redacteur Brodersen ontvangen. Een telegram verstuurd naar Magnus Meyer, Gran Hotel, Plaza Altozano, Albacete:

BEDANKT VOOR MOOIE ARTIKELEN. STOP.
ALLEEN JOURNALISTIEKE REDIGERING NODIG. STOP.
SIGAAR IS ONDERWEG. STOP. BRODERSEN.

Hij wist niet wat Brodersen met 'sigaar' bedoelde, voordat een andere Deense journalist, die hij de avond ervoor had leren kennen, hem had uitgelegd dat het een uitdrukking uit de wereld van de Deense pers was. Als een journalist een bijzonder goed artikel had geschreven, kon hij in het kantoor van de redacteur ontboden worden en als beloning een sigaar krijgen. Dat kon letterlijk, maar ook in de figuurlijke betekenis van het woord zijn.

Magnus had een kinderlijke blijdschap gevoeld. Anders had hij vast ook niet opgeschept tegenover de journalist van een van de kranten uit de hoofdstad, die voor het eerst in Spanje was en zijn drankjes en tabak betaalde om achtergrondinformatie van hem te krijgen. Magnus had zich als een ervaren reporter gevoeld en had de kleine voorzichtige journalist niet uit zijn droom geholpen, ook al was het zwendel en bedrog als zo veel andere dingen in deze verdomde stad. Hij wil tegenover zichzelf wel toegeven dat het een verrassend genoegen was geweest om te schrijven. De woorden waren gemakkelijk gekomen en hij was verbluft hoeveel voldoening het had gegeven om gedachten om te zetten in woorden, die meningen en beelden gaven.

Maar de artikelen waren een vlucht geweest. Dat kon hij net zo goed toegeven – een vlucht van de gedachten aan Joe aan de ene kant en Mads aan de andere die hem kwelden. Het telegram van redacteur Brodersen had hem op een idee gebracht en hij had het volgende naar Marie getelegrafeerd:

CONTACT MET MADS. STOP. WIL NU NIET NAAR HUIS.
STOP. PROBEER HET OPNIEUW. STOP. HOU HOOP. STOP.
ALLES GOED. STOP. FIJNE KERST. STOP. MAGNUS.

Hij had zich een grote klootzak gevoeld, maar nu had hij het gedaan. Hij pakt zijn bierglas wanneer hij de stem van Irina hoort, die bijna een vrouwelijke echo van die van Joe Mercer is, van wat heel lang geleden lijkt te zijn: 'Trakteer je me op een drankje, Magnus?'

Ze staat met een vreemde bontmuts in haar handen in plaats van de gebruikelijke breedgerande hoed. Ze heeft de Leica om haar nek hangen en draagt werkkleding: het kaki overhemd met een donkere trui erover en een lichte broek met een donkere riem om haar smalle middel. Haar krullen springen om haar hoofd en hij vindt dat ze het mooiste meisje ter wereld is. Over haar arm houdt ze een grote jas van een groene legerstof met een donkere bontkraag.

'*You are a sight for sore eyes*', zegt hij.

'Wat betekent dat?' vraagt ze in het Spaans. Haar Engels is erg schools, heeft hij ontdekt, ondanks haar tijd in Londen. Ze kon het gesprek niet zo goed volgen als het te snel ging, wanneer hij en Joe samen Amerikaans hadden gesproken.

'Dat je knap bent en dat ik je graag trakteer op een drankje.'

'Dat geloof ik niet, maar laat maar zitten. Ik ben vies en moet nodig in bad, maar ik wil graag eerst een biertje.'

Ze loopt op hem af, gaat op het puntje van haar tenen staan en geeft hem snel een kus op beide wangen en na een bijna onmerkbare pauze op zijn mond. Ze steekt haar tong in zijn mond, maar trekt hem snel terug, wanneer hij haar terug wil kussen. Ze staat zo dicht tegen hem aan dat hij haar borsten tegen zijn overhemd voelt en hij wordt puberachtig warm in zijn hele lichaam wanneer zijn geslachtsdeel groeit.

'Is Joe hier ook?'

'Nee. Hij moest naar Madrid. Je kent Joe', zegt hij neutraal.

'Ja. Joe is Joe. Wat maakt het uit. Jij bent hier. Dat is veel belangrijker.'

'Waar ben je geweest?' vraagt hij en hij geeft tegelijkertijd een seintje naar de barkeeper die een biertje inschenkt voor Irina. Ze zegt: 'Eerst in Valencia', en ze vertelt over een fotosessie die ze met een Sovjet-Russische piloot heeft gehad, die drie Duitse bommenwerpers van het Legioen Condor heeft neergeschoten.

'*Tass* is dol op mijn foto's', gaat ze blij verder en ze drinkt gulzig van haar biertje, zonder er aandacht aan te schenken dat ze een witte snor van het schuim krijgt. Meyer steekt een hand uit en veegt voorzichtig met zijn wijsvinger het schuim weg, op zo'n manier dat het een liefkozing wordt. Ze kijkt weg en trekt bijna onmerkbaar haar hoofd terug, maar pas wanneer al het bierschuim weg is. Hij zuigt op zijn vinger en probeert oogcontact met haar te houden.

'Dat vind ik fijn om te horen', zegt hij en zijn stem klinkt hees en vreemd. Ze kijkt helemaal weg en zegt: 'Ik kom net uit Teruel. Daar was ik samen met Ilja. Het is daar zo ontzettend koud dat ik me thuis in Rusland waande. Het sneeuwde verschrikkelijk. We konden er bijna niet meer vandaan komen. Is het niet fantastisch hoe het daar gaat?'

'Gaat het dan goed? Ik dacht dat het offensief gestopt was.'

Op 15 december hadden de troepen van de republiek een aanval op de provinciehoofdstad Teruel ingezet, wat de nationalisten van Franco sinds het begin van de oorlog in handen hadden gehad. Hij had de triomfantelijke artikelen over het offensief met een grote portie scepsis gelezen en het was hem opgevallen dat de beschrijvingen van het veroverde territorium de afgelopen dagen in de frontverslagen van de republikeinse pers ontbraken.

'Dat komt gewoon door het weer. Zo veel sneeuw heb ik sinds Moskou niet meer gezien. De republiek omsingelde Teruel in één dag, Magnus. We zijn doorgedrongen tot San Blas. Ik weet zeker dat wanneer de sneeuwstormen zijn overgetrokken, wij het front van de fascisten kunnen opblazen. Ilja was ook erg optimistisch en hij weet veel over strategie. Nu belegeren we Teruel. Het is slechts een kwestie van tijd. De fascisten verbergen zich in de kelders als ratten. Het is ook een fantastische propagandaoverwinning, zie je dat dan niet? Totdat het weer echt slecht werd, waren er fantastische luchtduels. De nieuwe piloten die in mijn land zijn getraind, zijn geweldig. De Duitse fascisten en de Italiaanse piloten hebben geen kans. We hebben meerdere van hun Savoia-Marchetti's uit de lucht geschoten. Dat zijn hun bommenwerpers ...'

'Ik weet wel wat dat voor vliegtuigen zijn, Irina.' Hij kan het niet laten om te lachen.

'Waar lach jij om? Het is toch fantastisch dat het tij eindelijk keert. Dat de republiek nu in het offensief zit.'

'Ik lach omdat ik blij ben je weer te zien. *A sight for sore eyes*, zei ik toch. Je stem klinkt me als muziek in de oren.'

'Hou nou op, Magnus. Zijn alle Denen zo dwaas romantisch?' zegt ze, maar hij kan zien hoe blij ze is.

Hij steekt een sigaret voor haar op en laat haar praten. Hij denkt erover na hoe vreselijk graag ze het woord *fabuloso* gebruikt. Ze zou het eigenlijk over zichzelf moeten gebruiken. Want hij vindt dat zij juist dat is: *fabulosa*. Fantastisch met de levendige, sprekende handen en het enthousiaste, knappe gezicht met de kleine neus en de kleine oren en het krullende, kortgeknipte haar golvend om haar fijne hoofd en ten slotte een mond die hij dolgraag zou willen kussen en liefkozen, net als hij staat te popelen om haar andere lippen te kussen en te liefkozen. Het borrelt in zijn lichaam en hij merkt dat zij het merkt, want ze wordt stil en zegt met zachte stem: 'Kijk niet zo naar me. Ik word er verlegen van en wat zullen de mensen wel niet denken. Vertel mij liever wat jíj hebt gedaan, Magnus. Het spijt me dat ik het moet zeggen, maar je ziet er uitgeput en verwaarloosd uit.'

Zonder erover na te denken, begint hij over zijn dag met Mads in Madrigueras te vertellen en het is een grote opluchting om het eerlijk te doen, ook al begrijpt hij zijn openheid niet helemaal. Hij is slim genoeg om Cartagena niet te noemen, maar vertelt over Mads en zijn eenheid. Hij geeft toe dat hij het gevoel heeft dat hij heeft gefaald, maar dat hij zich ook gekwetst voelt om de manier waarop zijn jongere broer afscheid van hem heeft genomen.

Irina kijkt naar hem en luistert zonder hem te onderbreken, terwijl ze kleine slokjes van haar bier neemt. Haar lichte ogen stralen medeleven en warmte uit en hij krijgt opnieuw enorm veel zin om haar zachte mond te kussen, maar hij durft geen poging te doen. In plaats daarvan praat hij als een schooljongen, die zijn hart moet luchten bij zijn moeder.

'*Pobrecito*. Arme kleine Magnus', zegt ze. 'Ik begrijp je pijn, maar ik begrijp je broer ook. Hij is je toegenegen, maar deze Zweed is zijn strijdmakker en daarmee zijn schild tegen de wereld. Ik weet wel dat we het de hele tijd hebben over onze rechtvaardige oorlog en dat we vechten voor vrijheid en socialisme, maar ik heb zo veel soldaten geïnterviewd dat ik weet dat ze eigenlijk allemaal vechten voor de kameraad die naast hen in de loopgraaf ligt. Tijdens een gevecht is het niet meer abstract en ideologisch. In het heetst van de strijd vecht je voor je kameraad, niet voor de zaak. Kun je niet proberen om je broer te begrijpen?'

'Ik probeer het, maar toch voel ik me gekwetst. Het is blijkbaar te moeilijk voor me.'

Ze legt haar hand op die van hem en zegt: 'Ik zeg niet dat het gemakkelijk is, maar je moet je niet van binnen laten opvreten door je teleurstelling. Jullie verzoenen je wel. Wacht maar af.'

'Als hij het overleeft.'

'Dat geldt voor ons allemaal, Magnus', zegt ze en ze wordt ernstig, maar het lijkt alsof ze niet in die stemming wil komen, want ze dwingt zichzelf te glimlachen en zegt met een geforceerde vrolijkheid: 'Weet je wat? Er is vanavond een officiersbal in de grote zaal van het oude gemeentehuis tegenover ons hotel. Een soort kerstbal, ook al is Kerst officieel afgeschaft. Zou je geen dame naar dat bal willen escorteren?'

'Je bent er nog maar net en dan weet je dit al. Hoe kan dat?'

'Zoiets weet ik gewoon. Ik ben toch een vrouw? En een journalist? Misschien zijn er mannen die mij graag vertellen dat er vanavond gedanst kan worden. Die meteen toen ik arriveerde met uitnodigingen kwamen. Zou dat mogelijk kunnen zijn, Magnus?'

'Ken jij het verhaal over het grote mooie schip Titanic? Het schip dat niet kon zinken. Ze zeggen dat het orkest tot het laatste moment speelde, tot het schip onderging. Moeten wij zo de ondergang van de republiek vieren? Door de hele nacht te dansen?'

'Gedraag je nou niet als een pessimistische klootzak. Dat staat je niet goed, kameraad. Ik heb al de nodige aanbiedingen gekregen en dan ben ik zo dom om zo'n saaie stakker als jij uit te nodigen. Mijn hemel. Het spijt me dat ik zo aandrong. Ik ga op zoek naar een andere heer.'

'Je bent in een heerlijk humeur, Irina', zegt hij en hij begint te lachen.

'Misschien vind ik het gewoon fijn om je weer te zien. Ik ben zoals gezegd al uitgenodigd. Door meer dan één, kan ik je vertellen. Dus, wat zeg je ervan? Wil je mij vanavond naar het galabal escorteren?'

'Met veel genoegen. Het is mij een eer, señorita', zegt hij; hij pakt haar hand en geeft er een luchtkus op en maakt haar aan het lachen.

'Heb je nog wat nettere kleding dan die je nu draagt? Het is zoals gezegd een gala.'

'Ik dacht dat een stropdas en burgerlijk nette kleding verboden was.'

'Niet voor een gala, heb ik begrepen. We zijn toch geen anarchisten? Er komt een minister uit Barcelona samen met een
paar generaals. Dus, heb je nette kleding?'

'Dat lukt wel, maar heb jij echt een jurk? Een revolutionaire
Stalin-griet als jij?'

'Wacht jij maar af, kameraad. Ik ben in Valencia geweest, dus
wacht maar af en tref me hier om 20.00 uur', zegt ze en ze kust
hem snel op zijn mond, waarna ze lichtvoetig wegloopt, zodat
hij achterblijft en zwijgend haar wiegende heupen en ronde billen in de strakke broek nastaart.

'Een zeldzaam mooi gezicht, caballero', zegt de oudere
barkeeper en hij gebruikt zonder erbij na te denken het oude
woord.

'Si señor. Heel mooi.'

'Het doet denken aan andere tijden.'

'Si señor. Dat is maar al te waar, maar die wereld zal nooit
terugkeren. Nog een biertje misschien?'

'Waarom niet?'

'Precies, señor. Waarom niet.'

22

Ze hebben afgesproken in de lobby, waar Magnus op haar wacht en wanneer hij haar van de trap af ziet komen lopen, is hij diep onder de indruk. Ze is zich bewust van het effect dat ze op hem heeft; en niet alleen op Magnus, want ook de andere mannen in de rijkgedecoreerde lobby van het hotel staren naar Irina, wanneer zij op hoge hakken met elegante afgemeten passen langzaam over de door de oorlog versleten loper met het rode patroon en van de brede trap schrijdt.

Met zo veel voorname mensen in de stad en in het hotel was er voldoende warm water voor iedereen geweest. Generaals en een minister kunnen niet vies naar het bal gaan of met koud water douchen, dus iemand had iets geregeld en voldoende kolen naar de haard van het hotel gebracht, want het warme water stroomde vrij en rijkelijk. De geur van oorlog en verval is miraculeus vervangen door de geur van zeep, zwaar Spaans reukwater voor de heren en dure parfum voor de dames.

Magnus had een lang bad genomen en daarna een douche. Hij had zich zorgvuldig geschoren en het kamermeisje met de bijbelse naam Maria Immaculada, dat hem fluisterend en verlegen had toevertrouwd dat ze was gedoopt in het verre Extremadura, had zijn Italiaanse kostuum nauwkeurig gereinigd en geperst, zijn enige witte overhemd gewassen en gestreken en zijn schoenen gepoetst.

Ze had gebloosd van dankbaarheid, toen hij haar op haar wang had gekust en haar een stapeltje gedevalueerde peseta's had gegeven. Ze was vast niet ouder dan vijfentwintig jaar. Ze was gedoopt in de naam van de onbevlekte ontvangenis, misschien omdat haar moeder had gehoopt dat haar lot beter zou worden als de Maagd Maria vanaf de geboorte haar beschermengel werd. In plaats daarvan had het leven haar met alle plagen van de armoede besmet.

Toch had ze hem trots gereedgemaakt voor het feest, alsof hij haar eigen *novio* was, en uiteindelijk had ze hem tevreden met haar magere hand over zijn rug geborsteld, zodat er geen stofje over het hoofd werd gezien. Met een rood-blauwe stropdas en een bijpassend pochet kon hij in de grote spiegel in de deur van de kledingkast op zijn kamer tevreden naar zichzelf knikken en een ogenblik waande hij zich terug in New York, waarna hij naar de lobby ging om op zijn gezelschap te wachten.

Irina glimlacht naar hem en dat geeft hem een warm gevoel in zijn hele lichaam. Ze draagt een rode, strakke jurk, die recht over haar fijne borsten is gesneden. Er zit een split aan de zijkant, zodat ze bewegingsvrijheid heeft en een slank, glad bovenbeen in een zijden kous kan laten zien. Om haar nek draagt ze een dunne zilveren ketting met een klein anker. Ze heeft blote armen en de lichte zijden kousen verdwijnen in schoenen die uitlopen in een punt. Op haar hoofd draagt ze een elegant hoedje en Magnus kan zich herinneren dat het de laatste mode in Manhattan was. Ze loopt niet naar beneden, ze zwééft, alsof ze opgetild wordt door de bewonderende blikken van de mannen en de jaloerse blikken van de vrouwen, denkt hij.

Hij is zo trots als een pauw en probeert het niet te verbergen, wanneer ze naar hem toe schrijdt en hem de mogelijkheid biedt om haar op beide wangen een kus te geven. Ze heeft maar weinig make-up op, maar het is voldoende. Zwart op haar ogen, wat rouge op haar wangen en rood op haar lippen, die de smetteloze tere witte huid benadrukt. Ze ruikt exotisch en verleidelijk.

'Ik sta perplex', zegt hij.

'Hartelijk dank, caballero. Het heeft ook tijd gekost.'

Hij lacht: 'Geeft een vrouw dat prijs?'

'Misschien zie ik er vanavond wel uit als een nette dame, maar ik ben nog steeds de Irina uit de arbeiders- en boerenstaat, en ik verheug me er nu al weer op om mijn broek aan te trekken. Maar als het feest is, laten we er dan een feestje van maken. Wil de heer mij een arm geven?'

'Met genoegen, señorita. Het is mij een grote eer.'

Ze wandelen met de overige gasten van het hotel dwars over het plaza naar het mooie huis met de officiële uitstraling aan de overkant. Een leger aan hotelpersoneel staat voor de deur klaar met paraplu's, maar het is opgehouden met regenen. Het is koud voor de vrouwen, maar ze lijden kou in stilte. Magnus ziet dat de in het zwart geklede stormtroepen van de Guardia de Asalto het hotel bewaken. Ze houden een groep nieuwsgierigen op afstand. Fotografen flitsen erop los. De luide pop-pops van de exploderende ronde flitslampen klinken als korte geweerschoten in de heldere nacht.

Hij denkt dat het een deel van de propaganda wordt. Het zijn misschien niet foto's van de klasseloze maatschappij, maar het zijn foto's van een maatschappij waarin het zo goed gaat met de oorlog dat er ruimte en tijd is om feest te vieren. Het is hem de laatste tijd opgevallen dat de regering een verbale afstand probeert te creëren tot het revolutionaire en het communistische om het Westblok voor zich in te nemen. Burgerlijke deugden sluipen in de propaganda van de kranten. De stropdas en andere formaliteiten zijn onderweg terug, samen met de nieuwe rangstrepen voor de officieren, zelfs bij de Internationale Brigades en in de milities. Het is een merkwaardige combinatie. De communisten verstevigen hun macht en proberen de republiek volgens hun beeld discipline bij te brengen, terwijl tegelijkertijd de orde en gewoontes van de oude maatschappij worden ingevoerd. De burgerlijke communisten hebben de losbandigheid en het gebrek aan voorspelbaarheid van de anarchie niet nodig. Hij is getuige van een oorlog die op vele fronten gevoerd wordt.

Een officier, die een grote sigaar rookt en arm in arm loopt met een lange, stevige vrouw in een grote zijden jurk, kijkt omhoog naar de hemel, waar de sterren nu schitteren. Magnus hoort hem luid en duidelijk boven het geklets van de andere stemmen uit: 'Stralend weer, zeg jij, mijn engel. Ik geef de voorkeur aan een goede Castiliaanse regen. Het is opgeklaard. Het is opnieuw mooi weer om te vliegen en daarmee mooi weer om bommen te werpen, schatje.'

Ze slaat hem schertsend op zijn arm met haar gehandschoende hand, maar ze werpt tegelijkertijd een nerveuze blik op de zwarte hemel met de kleine glinsterende sterrenstippen die zichtbaar zijn boven de verduisterde stad.

Maar onder de groep wandelaars heerst een vrolijke, verwachtingsvolle stemming. In een waas van parfum en eau de cologne kan Magnus mannen in smoking en rokkostuum zien; mensen van de pers, die hij herkent en die net als hij een pak dragen, en officieren van het staande leger van de republiek. De officieren, ambtenaren en politici zijn uit de regeringsstad Barcelona en uit Valencia gekomen. De medailles en ordes op de uniformen en de sieraden van de vrouwen doen een wedstrijd welke het meest kunnen glinsteren.

In een grote zaal zijn in drie aangrenzende ruimtes tafels langs de wanden geplaatst. Daar is ook een groot buffet opgesteld, want toch hebben ze ervoor gekozen om zich niet te buiten te gaan aan een groot galadiner. Overal wordt gepraat en gerookt en er wordt Spaanse champagne gedronken. De lucht is al warm. Het gloeit van de blote vrouwenarmen. Het is dringen geblazen bij het buffet, waar een heleboel tapas, wijn en bier worden geserveerd. Het ruikt goed, maar Magnus heeft geen honger. Irina ook niet, maar ze wil graag champagne hebben. Bij het podium staat de minister met een paar generaals. Het orkest is al begonnen te spelen en Magnus hoort tot zijn verrassing dat de tonen onmiskenbaar Argentijns zijn. Het is nog geen dansmuziek, maar openingsmuziek voor officieren en hun of veel te jonge vrouwen of – meer aannemelijk – hun minnaressen. De stemmen stijgen op naar het plafond, een kakofonie aan oppervlakkig gebabbel, en hij kan het niet laten om eraan te denken dat hier wordt gefeest, terwijl er mensen aan een van de vele onder druk staande fronten van de republiek sterven.

Hij voelt een steek in zijn buik en een tik in het deel van zijn bewustzijn waar zijn slechte geweten huist. Hij verlangt er merkwaardig en plotseling naar de sarcastische stem van Joe Mercer te horen die dit glitterende oppervlakkige galabal midden in de hel van de oorlog beschrijft, zoals hij over de feesten en de losbandigheid in de nachtclubs in Madrid had verteld. Hij verdringt zijn gedachten en baant zich een weg door de mensen om champagne te halen.

Hij loopt terug en ziet Irina in de mensenmenigte. Ze trekt van alle kanten blikken aan. Een vrouw staart vol haat naar haar, maar Irina laat zich er niet door van de wijs brengen. De vrouw, die klein is, een lichaam in de vorm van een zandloper heeft en haar lippen vulgair rood heeft gestift, is blijkbaar samen met een man met grote bruine ogen onder borstelige wenkbrauwen.

Hij straalt intensiteit uit. In zijn mondhoek zit een sigaret en hij houdt een glas in zijn hand. Hij is niet bijzonder groot en spreekt een vreemde mengelmoes van Engels, Frans en Spaans, hoort Magnus, wanneer hij dichterbij komt. Hij praat veel en Magnus ergert zich flink aan hem, want hij moet toegeven dat de man onmiddellijk leuk en charmant overkomt, zoals sommige mensen dat kunnen. Het probleem is dat Irina en hij elkaar overduidelijk kennen, en veel te goed ook. Daarom is de vriendin van de man zo kwaad, want de man negeert haar en concentreert zich op Irina, wat Magnus ook woedend maakt.

Irina was duidelijk blij geweest de man te zien, ook al nam ze afstand toen hij haar meer dan de traditionele twee kussen op de wang wilde geven. Ze draait zich om naar Magnus wanneer hij haar het glas geeft en zegt: 'Mag ik je voorstellen aan een collega en goede vriend, André Renault. Hij is journalist bij het Franse communistische dagblad *L'Humanité* en het tijdschrift *Vu*. Dit is Magnus Meyer, een Deense collega.'

Ze geven elkaar de hand, maar André wendt demonstratief zijn hoofd af van Magnus en praat verder met Irina. Er wordt gesproken over een gezamenlijke vriend en een lofprijzing van de veldtocht bij Teruel. Magnus voelt de jaloezie langzaam in zich opborrelen. Irina is blijkbaar betoverd door het geklets van de kleine Fransman. Ze glimlacht naar hem, raakt zijn haar aan en neemt lange halen van haar sigaret. André aait haar blote bovenarmen meerdere keren. Magnus wordt gered door de gedrongen vrouw, die André in het Frans om een nieuw glas champagne vraagt. Hij ziet dat het hem ergert, maar hij pakt haar lege glas en loopt naar de bar.

'Waar ken je hem van?' vraagt Magnus harder dan hij zou willen.

'Van van alles en nog wat. We zijn collega's', zegt Irina en ze kijkt André na.

'Vast meer dan dat!'

'Wat bedoel je?'

'Dat weet je waarschijnlijk maar al te goed.'

'Doe niet zo bourgeois, Magnus. Ben je jaloers?'

'Wat nou als ik dat zou zijn?'

'Dan niets, meneer de controleur', zegt ze en ze lacht, gaat op het puntje van haar tenen staan en kust hem snel op zijn mond: 'André is een prins in vele bedden. Hij is grappig en meer stelde het niet voor, en het is alweer even geleden. Je hoeft er niet over in te zitten.'

Hij hoort Joe's woorden, dat je in de oorlog wie dan ook waar dan ook neukt. Was dat niet wat hij had gezegd? Hij voelt zijn jaloezie en is vooral boos om zijn eigen onmacht en kinderachtigheid, en dat zij het zo rustig opvat en hem vanzelfsprekend vindt. Hij wordt er tegelijkertijd ook blij van.

Hij weet niet wat hij moet zeggen of doen, maar gelukkig wordt hij gered door de minister, die op het podium is gestapt en de microfoon van de zangeres heeft gekregen. Zijn stem is luid en melodieus, wanneer hij een groet overbrengt van premier Negrín en veel groeten van het zegerijke leger, dat zeer weldra Teruel zal veroveren en een groot gat in het front van de fascisten zal blazen. Hij doet de groeten van de heldenstad Madrid en heeft ook een speciale groet van de grote Stalin en het Sovjet-Russische volk, dat zo onbaatzuchtig de strijd van het democratische Spanje tegen de fascisten hulp biedt.

'Geachte dames en heren, kameraden', roept hij, alsof het een verkiezingsbijeenkomst was. 'Welkom op dit bal, dat laat zien dat wij in de republiek zowel weten hoe we moeten feesten als vechten. We bedanken Albacete voor de uitnodiging en zijn trots dat we in de stad zijn, die het hoofdkwartier is van onze vrienden en geallieerden in de Internationale Brigades.'

Hij heft het glas en roept *salud*, en er wordt geklapt. Het is een kleine, dikke man in een zwart kostuum met een gilet en een wit gesteven overhemd. Hij zweet en veegt zijn voorhoofd droog met een zakdoekje, dat hij uit zijn borstzakje pakt en slordig terugstopt. Magnus denkt dat hij op een man lijkt die is verdwaald of op een bankmedewerker uit zijn geboorteplaats, die weet dat de liquide middelen gering zijn en dat ze niet onder bankroet uitkomen, omdat het slechts een kwestie van tijd is voordat de verduistering ontdekt wordt.

Het orkest speelt en de dansvloer raakt vol, terwijl de rook en het gepraat opstijgt naar het hoge plafond met de grote kroonluchters. De volgende uren verstrijken met praten en dansen met Irina en een enkele dans met Andrés vriendin, die alleen Frans spreekt. André wint sympathie naarmate Magnus meer met hem praat. Hij flirt met Irina, maar dat doet hij duidelijk met alle vrouwen, en ze wimpelt hem af met een lach. Ze dansen een enkele dans samen, maar hij is duidelijk beter in praten dan in dansen.

André en Magnus vermaken zich met het aanwijzen van de verschillende woekeraars op de zwarte markt en andere zwendelaars die ze allebei in Albacete kennen, en André kan het aantal personen aanvullen met wapenhandelaren en smokkelaars die hiernaartoe zijn gereisd. Er zijn ook welgestelde grote smokkelaars uit diverse landen, die alles kunnen leveren wat de republiek niet heeft. Er zijn stoere mannen die de blokkades hebben doorbroken en volbehangen officieren, die hun rangstrepen eerder gekocht lijken te hebben dan dat ze ze op het slagveld hebben gewonnen. Zoals André zegt, peinzen ze er niet over om ergens in de buurt te komen van een plek waar hun dikke kont het risico loopt geraakt te worden.

Op een bepaald moment denkt Magnus Tove te zien, maar het is slechts een vrouw die op haar lijkt. Hij kan zich ook niet voorstellen dat ze belangrijk genoeg is om uitgenodigd te worden. Hij had de dag ervoor geprobeerd in contact met haar te komen om te horen of er nieuws was van Mads, maar ze was onvindbaar geweest. Er zijn niet veel Russen, maar Magnus ziet Stepanovitj en hij gaat snel naar hem toe, voordat de Rus in de menigte verdwijnt. Magnus haalt hem in en verspert hem de weg.

De ernstige Rus probeert hem voorbij te lopen, maar Magnus

doet demonstratief een stap opzij. Stepanovitj heeft een licht pak aan. Dat moet hetzelfde zijn als het pak dat hij droeg toen Magnus hem voor het eerst ontmoette op de luchthaven in Valencia, maar het ziet er flodderig en slordig uit, alsof het lange tijd geleden is dat het is geperst, of alsof hij is afgevallen. Stepanovitj heeft zijn smalle zwarte stropdas gestrikt met een slordige knoop. Zijn donkere schoenen zijn stoffig. Zijn bleke ogen in het smalle gezicht staan vermoeid en zijn haar is dof. Hij ziet eruit als een man met veel problemen.

'U bent voor de gelegenheid gekleed, kameraad Stepanovitj', zegt Magnus.

'Ik zie dat u nog niet bent vertrokken, zoals we u hadden aangeraden, señor Meyer', zegt hij in hypercorrect Spaans.

'Maar ik heb wel een artikel geschreven.'

'Meer dan een, meen ik zelfs.'

'Zo, dus dat weet u?'

'Het is mijn taak om dat te weten, zodat ik op de beste manier de wettige republiek kan beschermen tegen de rebellen en de vele andere vijanden, die een bedreiging vormen voor de democratie.'

'Jazeker. SIM is een uitstekende organisatie. Dat weet iedereen. Dan kunt u mij misschien vertellen waar ik commissaris Pandrup kan vinden.'

'Nee. Dat kan ik niet.'

'Wil of kan?'

'Dat is van ondergeschikt belang. Pandrup werkt aan een opdracht voor de staat.'

'Waar?'

'Daarover kan ik u geen informatie geven. Maar u kunt mij misschien vertellen waar ik uw vriend Joe Mercer kan vinden?'

Magnus is bang dat hij te veel met zijn ogen knippert.

'Nee. Dat kan ik niet', zegt hij en zijn stem is gelukkig rustig.

'Ik heb anders begrepen dat u samen met hem in Valencia was. En in Cartagena, toch?'

'Jazeker. U bent goed geïnformeerd.'

'Dat is mijn baan. Wat is er daarna gebeurd?'

'We zijn ieder onze eigen weg gegaan. Ik ben teruggegaan hiernaartoe. Joe wilde naar Madrid of misschien Barcelona. Ik ben zijn hoeder niet, commissaris Stepanovitj.'

'Dat klopt waarschijnlijk. Maar u bent toch wel zijn vriend?'

'Zo beschouw ik hem wel, ja.'

'Maar u weet niet waar hij zich bevindt?'

'Nee. Wat wilt u van Joe?'

Magnus denkt dat het verstandig is om in de aanval te gaan. Hij voelt een zweetdruppel van zijn rechteroksel omlaagrollen.

'Dat gaat u niets aan', zegt de Rus.

'Ik hou erg van uw vriendelijke en innemende karakter, kameraad Stepanovitj.'

'Ik hou erg van uw Deense sarcasme, maar laat het me weten als u erachter zou komen waar Joe Mercer zich bevindt. U bent immers de laatste persoon die hem heeft gesproken.'

'Dat lijkt mij sterk.'

'Hij is blijkbaar wel weg.'

'Spanje is een gevaarlijk land om in te verblijven.'

'Daarin hebt u helemaal gelijk, Meyer. Daar zou u zelf ook aan moeten denken.'

Hij moest nu vooral weer in de aanval gaan: 'Hoe zit het met mijn broer? Hoe gaat het met Mads?'

Hij kijkt intens naar de Rus en meent een verandering te bespeuren, een onzekerheid in de merkwaardig lichte ogen. Magnus wil zijn blik vasthouden, maar deze keer kijkt Stepanovitj weg.

'Uw broer is waar hij is en waar hij nodig is.'

'Dus u weet waar hij is?'

'Dat heb ik niet gezegd. En nu moet ik gaan.'

Magnus pakt zijn arm vast, en de blik van de Rus verandert en wordt zo weerzinwekkend dat hij tegen zijn wil snel de arm loslaat en opzijstapt.

'U weet waar mijn broer is. Ik merk het aan u', zegt hij veel te smekend. 'Kunt u niet vertellen of het goed met hem gaat? Kunt u hem niet de groeten doen? Ik wil graag weten of het goed met hem gaat.'

'Ga naar huis, señor Meyer. U hoort hier niet. Ga terug naar uw mooie en vredige landje.'

Magnus kijkt hem woedend en gefrustreerd na en is kwaad op zichzelf en zijn machteloosheid tegenover de SIM en alle andere machten. Hij loopt naar de lange bar, baant zich een weg door de menigte en bestelt een groot glas cognac, dat hij met drie flinke slokken achteroverslaat. De alcohol brandt de hele weg omlaag, maar hij geniet van de pijn en het effect. Hij kijkt om zich heen. Nu moet er iets gebeuren. De kwade gedachten moeten verdrongen worden.

Het feest wordt intenser en het lawaai neemt snel toe, en Magnus vindt dat het erop lijkt alsof ze bezig zijn met een wanhopige dodendans – een laatste vergeefse poging om erin te durven geloven dat het wel zal lukken, omdat ze het recht aan hun kant hebben.

Hij schudt alle negatieve klotegedachten van zich af en dwingt zich ertoe plezier te maken. Dat is niet zo moeilijk. De alcohol vloeit rijkelijk en het orkest, een solide dansband, de leden in rode jasjes en zwarte broeken en met een bandleider uit Buenos Aires, zorgt voor een uitgelaten, roekeloze stemming, die zich naar elke hoek van de hete balzaal verspreidt. De dirigent is een zwetende, intense man, die zijn orkest begeleidt alsof het laatste keer is dat ze de mogelijkheid hebben om op deze aarde te spelen. De zangeres komt uit Madrid en heeft een diepe en heldere contra-alt, die het beste uit het grote Spaanse en Latijns-Amerikaanse repertoire naar boven haalt.

Magnus praat in een korte pauze met de dirigent, die Lucius Domingo heet. Ze wisselen enkele herinneringen aan Buenos Aires uit, dat Domingo al tien jaar niet meer heeft gezien. Op een bepaald moment praten ze als oude vrienden. Irina komt erbij staan en vertelt enigszins overdreven dat Magnus zowel *zarzuela's* als de populairste Argentijnse liedjes kan zingen, wat de stemming met verscheidene akkoorden verhoogt.

Irina weet hem over te halen om een tango uit Buenos Aires te zingen, want plotseling staat Magnus op het podium en zingt een duet met de zangeres: *El día de me quieras*. De dag, dat je van me zult houden, croont hij, terwijl hij naar Irina kijkt, die met stralende ogen en een grote glimlach op haar lippen staat, alsof hij haar eigen, persoonlijke creatie is.

Er wordt enthousiast geklapt wanneer de laatste tonen weg-sterven, maar dat zouden ze voor bijna alles doen, en als belo-ning krijgt hij van de zangeres een kus op zijn wang en een lan-ge tongzoen van Irina, die champagne drinkt alsof het frisdrank is. Misschien dat haar hand daarom even snel en zonder dat ie-mand het ziet zijn ballen vastpakt en er zacht in knijpt. Voordat hij iets kan zeggen of doen, laten haar mond en handen los, en ze glijdt de dansvloer op met een officier in een pasgeperst uni-form met meer onderscheidingstekens dan er veldslagen zijn geweest om ze te verdienen. Haar elegante hoedje is tijdens het dansen verdwenen, dus haar krullen springen vrij in het rond.

André slaat hem op zijn schouder en zegt dat hij een man naar zijn hart is. En weet hij zeker dat hij geen Gallisch bloed in zijn aderen heeft? Hij gedraagt zich immers niet zoals normale zwaarmoedige en zeer dronken Vikingen uit het koude Noor-den altijd doen.

De sfeer bereikt het kookpunt en de ritmes werken als seks in het bloed op de dansende en drinkende mensen, die hopen dat het feest nooit zal eindigen. Magnus kan Irina natuurlijk niet voor zichzelf hebben. Ze kent te veel mensen, en te veel mensen willen met haar dansen. Ze houdt van dansen en bloost flatteus wanneer ze rond wordt geleid op de dansvloer.

Magnus en André staan naast elkaar en volgen haar met hun ogen terwijl ze met een Britse correspondent danst, die moeite heeft haar snelle voeten bij te houden. Het Argentijns-Spaanse orkest heeft zich op een Spaanse versie van de foxtrot gestort. Ze staan ieder met een cognac in hun hand. André neemt een diepe trek van zijn sigaret en zegt in zijn eigenaardige mengel-moes van Spaans, Frans en Engels: 'Het is een fabuloso vrouw en ze is enorm moedig. Ik heb haar aan het front gezien. *Merveille, mon amis*. En vol humor midden in de hel van de oorlog. We wa-ren bij Madrid. Plotseling komt een van die Duitse Junker 88's over ons heen, dus ik spring in een loopgraaf. Daar liggen al een

287

vrouw en een man. Het zijn Irina en iemand die ik niet ken. Ik stel me voor en zeg dat ik fotograaf ben. De man zegt dat hij een katholieke priester uit Bilbao is. Irina kijkt naar ons en zegt: "Dat zijn twee beroepen die in deze situatie niet echt bruikbaar zijn". *Merde.* De bommen vliegen ons om de oren en dan komt *la femme folie* met zo'n opmerking. Het is toch niet vreemd dat ik meteen voor haar viel?'

Hij lacht overdreven en gaat verder in zijn merkwaardige mengelmoestaal, maar de toon wordt ernstiger: 'Ze maakt ook fantastische foto's, het ware gezicht van de oorlog, maar ze kunnen niet allemaal getoond worden in haar land, *you know*. Niet voldoende heroïsme. Maar ik heb er een paar laten afdrukken in mijn Franse *magasin*; en *Life Magazine* zou dol op haar zijn, als ze mocht, maar dat gaat niet.'

'Waarom niet?'

'Oom Stalin houdt niet van dat soort foto's. En niet in Amerikaanse bladen.'

'Ik dacht dat je communist was, André.'

'Daarom kun je het toch nog wel betreuren dat propaganda en idiotie af en toe de kunst tegenwerken, *no?*'

'Dat is jouw keuze.'

'Is dat zo? Is dat altijd zo, *mon ami?*'

'Dat weet ik niet.'

André steekt een nieuwe dikke Franse sigaret op. Hij heeft de gewoonte om hem in zijn linkermondhoek vast te klemmen en tegelijkertijd te roken en te drinken. Daar komt misschien de wat merkwaardige vaste gewoonte vandaan om zijn ene oog dicht te knijpen. Hij zegt: 'Ik weet wat je denkt. Ik ben een communist, dan is Stalin een held – ja, een god. Dat is verkeerd, mon ami. Wij communisten moeten kritisch zijn. Dat moet in ons bloed zitten. Maar wat gebeurt er? Kritiek staat gelijk aan dood. Hier in Spanje? Hetzelfde. Bekritiseer je Negrín, is het verraad, no? En in Moskou sterven goede kameraden. Die terreurprocessen tegen zogenoemde volksvijanden zijn een farce. Dus Irina moet voorzichtig zijn, hè? Maar de positie van haar vader, hè?'

'Ik weet niet wat haar vader nu doet. Irina zegt dat hij diplomaat is. Is hij dat niet?'

'No. Hij is kolonel bij de NKVD, Stalins geheime politie. Een zeer goede spion, die met een diplomatieke dekmantel naar Londen werd gestuurd. Jij bent reporter. Je weet hoe het gaat. Vandaag een zeer belangrijke en grote man, maar dat is geen garantie, eerder het tegenovergestelde. Kameraad Stalin houdt niet van rivalen en ruimt hen uit de weg. De ene dag ben je een beul. De volgende dag ben je degene die de kogel in de nek krijgt van een nieuwe beul. *C'est la vie. And it fucking stinks, mon ami.*'

'Ik begrijp niet waarom je me dit vertelt.'

Hij spreidt zijn armen theatraal, overdreven Frans: 'Dat begrijp ik ook niet, mon ami. Misschien ben ik iets te snel dronken geworden. Misschien omdat mijn vader een fucking jezuïet was en ik zijn drang naar theatrale lusten heb geërfd. Misschien omdat ik je mag. Je laat me praten als tegen een vriend, no?'

Hij aarzelt, alsof hij niet weet of hij moet stoppen of verdergaan, maar zegt dan: 'Ik heb een vriend. Had. Een Russische kameraad. Ik hoorde gisteren dat hij tien dagen geleden in Moskou is geëxecuteerd als volksvijand. Igor *comme* volksvijand! Merde! Hij was een goede partijkameraad. Dan ben ik ook een volksvijand. Wat zijn dat voor mensen? De NKVD houdt iemand aan en laat de onschuldige zelf geloven dat hij schuldig is. Het komt erop neer dat de onschuldige moet knielen en dankbaar moet zijn voor de kogel in zijn nek in een kelder in Moskou. Het is zo duivels als de duisternis midden op de dag.'

'Irina en haar vader? Probeer je me dat te vertellen?'

'Dat moet je zelf weten. Ik weet niet waarom ik je dit vertel.'

'Ik denk dat je voor een andere partij moet kiezen.'

'Nee. De alternatieven zijn erger. De ideeën zijn wel goed. De mensen zijn klootzakken. Ik denk dat ik moet strijden voor veranderingen in mijn partij. Denk je niet?'

'Dat weet ik niet.'

Opnieuw verandert zijn gezichtsuitdrukking en er verschijnt een mooie glimlach, wanneer hij zegt: '*Never mind*. Geniet van Irina zolang je kunt. Ze is hier en plotseling kan ze weg zijn. Als een vlinder in een onverwachte windvlaag. Zoef. Ze is niet voor mannen die vastigheid willen.'

Irina komt terug. Ze glimlacht vriendelijk naar de Brit, die een kostschoolachtige buiging maakt, kijkt André en Magnus wat vragend aan, alsof ze voelt dat er iets tussen hen gaande is. Ze wijst met haar hoofd naar de deur, loopt weg en laat de drie mannen haar nastaren.

De Brit stelt zich voor als Winston Ruttgers. Magnus vraagt hem of hij ooit een jonge Deense vrijwilliger heeft ontmoet met de naam Mads Meyer, maar dat is niet het geval, hoewel hij diverse artikelen over de vrijwilligers heeft geschreven. Maar het zijn er ook vele duizenden. Er valt een pauze wanneer de muziek stopt en de dansende mensen klappen luid. Een nieuw nummer wordt ingezet en André zegt: 'Ik vertelde Magnus net hoe moedig Irina is.'

'Ja. Het is een verbazingwekkende vrouw. Jammer dat ze voor de bolsjewieken in Moskou werkt. Ze zou het ver kunnen schoppen. Nog maar enkele dagen geleden waren we samen bij Teruel. Het was er zo verrekte koud dat je ballen bevroren tot ijs. We waren met een klein groepje mensen van de pers, onder wie Irina, dat naar het front ging. De stad was omsingeld, maar de nationalisten hadden zich in het centrum verschanst. De artillerie en de tanks maakten een hels kabaal en toen het wolkendek openbrak, vlogen de vliegtuigen over ons heen. Irina en een Franse fotograaf en uw eerbiedige lagen achter een cementblok toen we zagen hoe een tank van de fascisten een paar honderd meter voor ons werd beschoten. Hij wilde omkeren en Teruel binnenrijden. Hij vloog in brand, maar een lid van de bemanning slaagde erin om eruit te komen en in de sneeuw te springen; de volgende bleef in het gat hangen. Irina vloog omhoog, alsof het kwaad achter haar aan zat, en rende met haar vervloekte camera naar de brandende tank. Ze viel in een loopgraaf en bleef daar, terwijl de kogels om haar oren vlogen. Toen stak ze haar hoofd omhoog om foto's te maken. Dat deed ze een paar keer. De schutters van de nationalisten hadden haar wel gezien. Het duurde een half uur en wij dachten dat we haar waren kwijtgeraakt, maar toen drongen de soldaten van de republiek de nationalisten verder terug, en Irina dook op uit het gat en zwaaide met haar camera, alsof ze een medaille had gewonnen bij de olympiade van de heer Hitler. Als je hun ogen niet kunt zien, ben je niet dichtbij genoeg, riep ze. Ze is gek. Ze heeft oorlogskolder.'

André zegt snel iets in het Frans, wat Magnus niet kan volgen, dus Ruttgers moet het vertalen: 'Dat is een besmettelijke ziekte hier in Spanje. Je wordt high van de oorlog. De adrenaline werkt net als drugs. Op een gegeven moment kun je er niet meer zonder en uiteindelijk ga je eraan dood.'

'Dat zei Joe ook altijd', ontglipt Meyer.

Winston Ruttgers zegt tegen hen beiden en tegen zichzelf: 'Ja. Die oude Joe. Waar is hij eigenlijk? Ik heb hem al tijden niet gezien. Het is niets voor Joe om zo'n feest als dit te missen. Normaal ruikt hij zoiets op mijlen afstand. Gratis sterkedrank en de wereld aan dames. Echt niets voor Joe om dit te missen.'

Magnus kijkt weg en schudt zijn hoofd en herhaalt zijn leugen dat hij had gehoord dat Joe naar Madrid of misschien naar Barcelona zou gaan. Niemand weet iets, maar hij vindt het niet prettig dat ze Joe's naam noemen. Het is niet zozeer een angst om betrapt te worden. Het is meer zijn slechte geweten dat de kop opsteekt. Dan helpt het niet om zich ermee te troosten dat hij handelde uit zelfverdediging.

Na middernacht dansen ze eindelijk weer. Het is een langzame dans, Irina buigt zich naar hem toe, legt haar hoofd op zijn schouder, en hij vangt de geur van haar haar op.

'Word je high van de oorlog, Irina?'

Ze spint als een tevreden kat. 'Word je dat?'

'Jij danst zo heerlijk, Magnus. Echt waar.'

'Is gevaar een kick, waar je de hele tijd meer van moet hebben om te kunnen werken?'

'Nee, dat is niet zo.'

'Maar je wordt wel high? Zit het in je bloed om gevaarlijk te leven?'

Ze tilt haar hoofd van zijn schouder en kijkt hem in de ogen:

'Wanneer de dood dichtbij komt, voel je je daarna enorm in leven. Snap je dat niet? Dat zou je wel begrijpen als je het had meegemaakt.'

'Dat is een hoge prijs om te betalen.'

'Dat was ik ook niet van plan om te gaan doen. Dans nou maar met mij. En praat niet zo veel. Dat doe je te veel.'

'En jij bent aangeschoten.'

'Wees daar maar blij om.'

'Waarom?'

'Want dan durf ik te zeggen dat je me nu mee naar bed moet nemen. Ik had mezelf beloofd om niet weer verliefd te worden. Het doet te veel pijn, maar jij hebt ervoor gezorgd dat ik mijn belofte moet breken.'

23

'Ik vind je zo fantastisch. Ik denk dat ik van je hou.'

Magnus is verrast over zijn eigen woorden, maar omdat het bloed in zijn lichaam aanvoelt als een aangename warme stroom, spreekt hij zonder te denken. Samen met de alcohol en de grote bevrediging die hij in elke vezel voelt, wordt hij door de hele situatie te open en weerloos. Hij zegt de zin en denkt precies op dat moment dat hij datzelfde voor het laatst tegen Dolores in Argentinië had gezegd. Terwijl Irina's reactie is dat ze op haar poezenmanier begint te spinnen, weet hij nog hoe Dolores was gaan huilen en zijn gezicht had bedekt met kussen en tranen, terwijl ze tussen elke kus zei: 'Ik ook van jou, lieveling. Ik ook van jou, lieveling.'

Irina ligt op hem en hij is dicht bij haar gezicht en zit nog steeds in haar. Ze heeft kleine zweetparels boven de lichte wenkbrauwen en haar lippen zijn natuurlijk rood en enigszins opgezwollen. Haar huid is glad en teer, wanneer hij langzaam zijn handen langs haar rug omlaag laat glijden om haar blote billen vast te pakken. Het is warm in de kamer, die is gehuld in een mooi gedempt licht van de lamp die ze heeft laten branden boven het bureau.

Ze waren in haar kamer beland. Dat bed is groter, had ze gezegd en ze had hem naar zich toe getrokken en hem met een hartstochtelijk verlangen gekust. Ze hadden niet kunnen wachten. De eerste keer had hij haar half uitgekleed tegen de muur genomen en zijn hand over haar mond gehouden om haar geschreeuw te dempen, en hij was zelf klaargekomen met een kracht die ervoor zorgde dat het hem zwart voor de ogen werd.

Daarna in bed was het langzamer geweest en had het langer geduurd, en hij kon zich niet herinneren dat het ooit zo zalig was geweest. De wereld verdween toen hij haar witte veerkrachtige lichaam liefkoosde en hij was dankbaar dat hij zo in leven was. Aanwezig te zijn op precies dit moment, in dit bed in deze warme kamer in een stad, waar de oorlog is buitengesloten, en met de vrouw die nu van hem is. Hij kan niet de juiste woorden voor zijn gevoelens vinden. Ze zitten in hem, maar ze kunnen er alleen uitkomen als banaliteiten. Dus herhaalt hij het banale dat hij van haar houdt.

'Mmmmmm ...' spint ze.

'En jij?'

'Wat bedoel je?'

'Hou je niet van mij?'

'Dat moet je niet vragen. Heb ik je het net niet laten zien?'

'Jawel.'

'En ik doe het graag weer, toch, schat?'

'Nu zei je het.'

'Nee. Dat is niet zo. Jij zei toch ook dat je het dacht? Dat je dénkt dat je van me houdt. Je bent verliefd op me. En ik op jou. Dat weet ik. Toen ik je voor het eerst zag, wist ik dat ik verliefd op je zou worden. De manier waarop je glimlachte. De manier waarop je stond, liep en een sigaret rookte. Ik wist dat je goed in bed zou zijn. Dat we perfect bij elkaar zouden passen. Maar dat is wel iets anders. Wat wil het zeggen dat je van iemand houdt? Dat is wat te moeilijk te begrijpen, wanneer je het zegt en hoort in het Spaans. Het is anders en veel beter in het Russisch.'

Ze zegt snel iets in haar eigen taal. Hij verstaat het niet, maar hij houdt van de muzikale manier waarop ze de taal behandelt. Russisch klinkt exotisch en anders als een diep lied uit de donkere bergen en bevroren rivieren.

Ze gaat weer verder in het Spaans: 'Op een Russische manier hield ik van mijn moeder en ik was erg verdrietig toen ze overleed aan tuberculose, maar ik hou vooral van mijn vader, ook al zou je dat niet moeten zeggen. Mijn papa is de beste ter wereld. Hij is zo slim en sterk. Mijn beste herinneringen als kind en grote meid heb ik aan de keren dat papa tijd had om met mij te spelen in onze datsja. Dat is zo'n vakantiehuisje dat Russen graag hebben. Het was genoeg wanneer hij gewoon met mij samen was, zodat hij mij sprookjes kon vertellen over beren en trollen die in het bos woonden, terwijl mijn moeder eten klaarmaakte. Maar papa heeft het altijd druk gehad. De revolutie is nieuw en veeleisend voor de belangrijkste kaders van de partij. Je weet toch wel wat een kader is?'

Hij knikt maar zegt niets, want hij wil niet dat ze ophoudt met praten. Hij wil haar graag vragen naar haar vader en zijn werk voor de beulen binnen de NKVD, maar hij wil de goede sfeer niet verpesten. In plaats daarvan vraagt hij waar in Moskou ze woonde. Dat was toch iets met een groot huis aan de rivier? Hij houdt van haar melodieuze stem, die de Spaanse woorden op een heel bijzondere manier uitspreekt, als geen ander die hij ooit heeft ontmoet.

Ze rolt van hem af, gaat op haar zij liggen en steunt op haar elleboog, terwijl ze naar hem kijkt. Haar ene borst voelt warm aan tegen zijn arm. Ze tekent op zijn bijna haarloze borstkas en zegt op een wat andere, diepere toon: 'Het is een heel groot huis dat aan de rivier in Moskou ligt met uitzicht op het Kremlin. Het is een groot huis met heel veel appartementen. Het zijn grote, mooie appartementen, waarin de belangrijkste mannen van de partij en enkele van de beste kunstenaars in het land wonen. Er wonen zowel auteurs als componisten. Het is een groot privilege om een appartement in dat huis te krijgen. We hebben acht kamers met meubels, die door het Kremlin zijn geleverd. Er zijn een keukentje en twee badkamers. Er is het hele jaar door warm water en niet alleen 's winters, zoals op de meeste plekken in Moskou. We wonen met uitzicht op de rivier en het Kremlin aan de ene kant en op een van de binnenplaatsen aan de andere. Het appartement is zo groot dat er altijd een grote kamer klaarstaat voor mijn broer en mij. Er is ook ruimte voor de huishoudster die papa heeft en die de partij hem stuurt. Het huis aan de rivier is een model voor de huizen die in de hele stad gebouwd worden. Het moet de toekomst worden, zeggen ze. Het huis is bijna een kleine stad. Er is een theater, een bioscoop, een *gastronoom*, dat is een winkel met levensmiddelen, en er zijn crèches, een bank en een postkantoor. Ik zou zo graag willen dat je het ooit kunt zien.'

'Dat geloof ik graag. Je bent echt een enorme patriot, knapperd', zegt hij.

Ze geeft hem schertsend een por, buigt zich over hem heen, kust hem en zegt: 'Ik hou van mijn land. Dat klopt wel. Het heet nu USSR. Dat is ook prima, maar als ik zeg dat ik van mijn land hou, dan denk ik aan Rusland. Alles. Het landschap. De zon. De hete zomers. De goede winters met grote hoeveelheden sneeuw. De taal. De mooie gedichten van Poesjkin. De toneelstukken van Maksim Gorki, die zo ongelooflijk geweldig zijn. Helaas is hij vorig jaar overleden. Hou jij misschien niet van jouw land, Magnus?'

'Denemarken? Nee, eigenlijk niet. Denemarken heeft mij nooit iets bijzonders gegeven. Ik hou, als ik dat woord moet gebruiken, meer van Argentinië. Ik zou best kunnen leven en sterven in Argentinië. Of misschien in Spanje, als het hier weer vrede wordt.'

'Dat vind ik wel een beetje zielig voor je. Jij moet ontworteld zijn. En een mens heeft wortels nodig om je te kunnen verplaatsen, zegt papa altijd. Misschien is het voor mij anders. Vanaf dat ik heel klein was, leerde ik van Rusland en de grote Stalin die zo veel voor ons doet, te houden.'

'Dat is iets anders.'

'Misschien. Maar dat moet je wel.'

'Van Stalin houden?'

'Ja, uiteraard. Dat doen alle mensen. Niet persoonlijk natuurlijk. Want ik vind eigenlijk dat hij lelijk is.'

'Heb je Stalin ontmoet?'

'Eén keer. Mijn vader is een belangrijke man voor de revolutie en hij kent Stalin persoonlijk. Ze vochten in het verzet samen tegen de tsaar en zijn geheime politie. Mijn vader heeft zelfs Lenin een keer gezien. Dat was in Petrograd, maar hij kende hem niet zoals hij Stalin kent. Papa nam mij mee om hem te ontmoeten toen ik vijftien was.'

'Hoe is hij dan, jouw grote leider?'

'Lelijk, zeg ik toch. Hij is klein en heeft een heleboel littekens van puisten in zijn gezicht. Verder heeft hij een merkwaardig verlepte arm en hij stinkt verschrikkelijk naar de rook van oude pijpen. Ik werd bijna bang voor hem, ook al was hij wel vriendelijk en kneep hij mij in mijn wang en zei dat ik een knap meisje was.'

'En terecht.'

'Wat? Dat ik knap was? Ik was een slungelige meid met platte borsten en een verlegen glimlach. Ik keek altijd weg omdat ik me nooit op mijn gemak voelde.'

'Daar dacht ik niet aan', zegt hij en hij aait haar over haar wang, waarna hij zijn handen achter zijn nek vouwt en naar haar kijkt.

'Dat weet ik wel. Bang zijn? Daarover praat je niet. Maar oké. Het klopt wel. Iedereen is bang voor hem, terwijl ze tegelijkertijd natuurlijk van hem houden, maar daarom werd ik niet bang. Ik was niet bang omdat hij onze leider is en daarom zowel geliefd als gevreesd is. Ik werd wat bang omdat hij zo lelijk was en zo oud stonk, en vader gedroeg zich vol respect tegenover hem. Stalin stonk naar een oude man. Je mag niet zeggen dat ik dat heb gezegd.'

Hij lacht naar haar: 'Erewoord. Als ik señor Stalin ontmoet, zal ik hem niet vertellen dat jij hem net zo lelijk vindt als een oude messenverkoper in Albacete.'

'Je bent me er een. Het is typisch iets voor een buitenlander om dat te zeggen. Voel mijn armen eens. Ik krijg kippevel als ik alleen al zijn naam noem. In mijn land zeg je niet gewoon zijn naam. Dat doe je gewoon niet. Vergeet niet dat ik op Russische wijze van kameraad Stalin heb leren houden en nu moet je mij liefhebben in jouw talen, of hoe je dat heerlijke maar noemt dat je met mij doet, dan kan ik jou ook laten zien dat ik je nu het beste in de hele wijde wereld vindt.'

Daarna liggen ze opnieuw naast elkaar en ademen en dommelen gezamenlijk. Ze gaat rechtop zitten met haar rug half naar hem toe gekeerd. Hij laat zijn hand langs haar blote rug omlaagglijden, naar haar billen en langzaam verder naar haar blote buik en over haar borsten, waar haar tepels stijf worden door zijn aanrakingen. Ze leunt voorover en geniet een moment van zijn liefkozingen, waarna ze haar arm boven hem uitstrekt, zodat haar borsten langs zijn borst glijden, maar wanneer hij haar weer aan wil raken, pakt ze het pakje sigaretten, laat er twee uitglijden en steekt ze allebei op. Ze stopt een ervan in zijn mond, haalt een pluisje tabak van zijn onderlip en rookt gulzig, waarna ze zegt: 'Zal ik je een droevig, maar erg mooi verhaal vertellen dat ik in Aragón heb gehoord? Ze noemen het het verhaal over de geliefden uit Teruel.'

'Als je daarna weer met me wil vrijen.'

'Word je nooit moe? Gaan we nooit slapen?'

'Van jou nooit. En we kunnen slapen wanneer we oud zijn.'

'Wie zegt dat we oud worden?'

'Dat zeg ik. We kunnen samen oud worden in Spanje, wanneer de oorlog gewonnen is. Je wilt toch graag in Spanje wonen?'

'Dit zijn wel andere geluiden, hè? Nu is het wannéér en niet áls de oorlog is gewonnen, hè?'

'Zo zie je maar welke invloed je op mij hebt.'

'Hou je mond en luister naar mijn verhaal, ook al is het zeer treurig.'

Ze leunt terug op haar ene hand, blaast rook naar het plafond en vertelt met haar lage, sexy stem: 'Er was eens, eeuwen geleden, een knap meisje in Teruel, dat Isabel Segura heette. Ze was de dochter van een zeer vooraanstaande en rijke familie. Het was een gelukkig meisje. Haar beste speelkameraadje heette Diego Marcilla, de zoon van een andere vooraanstaande en rijke familie in Teruel. Ze groeiden samen op, waren onafscheidelijk en werden erg verliefd op elkaar en wilden met elkaar trouwen, toen ze daarvoor de leeftijd hadden. Maar de familie van Diego was in moeilijkheden geraakt en heel erg arm geworden, dus de vader van Isabel, de rijkste man in Teruel, weigerde de twee jonge mensen met elkaar te laten trouwen. Diego bad vervolgens vriendelijk doch dringend om toestemming te krijgen de hand van Isabel te verdienen, en zijn gebeden werden verhoord. De vader van Isabel accepteerde dat Diego Teruel vijf jaar lang mocht verlaten om zijn geluk te beproeven. Als hij zich binnen die vijf jaar rijkdom kon verschaffen, zou hij Isabel als echtgenote krijgen.'

Ze drukt haar sigaret uit en draait zich naar hem om en gaat verder. Haar ogen zijn afwezig en wat vochtig: 'Diego vertrok en vijf jaar lang zeurde de vader van Isabel dat ze moest trouwen met een van de vele aanbidders die langs hun deur kwamen. Isabel zei nee. God wenste dat ze tot haar twintigste maagd zou blijven, en vrouwen zouden voor hun huwelijk moeten leren hoe ze een huishouding moeten leiden, verdedigde ze zich. Want ze hield alleen van Diego. Haar vader hield zo veel van haar en voegde zich naar haar, maar toen men gedurende die vijf jaar niets van Diego vernam, huwelijkte Isabels vader haar uit aan Don Pedro – een rijke man. Dat gebeurde precies op de dag dat de vijf jaren waren verstreken. Vlak nadat de priester hen tot man en vrouw had verklaard, was er een vreselijke opschudding bij een van de stadspoorten van Teruel. Diego was teruggekeerd, beladen met rijkdommen om te gaan trouwen met zijn geliefde Isabel. Het was te laat. Hij werd diep ongelukkig en tijdens de huwelijksnacht sloop hij de slaapkamer van Isabel en Don Pedro binnen. Hij maakte Isabel zachtjes wakker en fluisterde: "Kus me, want anders zal ik sterven."

Isabel weigerde en zei: "God wil niet dat ik mijn echtgenoot ontrouw ben. Ik vraag je in de naam van God om een ander te vinden en mij te vergeten. Want als onze liefde de goede God niet verblijdt, kan die ook mij niet verblijden."

Diego vroeg haar opnieuw dringend om hem een laatste kus te geven, maar ze weigerde nog steeds. Diego's hart brak van verdriet en met een laatste zucht viel hij dood om aan de voeten van zijn geliefde Isabel.'

'Dat is erg droevig, mijn geliefde', zegt Magnus met een lach om de trouwhartige ernst die in haar stem ligt.

'Hou je mond. Het gaat nog verder. Wanneer Isabel zich realiseert dat haar geliefde is overleden, begint ze over haar hele lichaam te trillen. Ze maakt haar man wakker en zegt dat ze bang wordt van zijn gesnurk. Ze heeft immers nog nooit met een man geslapen. En jullie snurken toch? Ze zegt dat hij haar een verhaal moet vertellen, zodat ze rustig kan worden. Dat doet hij en als tegenprestatie vraagt hij er een aan haar, en Isabel vertelt over Diego en dat hij nu dood naast het bed ligt. "Ach, vreselijke vrouw. Waarom gaf je hem toch geen kus?" vraagt haar wanhopige echtgenoot. "Ik wilde mijn man niet bedriegen", zegt Isabel.

Don Pedro wordt nu bang dat hij aangeklaagd zal worden voor het veroorzaken van Diego's dood, dus ze besluiten hem in het diepste geheim in een plaatselijk kerkje te begraven. De volgende dag tijdens de begrafenis van de arme Diego Marcilla duikt Isabel op, gekleed in haar bruidsjurk. Ze loopt naar de open kist om haar geliefde de kus te geven die ze hem 's nachts had geweigerd, maar wanneer ze hem kust, valt ze dood over Diego heen, die eindelijk zijn geliefde in zijn armen kan sluiten.'

'Dat is erg droevig. Daarin geef ik je gelijk.'

'Ja, toch?' Ze buigt zich over hem heen en kust hem lang, maar wanneer hij probeert om haar naar zich toe te trekken, laat ze hem los, gaat overeind zitten en zegt ernstig en met een melancholie in haar ogen die hem wel wat bang maakt: 'Dit droevige, maar ook romantische verhaal raakt alle burgers van Teruel diep in hun hart. Ze willen dat de twee mensen die elkaar niet konden krijgen in het leven naast elkaar worden begraven, zodat ze voor eeuwig samen kunnen zijn in de dood. Eerst stribbelt de kerk tegen. Isabel en Diego waren immers niet getrouwd, maar uiteindelijk buigt de strenge kerk zich voor de liefde en de wens van het volk, en de geliefden uit Teruel worden samen begraven en zijn daarom sinds die dag verenigd. Je kunt hun graf in Teruel bezoeken, wanneer de stad snel wordt bevrijd.'

'Amen', zegt hij, maar er glijdt een trek over haar gezicht.

'Plaag me nou niet.' Haar stem is merkwaardig leeg.

Hij gaat rechtop zitten: 'Je hebt misschien een andere moraal met dat verhaal?'

'Misschien. Ken je dat niet? Je hebt zulke goede seks gehad en dan word je plotseling heel verdrietig. Het is zo intens, als een plotselinge bomaanval, en dan is het voorbij, bijna voordat het is begonnen.'

'Wat zeg je nou? Je zegt waarschijnlijk ook iets anders wat ons aangaat.'

'Misschien.'

'Wat?'

'Dat je het moment moet grijpen en genieten van wat er is en niet van wat er gaat komen.'

'West is west, en oost is oost, en zulke twee grootheden kunnen elkaar op het moment ontmoeten, maar ze kunnen niet aan een toekomst samen denken. Is dat het?'

'Iets in die stijl.'

'André zei dat je niet voor mannen bent die vastigheid willen.'

'Ik zie jou ook niet als zo'n type dat wortelschiet en een nestje gaat bouwen.'

'Ik ben misschien bereid om het een kans te geven, wanneer de juiste vrouw langskomt.'

'Geef me eens een sigaret.'

'Het is je vader, hè? Ik weet wat hij doet.'

'Hou mijn vader erbuiten.'

'Dat is een beetje lastig, wanneer hij kolonel bij de NKVD is, hè? Wat doen ze daar, Irina? Dat weet je wel. Je vader rijdt op een tijger en dat weet je ook. Je kunt ook de krant lezen. Je kunt ook lezen over de zuiveringen en executies en deportaties in Moskou.'

Haar stem klinkt verbeten en ijzig: 'Hou mijn vader erbuiten, zeg ik toch. Alsof mijn vader een volksvijand is. Hoe kun je dat denken? Papa kent Stalin, verdomme. Hij bestrijdt volksvijanden. En ik vind dat je nu naar je eigen kamer moet gaan.'

'Verdomme, Irina. Wat gebeurt er?'

'Dat hoor je toch? Hoepel op.'

'Wat is er met je aan de hand?'

'Al die bullshit over liefde. Liefde doet pijn, verdomme. Je neukt goed en meer is er toch niet nodig? Morgen vind je vast wel een nieuw bed. Wat wil je?'

'Dat weet je wel.'

'Donder toch in vredesnaam op.'

Maar zij staat op. Hij ziet tranen in haar ogen, maar Magnus weet niet goed of het echt tranen van woede zijn of iets anders, omdat haar ogen ook zo veel pijn verraden. Haar stemmingswisseling is ongelooflijk verrassend en snel. Van intiem postcoïtaal welzijn naar deze zorgelijke woedeaanval. Ze staat midden in de kamer, haar gezicht is vertrokken en ze stampt als een hysterisch kind met haar rechtervoet op de vloer.

Hij stapt uit bed en doet een paar stappen in haar richting, maar opnieuw is ze hem voor, ze vliegt hem verrassend aan en slaat hem hard tegen zijn wang met haar vuist. Het lukt haar nog een paar tikken uit te delen, voordat hij haar armen vast kan grijpen en haar in bedwang kan houden. Haar gehuil is nu heftig. Haar hele zelfverzekerde pantser is verdwenen en hij weet niet hoe hij haar moet troosten.

Ze is sterk, maar ze kan zich niet losrukken. Ze spuugt op hem, maar hij laat haar armen niet los, voordat hij merkt dat ze niet langer tegenstribbelt. Haar gezicht is een lelijk verwrongen masker en haar ogen zijn rood en opgezwollen. Hij voelt het onder zijn rechteroog branden, waar ze hem met haar eerste slag raakte.

Ze verrast hem opnieuw wanneer hij haar loslaat. Ze zakt ter plekke in elkaar, alsof haar lichaam een leeg omhulsel is, dat gevuld is met lucht die nu veel te snel ontsnapt. Ze glijdt draaiend om haar eigen as omlaag en zit gehurkt met haar armen om haar lichaam, terwijl ze geluidloos huilt.

Hij weet niet wat hij moet doen. Hij heeft nooit eerder meegemaakt dat iemand op zo'n onwerkelijke en kwetsbare manier instort. Kan het komen door oorlogstrauma's die plotseling oplaaien? Wist hij het maar. Hij weet niet wat ze op het slagveld heeft gezien. Kwam het door iets wat hij zei? Dat was het. Het begon allemaal met de woorden over haar vader, maar is dat de enige verklaring? Hij snapt niet dat zij dezelfde persoon is die zich nog maar enkele minuten geleden volledig had overgegeven aan een hartstochtelijke extase. Hij kijkt naar het rillende, naakte lichaam en wordt vervuld van een grote genegenheid, die de woede tenietdoet die zoals gewoonlijk meteen in hem opkwam. Ze zit daar maar als een klein kind.

Hij buigt zich voorover en trekt haar zachtjes omhoog, zodat hij haar onder haar benen en schouders vast kan pakken. Hij tilt haar op en draagt haar naar het bed. Nu stribbelt ze niet meer tegen. Haar hoofd bungelt eerst, maar dan legt ze het tegen zijn schouder. Hij voelt haar tranen, maar ze huilt zonder geluid te maken. Hij legt haar in bed en trekt het laken en de deken over haar heen, waarna hij naast haar kruipt en haar zachtjes tegen zich aantrekt met zijn armen om haar heen. Zo liggen ze, hij weet niet hoelang, maar het voelt als een eeuwigheid, omdat hij niet begrijpt wat er is gebeurd. Eerst trilt ze onbeheerst en haar verder zweterige lichaam voelt aan als ijs, maar langzaam keert de warmte in haar terug. Ze houdt haar ogen dicht. Ze ligt helemaal stil en hij denkt dat ze in slaap is gevallen, maar dan zegt ze bijna fluisterend en toonloos vanaf zijn schouder zonder haar hoofd op te tillen of haar ogen te openen: 'Het komt door mijn broer. Hij heet Sasja. Een week geleden kreeg ik een brief van hem. Mijn oudere broer is kapitein in het Rode Leger, zoals je misschien nog weet. Hij doet dienst in Rostov. Daar is een luchtbasis en een van zijn kameraden, die nu naar Spanje is gestuurd om te helpen, had een brief voor mij mee. Het was een vreselijke brief, Magnus. Sasja is een patriot en lid van de partij. Sasja is trouw aan de grote Stalin, maar in de brief, die zoals hij weet de censuur ontwijkt, schrijft hij de vreselijkste dingen. Zijn officierskameraden verdwijnen. Ze worden de dag erna gearresteerd en doodgeschoten. Ze worden aangeklaagd voor het feit dat ze volksvijanden zijn en dat is voldoende. Het is een doodvonnis. Wat is er gebeurd met onze socialistische idealen over rechtszekerheid? Hij schrijft mij nu omdat zijn beste vriend, Losja, is overleden. Ik kende Losja goed. Hij groeide samen met ons op. Hij was een groot Sovjet-Russische patriot en trots – o, zo trots – toen hij officier werd. Ze haalden Losja op een ochtend op en brachten hem naar Moskou. Drie dagen later had hij bekend dat hij een muiterij in zijn compagnie en een moordaanslag op Stalin had beraamd. Dat is compleet absurd. Dat zou Losja nooit doen. Hij werd in de kelder in Lubjanka doodgeschoten. Dat is het hoofdkwartier van de NKVD, mocht je dat niet weten. Losja is dood. Ik begrijp het niet. Het is onvoorstelbaar en ondraaglijk. Sasja heeft onze vader bezocht. Hij wilde getuigen voor Losja, maar hij kreeg van vader te horen dat dat een slecht idee was. Ze ruzieden, schrijft hij. Vader was bleek en gesloten en gemeen, schrijft Sasja. Alsof hij de slechte brief had gelezen. Alsof zelfs hij niet meer veilig is. 's Nachts komen de zwarte, gesloten auto's naar het huis aan de rivier om mensen mee te nemen, die je nooit weerziet. Niemand doet iets. Het licht in de appartementen brandt, maar er zijn geen bewoners meer. De overlevenden zitten stil en durven niets te zeggen en niets te doen. Sasja schrijft dat het waarschijnlijk het laatste is wat ik van hem zal horen. Hij gaat ervan uit dat hij over niet al te lange tijd zal worden opgehaald door een zwarte auto, en dan is het afgelopen. O, shit, Magnus. Het is zo verschrikkelijk.'

Haar gehuil begint weer. Magnus zegt niets, maar hij houdt haar gewoon vast en laat haar uithuilen. Hij voelt weer hoe het gehuil en het geril afnemen en wanneer ze weer stilligt, vraagt hij zachtjes: 'Hoelang weet je dit al, Irina?'

'Ik heb eigenlijk al lange tijd mijn vermoedens gehad. Ik heb het gewoon verdrongen. Dat is het gemakkelijkst.'

'Hiermee kun je niet in je eentje rondlopen. Het groeit in je als een kankergezwel.'

'In mijn land lopen miljoenen mensen er alleen mee rond, omdat we de verhalen niet willen geloven. We bedenken ontelbare excuses. Het is burgerlijke propaganda. Het is overdreven. Ze hebben hun verdiende straf gekregen. Het moet snel ophouden, zeggen we. Stalin weet niet wat er in zijn naam gebeurt, signaleren we zonder het tegenover elkaar uit te spreken. We voeren allemaal een stukje komedie op. Zie mij maar. Ik ben de frisse en stoere Irina, die niet bang is voor de dood. Ik kan drinken en dansen en neuken en snelle opmerkingen plaatsen, maar dat is alleen maar uiterlijk. Binnen in mij zat de hele tijd een klein meisje, dat nu huilt en bang is, omdat ze weet dat het gruwelijk misgaat. Ze kan niet meer in iets geloven, ze kan niet geloven in het socialisme. In alles waarin ze volgens haar opvoeding hoort te geloven. Dat doet zo ontzettend veel pijn. Mijn broer zei een keer tegen me dat je geen revolutie teweeg kunt brengen door de regels te volgen. De bezem moet erdoor gehaald worden. De revolutie heeft toch veel vijanden? We lezen in de *Pravda* dat een nieuwe volksvijand is geëxecuteerd en klappen in onze handen van enthousiasme, omdat we kunnen lezen dat hij zijn vergrijpen tegen de staat heeft bekend, terwijl we van binnen rillen van angst. Op het moment gaat het om buitenlandse samenzweringen tegen de revolutie. Het krioelt blijkbaar van de buitenlandse agenten en provocateurs in mijn land. Er is niemand die iets durft of kan zeggen of doen. Niet eens papa. Het is zoals Sasja schrijft. In de trolleybussen in Moskou hangt een bord bij de ramen. Hang niet naar buiten, staat er. Zo gedragen we ons onder Stalin. Steek je hoofd niet uit, anders wordt het afgehakt. Het is gewoon hopeloos, Magnus.'

Hij begrijpt haar gedrag van de afgelopen dagen nadat hij terug was gekomen uit Cartagena beter. Onder het stoere uiterlijk, dat alle mensen van de pers als het *toughe* image van het vak hebben, alsof het een deel van een onzichtbaar uniform is, heeft een onderstroom van onderdrukte angst gebroed. Ze is ook opgewondener dan anders geweest en ze heeft veel meer gedronken. Ze kan veel hebben, maar haar drinken had iets wanhopigs, denkt hij en hij kan zich herinneren hoe overdreven en hectisch ze zich op het galafeest gedroeg.

'Je kunt bij mij blijven', zegt hij.

'Ik kan papa niet in de steek laten, snap je dat niet?'

'Jawel, maar daarom kun je nog steeds wel bij mij blijven. Ik kan op je passen.'

'Dat weet ik wel. Dat maakt het zo hopeloos. Ik weet dat je van mij houdt. Dat merk ik toch. In een ander leven zouden we kunnen trouwen, maar dat kunnen we niet in dit leven. Ik kan niet trouwen met een buitenlander, dan vliegt papa de gevangenis in. We kunnen onze liefdesogenblikken samen hebben, maar dat is alles waarvan we mogen dromen. De liefde doet zo onzettend veel pijn. Ik had mezelf beloofd om niet weer echt verliefd te worden, maar nu is het toch gebeurd en het doet zo verdomde veel pijn, Magnus. Het is alsof ik van binnen word verscheurd.'

'Ik laat je niet los.'

'Dat weet ik wel, lieveling. Maar je zult wel moeten. We moeten genieten van de tijd die we samen krijgen en hopen dat het lang zal duren. Dat geloof ik niet, want we leven in geleende tijd, maar dat is alles wat we in dit leven kunnen verlangen.'

24

De volgende dagen lopen allemaal in elkaar over voor Magnus, omdat ze bijna de hele tijd samen zijn. Ze eten, vrijen en praten. Af en toe is hun seks wanhopig, maar die wordt vooral gekenmerkt door tederheid, geborgenheid en grote hartstocht. Ze praten ook veel, alsof ze het verlorene moeten inhalen, waarvan ze toch niet weten wat het is. Ze ontdekken elkaar elke ochtend opnieuw, gelukkig over het feit dat ze samen wakker worden. Hij weet niet helemaal zeker hoe zij het ervaart, maar hij heeft dit nog nooit eerder meegemaakt. Het komt niet alleen door de goede seks, maar ook door hun gesprekken en het gevoel van saamhorigheid, dat hem grote vreugde en voldoening geeft.

Hij kan haar over Mads en Marie vertellen en over de vreselijke, angstige jeugd op een eerlijke manier, die nieuw voor hem is. Hij heeft nog nooit eerder zo open met iemand over zijn leven gesproken. En zij vertelt hem over haar angst voor het lot van haar vader en broer in het verre Moskou en over haar heerlijke jeugd, waarin het leven één groot feest was, of de zon nu brandde of dat er sneeuw viel. Hij kan het niet laten om zich te verbazen over het paradoxale in de verschillen tussen het gedrag van hun vaders, wanneer hij aan hun achtergrond denkt. Zijn vader is arts en een erkende en gerespecteerde genezer van zieke mensen en hun gemoed, maar hij mishandelde zijn kinderen lichamelijk en geestelijk. Irina's vader is de geheime veiligheidsofficier, die zeer zeker met heel veel bloed aan zijn handen de vijanden van de revolutie bestrijdt, terwijl dezelfde handen liefdevol zijn kinderen aanraakten wanneer hij thuiskwam uit de koude kantoren of misschien de martelkelder.

Magnus durft niet hardop te zeggen wat hij denkt. Rond Irina's vader en zijn situatie heerst een kwetsbaarheid en een op de loer liggende agressie, en hij is bang dat die ervoor kunnen zorgen dat ze explodeert als hij te dichtbij komt. Wanneer de NKVD-kolonel ter sprake komt, kiest ze de woorden zorgvuldig en ze zijn niet altijd helder en logisch. Zo is het gewoon. Hij moet erkennen en accepteren dat ze allebei geheimen met zich meedragen, die ze in de binnenste ruimtes van hun hart hebben opgesloten en waarvan ze elkaar de sleutel nog niet willen geven.

Ze vertelt over hoe ze haar angst in haar werk als oorlogsfotograaf heeft overwonnen door zichzelf te dwingen moediger en roekelozer op te treden dan haar mannelijke collega's. Haar vader heeft haar altijd ingeprent dat een ware communist nooit piept of angst laat zien. Ze is zo bang geweest dat ze dacht dat ze niet door de kogels, maar door de angst zou sterven. Ze heeft het nooit laten zien en het ook nooit eerder toegegeven. Die harde werkwijze is haar schild geweest. Ze kruipt naar hem toe en geniet van de kwetsbaarheid en de open overgevoeligheid, die ze van zichzelf in zijn aanwezigheid mag tonen.

De oorlog verdwijnt voor hen. Het maakt hun niets uit. Ze leven in hun eigen cocon in een koude tijd, waarbij de berichten van het front naar de achtergrond verdwijnen. Ze denken alleen aan zichzelf en het samenzijn. Het grootste taboe dat er tussen hen is, is de wetenschap over de geleende tijd, waarvan Magnus niet wil accepteren dat die de hoeksteen van hun relatie is, maar hij weet dat zij het juist erkent als een onvermijdelijk deel van hun hartstochtelijke geluk.

Hij vertelt haar niet over Joe Mercer en het geheim van de Romeinse ruïnes in Cartagena. Iets weerhoudt hem ervan. Het kan zijn slechte geweten zijn. Het kan zijn dat hij inziet dat de informatie haar alleen maar ongelukkig zal maken. Hij staat een paar keer op het punt om het slijmerige blik met wormen te openen, maar hij houdt zichzelf tegen en ze heeft niets in de gaten.

Ze verlaten eigenlijk alleen maar hun bed om te eten en om wat frisse lucht te krijgen in de trieste stad. Er is een winterkou over het Iberisch Schiereiland getrokken, die ook een klamme hand over Albacete heeft gelegd, maar het maakt hun niets uit in hun holletje in het hotel, waar ze vrolijke glimlachen met een blik van verstandhouding toegespeeld krijgen van Maria Immaculada en Alfonso, die bij de receptie werkt, en die hun eten en drinken laat brengen als ze er geen zin in hebben om naar het restaurant te gaan, en die ervoor zorgt dat er warm water uit hun kraan komt en dat hun radiatoren warmte afgeven. Het is alsof hun liefde vreugde en glimlachen verspreidt midden in de grijze winteroorlog. Grote fooien dragen er in hoge mate toe bij dat ze bediend en met rust gelaten worden. Elke keer als hij Joe's geld gebruikt, voelt hij een steek van een slecht geweten, maar hij doet het toch.

Oudejaarsavond vieren ze zonder het hotel te verlaten. Ze eten een relatief goed diner, dat een vermogen kost, omdat de ingrediënten van de zwarte markt komen. In de eetzaal zijn ronde tafels van verschillende formaten gedekt. Ze krijgen een kleinere tafel voor zichzelf. Aan andere tafels in de halflege zaal zitten officieren en illegale handelaren in smoking, en politici die met kennis van zaken praten over de intriges in Valencia en Barcelona en over de onzekere situatie die in Madrid heerst, terwijl ze vaak hun vrouwen negeren. Ze lijken het er allemaal over eens te zijn dat duizenden mensen in alle steden, ook in Albacete, erop zitten te wachten Franco welkom te kunnen heten. Deze verraders zijn een gevaarlijke colonne in hun midden en ze moeten opgespoord en uitgeroeid worden. De eerste voorzichtige suggesties dat een wapenstilstand een mogelijkheid zou kunnen zijn, worden diplomatiek geuit, maar met een ritueel afstand nemen. Want de overwinning is nabij? Of toch niet? Moet er op een alternatieve manier aan de toekomst worden gedacht? De sfeer is wat mat ondanks de grote hoeveelheid sterkedrank. Het is een beetje kil in de balzaal met het hoge plafond.

Magnus kijkt of Pandrup er ook is en informeert bij een Zweedse commissaris naar hem, maar hij krijgt alleen te horen dat hij is teruggekomen naar Albacete, maar dat hij op dit moment niet te spreken is. Tove is ook aanwezig. Ze begroeten elkaar netjes, maar de blik waarmee ze Irina aankijkt, spreekt boekdelen, en ze praten niet met elkaar, ook al verlangt hij er vurig naar om naar Mads te informeren en of ze niet weet waar hij zich bevindt. Tove is samen met een Noorse vrijwilliger, die om tien uur 's avonds al straalbezopen is.

Daarna wordt er gedanst. Er is een klein orkest, dat niet veel ophef van zichzelf maakt, maar Magnus en Irina dansen toch langzaam in het rond op de dansvloer, terwijl middernacht dichterbij komt en iedereen proost met champagne. Irina drinkt te veel champagne en struikelt bijna wanneer ze naar bed gaan en dronken vrijen, terwijl het lawaai buiten het raam toeneemt.

Ze horen hoe dronken mannen huishouden in de stad, waar gevechten ontstaan tussen de verschillende nationaliteiten over kleinigheden en tussen de vrijwilligers en de stormtroepen van de Guardia de Asalto. De berichten van het front zijn niet positief, als je tussen de regels door leest. Het offensief bij Teruel lijkt door de hevige kou te zijn gestagneerd. Nog maar enkele maanden geleden vervloekten de soldaten de brandende Castiliaanse zon, die hen genadeloos verschroeide. Nu sterven ze in de ijzige kou bij de fronten van Aragón of ze worden met bevroren ledematen naar het lazaret gestuurd. In Albacete hebben bij alle levensmiddelenwinkels lange rijen gestaan en de illegale handelaren hebben een toptijd gehad. Ook al is het verboden, wordt het nieuwe jaar 1938 welkom geheten met geweerschoten naar de koude grijze hemel.

Maar in het nieuwe jaar explodeert de hemel boven de stad pas echt. Het grijze wolkendek breekt weer open en de luchtmacht van de nationalisten begint rond lunchtijd met zijn bombardementen. Dat is natuurlijk net op het moment dat ze niet samen zijn.

Magnus is naar buiten gegaan om sigaretten te kopen op de zwarte markt bij zijn vaste leverancier, de messenverkoper op één been, wanneer de sirenes de lucht verscheuren met hun schelle hoger en lager wordende tonen en hij hoort hoe het eerste luchtafweergeschut bij het station het vuur opent op de vliegtuigen, die in een bommenformatie vanuit het westen komen.

Irina wilde niet mee, wat hem enigszins verbaasde. Normaal gesproken geniet ze van hun wandelingen door de stad, maar ze is de afgelopen dag in een merkwaardig onrustig humeur geweest en ze heeft gemompeld over vrouwenzaken die hem niets aangingen en was de badkamer in gelopen zonder hem een echte afscheidskus te geven. Hij moest gewoon sigaretten halen. Anders kwamen ze zonder te zitten en dan werd ze pas echt prikkelbaar.

Magnus heeft de onderhandelingen met de illegale handelaar bij de stierengevechtarena afgerond en de pakjes sigaretten in zijn schoudertas gestopt wanneer hij de Duitse machines over de stad aan ziet komen vliegen. Het zijn nieuwe zware Junker 52-bommenwerpers van het Duitse Legioen Condor. Hij stelt zich voor hoe de piloten onder het aanvliegen over de Castiliaanse vlaktes op grote afstand de torenspits van de kathedraal, de lage huizen, het station, de hogere gebouwen in het centrum en de vele kleine werkplaatsen die verspreid liggen kunnen zien. Boven de bommenwerpers vliegen de beschermende jagers, maar de luchtmacht van de republiek schittert zoals gewoonlijk door afwezigheid, ook al zijn er bij de luchtbasis van Los Llanos enkele kilometers ten zuiden van Albacete jagers gestationeerd, maar de meeste zijn vast naar Aragón gestuurd om het offensief rond Teruel te ondersteunen.

Magnus begint te rennen, gedreven uit angst voor zichzelf en voor Irina, en hij heeft er nu spijt van dat hij haar alleen heeft achtergelaten in het hotel, wanneer de eerste bommen voor hem exploderen en de wereld laten verdwijnen in een wolk van rook, stof en munitiegassen die branden in zijn keelgat. Dit alles in een hels kabaal, waarvan hij niet had gedacht dat het menselijk oor dat zou kunnen overleven. Er stijgt een zwavelgele, stinkende rookpluim op boven de stad. De aarde beeft onder zijn voeten, en hij valt om in het stof. Enkele meters voor hem ontploft een waterleiding, die een hoge straal water de lucht in spuit. Een man ligt zonder been tegen een muur, waar het dak van het huis geblazen is, terwijl zijn muildier, dat beladen is met bestek van een van de kleine bedrijfjes in de stad, naast hem ligt te balken met zijn darmen half uit zijn buik.

Hij krabbelt weer op zijn knieën. Het fluit in zijn oren en hij heeft moeite zich te oriënteren. Hij komt helemaal overeind. Hij hoest enorm door het stof en vanwege de rook van een in brand staand gebouw, verderop in de straat. Hij ziet lijken liggen en hoort het wanhopige hulpgeroep van de gewonden, wanneer de volgende lading een flink stuk verderop explodeert. De Duitse machines bombarderen in het wilde weg om militaire doelen te raken. Ze vliegen in een rechte lijn in formatie en laten hun bommen vallen, die in verschillende groottes om hun eigen as draaien en griezelig langzaam lijken te bewegen, maar onafwendbaar naar de aarde vallen.

Hij springt achter een hoop steenbrokken en voelt de drukgolf boven zijn hoofd. Als Irina nu maar toevlucht heeft gezocht in de schuilkelder onder Plaza Altozano, maar hij weet dat het waarschijnlijker is dat ze met haar camera onderweg is naar de verwoestingen. Hij is zo ziek van bezorgdheid om haar dat het zijn angst voor zijn eigen leven en welzijn overheerst. De eerdere bombardementen boven Albacete stellen hiermee vergeleken niets voor. Hij kan het stabiele gebrom van diverse vliegtuigen aan de hemel boven de stad boven het lawaai uit horen. Ze laten hun bommen op grote hoogte vallen. Het maakt hun niets uit wat ze raken.

Hij komt weer overeind. Door het stof en de rook kan hij bijna niets zien. Mensen lopen verward rond met lege ogen van de shellshock. Een moeder en twee kleine kinderen, die ze heeft geprobeerd te beschermen, liggen vermoord voor hem. Hij kan het aan de open, dode ogen van de kinderen zien. De vrouw mist een been dat vanaf haar lies helemaal is weggeblazen. Ergens anders ligt zijn illegale handelaar. Zijn hoofd is een bloederige massa en hij mist nu ook een arm, die een stukje van hem af ligt. Zijn bakje met messen en ander bestek is door de drukgolf in zijn borstkas gedrongen en Magnus voelt zure gal en braaksel in zijn keel prikken.

Hij kan de luchtsirenes horen en nu ook de eerste brandweerauto's. Hij probeert in te schatten in welke richting hij het beste kan gaan, voelt naar zijn revolver, die nog steeds in zijn jaszak zit, omdat het gevoel dat hij bewapend is hem zowel troost als rust biedt, ook al is het misschien idioot. Hij stapt over nog een vrouwenlijk, begint wat te rennen en komt uit de rook, die de wind van hem wegdrijft.

Hij hoort nog meer bommen exploderen, maar nu verder weg bij het station of misschien bij de kazerne van de burgergarde. Hij wordt gedwongen om een nieuw, kleiner straatje in te rennen. De weg voor hem wordt totaal geblokkeerd door een halve rij huizen, die gedeeltelijk is ingestort. Wonderlijk genoeg komen er toch mensen uit de verwoeste gebouwen lopen. Ze houden hun gewonde armen vast, hinken op hun kapotte benen of proberen bloed van hun toegetakelde gezicht te vegen en huilen geluidloos. Sommigen van hen zien er verward uit, ook al zijn ze op het eerste gezicht niet gewond. Ze zijn geschokt en verlamd door de knallen. Bij enkelen komt er bloed uit de oren. Ze zitten allemaal onder het stof, waardoor ze op geesten uit het dodenrijk lijken. Een vader draagt zijn zoontje. Het hoofd van het jongetje bungelt slap heen en weer, maar de vader besteedt er geen aandacht aan. Hij loopt als in trance door de stofwolken.

Magnus kent de straat niet waar hij doorheen is gelopen en struikelt bijna over een dode hond naast een oudere man die open, verbaasde ogen heeft en zijn onderlijf mist.

Een stuk verderop bereikt hij een bekende avenue. Het lawaai van de explosies neemt toe en de aarde schudt ervan, en er zijn meer mensen die zoals hij weg proberen te komen, maar waarnaartoe? Misschien naar de dichtstbijzijnde schuilkelder, maar er zijn er veel te weinig en waar zijn ze eigenlijk? Hij weet het niet. Hij heeft het nooit onderzocht. Bovendien wil hij terug naar het hotel om Irina te vinden. Mensen rennen heen en weer als verwarde mieren in een hoop die met een grote stok kapot is gemaakt. Twee mannen willen hem tegenhouden. Hij kan door het lawaai niet horen wat ze tegen hem zeggen. Ze zien er zowel bang als dreigend uit, en ze doen een greep naar hem of naar zijn tas. Hij trekt zijn pistool en zwaait ermee, en ze doen een stap opzij. Hij weet niet of ze hem kwaad willen doen, maar hij neemt geen risico. Hij hoort vliegtuigen boven zich en kijkt op.

De granaten van het luchtafweergeschut exploderen aan de hemel boven hem, maar twee zwartgeschilderde machines vliegen ongeschonden boven de grijswitte explosiewolken en laten hun lading vallen. Er zijn veel kleine aluminiumkleurige hulzen, die naar de aarde dwarrelen als levende wezentjes en exploderen in vuurkogels. Ze verspreiden zich als kringen in het water, waarin een grote steen is gegooid.

De paniek en de angst nemen toe wanneer het witte fosfor ontvlamt en aan de kleding en de huid van mensen plakt. Een zwart muildier rent krijsend rond met een lading brandend sprokkelhout. De eigenaar is een oudere man die met brandende kleren aan over de grond wordt gesleept. Magnus heeft zoiets nog nooit eerder gezien en had nooit gedacht dat hij de vuurstorm van de dag des oordeels in de arme straten van Albacete zou meemaken.

Mensen zwart van het roet strompelen rond in de ruïnes, verblind door vuur, rook en stof, terwijl brandweermannen de vlammen die van huis naar huis dreigen te springen proberen te blussen. Hij ziet twee mensen die in brand staan in een door de bommen getroffen huis, wanneer hij wegrent van het inferno. De richting brengt hem verder weg van Irina, maar de gruwelijke scènes, het dierlijke geschreeuw en het wanhopige geroep van ouders om hun verdwenen kinderen maken hem krankzinnig.

De Duitse machines verdwijnen boven de vlakte en laten een dodelijk spoor dwars door de stad achter, waar brandweermannen, verplegend personeel en vrijwilligers van de Internationale Brigades een poging doen om de nood te lenigen. De Guardia de Asalto's en gewone politieagenten proberen opnieuw een zekere orde te creëren. Er klinken al snel geweerschoten. Hij denkt dat ze mensen doodschieten die willen profiteren van de chaos door te gaan plunderen. Hij tast naar zijn revolver en omklemt hem in zijn jaszak.

Een vrouw met een gezicht als een masker van bloed steekt haar handen naar hem uit en hij deinst achteruit, alsof ze het kwaad zelf is. Ze zegt iets, maar hij verstaat haar Spaans niet dat uit een gewonde mond komt. Met een slecht geweten loopt hij om de verwarde, gewonde vrouw heen, maar dan blijft hij staan en loopt naar haar terug. Hij pakt haar bij de arm en brengt haar naar de hoek van de straat, waar hij meerdere brancards ziet en een man in een witte doktersjas en twee vrouwen in blauwe verpleegstersuniformen.

Hij verstaat geen woord van wat de gewonde vrouw zegt. Hij zet haar voorzichtig op de grond, maar ze wil zijn arm niet loslaten. Hij moet haar magere vingers vastpakken en die een voor een lostrekken. Het is koud en toch zweet hij. Hij trekt een verpleegster aan haar mouw. Haar gezicht is wit en ontsteld, en er zit bloed op haar ene wang. Ze kijkt hem met een woeste blik aan en hij wijst alleen maar naar de vrouw met het kapotte gezicht en de verpleegster knikt opgejaagd. Hij loopt snel bij hen vandaan.

De hele luchtaanval duurde maar twaalf minuten, maar wanneer hij in een cirkel terugloopt naar Plaza Altozano en Gran Hotel, is hij woedend en wanhopig over de verwoestingen en de vele branden en de doden en gewonden.

Het vreemde is dat God is teruggekeerd, wanneer je eigenlijk zou denken dat hij Albacete voorgoed had verlaten. Hij ziet onderweg meerdere keren mensen met gevouwen handen op hun knieën zitten. Officieel zijn er geen priesters meer in de stad, maar er zijn blijkbaar heel wat mensen die de rozenkrans en het crucifix in een lade hadden verstopt, ook al zijn de kerken gesloten of afgebrand, en ze knielen nu alleen of in groepjes en bidden met gesloten ogen voor de verwoeste huizenblokken. In andere ruïnes zijn aanverwanten al bezig naar hun familieleden te zoeken. Ze gebruiken hun blote handen om in het puin te graven.

De Guardia de Asalto's en andere geüniformeerde agenten patrouilleren nu meer gedisciplineerd. Ook het georganiseerde reddingswerk is onderweg. Ze hebben het eerder gedaan. Het brandblussen wordt verhinderd doordat een van de hoofdwaterleidingen blijkbaar is geraakt door een bom. Het stinkt overal naar rook en pis en poep en verbrand vlees. Boven het geknetter van de vlammen hoort hij het geluid van de sirenes, die vertellen dat de luchtaanval is afgelopen. Voor zolang het duurt.

Hij loopt als een zombie door de verwoestingen en wordt bijna doof en blind voor het geschreeuw van de gewonden en de zwijgende aanklacht van de doden. Hij is net als de mensen die hij onderweg tegenkomt grijszwart van het stof en de as, en het piept en suist in zijn oren. Hij is wonderlijk genoeg niet gewond geraakt. Zijn lichaam is gebroken, alsof hij tegenover een zwaargewicht bokser in de ring heeft gestaan, maar hij heeft alleen een paar oppervlakkige schrammen op zijn linkerhand en een niet bijzonder diepe snee boven zijn rechteroog. Die bloedt een beetje, voelt hij, maar verder is hij zo ongedeerd dat hij bijna zijn eigen geluk niet gelooft en aan zijn ledematen moet voelen om er zeker van te zijn dat hij nog heel is.

Het is middag wanneer hij terugkomt op Plaza Altozano. Mensen komen midden op het plaza uit de schuilkelder, maar Irina zit er natuurlijk niet bij. Ze kijken met angstige ogen om zich heen en kunnen de rook verderop in de stad zien en ruiken. Van een gebouw in de verre hoek mist de gevel, maar verder is het plaza de dans ontsprongen.

Alfonso staat op zijn vaste plaats in de receptie en lijkt zo onaangedaan alsof het een heel normale werkdag is. Alfonso geeft hem de sleutel en zegt toch: 'Ik ben blij om te zien dat u ongedeerd bent. Zo ziet u er in elk geval uit onder het roet.'

'Bedankt. Ik heb geluk gehad, maar er zijn veel mensen gewond en vermoord.'

'Dat begrijp ik. Die verdomde vliegtuigen. Het is niet de eerste keer, moet u weten, maar ik heb gehoord dat het deze keer erg was.'

'Dat kan ik bevestigen.'

'Deze vorm van oorlog is enorm smerig. Er is geen eer aan te behalen.'

'Nee. Is señorita Irina toevallig op haar kamer?'

'Nee. Ze heeft het hotel uren geleden verlaten. Eigenlijk vlak nadat u zelf wegging.'

'Had ze haar camera's bij zich?' vraagt hij, want hij begrijpt niet waarom ze is weggegaan. Dat ze als een idioot was weggerend op het moment dat ze het bombardement hoorde, zou hem niet verbaasd hebben, maar waarom kort nadat hijzelf was weggegaan? Wat moest ze?

'Ja. Die had ze bij zich. De señorita gaat immers nooit ergens heen zonder haar camera.'

'Dat klopt.'

Ze wachten allebei. Magnus heeft het gevoel dat Alfonso iets verbergt. Zijn markante gezicht straalt zwaarmoedigheid uit. Zijn leeftijd is moeilijk in te schatten. Hij kan alles tussen de veertig en zestig zijn, maar hij is in elk geval iets daartussen. Hij is zoals altijd gekleed in donkere kleding met een wit overhemd en een donkere stropdas. Hij heeft ogen die alles hebben gezien, ze zijn moeilijk te doorgronden, zonder veel leven. Het verstrijken van de tijd is vooral te zien aan de rafels aan de boord van zijn overhemd en de glimmende slijtage op de ellebogen van zijn jasje. Irina is zeker buiten gebleven, omdat ze net als andere mensen vast is komen te zitten door het bombardement en aan het werk is gegaan. Wanneer het donker wordt, komt ze terug naar het hotel. Ze heeft de badkamer nodig wanneer ze haar foto's gaat ontwikkelen, als ze niemand kan vinden die de filmrolletjes mee wil nemen naar het laboratorium in Valencia.

Magnus kijkt naar Alfonso, die rustig terugkijkt, maar hij kan niet ontkomen aan de gedachte dat de donkere ogen iets voor hem verborgen houden. Alfonso neemt zijn geld aan om informatie te geven of te zwijgen. Anderen kunnen hem voor hetzelfde betalen.

'Hoe laat zei u dat juffrouw Irina wegging?'

'Dat zei ik niet, maar het was vanochtend rond tien uur.'

Magnus had het hotel zelf om half negen verlaten. Hij had haar hun laatste hele pakje sigaretten gegeven, had zelf een halve gehouden en in een café koffiegedronken en de krant gelezen, en daarna had het hem een paar uur gekost voordat hij de messenverkoper met één been had gevonden. Rond het middaguur was het bombardement begonnen. Nu was het bijna vijf uur en de duisternis kwam met een wintertraagheid aankruipen. Ze zou snel komen. Ze is een grote meid. Ze kan zich redden in moeilijke situaties. Hij wil een drankje meenemen naar de badkuip en daar op haar wachten; dan kunnen ze daarna samen eten.

'Mag ik de sleutel hebben?'

'Die heb ik u net gegeven.'

'Van de kamer van juffrouw Irina.'

Hij kijkt naar het postvakje achter zich en zegt: 'Juffrouw Irina moet hem hebben meegenomen, dus u moet uw eigen kamer gebruiken totdat ze terugkomt.'

'Prima. Is er warm water?'

'Vreemd genoeg wel. Al het andere werkt niet, maar warm water hebben we wel. Daarvoor heb ik gezorgd.'

Magnus knikt en schuift hem een paar bankbiljetten toe. Ze verdwijnen ervaren in de jaszak. Wat verbergt hij en waarom stralen zijn donkere ogen angst uit?

Op zijn kamer schenkt Magnus een grote Spaanse *aguadiente* voor zichzelf in en hij draait de warme kraan boven de badkuip open. Hij kijkt om zich heen. Hij heeft de kamer de laatste tijd weinig gebruikt, denkt hij, en hij mist Irina. Hij staat naakt voor de manshoge spiegel in de deur van de bruine kledingkast. Hij kan het vuile gezicht met de bloeddoorlopen ogen die naar hem terugstaren bijna niet herkennen. Hij heeft ook schaafplekken op zijn knieën en op zijn ene elleboog, en diverse bloeduitstortingen op zijn lichaam. Zijn hartslag is nog steeds behoorlijk hoog. De adrenaline vloeit uit zijn lichaam, maar het gaat langzaam. Hij is moe, alsof hij een marathon heeft gelopen. Hij hoort de sirenes en het geroep vanuit de stad, maar hij voelt zich veilig in zijn warme kamer. Daar heeft hij geen reden toe, want de Duitsers zijn eerder teruggekomen met nog een lading bommen, maar hij denkt niet dat ze dat deze keer zullen doen. Hij weet niet waarom, maar dat gevoel heeft hij. De duisternis geeft hem een gevoel van schijnveiligheid. Ze kunnen 's nachts ook bombarderen en de branden als oriëntatiepunten gebruiken, maar daarmee wil hij zich niet bezighouden. Hij is te moe.

Hij laat zich in het water glijden, dat hij zo warm heeft gemaakt als überhaupt mogelijk was, neemt nog een slok van de bittere brandewijn en doet zijn ogen dicht. Kort daarna valt hij in slaap.

Hij wordt wakker wanneer hij begint te rillen. Het water is ijskoud, hij heeft een stijve nek en is totaal gebroken, alsof hij heeft deelgenomen aan een zwaar gevecht en de meeste klappen heeft moeten incasseren. Hij drinkt zijn glas met brandewijn leeg en staat op. Hij heeft een droge mond en drinkt water uit een fles, die op het nachtkastje staat.

Hij heeft een vreemde droom gehad, waarin hij over een onvruchtbaar landschap vloog dat was bezaaid met kinderlijkjes, die Irina aan het fotograferen was. Ze droeg een schreeuwend gele jurk en hoge zwarte laarzen en ze lachte voortdurend onbeheerst. Hij weet niet hoe hij kon vliegen, maar dat kon hij. Hij probeerde naar haar te roepen, maar er kwam geen geluid uit zijn mond. Hij werd wakker toen hij tot zijn schrik begreep dat hij ging neerstorten en alle dode kinderen op een achtjarige Mads leken.

Hij is in de war en erg moe. Hij zet de fles met aguadiente aan zijn mond en neemt een grote slok. Zijn hoofd voelt aan alsof het vol watten en zand zit. Hij meent dat hij iets moet doen, maar hij kan het niet overzien. Zijn handen trillen en al snel begint zijn hele lichaam te beven. Hij neemt nog een slok. Het is warm in de kamer, maar toch heeft hij het koud. Hij kruipt tussen de lakens, trekt de deken op tot aan zijn kin en valt ogenblikkelijk in slaap, ook al beeft hij onbeheerst.

Hij wordt midden in een volgende onaangename droom wakker van een kloppend geluid. In zijn droom slaat Irina met haar camera op een grote houten stam, terwijl ze een brede glimlach op haar gezicht heeft. Het onaangename moet hij vlak daarvoor hebben gedroomd, maar hij weet het niet meer. In de werkelijke wereld wordt er op de deur geklopt en hij denkt blij dat het Irina moet zijn die is teruggekomen, ook al wordt er harder geklopt dan waar zij normaal toe in staat is.

'Een moment, schat!' roept hij, hij stapt uit bed en slaat de donkerblauwe housecoat van het hotel om zich heen.

Hij voelt zich een stuk beter. Hij heeft dorst en honger, maar dat is vast een goed teken. Hij drinkt zijn glas water leeg dat op het bureau staat. Het is duister in de kamer, omdat al het licht buiten wordt gehouden door verduisteringsgordijnen, maar er komt een streepje licht uit de badkamer. Hij doet de lamp aan het plafond aan en kijkt op zijn horloge. Er wordt harder geklopt. Dit is niet Irina's manier van aankloppen. Hij kijkt weer op zijn horloge dat hij op het nachtkastje heeft gelegd. Het is vijf uur 's ochtends. Hij is zo'n tien à elf uur weggeweest. Maar hoe zit het met Irina? Is ze nog niet teruggekomen, aangezien ze hem niet wakker heeft gemaakt? Zij klopt in elk geval niet op die manier.

Hij doet open.

Voor de deur staat Gerhardt Pandrup. Hij draagt zijn lange commissarisjas zonder dat die is dichtgeknoopt, zodat je de bandelier over het overhemd en de pistoolholster bij zijn riem ziet. De groene militaire broek is in zwarte soldatenlaarzen gestoken. Hij ruikt naar de rook en het roet in de stad en hij heeft vermoeide, rode ogen. Achter hem staan Guardia de Asalto's in hun zwarte uniformen.

'Goedemorgen, Magnus Meyer', zegt Pandrup in het Deens.

'Wat wil je, verdomme?'

'U spreken.'

'Op dit tijdstip?'

'U zult me vast niet geloven, maar ik ben hier om u een dienst te bewijzen. Misschien uw leven te redden. En u hebt toch naar mij gevraagd?'

Zijn hart wordt koud.

'Gaat het over Irina? Of Mads? Is dat zo?'

'Mag ik binnenkomen?'

'Is dat het? Wat is er verdomme gebeurd als je me hier midden in de nacht komt opzoeken?'

Zijn stem moet agressief en dreigend hebben geklonken, want de twee lijfwachten van de Guardia de Asalto's doen een stap naar voren. Pandrup houdt zijn hand afwijzend op en Magnus doet een stap opzij. Pandrup maakt zijn twee beulen met een andere handbeweging duidelijk dat ze buiten de deur moeten wachten. Magnus pakt zijn sigaretten, biedt Pandrup er een aan en steekt ze voor hen allebei aan. Hij gaat op de rand van het bed zitten, schenkt wat brandewijn in zijn glas en houdt de fles omhoog naar Pandrup, die midden in de kamer staat, maar deze schudt zijn hoofd.

'Zeg het maar', zegt Magnus moedeloos.

'Ik kom u gewoon vragen – nee, u bevelen om Albacete en Spanje te verlaten.'

'Dus het heeft niets met Irina te maken? Dat is een grote opluchting, Pandrup, en laten we elkaar alsjeblieft met jij aanspreken, ook al wil je niet met mij drinken.'

'Je komt niet ver met je sarcasme, Meyer.'

'Waarom zou ik deze keer vertrekken?'

'Omdat je in de loop van vandaag of uiterlijk morgen zal worden gearresteerd en verhoord voor het verdwijnen van Joe Mercer en een beruchte crimineel met de naam Irribarne.'

Magnus drinkt zijn glas leeg. Hij is verlamd. Het wordt plotseling heel koud in de kamer. Hij staat op en gaat naar het toilet om te plassen, terwijl hij zijn gedachten en zijn mimiek onder controle probeert te krijgen. Wanneer hij terugkomt, heeft Pandrup plaatsgenomen op een stoel. Hij heeft zichzelf toch een bodempje in een drinkglas ingeschonken.

'Wat heb ik daarmee te maken?' vraagt Magnus met een rustige stem.

'Dat zal blijken uit de verhoren, maar je bent met hen in Cartagena gezien. Het lijkt erop dat jij de laatste bent geweest die samen met de twee heren is geweest. Niemand heeft ze in elk geval gezien sinds jullie samen op de Berg der Bevruchting stonden te praten.'

'Ik weet niet waarover je het hebt', zegt Magnus, die het niet bepaald fijn vindt dat de plek waar hij samen met Joe en Irribarne was bekend is. De sim heeft blijkbaar lange oren en veel connecties.

'Nee? Het geheugen kan mensen soms in de steek laten, maar mijn collega Stepanovitj is heel goed in het overtuigen van mensen.'

Hij voelt angst en ziet Joe en Irribarne op zijn netvlies, en hij vindt dat beeld onaangenaam. Hij houdt helemaal niet van de gedachten en beelden die de woorden over de methodes van Stepanovitj oproepen.

'Ik weet niet wat ik Stepanovitj heb misdaan.'

'Het is een gewetensvolle kameraad.'

'Ja, en ik ben generaal Franco.'

Pandrup zucht en nipt van zijn drankje: 'Luister nou eens. Ik bewijs je een dienst. Je bent een landgenoot. Stepanovitj is ervan overtuigd dat je een spion voor de fascisten bent. Hij wil dat je gevangen wordt genomen en met harde methodes wordt verhoord. Hij heeft geen bewijzen tegen je en het is niet goed voor de reputatie van de republiek als we mensen van de pers achter de tralies zetten, maar je hebt zelf de strop om je nek gelegd door je connectie met Joe Mercer en Irribarne, die een zeer bekende crimineel is of misschien was. Nu kun je gearresteerd worden op verdenking van ... Ja, van wat? Illegale handel? Of moord? Want waar zijn Joe Mercer en Irribarne? Stepanovitj en ik hebben overal gezocht en we hadden goede mensen op die zaak gezet. De twee mannen zijn van de Spaanse bodem verdwenen. En degene die hen voor het laatst heeft gezien, ben jij. Dat is voldoende. Stepanovitj haalt je op en dan weet je toch wat je staat te wachten? Ga toch weg. Vertrek voordat het te laat is.'

'Waarom doe je dit?'

'Je bent mijn landgenoot.'

'Er steekt iets achter, Pandrup. Waar is Irina? Weet jij dat?'

Pandrup kijkt demonstratief op zijn horloge en laat de bom zo rustig en koel vallen als al het andere waarmee hij is gekomen, maar door de woorden begint de kamer te draaien voor Magnus, die zich op de rand van het bed moet laten ploffen: 'Ik geloof dat Irina op dit moment in Valencia zit te wachten tot ze aan boord van een Russisch vliegtuig met als bestemming Moskou kan stappen. Het is waarschijnlijker dat het vliegtuig allang in de lucht is.'

Hij kan het niet geloven. Hij wil de vlakke, toonloze woorden uit de kleine mond van de commissaris niet geloven. Ze heeft geen afscheid genomen. Ze hebben elkaar vanochtend niet eens een echte kus gegeven. De laatste ochtend. Honderd jaar geleden. Ze zou hem nooit op die schandalige manier verlaten. Misschien leefden ze in geleende tijd, maar hem zonder een woord te zeggen, zonder de kleinste waarschuwing, zonder een aanraking te verlaten; dat kan hij niet rijmen met de passie en liefdesverklaringen van de afgelopen dagen.

Pandrup stopt zijn hand in de binnenzak van zijn leren jas en haalt er een open envelop uit, die hij aan Meyer geeft: 'Het is in het Spaans, dus ik kan het niet lezen, maar ik ken de strekking van de inhoud.'

Magnus pakt de envelop aan. Er zit één velletje papier in met haar handschrift, dat een beetje kinderachtig is omdat ze de Latijnse letter hoekig schrijft, terwijl hij heeft gezien hoe sierlijk elegant en veel volwassener ze de cyrillische tekens schrijft.

Hij leest de brief een paar keer, ook al dringen de woorden de eerste keer al probleemloos tot hem door:

Mijn lieve Magnus,
De dagen en nachten met jou behoren tot de gelukkigste in mijn leven. Ze zullen altijd omringd worden door een bijzondere glans, die zich kan meten met het warme licht dat altijd over de herinneringen aan mijn jeugd schijnt. Ik wil en kan je nooit vergeten, maar ik wil je vragen om mij te vergeten en verder te gaan met je leven. Ik heb de moed niet om afscheid van je te nemen. Ik wil je zo graag kussen en voor een laatste keer met je vrijen. Je aanraken. Je stem horen. Je sterke armen voelen. Lachen om je grappige opmerkingen, maar dan zou ik gaan huilen en de laatste herinnering die je dan aan mij zou hebben, zou een behuild en lelijk gezicht zijn. Dat wil ik je niet aandoen, lieverd.
Kameraad Stepanovitj heeft me bevolen terug naar Moskou te gaan. Mijn broer en vader zijn als volksvijanden gearresteerd en aangeklaagd voor hoogverraad. Dat is natuurlijk een valse aanklacht en hopelijk kan ik helpen bij het ophelderen van de kwestie. Ik ben van plan om meteen contact op te nemen met kameraad

Stalin. Als hij hoort van het misverstand, weet ik zeker dat alles goed zal komen.

Ik heb de boodschap gisteravond gekregen. Het was moeilijk om het voor je geheim te houden en een toneelstukje op te voeren, maar ik had de moed niet om je te vertellen dat ik moest vertrekken en waarschijnlijk nooit zal terugkeren naar Spanje.

Kameraad Stepanovitj zal me begeleiden in de trein naar Valencia. Hij heeft me naar boven gestuurd om te pakken, dus ik schrijf dit gehaast. Je landgenoot Gerhardt Pandrup heeft in zijn goedheid beloofd je deze brief te geven, ook al was kameraad Stepanovitj erop tegen. Ze spraken tegen elkaar in zeer luid Duits, wat ik niet begrijp, maar Pandrup kreeg zijn zin. Vanwege iets met je broer. Zo veel begreep ik wel.

Wees voorzichtig, lieverd. Ik zal je nooit vergeten. Wij Russen zijn een sentimenteel volk, dat houdt van lange, mooie en bij voorkeur tragische gedichten. Misschien zal een troubadour ooit in de toekomst een lied over jou en mij dichten en het 'De geliefden uit Albacete' noemen. Want dat waren we, toen we jong en vrij samen in Spanje waren.

In eeuwige dankbaarheid
Je Irina

Hij voelt de tranen. Hij voelt de woede en hij voelt de wanhoop en een diepe frustratie, die hem de keel dichtknijpt. Waarom doet ze dit? Ze reist huiswaarts naar een zekere dood. Dat moet ze weten. Niemand die bij de processen in Moskou wordt aangeklaagd, wordt niet veroordeeld. Haar vader en broer zullen haar meetrekken in hun val. Hij is ook teleurgesteld. Ze heeft een duidelijke keuze gemaakt. Ze heeft tussen haar vader en hem gekozen. Alleen vanwege haar woordkeuze haat hij haar niet om de keuze die ze heeft gemaakt. Ze schrijft dat ze is bevolen naar huis te gaan door Stepanovitj, die hij moeiteloos kan haten met een intensiteit die hem blij maakt dat de Rus op dit moment niet voor hem staat.

Alsof Pandrup zijn gedachten kan gelezen, zegt hij: 'Irina had geen keuze. Of ze ging vrijwillig weg óf ze zou worden gearresteerd als volksvijand. Stepanovitj vertelde haar dat ze kon meewerken, anders zou hij haar affaire met jou erbij betrekken – een bekende imperialistische spion als jij – en dat zou het einde betekenen, zowel voor haar als voor haar familie.'

'Dat is het sowieso al. Ze wordt vast ook aangeklaagd.'

'Voorlopig is ze naar huis geroepen om te getuigen. Ze zou volgens zeggen een anti-Sovjet-Russische brief van haar broer hebben ontvangen. Men wil graag een openbare rechtszaak. Haar vader is een belangrijk man. Er moet een voorbeeld worden gesteld. Dat iedereen ongeacht stand en rang aan de wet gebonden is.'

'Ze zijn vooraf al veroordeeld. Dat weet je best. Het is een farce.'

'De revolutie kan het zich niet permitteren genade te tonen aan verraders en volksvijanden.'

'Hou je bek met die onzin, Pandrup.'

'Ga nou maar. Zodra Stepanovitj terug is uit Valencia, komt hij hiernaartoe met drie agenten van de sim om je te arresteren.'

'Hoe heb je hem ervan kunnen overtuigen mij de brief te geven?'

'Ik heb een hogere rang dan hij, ook al is hij een Rus.'

'Wat is jouw rang?'

'Dat is staatsgeheim.'

'Allemachtig.'

Pandrup glimlacht een klein beetje en zegt: 'Je kunt Svend Poulsen ook bedanken, wanneer je weer thuis bent. Ik heb hem beloofd om op je te passen.'

'Ik dacht dat Svend een afvallige was.'

'Svend is mijn vriend.'

'Prima, maar ik vraag het je toch opnieuw. Waarom help je mij? Wat is er met Mads? Weet jij waar hij is? Waar kan ik hem vinden?'

Magnus moet zijn uiterste best doen om er rustig uit te zien, maar van binnen kookt hij en de kamer draait voor zijn ogen.

Pandrup pakt een van zijn eigen sigaretten. Het is een merkwaardig dikke in een kartonnen koker en Magnus weet dat dat het type is waaraan de Russen hun voorkeur geven. De sigaret is gestopt met bittere, zwarte tabak die in zijn neusgaten prikt wanneer Pandrup hem opsteekt, waarna hij zegt: 'Ik heb Irina beloofd om je te helpen. Ik hield veel van Irina. Ze liet me beloven dat ik je zou waarschuwen omdat ze zwoer dat je geen spion was. Dat zwoer ze in de naam van Stalin, zei ze. Ik geloof haar. Dus ik bewijs je deze dienst, omdat ik een man van mijn woord ben.'

'Waar is Mads?'

'Ik weet het niet, Magnus. Dat is de waarheid, maar ik help je ook omdat ik dat aan je broer verschuldigd ben. Hij was iemand die ik zeer hoog had en die ik respecteerde ... Hij was geen lid van de partij, maar ...'

Het duurt een paar seconden, voordat de werkwoordtijd tot hem doordringt en hij begrijpt wat Pandrup zegt.

'Wat bedoel je? Wat bedoel je in 's hemelsnaam? Hoog hád? Is Mads dood?'

'Ik weet het niet.'

'Wat bedoel je toch in godsnaam! Zeg het dan toch zonder er zo omheen te draaien.'

Pandrup staat alsof hij met zichzelf aan het overleggen is wat hij moet zeggen. Hij inhaleert de rook tot in zijn longen en zegt dan zachtjes, maar deze keer met meer gevoel in zijn stem: 'Magnus, ik weet het niet. Ik zou willen dat ik het wist, maar dat is niet zo. Ik zou het je vertellen als ik het wist. Dat zweer ik je. Ik mag dit helemaal niet tegen je zeggen, maar nu doe ik het, omdat ik dat aan je broer verschuldigd ben. Je broer verafgoodde je. Wist je dat? Hij hield het misschien voor je verborgen, maar hij hield van je en hij begreep niet waarom je hem had laten vallen en hem had verlaten.'

'Wat is er in vredesnaam met Mads gebeurd, Gerhardt? Kun je me dat niet gewoon zeggen?'

Magnus hoort de wanhoop en de nederlaag in zijn eigen stem en hij hoort de volgende woorden van Pandrup door een watten deken heen, die alle woorden vaag maken, maar toch overduidelijk overkomen: 'Mads maakte deel uit van onze speciale strijdkrachten. Hij werd met zijn groep in Aragón achter de linies van de vijand gestuurd, een paar dagen voor het offensief tegen Teruel begon. Dat was zoals je weet halverwege december. Het was een belangrijke opdracht. Er ging iets mis, ook al werd de opdracht blijkbaar uitgevoerd. In elk geval gedeeltelijk.'

'Wat was dat voor opdracht?'

'Dat maakt eigenlijk niets uit, maar het was een explosieopdracht.'

'Niets uitmaken, hè? Het kostte hem zijn leven.'

Pandrup gaat verder zonder zich iets van Magnus' woorden aan te trekken: 'We hebben niets van de groep vernomen. Ik weet niet wat er met hen is gebeurd. Ze zijn als vermist opgegeven, maar we moeten aannemen dat ze allemaal dood zijn. We hebben geen bericht van het Rode Kruis gekregen dat ze krijgsgevangen zijn genomen. Dat is ook niet waarschijnlijk.'

'Waarom niet?'

'Omdat de fascisten hen als spionnen beschouwen en hen ter plekke doodschieten als ze hen vangen.'

'Nadat ze hen zeker hebben gemarteld?'

'Vaak wel ja. Het spijt me. Echt waar.'

'Dat geloof ik wel. Ik kan het aan je zien. Waarom? Je bent een keiharde politiek commissaris. Er gaan dagelijks mensen dood in deze oorlog. Wat betekent een persoon meer of minder voor jou?'

'Ik ben geen beest. Ik heb gevoelens net als anderen, ook al doe ik mijn plicht.'

'Je hebt Mads vast de dood in gestuurd? Dat zit je zeker dwars?'

'Ik heb Mads en zijn groep met deze opdracht weggestuurd. Dat klopt. Dat is mijn taak. Het is mijn plicht.'

'Je hebt hem dus de dood in gestuurd en nu knaagt je geweten aan je?'

'Als jij dat wil.'

Magnus staat op. Hij is helemaal leeg van binnen. Het is alsof hij meespeelt in een toneelstuk of dat hij zich midden in een droom bevindt. Hij hoopt dat hij elk moment wakker wordt en de stem van Irina zal horen, en absurd genoeg stelt hij zich op een belachelijk en pijnlijk moment voor dat ze samen met Mads komt. Hij schudt zijn hoofd. Zijn hersenen zitten vol spinnenwebben, maar hij hoort Pandrup zeggen: 'Trek je kleren nou aan, Magnus. Je moet naar huis. Er is een vliegtuig vanaf Los Llanos, dat vanochtend bij zonsopkomst vertrekt. Het vliegt naar Marseille met een paar belangrijke mensen aan boord en ik heb ervoor gezorgd dat er plek voor jou is. Mijn auto staat buiten op straat te wachten. Het is nergens voor nodig dat jij ook te gronde gaat. Doe het nou toch vrijwillig. Anders zet ik je aan boord met hulp van de Guardia de Asalto. Weg moet je. Heb je dat begrepen?'

'Dat heb ik begrepen, Pandrup. Waarom zou ik hier ook blijven? De twee redenen die ik had om hier in dit kloteland te zijn, zijn er niet meer. Dus vertel jij mij maar eens waarom ik in 's hemelsnaam in dit land zou moeten blijven?'

Het maakt Magnus niet uit dat zijn stem breekt en het maakt hem ook niet uit dat Pandrup zijn tranen ziet, want op dat moment pakt hij het liefst zijn revolver om aan alles een einde te maken, maar hij wil hem nog liever voor Stepanovitj gebruiken, als hij de kans krijgt. Dus hij kleedt zich aan en pakt snel zijn koffer. Hij blijft huilen, terwijl Pandrup discreet wegkijkt.

25

Mijn naam is Bertil Johansson. Ik ben in 1911 geboren in Kiruna in Zweden en ben in dezelfde stad in de mijnen werkzaam. Dat heb ik het grootste deel van mijn leven gedaan, onderbroken door perioden van werkloosheid, werk in Noorwegen en de jaren dat ik in Spanje vocht tegen Franco's fascisten voor de vrijheid en het socialisme. Ik ben getrouwd, heb twee volwassen kinderen en woon in dezelfde stad als waar ik ter wereld kwam. Ik heb mijn verhaal aan de Deen Magnus Meyer verteld, omdat hij de broer is van een van de beste mensen naast wie ik op de onvruchtbare Spaanse bodem vocht, waar de rode kleur niet alleen te wijten is aan de grillen van de natuur, maar in grote mate ook aan het bloed van goede kameraden. Het socialisme werd verraden in Spanje en ik geloof niet meer in het communisme, maar destijds had het veel nut om voor iets te vechten wat groter is dan jezelf. Ik heb ervoor gekozen om mijn verhaal te vertellen om de herinnering aan Mads Meyer in ere te houden.

Ik draag fysieke littekens van de strijd. Spanje werd door de meeste mensen snel vergeten, maar ik ben niets vergeten, ook al heb ik mijn vrouw en kinderen nooit over mijn belevenissen verteld.

Ik vertel ze vrijwillig. Ik ben bij mijn volle verstand en de genereuze vergoeding die de heer Meyer mij biedt, gaat in zijn geheel naar het Kiruna Mijnwerkers Welzijnsfonds. Ik kan het me allemaal als de dag van gisteren herinneren en ik kan nog steeds huilen wanneer ik eraan terugdenk, ook al heeft huilen de wereld nog nooit veranderd en is het ook nooit een bruikbaar wapen in de strijd voor de rechtvaardigheid geweest, waarvoor we vochten toen we jong waren en de wereld nog nieuw en vol mogelijkheden was.

Bertil Johansson, Kiruna, 10 juni 1958.

Bertils verhaal over Mads Meyer

De wind was ijskoud met harde sneeuwkristallen en hij kwam uit het noorden toen we uitrukten voor een opdracht die vooraf op zelfmoord leek, maar daar waren wij *Especiales* voor bestemd, dus we peinsden er niet over om te klagen.

De Deense politiek commissaris Pandrup stuurde ons op pad. De brigades zouden eigenlijk niet worden betrokken bij het komende grote offensief tegen Teruel, dat ervoor moest zorgen dat de impasse werd doorbroken en het initiatief terug zou komen bij de republiek, maar zoals gewoonlijk waren wij als partizanen wel nodig. Pandrup en de Rus Stepanovitj waren de politiek commissarissen van de speciale eenheid. Dat wij een Rus toegewezen hadden gekregen, liet zien hoe belangrijk wij waren. Pandrup voerde zoals meestal het woord, terwijl Stepanovitj, een rare snuiter, zich op de achtergrond hield.

Teruel was een tamelijk troosteloze en arme provinciestad in Aragón, maar de republiek wilde de fascisten nu verdrijven en een gat slaan in het Aragonese front en tegelijkertijd de druk op Madrid verlichten. Het gereorganiseerde Spaanse republikeinse leger met nieuwe Russische wapens moest van Teruel de eerste provinciehoofdstad maken die de republiek veroverde, terwijl de Internationale Brigades als reserve werden achtergehouden. Sommigen van ons dachten ook – en anderen hoopten – dat een succesvol offensief het mogelijk zou maken om onderhandelingen over een wapenstilstand te beginnen.

Ik weet niet waar die hoop vandaan kwam.

Pandrup gaf ons de gebruikelijke donderpreek over internationale solidariteit en de rechtvaardige strijd voor de democratie en het socialisme, maar het leek eigenlijk dat hij er zelf niet meer in geloofde. Hij wilde ook vooral benadrukken hoe strategisch belangrijk onze opdracht voor de oorlog was. We moesten achter de linies van de fascisten zien te komen en een spoorwegtunnel opblazen, zodat Franco geen versterkingen vanuit het noorden aan kon leveren – Pandrup was vooral benauwd voor de Duitse gevechtsvoertuigen met hun tanks, wanneer het offensief echt zou beginnen.

De spionnen van de republiek zeiden dat er een grote nationalistische troepenmacht tot in de buurt van Zaragoza was opgerukt. We hadden maar een paar dagen de tijd. De datum van het begin van het offensief was natuurlijk strikt geheim, maar we konden gemakkelijk uitrekenen dat de start voor half december stond gepland. Er deden geruchten de ronde dat het zonder een voorafgaand artilleriebombardement zou beginnen om de fascisten compleet te overrompelen.

Pandrup en de andere strategen hadden ons eerst op pad willen sturen om een brug op te blazen, maar de bruggen over de rivieren en in de bergen werden veel te goed bewaakt. Mads kwam met het idee om een tunnel te laten exploderen. Het kon net zo effectief zijn om die te blokkeren. Het zou minimaal een paar dagen kosten om hem weer vrij te maken en het spoorwegtransport zou volledig belemmerd worden.

Het was typisch iets voor Mads om zo te denken en een voor de hand liggend idee te krijgen, waaraan niemand anders had gedacht, gewoon door een paar uur een kaart te bestuderen. We waren een goed koppel, mijn kameraad en ik. Mads en ik waren zeer bedreven om ver achter de linies van de vijand te sluipen, dingen op te blazen, er weer vandoor te sluipen en als grijze dieven in de nacht te verdwijnen.

Ik kende hem vanaf het moment dat hij als vrijwilliger in Albacete aankwam. We hadden samen gevochten in een offensief en waren samen opgeleid voor saboteurswerkzaamheden. Het was geen forse man, maar hij was ongelooflijk moedig en had talent voor het soldatenvak. Of op een andere manier gezegd: deze kleine Deense dichter met de verraderlijk zachte ogen had een groot talent om te moorden.

Voor de missie in Aragón kregen we versterking mee.

Het was december en Teruel maakte zijn reputatie als koudste plek in Spanje waar. Het deed mij weinig. Ik was gewend aan de kou in het noordelijke Zweden, maar onze twee Spanjaarden konden niet goed tegen de vorst en de bijtende wind, ook al hadden we een winteruitrusting van de Russen gekregen. Het waren Catalanen uit het mooie vissersplaatsje Sitges en ze waren betere vrienden met de zon dan met de sneeuw. Ze heetten Federico en Vincente, en het leken bijna broers. Ze waren beiden midden twintig, klein en hadden lange sterke armen. Mads en ik hadden ook besloten om Henri en Karl Heinz mee te nemen. We hadden eerder met hen samengewerkt. Henri was een Belg en een machinegeweerschutter – een solide en rustige man met vreemd rood haar en groenblauwe ogen, waarvan het ene groter leek dan het andere. Karl Heinz was een Duitse vrijwilliger en als georganiseerde communist weggevlucht voor Hitlers nazi's. Hij had in Duitsland ondergronds gewerkt. Over mensen als hij zeiden we dat ze overledenen op verlof waren. Ze hadden in elk geval geen land om naar terug te keren.

Karl Heinz kon goed klimmen en had in de Alpen gewandeld en veel geskied. Hij was ook een bekwame schutter en een goede man om naast je te hebben. Hij was boven de dertig, maar Mads en hij waren dikke vrienden geworden en ze spraken samen Duits, dat Mads vloeiend beheerste. Verder moesten we ons redden met wat Spaans en wat Frans, wat de Catalanen een beetje spraken en wat Henri vloeiend machtig was, ook al was hij een Vlaming. Mads en Karl Heinz spraken het meest samen en vooral over kunst en literatuur, weet ik van Mads, maar verder hadden we weinig woorden nodig. Iedere man wist wat zijn taak was.

Mads leek in de vroege namiddagschemering weer zichzelf te zijn. Hij maakte een wat sombere en moedeloze indruk na de ontmoeting met zijn broer in Madrigueras, waar we een paar dagen waren na het trainingskamp in Pozo Rubio. De ontmoeting tussen die twee was niet goed verlopen. Dat gebeurde zelden met dat soort ontmoetingen. Burgers hadden de neiging om de goede balans in de groep te verstoren. Je werd eraan herinnerd dat er een ander leven was buiten de hel waarin we eigenlijk leefden. We geloofden natuurlijk dat we vochten voor een idee dat groter was dan wijzelf, maar reëel gezien, wanneer het losbarstte, streden we alleen voor de man naast ons. Voor de vriend. Voor de kameraad. Je was doodsbenauwd om te sterven of verminkt te worden, en je wist dat je alleen zou kunnen over-leven door de kameraad naast je te vertrouwen.

Ik had me waardeloos gedragen in de kerk in Madrigueras en ruzie gekregen met zijn broer. Ik was onder invloed van de cognac, maar ik moest tegenover mezelf wel toegeven dat ik ook grof en onbeschoft was geweest omdat ik bang was dat Magnus Meyer zijn jongere broer ertoe zou overhalen mee naar huis te gaan.

Ik zei tegen mijzelf dat ik dat moest verhinderen omdat de leiding van de brigade het nooit zou toestaan dat Mads zou ver-trekken. Hij zou worden doodgeschoten als verrader of deser-teur, en bovendien wilde ik ook niet dat hij naar huis zou gaan. Ik was maar enkele jaren ouder dan Mads, maar ik voelde me vaak als een vader of een oudere broer die op hem moest pas-sen. Hij was eigenlijk sterk genoeg, ook al had hij zulke fijne en mooie gelaatstrekken dat ze bijna vrouwelijk waren en de vrou-wen vielen voor hem als hij alleen maar naar hen knipoogde.

Ik zag wel dat de manier waarop hij afscheid had genomen van zijn broer in Madrigueras hem niet lekker zat. Al die tijd dat ik hem had gekend, had hij vaak gesproken over zijn oudere zus, maar niet over zijn broer. Het abrupte afscheid zat hem zeer ze-ker dwars, maar we spraken er niet over en toen de vrachtwagen ons en de uitrusting afzette in de donkere Aragonese nacht aan de rand van de frontlinie, leek het alsof hij zijn oude profes-sionele en koelbloedige zelf had hervonden. Dat was een goede eigenschap die hij bezat. De taak voor zich kunnen zien en alle andere gedachten opzijschuiven die het lastiger konden maken om achter de linies van de vijand te overleven.

De vrachtwagen had ons in noordelijke richting gereden langs het lange, dun bezette front tegen de lage bergen, nadat Pandrup ervoor had gezorgd dat we de avond ervoor een solide maaltijd hadden gekregen. Dat was een van de weinige geweest. Ze hadden een ragout van stierenstaarten voor ons gekookt met heel veel dikke stukken staart en veel groentes. Ik weet niet waar ze de os of de stier vandaan hadden gehaald, maar het was een gerecht dat heerlijk naar knoflook rook en lekker smaakte, en er was in overvloed. Er was meer brood dan we konden eten en de rest moesten we meenemen. Pandrup at mee en zei dat we ons te goed moesten doen aan de Aragonese boerenmaaltijd, zodat we ons beter tegen de kou konden wapenen. Daarna was er echte koffie met alle suiker die we erin wilden doen.

We zaten ons ongans te eten, totdat we op knappen stonden. Toen we wegreden, voelden we hoe bevoorrecht we waren, toen we een van de grote door paarden getrokken gaarkeukens zagen met de gebruikelijke witte linzen of bonen die naar het front werden gebracht. We waren jong en sterk, en hadden misschien moeten bedenken dat we zo goed gevoerd waren alsof we slacht-varkens waren, want daarvoor waren we in werkelijkheid be-doeld.

We waren goed bepakt toen we te voet vertrokken. Daarom hadden we die kleine pezige Catalanen meegekregen. Het waren pakezels en ze sleepten het dynamiet, de ontstekingsmechanis-men en enkele tunnelgereedschappen in twee grote rugzakken samen met hun Russische geweren met zich mee. Henri droeg een nieuw van de Duitsers veroverd machinegeweer en hij had de munitie en handgranaten in zijn rugzak, terwijl Mads en ik wat proviand en munitie voor onze karabijnen in onze rugzak-ken hadden en uitrusting voor het bergbeklimmen om ons op het spoor te kunnen laten zakken. We hadden allemaal dekens en grote slaapzakken die de Russen ook hadden geleverd.

Normaal gesproken kregen de mensen van de republiek oude troep mee, maar ze zorgden goed voor ons Especiales. Stepano-vitj had de winteruitrusting meegenomen in een veroverde Ita-liaanse vrachtwagen. Hoewel we goed bepakt waren, waren we toch mobiel. We hadden geen water nodig. Er waren heel veel bergstroompjes waar we naartoe gingen. En daarmee bespaar-den we de nodige kilo's. We hadden genoeg aan een veldfles per persoon om mee te beginnen.

De gids die ons door de bergen moest leiden, was een kleine, oersaaie man, die misschien ergens in de veertig was, maar er-uitzag alsof hij urenlang kon lopen. Ik weet niet hoe oud hij echt was, maar hij was duidelijk wat ouder dan wij.

De gids gaf een hand en zei dat hij Rafael heette. Zijn kleding was wel dik, maar ook oud, zodat zelfs ik het er koud in zou krijgen, maar het leek er niet op dat de taaie herder uit Aragón onder de kou leed. Zijn laarzen zagen er dan ook solide en gevoerd uit. Hij was half Catalaans en sprak Catalaans met Vincente en Federico. Ze vertelden later tijdens een rustpauze dat zijn vrouw en zijn twee zonen aan het begin van de oorlog door de fascisten waren doodgeschoten in de stierengevechtarena in Burgos.

Hij had alleen een versleten rugzakje mee met brood, worst en ui, geitenkaas en twee kleine wijnzakken, de ene gevuld met water, de andere met rode wijn. Zijn enige bewapening was een ouderwets jachtgeweer met een dubbele loop, waarvan de kolf glom door het jarenlange gebruik. We gaven hem een wit pak dat hij over zijn zwarte herderskleding kon aantrekken, zodat hij beter gecamoufleerd was en warm kon blijven.

Het was stervenskoud toen we in het donker door de linies van de fascisten liepen. Het front was tamelijk dunbezet en de wachtposten huiverden in de loopgraven door de harde wind en de fijne ijskristallen, die de aarde al hadden bedekt met een dunne witte laag. Dat kwam ons prima uit in onze winddichte Russische wintergevechtsuniformen, die Stalin had ontwikkeld voor de oorlog in de strenge Russische winter. We hadden een doek om onze wapens gewikkeld, zodat ze niet rammelden. De wind huilde in de kale bomen. We konden de rook van het etenskampvuur van de vijand en de uitwerpselen ruiken, toen we achter het front door een van hun latrinevelden liepen, omdat we wisten dat de vijand daar geen loopgraven had.

We trokken onze sjaals helemaal op tot over onze neuzen en liepen in ganzenpas door de nacht en kwamen door de linies van de vijand zonder lastiggevallen te worden, waarna we de bergen in marcheerden, waar we voor het aanbreken van de dag arriveerden in een hol, dat verkenners ons hadden aangewezen op een kaart, en waar Rafael ons zonder een enkele omweg naartoe bracht. Hij leek elke bocht en elke steen te kennen op het smalle paadje dat gestaag de heuvels in slingerde. Het was pikdonker, maar door de dunne laag sneeuw op de grond en de sterren die tevoorschijn kwamen wanneer de wolken braken, kon je je aardig oriënteren.

In een oorlog waarin verder alles vaak misging, verliep de eerste nacht heel soepel. Het hol bevond zich op de plek waar het volgens de informatie die we hadden gekregen, zou moeten zijn. De opening was wonderlijk genoeg aan de goede kant, zodat de wind er niet rechtstreeks in waaide. Het was er heerlijk droog en schoon.

Ik controleerde of de kameraden geen bevroren ledematen hadden, maar ze zagen er allemaal prima uit. Ik gaf hun toestemming om te roken. Bij de speciale eenheden werkten we niet met rangstrepen, maar ik had het commando. Zo was het gewoon.

We haalden water uit een bergstroompje, dat aan de randen al aan het bevriezen was, aten het brood met koud schapenvlees en een paar olijven die we hadden meegenomen, kregen wat van de geitenkaas van Rafael en een kopje wijn en we dronken allemaal cognac uit de fles, die ik verborgen had gehouden voor Pandrup, waarna ik de eerste wacht aan Vincente gaf, terwijl wij anderen in de slaapzakken en dekens rolden en dicht tegen elkaar aan gingen liggen om te proberen wat te slapen. Vuur durfden we in elk geval vijftien kilometer achter de linies van de vijand niet te maken. We waren allemaal volledig uitgeput en vielen op de harde aarde in het hol snel in slaap.

We brachten de dag in het hol door, hielden om de beurt de wacht en waren zuinig op onze sigaretten. In de loop van de dag begon het echt te sneeuwen, terwijl de temperatuur tegelijkertijd opliep. De grote witte vlokken dansten in het grijze daglicht en daalden neer op de aarde en wisten onze voetsporen uit, die er stonden van de keren dat we ons even moesten terugtrekken. Eén keer zagen we in het dal een klein konvooi met vijandelijke vrachtwagens, dat langzaam over de landweg reed. We hoorden geen vliegtuigen. Die konden vanwege het weer vast niet opstijgen.

De duisternis viel snel in en het hield op dat moment op met sneeuwen. We aten opnieuw en gingen verder met onze zware klimtocht de bergen in. We waren te uitgeput om met elkaar te praten. Het was zaak om de ene voet voor de andere te zetten en de kameraad voor je te volgen, aangevoerd door Rafael, die nog steeds volkomen betrouwbaar leek. We konden geen springlading in het donker plaatsen en volgens het schema zouden we in de vroege dageraad bij de spoorwegtunnel aankomen.

Het pad, waarover Rafael ons naar boven leidde, liep boven de slingerende, onverharde landweg onder ons. Twee keer moest ik bevelen halt te houden en drukten we ons tegen de bergwand aan. We hoorden het lastige schakelen van de versnellingsbakken van de vrachtwagens in het dal, nog voordat we ze zagen. Het waren de vrachtwagens voor het troepentransport, die aflossingen naar het front brachten, vermoedden we. De soldaten zaten onder het dekzeil, dat ze helemaal hadden dichtgesnoerd. Ze reden met dimlicht om niet de aandacht van onze nachtjagers te trekken. De eerste keer waren er zes in het konvooi. De tweede keer vier.

Mads fluisterde, en zijn adem wasemde in de vorstlucht: 'Als ze maar geen lucht hebben gekregen van het offensief, aangezien ze 's nachts mensen naar het front brengen.'

Ik ademde door mijn neus in, zoals ik altijd in Zweden had gedaan wanneer ik moest voelen of er sneeuw op komst was en zei: 'Misschien doen ze dat omdat er veel sneeuw te verwachten valt en dan wordt de weg afgesloten. Daarom rijden ze nu en niet wanneer het licht is.'

'Misschien. Maar ik vind het niet fijn.'

Op dat moment konden we ook de spoorweg zien die onder ons liep. Rafael had de Catalanen tijdens onze rustpauze uitgelegd dat we over een oud smokkelpad liepen, dat zich helemaal in de Pyreneeën en over de pas naar Frankrijk in veel verschillende vertakkingen opdeelde. Het liep precies over de tunnel, die ons doel was.

We fluisterden, ook al was dat eigenlijk niet nodig. We namen wat te eten en dronken nog wat wijn. Ik onderzocht de gezichten van de mannen in het schijnsel van een zaklamp, terwijl Mads een deken ophield, zodat het schijnsel niet zichtbaar was.

Er waren nog geen tekenen van bevriezing en de mannen verzekerden me dat hun handen en voeten in orde waren. We hadden een goede uitrusting gekregen. Rafael keek me minachtend aan toen ik hem wilde onderzoeken en hij wendde demonstratief zijn hoofd af. Ik gaf iedereen toestemming om te roken, terwijl we beurtelings de deken vasthielden.

We bleven opnieuw stilstaan, ook al konden ze ons eigenlijk niet zien, wanneer een trein langsreed onderweg naar het front. Er waren vier stuks artillerie op trucks en vier gesloten goederenwagons, misschien met munitie. We roken de vette kolenrook, die uit de schoorsteen omhoog werd gepuft. Achteraan was een open wagon, waarin een groep nationalisten huiverde bij een groot machinegeweer, maar ze hielden hun hoofd laag in de wind en waren niet van plan om naar ons op te kijken, terwijl we een kleine tien meter boven hen in de dunne sneeuwjacht stonden.

Mads glimlachte met zijn ogen en deed alsof hij een paar handgranaten op de trein gooide. Het stelde niets voor, maar ik merkte dat het de sfeer beter maakte. De kou zette goed in. De vermoeidheid was voelbaar. Ik liet de cognacfles rondgaan toen de trein helemaal weg was en knikte naar Rafael, die ons verder leidde. Het maakte indruk op me dat de oude man zo'n stabiel en constant tempo kon aanhouden.

We kwamen bij de tunnel. Ik gaf het bevel dat we op een paar honderd meter afstand ervan zouden stoppen om ons in te pakken in de dekens. Het was donker, maar de sneeuw creëerde een zacht licht zodat je de rails kon zien, die nu zo'n vier meter onder ons lagen. Toen het grijze daglicht langzaam toenam als een merkwaardig schijnsel en zachte mist, stuurde ik eerst Mads samen met Rafael vooruit. Een kwartier later werd er drie keer kort geknipperd met zijn zaklamp en de rest van ons liep voorzichtig over het smalle, verraderlijke pad naar de spoorwegtunnel, die met behulp van explosieven in de berg was gemaakt boven de autoweg, die slingerde in lange haarspeldbochten. Het werd licht boven het lege, witgevlekte dal, en het leek alsof we de enige mensen op de wereld waren, zo stil was het.

Karl Heinz maakte het touw vast en Mads en ik vierden omlaag voor de opening van de tunnel. Ik liet het aan Karl Heinz en Henri over om aan beide kanten ervan defensieve posities op te zetten, zodat ze gemakkelijk de rails en de landweg konden beschieten, wat maar een smalle, bevroren onverharde weg was. Vincente en Federico lieten hun rugzak omlaagvieren op het enkele spoor, waarna ze ook verdedigingsposities innamen. Mads en ik konden de springladingen gemakkelijk zelf aanbrengen. Ik begon als dertienjarige in de mijnen en volgde mijn eerste explosievencursus als zestienjarige, dus mijn halve leven had in het teken gestaan van dynamiet.

Er drong niet veel licht de tunnel binnen, maar het was voldoende om met behulp van onze zaklampen vier punten te vinden waar ik een zwakte in de structuur van de wand kon zien. Ergens had men zelfs het plafond van de tunnel moeten verstevigen, dus dat was een vanzelfsprekende plek om een deel van het dynamiet aan te brengen, ook al zou het wel wat moeite kosten om daarboven te komen. Het belangrijkste was om de dynamietstaven en de ontstekingsmechanismen op een bepaalde manier te plaatsen dat het ontploffen in een serie zou plaatsvinden, die er in totaal voor zouden zorgen dat de wanden zouden instorten. Na een tijdje wist ik het zeker. Het beste zou vier plekken aan de ene kant en twee plekken aan de andere kant zijn. Vanwege de beperkte tijd besloot ik me te concentreren op de vier rond de plek waar men destijds het plafond van de tunnel had moeten verstevigen. We hadden immers ook de noodzakelijke booruitrusting niet bij ons.

Ik wees Mads de plekken aan en we gingen aan het werk. We wisten wat we moesten doen, maar door de droge kou werd het een moeizaam proces omdat we de hele tijd handschoenen moesten aantrekken om onze vingers weer warm te krijgen.

We sloegen grote spijkers, die bergbeklimmers gebruiken, in de muur, zodat ze fungeerden als treden waarop we konden staan. We hamerden stalen spijkers in de spleten om ze groter en dieper te maken, zodat we er dynamietstaven in konden stoppen. Ik probeerde me de ontploffingssequenties voor te stellen.

Ik probeerde te visualiseren hoe de drukgolf de structuur in de berg zou beïnvloeden, zodat het plafond, als ik geluk had en mijn best deed, boven de rails in elkaar zou storten.

Pandrup had wel gezegd dat als de treinverbinding slechts enkele dagen onbruikbaar zou zijn, dat belangrijk en beslissend voor het offensief zou kunnen zijn, maar Mads en ik wilden graag zo veel mogelijk schade veroorzaken. Het duurde daarom even en ik merkte aan Mads dat hij zich zorgen begon te maken of er bijna een trein aan zou komen, maar hij werkte stabiel en goed in het schijnsel van het daglicht dat naar binnen drong en een schemering creëerde, en we gebruikten onze zaklampen voor het nauwkeurige werk. Onze kameraden pasten op ons en ik kende Henri en Karl Heinz goed genoeg om te weten dat ze de positie hadden veiliggesteld en gecamoufleerd, zodat ze vanaf de weg niet zichtbaar waren.

Daarom kwam het vuursalvo als een complete verrassing. Het nieuwe geluid van het moderne Duitse machinegeweer drong aan het andere einde van de tunnel binnen en we hoorden ook knallen van twee handgranaten. Wat gebeurde er in godsnaam? Mads hing met zijn ene hand in een touw dat hij tussen twee grote spijkers had gespannen, terwijl hij dynamiet in een scheur stopte die hij breder had gemaakt. Er klonken nu ook schoten aan het einde van de tunnel dat het dichtst bij ons was. Het was het blaffende geluid van het Russische geweer van Vincente. Federico opende ook het vuur met zijn geweer. De vijand kwam heel duidelijk van beide kanten. Het schieten nam toe, maar de geweerschoten boven de tunnel stopten plotseling, alsof Federico en Vincente geraakt waren.

Mads sprong omlaag en pakte zijn geweer op. Ik deed hetzelfde toen we Karl Heinz aan het andere einde van de tunnel behendig zagen landen, waar hij als een silhouet in het licht stond. Hij rende eerst ineengedoken zigzaggend op ons af, waarna hij overeind kwam en weg spurtte. Hij hield zijn karabijn in zijn hand. We hoorden het machinegeweer van Henri. Hij schoot gedisciplineerd in korte salvo's.

'Wat gebeurt er in vredesnaam?' riep Mads in het Duits en

Karl Heinz zei een heleboel, waarvan ik niet veel begreep. Hij was wit weggetrokken en hijgde.

'Het is Rafael', zei Mads in het Deens, wat ik had leren begrijpen. 'Hij is weg. Hij heeft ons verraden. Ze hebben de hele nacht op ons gewacht. Het zijn soldaten uit het vreemdelingenlegioen. Vincente en Federico zijn neergeschoten, zegt Karl Heinz.'

Voor Franco's legionairs hadden we respect. Het waren geen gewone rekruten, maar betaalde, brutale duivels, die geen genade toonden. Er waren tal van nationaliteiten in het legioen, maar het grootste deel bestond uit Spanjaarden. Velen van hen waren eerder criminelen geweest. De legioensoldaten en de Marokkaanse hulptroepen in het Afrikaleger hadden Franco sinds de opstand in juli 1936 gesteund en we moesten toegeven, ook al haatten we ze alsof ze het kwaad zelf waren, dat het fantastisch goede en onbevreesde soldaten waren.

Karl Heinz zei dat het duidelijk een hinderlaag was. Ze konden de ene positie vanaf een richel boven ons beschieten. De sluipschutters hadden de Catalanen te pakken gekregen. De soldaten uit het vreemdelingenlegioen rukten van elke kant van de tunnel langs de rails op. Beneden op de weg stonden vier vrachtwagens met meer troepen en ze maakten een door de Duitsers gefabriceerd mortier klaar. Het was allemaal beraamd. Of het verraad bij het hoofdkwartier vandaan kwam, van Rafael of van beide kanten, dat maakte niets uit. Het was afgelopen met ons.

Het schieten nam toe. Mads keek naar mij. Ik keek naar de staven dynamiet, die we al hadden bevestigd. Ze zouden de tunnel waarschijnlijk niet kunnen opblazen, maar het zou het oprukken van de legioenen vanaf de ene kant wel kunnen vertragen. Ik maakte de kabels zo snel mogelijk aan elkaar vast, terwijl Mads en Karl Heinz de tunnel in trokken en op de oprukkende fascisten schoten. Henri moest de andere kant voor zijn rekening nemen. De schoten echoden in de tunnel, terwijl ik dynamiet langs de rails en tussen de verbindingsstukken legde, zodat ze werden verbonden met de staven die we in de wanden hadden bevestigd. We waren er nog niet aan toegekomen om de belangrijke staven aan het plafond vast te maken, maar in elk geval zou het spoor worden opgeblazen.

Ik stopte de ontstekingsmechanismen erin en maakte een lont met een brandtijd van minder dan twee minuten. Ik stak hem aan met mijn *lighter*. Ik kon aan de salvo's horen dat de aanval op de positie van Henri heviger werd, maar het was vreemd om in de tunnel te zijn en niet te kunnen zien wat erboven gebeurde. Karl Heinz en Mads schoten ook.

Het was typisch iets voor de legioensoldaten. Ze hadden ons kunnen belegeren of wachten totdat de artillerie klaarstond, maar ze vielen altijd onbevreesd aan. Ze leefden in een doodscultus, waar bloed en eer allesbepalend was. Lang leve de dood, was hun lijfspreuk. Lafheid werd prompt afgestraft en als je niet met blijdschap kon moorden, werd je verstoten of ter plekke geëxecuteerd. Het sprak voor zich dat je hart zoals gewoonlijk als een wilde tekeerging. Iedereen is bang in een oorlog, maar wij, die onze angst beter kunnen bedwingen, zijn degenen die anderen dapper noemen; maar doodsbenauwd waren we allemaal.

Ik brulde naar Mads en Karl Heinz, die zich in zijn volle lengte uitstrekte en een handgranaat op het spoor gooide. De legioensoldaten waren vast dichtbij. Mads wierp ook een granaat, waarna hij achter Karl Heinz aan rende.

Ze renden in mijn richting en ik draaide me om en rende over de bielzen naar de tegenovergestelde opening, die een kleine honderd meter verderop oplichtte. Hier kroop ik op mijn knieën en keek naar buiten. Mads en Karl Heinz namen aan de andere kant hun positie in. Ik hield mijn handen voor mijn oren en drukte mijn lichaam tegen de koude, ruwe bergwand. Het dynamiet explodeerde en we voelden de drukgolf, maar het grootste deel van de kracht ging door de andere kant naar buiten. Ik wist niet hoe groot de schade was. Ik hoopte dat sommige legioensoldaten vóór de explosie naar binnen waren gedrongen en nu onderweg naar de hel waren. De tunnel achter ons werd gevuld met rook en stof van de rotsen. Zelfs de legioensoldaten zouden het waarschijnlijk niet proberen om langs die weg naar binnen te dringen.

Ik keek naar buiten. Het zag er niet goed uit. De soldaten van het vreemdelingenlegioen werden vast tegengehouden door het machinegeweer van Henri, maar het was slechts een kwestie van tijd voordat zijn munitie zou opraken. Drie vermoorde soldaten lagen in hun groene uniform op de rails voor ons. De touwen waarmee we ons omlaag hadden laten vieren, hingen aan de bergwand, maar het zou zelfmoord zijn om te proberen boven bij Henri te komen. We moesten hem naar beneden zien te krijgen, maar hoe? Hij moest dekkingsvuur krijgen, maar hoe kon ik hem duidelijk maken dat hij omlaag moest komen? Het bleek al snel dat dat niets meer uitmaakte.

De mortier begon granaten over het plateau te gooien. We trokken instinctief de tunnel in, toen we de explosies boven ons hoorden. Het regende stukken rots, plaggen en stenen op de rails voor ons. Het verscheurde lichaam van Henri werd over het spoor op de weg eronder gesmeten. De granatenwerper schoot nog drie keer, toen werd het stil. Door het precisieschieten vermoedden we dat het nieuwe en effectieve stuk artillerie door Duitse hulptroepen werd bediend. Het enige wat je kon horen, was het gesuis in je oren, wat altijd gebeurde als het tot een treffen kwam.

Karl Heinz nam het besluit. Hij praatte zachtjes en indringend tegen Mads, die zijn hoofd bleef schudden. Uiteindelijk pakte Karl Heinz Mads bij zijn kraag en drukte hem tegen de wand en sprak nog indringender met zijn gezicht heel dicht bij dat van Mads. Dat stond verbeten, maar de tranen sprongen hem in de ogen. Misschien kwam het door de kruitwolk of het stof van de explosies. Uiteindelijk knikte hij en Karl Heinz liet zijn kraag los en wees met zijn hoofd terug de tunnel in, dus ik begreep wat hij in het Duits tegen Mads had gezegd. We konden ons niet overgeven. Als we geluk hadden, zouden we ter plekke worden doodgeschoten, maar het risico dat ze ons eerst zouden martelen, was groot en het maakte ons natuurlijk buitengewoon bang.

Het was het enige mogelijke plan. Het was de bedoeling dat we teruggingen door de opgeblazen tunnel, omdat we hoopten en aannamen dat de soldaten van het vreemdelingenlegioen zich hadden teruggetrokken naar de weg en de andere kant op waren gegaan om mee te doen aan de aanval op ons. Het zou zelfs voor hen dwaas zijn om door de rook en het stof te lopen, wanneer wij aan de andere kant als ratten in een val zaten. Misschien zouden ze een paar man bij de uitgang neerzetten, maar vast geen heel peloton. Mads en ik moesten voorop lopen, Karl Heinz zou het grootste deel van onze munitie en granaten meenemen en doen alsof er meer dan één man de positie verdedigde. Dat zou ons tijd geven. Daarna zou hij zelf achter ons aangaan. Dat geloofden Mads en ik niet, maar dat werd niet uitgesproken.

'Misschien is de weg versperd. Misschien is het plafond naar beneden gevallen', probeerde Mads.

'Dan komen jullie toch gewoon terug', zei Karl Heinz. 'De wereld heeft dichters nodig. En jij hebt de hulp van Bertil nodig om je te redden. Weg jij.'

Zijn stem was rustig en hij was beheerst, toen hij eerst Mads en daarna mij een hand gaf. Om verder gepraat te vermijden draaide hij zich om, gooide de handgranaten op de grond achter zich, ging op zijn hurken zitten en vuurde een magazijn met zijn karabijn af naar de soldaten die opnieuw vanuit de flauwe bocht van het spoor naar voren kropen om op te rukken langs de zwakke helling die naar de tunnel leidde. Ze vielen terug, maar er bleef er een liggen die het uitkermde.

Ik pakte Mads bij de schouder van zijn jas beet en trok hem mee. Hij keek nog één keer om naar zijn vriend, dus ik trok hem hard mee, maar al enkele meters de tunnel in kon je door het stof en de rook geen hand voor ogen meer zien. We trokken onze sjaals omhoog voor ons gezicht en liepen door. Ik voorop. Mads hield mijn riem vast, alsof hij een klein kind was dat zijn vader vasthoudt op een overvol station. Er lagen stukken rots op de grond, maar het plafond had het blijkbaar gehouden. Dat was slecht voor de republiek, maar goed voor ons. Achter ons hoorden we schoten en het doffe geluid van exploderende handgranaten. We waren dicht bij de uitgang. De rails zelf waren in elk geval wel opgeblazen en lagen er verwoest bij.

Mads liet mijn riem los, bond zijn karabijn op zijn rug vast en trok zijn pistool. Ik ontgrendelde mijn geweer en we liepen langzaam naar de tunnelopening. We zagen haar als een vage lichte vlek in het wervelende stof. We volgden de wanden, zakten door onze knieën en kropen voort op onze buik.

Er stonden maar drie mannen. Ze rookten een sigaret. Twee van hen keken omlaag naar de weg, terwijl de derde half in onze richting keek, maar hij draaide zich de hele tijd om om met zijn kameraden te praten. Ze hielden hun wapens nonchalant vast. De vrachtwagens die beneden op de weg hadden gestaan, waren naar de andere kant van de tunnel gereden. De soldaten uit het vreemdelingenlegioen maakten zich klaar voor hun stormloop.

Mads hield twee vingers op en wees naar rechts en naar zichzelf.

We kwamen tegelijkertijd overeind toen we het schieten aan de andere kant van de tunnel in hevigheid hoorden toenemen. Ik hamerde mijn geweerkolf tegen het hoofd van de soldaat die met zijn rug half naar ons toe stond. Hij had alleen een veldmuts op, dus de geweerkolf brak zijn schedel en ik bespaarde een kogel. De soldaat die de tunnel in keek, zag er een ogenblik verbijsterd uit toen we opstonden en in het gele flikkerende licht opdoken als twee stoffige demonen. Mads had zijn pistool rustig vastgepakt en schoot hem op twee meter afstand in zijn oog. De ander raakte hij midden in zijn voorhoofd en in zijn borst. Ze vielen op de grond.

Ik liep het grijze winterlicht in. Er was niemand te zien. Ook de weg onder ons was leeg. In de verte zag ik de mortier, maar de artilleristen keken omhoog naar het verre einde van de tunnel. Ik hoorde de salvo's en exploderende granaten, toen ik vlak langs de bergwand begon te rennen met Mads achter mij, terwijl ik niet aan Karl Heinz probeerde te denken. We werden gedreven door een drang tot zelfbehoud en die gaf ons kracht. Ik hoopte maar dat hij nu in de tunnel naar ons toe zou rennen, maar daar geloofde ik eigenlijk zelf niet in. Hij had geen vaderland meer en misschien offerde hij zich daarom op.

We renden een halve kilometer vooruit naar een klein uitsteeksel in de rots, waar het spoor in een lichte bocht omheen liep. We haalden zwaar adem, maar ik begon te geloven dat we het misschien gingen redden, als we maar een manier konden bedenken om uit de buurt van de spoorlijn te komen, de bergen in. We gingen de bocht om en daar stond Rafael. Hij staarde ons zo verbijsterd aan als hij kon met zijn ondoorgrondelijke, strakke gezicht. Zijn jachtgeweer rustte gebogen over zijn elleboog, alsof hij net van een vredige hazenjacht kwam.

Mads reageerde bliksemsnel, vloog hem aan en sloeg met zijn gehandschoende rechtervuist in zijn gezicht, zodat Rafael tegen de bergwand vloog. Zijn achterhoofd gaf een dof geluid onder de baret toen het tegen een scherpe rotspunt kwam. Mads bleef doorgaan, maar trok zijn handschoen uit en sloeg hem telkens weer met zijn blote gebalde vuist. Rafaels wenkbrauw scheurde en zijn neus brak. Mads hield hem met zijn linkerhand omhoog en trok zijn pistool met de rechter.

Ik weet niet of hij die als knuppel wilde gebruiken of dat hij van plan was om hem koelbloedig als de verraderlijke hond die hij was dood te schieten, maar er kwamen vier soldaten in hun stoffig groene uniform van het uitsteeksel boven ons glijden. Ik probeerde mijn karabijn in schietpositie te krijgen, maar ik viel om toen een van hen mij met zijn geweerkolf in mijn buik sloeg. Ik dook ineen in foetushouding toen hij mij begon te schoppen, maar ik zag ook hoe Mads een slag in zijn nieren en een in zijn nek kreeg, zodat hij als een slappe pop naast Rafael omviel, die langzaam met glazige ogen van de rots gleed. Ze begonnen Mads ook te schoppen. Een onderofficier brulde iets in het Spaans, dat ze aan de kant moesten gaan, en hij trok een Luger en richtte die op Mads, toen er een andere diepe en velare stem klonk, die iets in het Duits schreeuwde.

Ik keek op en zag een lange, blonde man met de karakteristieke helm van de Duitsers en een grote groene officiersjas en elegante leren handschoenen aan. Hij had ook een Luger, maar die wees naar de legioensoldaten. Hij riep weer iets. Het was een bevel en ik ving er voldoende van op om te begrijpen dat de idioten verdomme geen saboteurs en spionnen moesten vermoorden, voordat je de mogelijkheid had gehad om ze te verhoren. Dat was zelfs met mijn beperkte Duits niet mis te verstaan.

'*Verdammte Idioten!*' herhaalde hij, terwijl ik in mijn pijnlijke toestand het niet kon laten om te denken dat het waarschijnlijk beter was geweest als de soldaten ons ter plekke hadden mogen doodschieten, maar zelfs galeislaven klampten zich altijd aan het leven vast, hoe verdomde slecht de uitzichten ook waren.

Die waren niet goed, wisten we. Ze bonden onze handen op onze ruggen, smeten ons achter in een vrachtwagen en reden met ons de bergweg af. Het was stervenskoud en ik had een verschrikkelijke dorst. Elke keer als we iets probeerden te zeggen, kregen we een trap van een soldatenlaars. De Duitse officier zat voorin. Mads kwam bij bewustzijn, maar het leek alsof hij een hersenschudding had opgelopen. Hij was niet helder en kermde het uit, wat alleen maar tot gevolg had dat hij een laars tegen zijn lichaam of in zijn gezicht kreeg.

We boemelden lange tijd door, maar het was nog steeds half licht toen we stilhielden. Het dekzeil werd opzijgetrokken, we werden omhooggesleept en op de bevroren aarde gesmeten. We waren aangekomen op de binnenplaats van een klooster in een stad, kon ik zien. We waren naar Teruel gereden, waar de fascisten een oud klooster in het zuiden van de stad hadden omgebouwd tot een combinatie van een commandocentrale en een gevangenis. Een paar gewone nationalistische soldaten trokken ons overeind, prikten met hun geweer in ons en leidden ons een laag gebouw in. We liepen een hoek om en kwamen in een lange gang, waar aan beide kanten grote, bruine houten deuren waren. Ze maakten de touwen om Mads' handen los. Ze waren wit en het bloed was eruit getrokken. Ze deden zijn winterjas uit, openden de deur en duwden hem naar binnen.

Met mij deden ze hetzelfde. Mijn handen begonnen meteen pijn te doen toen het bloed terugkwam. Als de cel van Mads er hetzelfde uitzag als die van mij, was hij ongeveer vijf vierkante meter groot met een smalle brits met een dunne deken en een emmer in de hoek. De wanden bestonden uit grof gehakte bakstenen. Het enige raampje dat er was, zat hoog en je kon er niet bij. Het was duidelijk dat de oude monnikencellen nu als gevangeniscellen fungeerden. Ik was erg dorstig en mijn ribben deden pijn op de plek waar de soldaten mij hadden geschopt. De cel was schemerig en werd snel heel donker, terwijl ze ons in ons sop lieten gaarkoken.

De nationaal-socialisten en hun handlangers hadden hun eigen methodes. Die waren niet bijzonder ingewikkeld. Daar wist ik alles van. Daarover hadden we het vaak gehad. Eerst vermurw je het slachtoffer, daarna verhoor je het, waarna je verdergaat met meer verfijnde verhoormethodes.

's Nachts kwamen er drie mannen mijn cel binnen. Ze hadden knuppels bij zich en droegen zware laarzen. Het waren drie grote Spaanse beulen, die met alleen wat moeizaam gebrom wanneer ze kracht gebruikten, mij in elkaar ramden en mij in mijn eigen bloed en braaksel achterlieten, waarna ze de gang overstaken en Mads eenzelfde beurt gaven. Ik hoorde zijn uitbarstingen van pijn die overgingen in gekrijs, net zoals hij dat van mij moet hebben gehoord. Ze waren er namelijk goed in om iemand op zo'n manier toe te takelen dat je wel bij bewustzijn bleef.

In de loop van de nacht gleed ik in en uit mijn bewustzijn. Ik wist dat het dag was geworden toen een vaag licht door het hoge raam binnendrong. Ik dook in de hoek ineen toen de deur openging. Er stond een dikke man met een snorretje. Hij zei geen woord, maar zette alleen een blikken bord met een homp brood en een kop met kleiig water op de vloer.

Een uur later kwamen de beulen mij ophalen. Ik had moeite om op de been te blijven, maar ze pakten me vast en sleepten me als het ware door de lange gang, dwars over de binnenplaats naar wat de oude residentie van de prior moet zijn geweest. Het was weer een koude ochtend en ik kon de sneeuw in de lucht voelen. Ik ging ervan uit dat het de laatste ochtend van mijn leven zou zijn en voelde een absurd gemis en een groot verdriet dat ik nooit meer echt sneeuwweer zou meemaken.

Het was een grote, kale ruimte, met een hoog plafond met open spanten. Er stond een breed, oud bureau met een groene lamp erop. Ervoor stond een stoel met een hoge rugleuning, die met bouten aan de vloer was bevestigd. Achter het bureau zat de Duitse officier. Hij was zo'n dertig jaar met blond, kortgeknipt haar en een spitse kin, die het al lange gezicht in feite nog langer maakte. Zijn uniform was zwart. Dat had ik niet eerder gezien. Hij had zijn Luger aan zijn riem. Twee soldaten in gewone uniformen stonden achter hem en de drie beulen bleven bij de deur achter mij staan. Er lag een stuk papier voor hem.

'Spreekt u Duits?' vroeg hij in dezelfde taal.

'Nauwelijks.' Mijn stem klonk vreemd in mijn eigen oren, alsof hij uit een diep gat kwam.

'En Spaans?'

'Nauwelijks.'

'Engels dan?'

'Niet.'

Hij keek mij aan met zijn blauwe ogen die diep in de kassen lagen. Hij ging verder in langzaam Duits: 'Je bent dus een idioot. Naam en nationaliteit, spion.'

'Bertil Johansson. Zweeds. Soldaat in het Thälmann-bataljon, vierde compagnie.'

'Denk je dat ik ook een idioot ben? Je bent een spion en saboteur, en je zult geëxecuteerd worden.'

Hij zei snel iets in het Spaans wat ik niet verstond. Een van de beulen bij de deur gaf antwoord. De officier legde zijn potlood neer en wreef vermoeid over zijn gezicht en zei langzaam: 'Je kameraad sprak Duits, zegt men. Hij vloekte in het Duits, begrijp je?'

Ik zei niets.

'Je bent een idioot. Ik spreek je later.'

Weer zei hij iets in het Spaans. Dat begreep ik wel. Hij zei dat ze de andere spion moesten ophalen, maar ze moesten er eerst voor zorgen dat het tot die idioot en flikker hier doordrong hoe ernstig zijn situatie was. En ze moesten iemand in het vreemdelingenlegioen vinden die Scandinavisch sprak, als dat mogelijk was.

Ze trokken me mee terug de cel in, ranselden me nog een

keer af en lieten me opnieuw op de vloer achter in mijn bloed, braaksel en ontlasting, maar mijn onvermogen om echt andere talen dan mijn Noord-Zweeds te spreken redde nu gewoon mijn leven, wat mijn last niet gemakkelijker te dragen maakte. In mijn hart had ik beloofd om over Mads te waken, maar ik liet hem vallen en kon hem niet redden.

Ik hoorde dat ze hem ophaalden. Ik hoorde ook dat ze met hem terugkwamen. Zijn voeten sleepten over de vloer, maar ik zag hem niet. Ze lieten mij met rust.

Ik kreeg nog een kop water en wat dunne soep. Dat was alles. De nacht viel en ik was wakker en sliep – de uren duurden lang en waren zwaar. De volgende dag brak aan. Ik kreeg weer een kop water van de dikke bewaker, maar geen brood deze keer. Ik hoorde dat ze Mads weer ophaalden en ik voelde me wanhopig, razend en machteloos.

Een uur daarna brak de hel los.

Ik begreep later dat de republiek op 15 december 1937 haar offensief tegen Teruel was begonnen. Mads kan ondanks de martelingen niets verklapt hebben, want Franco werd compleet overrompeld. Meer dan honderdduizend gereorganiseerde republikeinse soldaten gingen in de aanval en omsingelden in de loop van de dag Teruel en verzekerden zich van de macht over de heuvelrug La Muela de Teruel, waarvandaan ze de stad konden beschieten. De fascisten werden omsingeld en moesten zich terugtrekken van de posities buiten de stad en in Teruel zelf, dat voortdurend door de artillerie werd beschoten en vanuit de lucht werd gebombardeerd wanneer het weer het toeliet.

Ik moet door de pijn in slaap zijn gedommeld. Het was midden op de dag toen het hele gebouw begon te trillen door een enorme explosie, zodat de halve wand achter mij instortte en de deur door de druk openvloog.

Ik kwam overeind. Ik was verward, maar ik greep mijn kans. Drie andere mannen kwamen ook de gang op. Bij de een liep het bloed uit zijn oren. Voor mij lag de dikke bewaker te kreunen. Hij had een pistool in een holster. Ik ontgrendelde het vuurwapen, schoot hem door zijn hoofd en wenkte de drie anderen. De man met het bloed uit zijn oren leek volledig in de war en liep de verkeerde kant op, maar de twee anderen begrepen wat ik wilde. Ik pakte de sleutelbos van de dikke bewaker en gooide die naar de voorste van mijn medegevangenen. Net als dat van mij zat zijn gezicht vol oude en nieuwe wonden, maar hij opende de celdeuren. Zo'n zeven mannen kwamen naar buiten en keken verward om zich heen. De deur naar de cel van Mads stond open. Die was leeg. Er lag bloed, braaksel en ontlasting op de vloer, en mijn hart deed pijn, maar het ging erom te overleven.

We renden door de rook en het stof de binnenplaats op, die lag bezaaid met doden en gewonden. De granaat of de vliegtuigbom moet midden op de binnenplaats zijn gevallen. Ik hoorde de motoren van de vliegtuigen aan de hemel en een stuk verderop explodeerde een bom. Verder weg hoorde ik artillerie en het vuur van geweren en machinegeweren.

Het dak van het oude klooster stond in brand. Een van mijn medegevangenen pakte een geweer op dat naast een dode soldaat lag, van wie het ene been weggerukt was. Overal klonk geroep en een geschreeuw. De verwarring was compleet en het zicht was door de rook en het steenstof erg slecht. Een gewonde nationalistische soldaat krabbelde naar zijn geweer, maar hij werd door een van de ontsnapte kameraden doodgeschoten.

Ik rende zo hard ik kon naar de deur van de verhoorkamer. Die hing half in de scharnieren. Vlak bij de deur lagen twee van mijn beulen op de vloer. De een kreunde luid. De Duitse officier was opgestaan van achter zijn bureau en zag er beteuterd en verward uit, alsof hij bewusteloos was geweest en pas nu weer bij kennis was gekomen. Het dak was ingestort en het leek erop alsof hij was geraakt door een kleine balk.

Ik hield mijn pistool op, hij hield zijn handen afwerend in de lucht, maar ze konden de twee projectielen natuurlijk niet tegenhouden die ik op zijn borst en gezicht richtte. Ik deed een paar stappen naar voren en schoot voor de zekerheid de twee mannen neer, die half naast Mads lagen en half zaten en jammerden van de pijn. Ik smeet het Italiaanse pistool op de vloer en pakte de Luger van de Duitser, waarna ik mij omdraaide en

de touwen probeerde los te maken waarmee Mads was vastgemaakt aan de stoel.

Ik kon niets meer doen.

Zijn gezicht was onherkenbaar. Al zijn tanden waren er uitge-
slagen, het tandvlees was bloederig met stompjes tanden, zijn
ogen zaten dicht, zijn nagels waren weg en het leek alsof ze zijn
beide armen die in een verschrikkelijke hoek hingen, hadden
gebroken. Hij was naakt en vol brandwonden van de sigaretten
van de beulen.

Ik stopte de Luger in de boord van mijn broek. Mijn handen
beefden en ik kon de touwen niet loskrijgen. Ik vloekte en huilde tegelijk, maar ik kreeg ze niet los, hoe ik mijn best ook deed.
De knopen werkten niet mee. Ik rukte hard aan de touwen en
huilde nog harder toen ik zag hoe het touw in zijn mishandelde
armen sneed.

Ik voelde een hand op mijn arm, draaide me om en tilde mijn
hand op om te slaan. Het was een van de andere republikeinse
gevangenen.

'*Muerto*', zei hij stil. '*Tu compañero está muerto. Vamos, hombre.*'

De uitspraak echode de daaropvolgende afschuwelijke dagen
in mijn lege hart. *Dood. Je kameraad is dood. Laten we gaan.*

Dit is geen verhaal over mij, dus er valt verder niet veel meer
te zeggen.

We ontsnapten in het tumult en renden door de straten van
Teruel en gingen de kelders in. De stad was omsingeld en bele-
gerd, maar de fascisten gaven het niet op. We verstopten ons en
er waren mensen die ons hielpen, omdat ze door het lot in de
stad waren beland, ook al klopte hun hart voor de republiek. Er
was niets te eten en het werden de koudste dagen sinds mensen-
heugenis. Mijn bevroren twee tenen stierven af.

Vier dagen lang woedde er een sneeuwstorm, waardoor twee
legereenheden vast kwamen te zitten. In Teruel zelf vochten de
fascisten als duivels van huis tot huis, totdat hun munitie en
eten opraakte. Op 29 december trok de sneeuwstorm op en na
een enorm artilleriegevecht en luchtbombardement zette Franco een tegenoffensief in. Dat wisten we niet in de koude kelders

in Teruel, maar we hoorden het lawaai van de gevechten, terwijl we op rattenvlees probeerden te overleven. Er was geen hond of kat over in de hele stad. Pas op 8 januari 1938 gaven de laatste nationalisten zich over en de commandant en de bisschop van de stad werden gevangengenomen.

Ze hadden hen moeten doodschieten, maar ze werden in plaats daarvan in de gevangenis gezet. Als blinde ratten doken wij overlevenden uit de ruïnes op. Ik had dysenterie gekregen. Toch stond ik erop terug te gaan naar het klooster. Het was een ruïne. De hele stad was één grote kapotgeschoten puinhoop. Er was niets te zien behalve hopen stenen. Ik leunde tegen de Spaanse kameraad aan die ik in een kelder onder een ruïne had ontmoet. We hadden elkaar tijdens de lange verschrikkelijke dagen onder de belegering gesteund en geholpen, totdat de bevrijding eindelijk kwam. Hij heette Manuel en was metselaar van beroep. Dat is het enige wat ik van hem weet. Ik heb hem nooit weergezien en ik weet niet hoe het met hem is afgelopen. Voor de kloosterruïne zei ik in mijn slechte Spaans: 'Mi hermano está muerto.'

Ik herhaalde de zin een paar keer. Mijn broeder is dood. Alsof het een gebed was dat ik bad, maar in God heb ik nooit geloofd. Het deed gewoon goed om het te zeggen. Ik heb Mads nooit weergezien. Ik weet niet wat ze met zijn lijk hebben gedaan, maar hij is waarschijnlijk in een van de vele massagraven in Spanje beland of hij is begraven onder de ruïnes. Ik werd zelf in een overvolle ziekenhuistrein naar een lazaret in Taragona geevacueerd en daarvandaan naar Zweden gestuurd, toen ik sterk genoeg was om met behulp van een stel krukken rond te kunnen hinken. Mijn fysieke wonden heelden goed, de psychische kapselde ik in.

Ik lag in de ziekenzaal in Taragona toen het begin van het einde voor de republiek werd ingeluid. Het werd een lange en bloederige terugtocht uit Aragón en Teruel, die ertoe leidde dat Franco's nationalisten de Middellandse Zee bereikten en de republiek in tweeën deelden. Want het offensief, dat mijn leven redde en dat Mads zijn leven kostte, werd het laatste succesverhaal voor de republiek en het duurde maar kort.

In november 1938 werden de Internationale Brigades ontbonden en naar huis gestuurd na een afscheidsparade in Barcelona. Ik zag de parade in zwart-witbeelden op een kort filmpje in een weekjournaal in de bioscoop van Kiruna. Ik was dankbaar voor de duisternis in de bioscoop, zodat de andere bezoekers en mijn verloofde niet een grote mijnwerker, die bijna zijn fysieke kracht terug had gewonnen, geluidloos konden zien huilen om de onrechtvaardige zinloosheid van het leven.

Deel 3

Rusland, winter en voorjaar 1938

De geschiedenis kent geen scrupules en geen aarzeling.
Traag en onfeilbaar gaat zij op haar doel af.
Bij iedere buiging van haar weg laat ze de modder,
die ze meevoert, en de lichamen der verdronkenen achter.

Arthur Koestler,
Nacht in den middag

26

Magnus Meyer ligt wakker in de hobbelende Russische sneltrein, die door de nacht deint op zijn lange reis van Berlijn naar
Moskou. Hij hoort het gesnurk van Svend Poulsen, dat de kra-
kende geluiden van de trein overstemt en ziet zijn armstomp in
het bleke licht boven de deken van het smalle stapelbed in hun
tweepersoonscoupé. Ze zijn ergens in Rusland nadat ze zonder
problemen de grens waren gepasseerd. Niemand had in hun bagage gekeken, waardoor zijn uit elkaar gehaalde revolver onder
in de oude reistas niet werd ontdekt. De reis door Wit-Rusland
was lang en eentonig. Nu naderden ze Moskou.

Ze waren bij de grens tussen Polen en de Sovjet-Unie overge-
stapt op een nieuwe trein. Svend had uitgelegd dat het Russische
spoor breder is. Ze rijden nu in een mooie, oude trein. De coupé
is helemaal victoriaans in zijn prerevolutionaire stijl met rood
pluche op de britsen, die ook fungeren als bedden, een messing
wasschaal en witte, gehaakte gordijnen, die 's nachts voor de
grote ramen kunnen worden getrokken. Er is altijd ruimte in
de restauratiewagon en in de gangen. Alleen de meest geprivi-
legieerde Sovjetburgers of welgestelde buitenlanders met harde
valuta kunnen het zich veroorloven om met de mooiste sneltrein van het land over de beroemde spoorlijn tussen Berlijn via
Warschau naar Moskou te reizen.

Het is buiten wit en er lijkt een grote stilte te rusten op het
bevroren landschap. Hij bedenkt dat het nacht is, maar de ochtend nadert gestaag, net als dat Moskou steeds dichterbij komt,
en bij elke klap die de wielen maken op de verbindingsstukken
tussen de rails, komt hij zelf onverbiddelijk dichter bij Irina en
de grote onzekerheid over hoe ze hem zal ontvangen. Met regelmatige tussenpozen hoort hij het waarschuwende gefluit van de
stoomlocomotief wanneer ze een weg kruisen. Maar wie wil er
nou in zo'n koude en ongastvrije nacht buiten zijn?

De mensen zijn in vele lagen grijze en zwarte kleding gehuld. De mannen hebben óf petten op met een sjaal om hun kin gebonden om hun oren te beschermen, óf ze dragen grote gevoerde bontmutsen, die Svend *sjapka's* noemt. Magnus is dankbaar dat hij de raad van Svend had opgevolgd en warme bovenkleding had gekocht in Berlijn, waar het ook steenkoud was geweest, maar het stelde niets voor in vergelijking met de hevige Russische kou.

De vrouwen in Rusland zien er met hun hoge zwarte laarzen en zwarte of bruine sjaals nog vormlozer uit. Ze lopen moeizaam door de diepe sneeuw, maar draaien zich om naar de lange trein, die zich als een vreemde zwarte slang door al het wit beweegt.

Nooit eerder is hij op een plek geweest waar de kou zo hard bijt en hij had medelijden met zijn vriend Svend en zijn wanhoop over de bittere armoede die ze op het platteland zien. Svend is dan wel uit de Deense communistische partij gesmeten, maar zoals alle andere geëxcommuniceerden klampt hij zich vast aan het pure geloof. Hij wordt verdrietig van wat hij ziet.

Zijn ogen zijn dezelfde, maar hij ziet niet hetzelfde, zoals hij eerder verdrietig tegen Magnus zei, toen ze in de restauratiewagon hun avondeten aten en naar een nogal grote jongen keken, die met het snot als een gele, bevroren stroom uit beide neusgaten door het raam naar binnen in de warme, goed verlichte restauratiewagon naar hun maaltijd had gekeken. Door zijn verlangen en apathische acceptatie van zijn trieste lot waren beide mannen hun eetlust kwijtgeraakt. De jongen had naar hen gestaard zolang ze op het station stilhielden. Het was een grote opluchting toen de fluit van de conducteur klonk, de rook met veel kracht uit de schoorsteen van de locomotief werd gepompt en de trein zijn reis richting het zuiden over de oneindige witte vlakte met de kale berken en groepen dennenbomen als donkere vlekken vervolgde.

Magnus kan niet slapen.

Sinds Spanje is de slapeloosheid een veel te trouwe metgezel geweest, wanneer hij in het donker de herinneringen aan de chaotische gebeurtenissen steeds maar weer opnieuw beleeft. Op het moment dat hij zijn ogen sluit, ziet hij de doden en gewonden van het bombardement in Albacete zo duidelijk voor zich alsof het gisteren was.

Hij denkt er vaak als een idioot over na of hij Irina had kunnen tegenhouden als hij niet naar buiten was gegaan om sigaretten te halen, als hij geen koffie had gedronken en kranten had gelezen, voordat hij op zoek was gegaan naar de messenverkoper met één been, als het bombardement hem niet had belemmerd om terug te gaan naar het Gran Hotel. Als hij alerter was geweest en haar tekenen had onderkend en als hij Alfonso onder druk had gezet toen hij terugkwam naar het hotel. Hij had wel het gevoel gehad dat hij iets te verbergen had gehad – dat hij verborgen hield dat Irina het hotel had verlaten met haar bagage en met Stepanovitj als begeleider. Had geld Alfonso's tong niet losser kunnen maken? Als ze hem tenminste niet tot zwijgen hadden gemaand. Er zijn de hele tijd meer vragen dan antwoorden.

Hij draait in een kringetje rond.

Hij probeert vaak de gedachtestroom tegen te houden, maar hij kan zijn bewustzijn zelden onder controle krijgen. Irina had maar weinig tijd gehad om te verdwijnen als hij meteen was teruggekomen. Was het niet mogelijk voor hem geweest om haar in te halen? Misschien was ze de moed om te reizen verloren, als hij tegenover haar had gestaan en haar in zijn armen had genomen.

Aan Mads probeert hij niet te denken. Hij voelt zich schuldig. Hij zou willen dat hij de dingen anders had aangepakt, maar hij weet niet wat hij had moeten doen. Hij ziet de verdrietige ogen van Marie voor zich en kan de teleurstelling en de wanhoop erin aflezen, maar wat had hij moeten doen? Hij heeft Mads in een hoek van zijn hart geparkeerd, waar hij voor eeuwig zal huizen, en heeft stilzwijgend geaccepteerd dat hij misschien nooit zal kunnen ophelderen hoe Mads aan zijn einde kwam.

Als het ooit vrede wordt in Spanje, heeft hij Marie beloofd, wil hij erachter komen wat er met Mads is gebeurd en zijn graf opsporen, ook al is het een massagraf, zodat ze het kunnen bezoeken. Dan kan hij boeten en zij huilen om het verspeelde leven.

Hij had haar niet zien huilen toen hij haar vertelde wat Pandrup over Mads en zijn missie had gezegd, maar hij kent zijn oudere zus en weet dat ze om Mads heeft gehuild en om alles wat hij niet zal meemaken, toen ze alleen op haar hotelkamer was. Marie is ervan overtuigd dat Mads een dichter met een zeer groot talent was. Marie is iemand die niet alleen om zichzelf rouwt, maar ook omdat ze het gevoel heeft dat de wereld een goed mens en een grootse dichter heeft verloren. Dat de wereld veel schoonheid misloopt, omdat Mads ergens in Spanje is vermoord.

Zoals ze op een bijzonder toonloze en lege manier had gezegd: 'Het tragische is dat hij is overleden, voordat hij echt kon zaaien, terwijl wij andere onbelangrijke mensen vast leven tot we honderd jaar zijn.'

Hij had er niet op gereageerd, maar hij had haar gewoon vastgehouden en gewacht op haar tranen, die nooit kwamen.

Hij denkt aan de tijd die verstreken is en aan wat er nog gaat gebeuren, en hij is hoopvol maar tegelijkertijd ook bezorgd wanhopig. Hij is blij dat hij het besluit heeft genomen om Irina te zoeken. Hij wil haar niet opgeven en weet dat ze in leven is.

Het proces tegen haar vader en broer begint binnenkort in Moskou, dus zij zijn ook in leven. Zolang het duurt. Hij wil proberen te verhinderen dat ze meegetrokken zal worden in hun onvermijdelijke val en zekere dood of in elk geval deportatie naar het verre, ongastvrije Siberië, waar mensen volgens de verhalen verdwijnen in uitgestrekte kampen, waar ze de dood in worden gedreven.

Magnus is dankbaar voor de hulp die redacteur Brodersen hem opnieuw heeft geboden. Hij heeft hem geaccrediteerd als journalist bij de processen in Moskou, de noodzakelijke brieven en officiële introductiebrieven geleverd, en kamers in het chique Hotel National geregeld, dat naast het Rode Plein dicht bij het gebouw ligt waar de rechtszaken elke dag plaatsvinden.

Brodersen was naar Kopenhagen gekomen. Hij had gezegd

dat hij toch nog andere zaken moest regelen en dat het dus geen moeite was, maar Magnus weet niet zeker of dat waar is.

Svend Poulsen is geaccrediteerd als assistent en tolk van redacteur Meyer. Svend heeft ook een andere agenda, weet Magnus. Hij wil proberen om gerehabiliteerd te worden door de Komintern, die de macht heeft om zijn uitsluiting van de Deense communistische partij ongedaan te maken, maar Magnus is hem toch enorm dankbaar dat hij mee wil reizen en hem wil helpen.

Svend had geen moment geaarzeld: 'Je bent mijn vriend. Natuurlijk help ik je. Dat ben ik Mads ook verschuldigd', had hij gezegd. Het grootste deel van Joe Mercers geld geeft Magnus aan Svend als salaris, zodat zijn gezin iets heeft om van te leven terwijl hij weg is. De rest heeft hij meegenomen om het hotel van te betalen. Geld is nog steeds geen probleem.

Hij probeert ook niet te veel te denken aan Joe's bloederige einde. Er is veel wat hij moet proberen opzij te schuiven, waarvan hij weet dat hij het later moet verwerken. Af en toe denkt hij aan het goud en aan het vermogen dat het vertegenwoordigt. Het ligt niet voorop in zijn gedachten en bovendien kan het allang ontdekt zijn door anderen, maar hij denkt er af en toe aan of hij het in zijn bezit kan krijgen.

Hij had geen zin of misschien eerder moed gehad om terug te gaan naar zijn geboorteplaats in Denemarken.

Van Marseille was hij naar Parijs gevlogen en daarvandaan met de trein verder gereden naar Berlijn. Vanuit Berlijn had hij naar Marie getelegrafeerd en na enkele dagen ronddwalen in de stad om moe te worden zodat hij kon slapen, had hij ook contact opgenomen met Svend Poulsen. Een paar dagen later ontmoetten de drie elkaar in Kopenhagen. Het was een gespannen ontmoeting geweest, waarbij Marie moeite had gehad om haar teleurstelling over zijn falen te verbergen. De spanning tussen Marie en Svend was duidelijk. Toch had hij het idee dat Marie na het avondeten in de stad de kamer van Svend binnenging.

Magnus had open gepraat over wat er was gebeurd, zonder zijn eigen inzet mooier te maken dan die was. Hij had niets achtergehouden en had nuchter over de ontmoeting met Mads in de kerk in Madrigueras verteld. Marie had beloofd het verhaal over Mads door te vertellen aan de chef-arts, van wie ze vermoedde dat hij het verlies nooit te boven zou kunnen komen en zich alleen maar nog meer in zijn schulp terug zou trekken. Ze maakt zich ernstig zorgen om de psychische gesteldheid van hun vader en werd kwaad op Magnus toen hij demonstratief alles negeerde wat ze over de chef-arts zei. Het waren een paar vermoeiende en gevoelsmatig slopende dagen in de Deense hoofdstad geweest.

Nu is februari al een eind op dreef en de trein rijdt zowel te langzaam als te snel, want hij is ook bang voor het onbekende dat hem in Moskou te wachten staat.

Op de stoel naast hem liggen Duitse kranten, die op de voorpagina's melding van maken dat de nationalisten in Spanje eindelijk de laatste fase van het tegenoffensief bij Teruel zijn begonnen en dat het slechts een kwestie van tijd is voordat ze de republikeinse linies doorbreken. De nationalisten hebben het grootste aantal tanks, de meeste artillerie en vliegtuigen in de strijd gegooid die de wereld ooit heeft meegemaakt, in de Spaanse veldtocht, en de overwinningssfeer in de Duitse kranten die ze in Berlijn kochten is triomfantelijk en pochend.

Ze hebben ook verhalen gelezen over nieuwe processen tegen volksvijanden in Moskou. De namen van Irina's vader en broer zijn genoemd: kolonel Nikolaj Sergejevitj Sjapatovo van de NKVD en kapitein in het Rode Leger Anatolij Nikolajevitj Sjapatovo zijn aangeklaagd wegens hoogverraad, spionage, poging tot muiterij en samenzwering tegen het Sovjet-Russische bestuur.

Kolonel Sjapatovo is volgens de verhalen de op vier na hoogst geplaatste in de Sovjet-Russische veiligheidsdienst. De openbaar aanklager drukt in een van de kranten zijn grote tevredenheid uit over het feit dat het gelukt is de laaghartige plannen te ontmaskeren die beraamd werden tegen de grote leider van het land, kameraad Stalin. De zaak laat zien dat voortdurende oplettendheid en een principieel vasthouden aan richtlijnen, die de grote Lenin en de grote Stalin hebben gegeven, de rechtvaardigheid zal laten zegevieren.

Er is meer van hetzelfde, dat Magnus met toenemende verbazing en afschuw leest. De Duitse pers schrijft beduidend meer over de processen in Moskou dan de Deense pers in de hoofdstad. Svend heeft de neiging om het meeste als burgerlijke of nationaal-socialistische propaganda af te wijzen, maar hij lijkt niet zo zeker van zichzelf en de zaak als voorheen.

Dat is interessant, denkt Magnus. Svend was door zijn instinct en zijn klasseachtergrond een revolutionair communist geworden. De partij had zijn intelligentie vroeg ontdekt en hem opgeleid en geschoold, zodat hij een theoretische kennis verwierf van hetgeen hij oorspronkelijk instinctief zelf had bedacht. Hij had zijn eigen intellectualiteit ontdekt en verder gezocht in de wereld van de boeken. Hij ziet hem zelden zonder een boek in handen. Hij is een allesetende lezer. Nu is de gewekte en volledig ontwikkelde en getrainde intelligentie bezig om zich te ontdoen van de ballast, waarvan de partij hem zo moeizaam heeft voorzien. De parolen van de partij zijn te vierkant voor hem geworden. Met de steeds groter wordende kennis is de twijfel aan hem gaan knagen als een brutale intellectuele worm, die langzaam zijn opvatting van de wereld afbreekt. Hij is de partij zijn toegang tot de boekenwereld verschuldigd, maar de partij had een doos van Pandora met vragen geopend, waarop de partij niet meer alle antwoorden heeft.

Op een eerder moment van de reis hadden ze gesproken over de grote collectivisatie van de Sovjet-Russische landbouw, die volgens Brodersen miljoenen mensen het leven heeft gekost en hongersnood in de Oekraïne en Wit-Rusland heeft veroorzaakt en natuurlijk ook in Rusland zelf. Brodersen vertelde Magnus, toen ze elkaar in Kopenhagen zagen, dat het een opgelegde hongersnood was, die de boeren op hun knieën moest dwingen. Partijkaders, soldaten en beulen van de geheime politie onteigenen graan en andere gewassen om er zeker van te zijn dat de stadsbevolking voldoende te eten heeft. Mensen uit de arme gebieden stromen naar de steden om werk te zoeken. Het nieuwe proletariaat moet eten hebben. Ideologisch gezien is dat de heersende, goede klasse, terwijl de boeren het reactionaire vertegenwoordigen. Boeren worden 'koelakken' genoemd.

Brodersen had een trekje van zijn sigaar genomen en gezegd: 'Het is een soort omgekeerd darwinisme, Meyer. Stalin en zijn bandieten hebben de slimste, de beste en de hardst werkende boeren uitgeroeid en lieten de zwakke en volgzame overleven. Ze worden in grote staatscollectieven bijeengebracht, waar ze leven als loonslaven en ambtenaren. Ik ben ervan overtuigd dat deze massale uitroeiing van een hele stand en een heel beroep decennialang ernstige en verregaande gevolgen zal hebben voor de Sovjet-Unie. Ze zal er nooit overheen komen. De Russische boer is het symbool van de Russische ziel, van het eeuwig Russische, van de orthodoxe Kerk. Hij vertegenwoordigt alles wat Russisch en echt is. Stalin wist dat als hij de boeren zou kunnen vermorzelen, hij dan de Russische geschiedenis en de Russische traditie en gebruiken zou kunnen vermorzelen en daarmee de weg bereiden voor zijn nieuwe mens, de *homo sovjeticus*. Hij kon er niet mee zitten dat er tijdens het experiment ontelbaar veel mensen overleden.'

Ze hadden in een restaurant bij Kongens Nytorv geluncht en Brodersen had de tijd genomen om Magnus voor te bereiden op het geheimzinnige land waar hij naartoe zou gaan en waar de kleine feminiene redacteur een grondige kennis van heeft. Hij lijkt er in een merkwaardige masochistische mix van te houden en het te haten.

Magnus bespreekt de ideeën van Brodersen met Svend Poulsen, die ze afwijst als burgerlijke propaganda en als enorm overdreven, maar Magnus bespeurt een aarzeling in de argumenten van zijn vriend. Als een priester die de theologie kent, omdat hij die heeft geleerd, maar niet langer het geloof achter de woorden heeft en er daarom in vervalt om dezelfde versleten frasen te produceren.

Hij denkt vaak dat er achter Svends arbeidersfaçade met de grove kleding en de versleten pet een intellectueel schuilgaat. Svend Poulsen is een verfijnde ziel ondanks de ruwe handen – of preciezer gezegd: de ruwe hand die hij nog heeft. Als hij in een andere klasse was geboren, zou hij zeer zeker de aandacht op zich hebben gevestigd als een gerespecteerd academicus, omdat hij vanzelfsprekend naar de universiteit was gegaan.

Magnus had zelf alle mogelijkheden gehad. De chef-arts zou met plezier hebben betaald voor een opleiding, maar dat was blijkbaar niet voorbestemd. Marie was ook slim genoeg, maar ze was een meisje, dus verpleegster was goed genoeg voor haar, was de mening van de chef-arts. Dan had ze tot haar trouwen iets te doen. Mads zou misschien zijn literatuurstudie weer hebben opgepakt als hij had overleefd, maar wie zal het zeggen? Misschien had hij boeken geschreven over wat hij kon en wist. Magnus had zichzelf nooit aangetrokken gevoeld tot het academische milieu. Hij was een veel te rusteloze deugniet geweest.

Svend had de kans nooit gekregen omdat hij was geboren in het kamertje van het melkmeisje. De wereld is een verdomd onrechtvaardige plek. Magnus erkent zonder problemen dat, hoewel hij zichzelf als tamelijk slim beschouwt, hij weinig voorstelt vergeleken met Svend.

Hij gaat liggen en vouwt zijn handen onder zijn nek. Buiten de gehaakte, witte gordijnen is het pikdonker. Svend snurkt, houdt op en slaapt daarna verder. Magnus begint de verbindingsstukken van de rails te tellen en valt eindelijk in een korte, onrustige slaap, waaruit hij ontwaakt wanneer Svend zijwaarts op zijn brits gaat zitten en een glas dampend hete thee voor hem neerzet op het klaptafeltje dat tussen de twee stapelbedden in hangt. Svend blaast in zijn eigen thee, die hij voor in de wagon bij de samowaar heeft gehaald, waarna hij voorzichtig een slokje neemt. Magnus hoopt dat de thee sterk en zoet zal zijn en dat is gelukkig het geval. Svend laat hem in alle rust drinken: 'Heb je een beetje kunnen slapen?' vraagt hij.

'Een beetje.'

'Je ziet er gebroken uit.'

'Zo voel ik me ook, Svend. Dus dat heb je goed gezien.'

'Daar moeten we iets aan veranderen, voordat je je geliefde Irina ontmoet.'

'Zeg eens, hou je me voor de gek?'

Svend legt zijn hand op de knie van Magnus en zegt: 'Dat zou nooit bij me opkomen, Magnus. Ik heb een diep respect voor de gecompliceerde liefde. Moskou is alleen een andere wereld en daarmee kan Irina ook best een andere persoon zijn dan die je in Spanje kende.'

'Je spreekt uit ervaring, kan ik horen. Gaat het om Marie?'

Svend knikt. Magnus kijkt naar de vreemde felgroene ogen van zijn reisgenoot onder het hoge, rechte voorhoofd. Het haar van Svend is nog steeds pikzwart. Normaal gesproken heeft hij de jasmouw van zijn rechterarm, die vanaf de elleboog is afgezet, met veiligheidsspelden vastgemaakt tot de armstomp. Nu heeft Svend alleen zijn witte hemd aan en Mads kan het rode littekenweefsel van het stompje zien en de lange witte littekens die diep in de spieren van Svends bovenarm zitten. Hij is allang gewend aan Svends oorlogsverwonding en Svend is zelf totaal niet preuts en laat zich niet beperken door zijn handicap. Hij klopt een sigaret uit het pakje met zijn linkerhand, waarmee hij ook de sigaret voor Magnus en voor zichzelf aansteekt, waarna hij zegt: 'Waarschijnlijk wel. Ze is niet een gemakkelijk iemand om van te houden.'

'En dat doe je?'

'Weet ik veel? Ik ben behoorlijk dol op haar, maar wat betekent het om van een ander te houden? Dat je diegene wilt bezitten? Dat doe ik niet. Dat heb ik niet met Marie. We zouden nooit een echtpaar kunnen zijn. We zijn veel te verschillend. We zouden elkaar waarschijnlijk op het laatst willen vermoorden. Ik draag ook een verantwoordelijkheid voor mijn vrouw en mijn kinderen. Ik zou een klootzak zijn als ik van haar zou gaan scheiden in deze tijd. Ik pak de gestolen momenten en het genot dat Marie mij biedt en de tijd die we samen doorbrengen. Je zus is niet voor mannen die vastigheid willen.'

'Er was een man in Albacete die hetzelfde over Irina zei – hij gebruikte dezelfde woorden.'

'Zo zie je maar. Maar misschien krijg je rust wanneer je haar ziet. Dan heb je in elk geval dat bereikt.'

'En misschien kun jij terugkeren naar je partij? Dan bereik jij dat.'

'Als ik dat wil.'

'Ik dacht dat dat de bedoeling was.'

'Dat is misschien ook wel zo, maar het is gecompliceerd en ik heb eigenlijk geen zin om daarover met jou in discussie te gaan. Jij bent niet geschikt voor politieke gesprekken, maar kort gezegd vind ik dat de beweging een verkeerde weg is ingeslagen. De twijfel ontstond in Spanje en wordt versterkt door de politiek van de Komintern en Stalin in hetzelfde land en hier in de Sovjet-Unie. De processen hebben de overhand genomen.'

'Stalin? Hij is toch onaantastbaar in jullie bijbel? Hoe kun je aan hem twijfelen?'

'Zie je wel. Stalin is tot god verheven. Marx of Lenin opereerden niet met onfeilbare goden. Stalin is een mens. Dat lijken partijkameraden in de hele wereld te vergeten. Een mens maakt fouten en fouten moeten hersteld worden door middel van vriendelijke discussies.'

'Nu begin je me te vervelen, Svend. Vergeet die partij toch, als die niets met jou te maken wil hebben. Denk in plaats daarvan zelf. Dat doet geen pijn.'

'Dat doe ik toch ook? Eigenlijk denk ik veel te veel. Ik voel me weer net een kind. Toen we een keer met school een uitstapje maakten naar de grote stad Aalborg. Ik zat op zo'n dorpsschooltje. Plotseling was ik helemaal alleen. Ik zag mijn meesters en mijn klasgenoten nergens. Ik was waarschijnlijk een jaar of elf. Toen ze mij vonden, scholden ze me natuurlijk uit, en ik kreeg een flinke klap van meester Karlsen, maar dat deed me niet het meest pijn. Dat was toen ze beweerden dat ik de groep was kwijtgeraakt. Ik was de groep niet kwijtgeraakt. De groep was mij kwijtgeraakt.'

'*Du bist ein guter Mensch, mein Freund*', lacht Magnus. 'En laten we nu naar de restauratiewagon gaan om te ontbijten, terwijl jij me nog wat meer vertelt over je oude mekka, Moskou. Misschien kun je me ook wat Russisch leren. Gewoon een mondje vol. Hallo. Tot ziens. En ik hou van jou.'

'Fijn, Magnus. Je ziet er beduidend beter uit wanneer je glimlacht.'

27

Hotel National is een solide gebouw dat uitkijkt op het Rode Plein, zoals Brodersen het had beschreven, maar het verbleekte classicistische gebouw heeft duidelijk betere tijden gekend. De verf bladdert van de statige gevel af en het gebouw straalt iets ijdels uit, wat Magnus melancholisch stemt. Hij ziet de torens boven het Kremlin met hun rode ster, de lange, rode muur. Erachter liggen de gele gebouwen met groene daken en de merkwaardige uivormige koepels op de kerken in het geheimzinnige machtscentrum.

Moskou maakt een zeer overweldigende eerste indruk; hij voelt zich een ogenblik verloren en weet niet zeker wat hij eigenlijk in de Sovjet-Unie doet, ook al heeft hij een plan opgesteld.

Het is zijn plan om aanwezig te zijn wanneer het showproces, zoals Brodersen de rechtszaak consequent heeft genoemd, tegen Irina's vader en broer over enkele dagen begint, als je de Duitse kranten mag geloven. Dan moet hij daarna maar kijken hoe het verdergaat. Hij heeft overwogen om haar op te zoeken in het huis aan de rivier, maar hij heeft haar precieze adres niet en omdat hij ervan uitgaat dat ze bij de rechtszaak aanwezig zal zijn, zal hij daar contact met haar zoeken. Svend denkt dat ze kan zijn opgeroepen als getuige, maar hij weet minder dan Magnus, die de Duitse pers heeft doorgeploegd. Svend belooft een paar Russische kranten te kopen en hier en daar te informeren, als hij nog steeds kameraden heeft die met hem willen spreken. Hij weet dat er Scandinavische partijkameraden in Hotel Lux overnachten.

Hun eigen grandioze hotel ligt gehuld in de lichte sneeuwjacht die Svend en Magnus heeft gevolgd vanaf het Wit-Russische station waar hun Nordexpress aankwam.

Het krioelt van de mensen onder het gewelfde dak op het perron, waar de grote zwarte locomotief staat uit te blazen als een oud vermoeid paard na zijn lange reis. De machinist hangt uit het raam en rookt een dikke, zwarte sigaret met het kartonnen mondstuk dat hij zich uit Spanje kan herinneren; zo een wil Svend graag hebben. Twee kolendragers, met gezichten die zwarter zijn dan de locomotief, staan tussen de locomotief en de kolenwagen in ook te roken, terwijl ze naar de passagiers kijken die zich in een dichte stroom naar het station bewegen – een groot groen gebouw met veel torens en spitsen en allerlei soorten afdakjes en tierelantijntjes. Het glimt als nieuw in de sneeuw.

Op een perron naast dat van hen stappen mensen in een andere lange trein, die op het punt staat te vertrekken. Op de voorkant van de locomotief staan een grote rode ster en een hamer en sikkel. Er wordt dikke rook uit de schoorsteen gepompt, alsof de trein bijna niet kan wachten om te vertrekken. Een ogenblik krijgt Magnus zin om ook in te stappen en weer koers te zetten naar het westen, omdat zijn missie zo onoverzichtelijk en onmogelijk lijkt.

Een drager, die een trekkar met twee grote wielen trekt, biedt zich aan en mag hun bagage vervoeren. Het ruikt er naar kolen en er hangt een bijzondere smaak van bittere kou, waarvan Magnus niet weet waar die vandaan komt, maar die in de lucht boven Moskou hangt en hij kan proeven op zijn tong. De hemel is loodgrijs en de wolken lijken op het punt te staan om over de rijen huizen en de rijbanen neer te dalen en alles te verstikken.

Ze rijden in een zwarte taxi naar het hotel. De straten zijn heel breed en er rijdt maar weinig verkeer, maar ondanks het weer ziet het zwart van de voetgangers. Ze zijn ingepakt in grote jassen, sjaals en bontmutsen in verschillende maten en grijze, zwarte en beige nuances. Het moet kort geleden weer flink hebben gesneeuwd, want overal zijn groepjes vrouwen bezig met het sneeuwvrij maken van trottoirs en rijbanen. Ze gebruiken grote sneeuwschuivers, schoppen en grappige kleine basten bezems, waarmee ze de laatste fijne sneeuwvlokken wegvegen. De vrouwen hebben geen model in hun dikke jas en knielange grove vilten laarzen. Hun hoofd is in een sjaal of muts gehuld, en ze werken hard onder het toeziend oog van mannen in zwarte jassen en met leren mutsen op.

Er lijken veel mensen te zitten in de weinige cafés en restaurants die ze passeren. Voor enkele winkels staan korte rijen, maar hij kan niet zien wat ze er verkopen. De huizen zijn log en ontoegankelijk. Er hangen grote ijspegels aan de afdaken. De trams rammelen over de verbindingsstukken en de vonken lichten op in de sneeuw, wanneer hun pantografen de aan elkaar gekoppelde bovenleidingen raken. Vooral vrouwen zitten achter het stuur van de trams, ziet Magnus. Ze dragen een grote sjaal of gebreide muts op hun hoofd. Vrouwen besturen ook de trolleybussen, die zich met bevroren ramen een weg door de sneeuw banen.

Ze verlaten Avenue Leningrad en gaan verder over een brede boulevard, waarlangs winkels, restaurants, cafés en officieel uitziende winkels staan. Svend zegt dat dit de Gorkistraat is, een van de belangrijkste winkelstraten van Moskou. De huizen zijn dan ook imposanter met versieringen aan de afdaken en hoge ramen, waardoor ze naar binnen kunnen kijken in de woonkamers met stucplafonds.

Svend wijst naar een groot gebouw en zegt dat dat de plek van de Komintern en partijkameraden is en het lijkt erop dat er verlangen in zijn stem is te bespeuren naar vroeger tijden, toen het leven minder gecompliceerd was.

'Het heet Hotel Lux', zegt hij. 'Het is niet bijzonder luxueus, maar het is er comfortabel met behoorlijk grote kamers en verder is er een badkamer en een gezamenlijke keuken op elke gang en een groot restaurant, waar je goedkoop kunt eten. Ik woonde er toen ik op de Leninschool zat. Daar heb ik een fijne tijd beleefd.'

Magnus kijkt naar hem en wacht op meer, maar Svend kijkt weg. Hotel Lux is groot met zuilen en iets wat lijkt op een bewaker, buiten in de sneeuw. Er staan veel mensen voor de entree.

Om de vijf minuten stopt hun chauffeur en stapt uit om de sneeuw van de ijskoude voorruit van de auto te vegen. Er zijn blijkbaar geen ruitenwissers. Magnus is blij met zijn handschoenen en zijn gevoerde pet; toch voelt hij de kou in zijn lichaam en vooral zijn oren bijten. Hij moet zo'n sjapka zien te bemachtigen die iedereen hier draagt. Svend heeft zijn oude meegenomen, die hij midden op zijn hoofd heeft gezet zonder de oorkleppen naar beneden te laten hangen.

Gelukkig is het warm in het hotel.

Meyer en Poulsen checken probleemloos in. Poulsen redt zich met de taal en Meyer redt zich met de betaling. Ze moeten hun paspoort en visum inleveren, die naar de politie gaan, maar ze krijgen te horen dat ze de documenten over hooguit twee dagen zullen terugkrijgen. De heren kunnen de kaart van hun kamer als identiteitsbewijs gebruiken, mocht de overheid hen controleren.

Ze krijgen een goede kamer naast elkaar met uitzicht op het Kremlin omdat Magnus in buitenlandse valuta voor de kamers betaalt. Er is ook warm water. Ze spreken af dat ze een bad nemen en over een uur samen in het restaurant gaan lunchen.

Magnus heeft een aardig bedrag aan nieuwe Reichsmark meegenomen die hij graag wil wisselen. Hij heeft naast zijn dollars ook reischeques in ponden bij zich, waarvan Brodersen heeft gezegd dat het goed is om die bij je te hebben in de Sovjet-Unie. Hij kan in de lobby van het hotel wisselen, zegt Svend, die zich een beetje ongemakkelijk lijkt te voelen bij de luxe waarin hij nu moet overnachten.

Het is een versleten, maar opulent hotel met een monumentale trap naar de eerste verdieping waar zich restaurants en bars bevinden. De kamers op de zesde verdieping zijn groot met zware meubels en dikke, fluweelrode gordijnen en veel verguldsel. Alles ziet er echter verbleekt uit, alsof er niet echt voldoende geld is geweest om het allemaal te onderhouden. Het is voor de ogen van de gasten en het personeel aan het vervallen. Als een nette, welgestelde vrouw, die beter dagen gekend heeft, maar er nog alles aan doet om de schijn op te houden, ook al wordt dat wel lastiger.

Dat geldt ook voor het restaurant, waar ze een tafel in een hoek in een kleinere eetzaal toegewezen krijgen en het onder het hoge plafond donker is en naar kool ruikt. In een hoek speelt een bescheiden orkest met leden die gehuld in zwarte pakken en met versteende gezichten klassieke muziek uit Rusland en Centraal-Europa spelen.

Het Russisch gaat Svend Poulsen moeiteloos af, hoort Magnus, wanneer hij voor hen bestelt. Ze nemen bietensoep, die Svend 'borsjtsj' noemt, en wat van de beroemde Russische kaviaar samen met boekweitpannenkoeken en daarna kip, een van de twee warme gerechten die het restaurant die dag kan serveren, ook al is de menukaart ellenlang.

Magnus hoort dat er aan de dichtstbijzijnde tafels veel journalisten zitten, die praten over de aanstaande rechtszaak. De commentaren klinken zowel in het Frans, Duits als Engels. De journalisten dragen pakken met stropdassen en overhemden. Ook Svend en Magnus hebben zich omgekleed, maar Svend heeft zijn stropdas niet om. Redacteur Brodersen heeft duidelijk geweten dat de buitenlandse pers in Hotel National verblijft.

Hij was zeer tevreden geweest over de artikelen van Meyer uit Spanje en hoopte dat hij ook uit Moskou zou schrijven.

'U moet om uw dekmantel denken', zoals hij had gezegd. 'Ik benijd u om uw reis. Rusland is een wonderlijke plek, die met niets te vergelijken valt. Brutaliteit en grootse cultuur gaan hand in hand. Een plek waar je je in leven voelt, zolang dat mag. Dus pas op uzelf, Magnus Meyer, en schrijft u alstublieft. U hebt een fijne pen.'

Svend bestelt ook een karaf wodka, die in dit land zoals hij zegt per gram wordt besteld. Hij lijkt het fijn te vinden om terug te zijn in de USSR, maar voelt zich ook een beetje onzeker en ongemakkelijk bij de nieuwe situatie waarin hij zich bevindt.

Ze hebben nu zo veel dagen samen doorgebracht op hun reis, dat hun onderlinge relatie ontspannen is. Ze voelen zich op hun gemak in elkaars gezelschap, ook al heeft hun leven zich tot nu toe zo verschillend ontwikkeld. Ze hebben Spanje en de oorlog gemeen, en ze hebben ook veel gepraat over de burgeroorlog en over hun persoonlijke belevenissen, hoe verschillend ze ook zijn.

Svend was wel wat verrast dat Mads saboteur was geweest, maar hij was vooral geraakt toen hij hoorde dat hij dood was. Hij gebruikt het woord zonder aarzeling. Je verdwijnt niet op het slagveld in Spanje. Helemaal niet wanneer je partizaan bent. Je ligt óf gewond in een lazaret óf je bent dood. Een krijgsgevangenenkamp is uitgesloten met de functie die Mads had. Magnus klampt zich vast aan elk sprankje hoop, ook al weet hij eigenlijk wel dat Mads voorgoed weg is.

Svend schenkt in en zegt: 'Proost, Magnus, en welkom in de eerste arbeiders- en boerenstaat ter wereld.'

'Proost dat we beiden mogen bereiken waarvoor we gekomen zijn.'

'Daar proost ik ook op.'

'Vind je het fijn om terug te zijn?'

'Ik geloof van wel, maar ik weet het niet zeker. We zullen zien hoe het gaat. We zullen zien hoe het met de mensen gaat. Alles is immers nieuw, Magnus. Dit is een stad van eerste- en tweedegeneratie boeren, hè? De revolutie is nog maar twintig jaar oud. Dat is niets. Er is hier veel hoop en vast ook veel wanhoop.'

De wodka is sterk en wrang tegelijk. Magnus nipt ervan, terwijl Svend zijn glas achteroverslaat alsof het een Deense brandewijn was, ook al zijn de glazen wat groter. Dus Magnus doet hetzelfde en er verspreidt zich een warm gevoel door zijn hele lichaam.

'Russische brandewijn smaakt goed', zegt hij.

'Wodka smaakt naar Rusland. Wanneer ik het eerste glas krijg, weet ik waar ik ben. Het doet goed. Het houdt de winterse kou buiten de deur.'

Magnus vindt het allemaal maar merkwaardig. De plek en het klimaat. Het vreemde gevoel dat je in een andere wereld bent beland. Het eten is ook heel anders, maar het smaakt goed. Magnus vindt de krachtige bietensoep met de stukken vlees lekker en hij is dol op de delicate zwarte kaviaar op de pannenkoeken, die Svend 'blini's' noemt.

Magnus heeft nog nooit eerder kaviaar geproefd, maar het zal een levenslange gewoonte worden. De kleine eitjes breken in zijn mond en ze verspreiden een fantastisch geurend zout welbehagen over zijn smaakpapillen. Hij zegt niets, maar Svend kan aan hem zien dat hij in de roos heeft geschoten door kaviaar te bestellen, dat hij overduidelijk ook zelf met het grootste genoegen eet. Hij heeft een gezichtsuitdrukking alsof hij persoonlijk de steur heeft gevangen en er de kuit uit heeft gehaald.

Het is belangrijk voor hem dat zijn socialistische vaderland een goede indruk maakt, denkt Magnus, maar hij wil zijn reisgenoot niet plagen. Hij komt te bezorgd en onrustig over om hem lastig te willen vallen. De kip is droog en saai, maar hij glijdt met honderd gram wodka omlaag, waardoor het aangenaam begint te borrelen in zijn lichaam.

Het is gestopt met sneeuwen wanneer ze het hotel verlaten in hun goed gevoerde jassen, solide schoenen en handschoenen – Svend met zijn sjapka en Magnus met zijn gevoerde pet. Hij kan niet wachten. Hij wil het huis zien waar Irina woont en is bovendien te onrustig om in het hotel te zitten duimendraaien. Hij kan de kranten niet lezen en ook niet de boeken die op de planken in de kleine bibliotheek van het hotel staan.

Het is koud, maar de wind is gaan liggen, dus het is vol te houden. Toch is hij nog nooit in zijn leven op een plek geweest waar het zo koud was als in Moskou. Hij heeft het nu al koud en begrijpt niet dat de Moskovieten zich bewegen alsof de temperatuur heel normaal is. Verderop in de straat ligt het Bolsjojtheater naast een gebouw waarin de vader en broer van Irina volgens Svend voor de rechter zullen verschijnen. Het is een mooi gebouw met drie hoge verdiepingen, geschilderd in een pastelgroene kleur met vier ranke, witte zuilen die de voordeur flankeren. Bovenop zit iets wat lijkt op een witte koepel. Svend zegt dat het 'het Huis der Vakbonden' genoemd wordt en dat Lenin daarbinnen in de koepelzaal opgebaard lag.

Ze steken een groot plein over met veel verkeer van kleine zwarte auto's en veel voetgangers en lopen in de richting van het Rode Plein, dat Svend aan Magnus wil laten zien. Hij wil graag de toeristengids uithangen, terwijl Magnus gewoon niets liever wil dan oog in oog met Irina staan en haar met haar eigen woorden horen zeggen dat ze genoeg van hem heeft en niet met hem zal meegaan. Dat zij zelf en geen ander die keuze heeft gemaakt, dus hij luistert slechts met een half oor wanneer ze bij het indrukwekkende plein aankomen. Ze zijn er zeer zeker niet alleen. Hij kan een lange rij geduldige mensen zien die langs de Kremlinmuur en op het plein staan.

De straatstenen zijn glad onder een dunne laag sneeuw. Ze wandelen naar een kerk met kleurige koepels, maar die is helemaal vervallen. Erachter, een stuk verderop, stoten drie grote fabrieksschoorstenen rook uit. De kou bijt in zijn bovenbenen en zorgt ervoor dat zijn wangen beginnen te prikken. Mensen in ruimzittende jassen lopen een groot grijs gebouw aan hun linkerhand in en uit. Het is het grootste warenhuis van de stad, GUM, dat vooral goed wordt bezocht door mensen van het platteland die naar Moskou komen om te winkelen.

Aan de rechterkant staat een laag, vierkant gebouw voor de Kremlinmuur, waar ze het bovenste deel van de gele regeringsgebouwen erachter kunnen zien. Een lange rij mensen slingert in een onscherpe S van het gebouw de heuvel af en verdwijnt om de hoek. De rij beweegt maar langzaam vooruit en verdwijnt in het rode granieten gebouw. Erachter duiken de winters geklede mensen weer op. Het moet verschrikkelijk koud zijn om in de rij te staan wachten. De mensen zwijgen, trappelen met hun voeten tegen de kou, maar Magnus hoort geen stemmen. Zelfs de wat grotere kinderen, die er met hun jassen en mutsen uitzien als vormeloze bulten, zijn stil. De mensen in de rij zijn net kleine marionetten in een zeer lange keten, die gedisciplineerd is opgesteld door een ervaren poppenspeler.

Twee van de kou stokstijf staande soldaten in grijze uniformen houden een erewacht voor een zwarte metaalachtige dubbele deur, die is ingevoegd in het rode marmer en die nu wordt dichtgedaan, terwijl drie geüniformeerde agenten de eerste mensen in de rij met een enkele handbeweging tegenhouden. De soldaten staan onwrikbaar in de kou met een gezichtshuid die wit is door de bijtende vorst. Hun ogen staren vermoeid in het niets, alsof ze zich in zichzelf hebben teruggetrokken waar ze kunnen blijven totdat hun wacht erop zit.

Svend doet zijn bontmuts af en buigt kort zijn hoofd.

'Lenins graf', zegt hij. 'De vader van het socialisme en de grondlegger van de staat ligt gebalsemd daarbinnen. Ik heb hem een keer gezien. Het is een ontzagwekkend gezicht om daar oog in oog te staan met zo'n groot man, ook al is hij dood.'

'Dat geloof ik graag. Een echte farao. Of misschien een heidense god?' zegt Magnus droog en Svend zet zijn bontmuts weer op en kijkt weg, waarna hij zegt: 'Dus je wilt de grote Lenin niet zien? Als buitenlander hoef je niet zo lang in de rij te staan.'

'Nee, dank je wel. Dat wil ik niet. Hij is niet mijn heilige.'

Svend wil iets zeggen, maar hij houdt zich in.

De rij staat nu helemaal stil. Uit de toren voor hen klinken klokslagen en drie soldaten marcheren vanuit de hoektoren en bewegen zich langzaam in paradepas langs de muur van het Kremlin. Voorop loopt een officier, achteraan de twee soldaten met hun geweer over hun schouder gespannen als voor een exercitie. Poulsen en Meyer bekijken het bijzondere balletachtige ritueel van de wisseling van de wacht, waarbij synchroon met de geweren wordt gezwaaid en de lange laarzen tegelijk op de maat op de tegels knallen, terwijl de korte commando's van de officier over het bevroren, zwijgende plein galmen. Ze lopen pas verder wanneer de twee stokstijf staande soldaten zich in de warmte van de wachtkamer bevinden, en de twee nieuwe soldaten staan voor de deur recht tegenover elkaar onverzettelijk stil met hun lege, stijve blikken.

'Zo wordt Lenin geëerd', zegt Svend. 'Stalin heeft besloten dat Lenin hier voor eeuwig moet blijven. Dat was niet Lenins wens, maar duizenden mensen schreven naar Stalin en smeekten dat de grote Lenin bewaard moest worden, zodat komende generaties hem konden zien. Ooit – hopelijk pas over vele jaren – zal Stalin zijn laatste rustplaats naast Lenin krijgen, dus deze reuzen in de geschiedenis van de mensheid zullen altijd onder ons blijven.'

'Soms klink je als een katholieke priester, Svend', zegt Magnus en hij begint sneller te lopen. Svend kijkt hem aan alsof hij hem van repliek wil dienen, maar geeft het op en wijst in de richting van de rivier, die aan het einde van een licht glooiende heuvel ligt.

De Moskva is bedekt met witgrijs ijs, dat op sommige plekken in vreemde formaties is gekruid. Een brug leidt naar de andere oever en verderop wordt een nieuwe brug gebouwd. Er rijden enkele zwarte auto's, een paar door paarden getrokken voertuigen en er is een dichte stroom voetgangers onderweg over de brug, maar Svend slaat rechts af en loopt langs de Kremlinmuur met de bevroren rivier aan hun linkerhand. Op het dikke ijs zitten drie mannen ieder bij een gat te vissen. De rivieroever is hoekig door brede stenen, waar het ijs langs omhoogkruipt. Er is verderop nog een brug. Erachter kunnen ze bouwkranen boven een toekomstige flat zien, die al in vijf verdiepingen verrijst. De grijze stalen dragers staan in de gesluierde vorst gebeiteld. Toch kunnen ze mannen op het bouwterrein zien bewegen.

Svend loopt een trap op naar het midden van de brug. Hij stopt en wijst naar een massief grijs gebouw op de andere oever naast een fabriek, waar de rook opstijgt uit twee grote schoorstenen. Ernaast liggen kleinere gebouwen die merkwaardig beschroomd bukken. Er spelen een paar kinderen voor de huizen in de sneeuw. Ze zien achter verschillende ramen in het grote huis licht branden. Magnus kan de letters herkennen die een theater lijken aan te duiden en er is blijkbaar een winkel aan de kant die op de rivier uitkijkt, schuin tegenover het Kremlin. Het gebouw lijkt een soort moderne vesting met vier vierkante torens op elke twaalf verdiepingen. Ze zijn verbonden door zes verdiepingen, die om een binnenplaats liggen. Het complex moet enorm zijn.

'Het heet het Regeringshuis of het wordt in elk geval zo genoemd', zegt Svend met een vermoeide stem. 'Het bevat honderden appartementen. In een ervan bevindt Irina zich misschien.'

'Maar waar?' zegt Magnus en hij voelt een warmte in zijn buik, ondanks de kou die vanaf zijn voeten door zijn lichaam wandelt en hem bijna verandert in een ijspegel.

'Dat weet ik niet. Ik ben er nog nooit geweest. Daar was ik

niet chic genoeg voor. Het is een gebouw waarin de meest vooraanstaande kaders van de partij en de grootste kunstenaars van
het land mogen wonen. Alles is in dat gebouw. Het is geweldig.
Het is een overwinning voor het socialisme. Het is enorm groot,
zoals je kunt zien.'

'Kunnen we ernaartoe gaan?'

'Als je dat wilt.'

'Je aarzelt?'

'Er staan gegarandeerd bewakers buiten en er zal controle bij
de liften zijn. We kunnen niet op de binnenplaats komen en al
helemaal niet in het gebouw als we geen officiële reden hebben.
Bovendien worden we in de gaten gehouden. Ik heb dezelfde
twee mannen nu vier keer gezien sinds we het hotel hebben verlaten. Je moet niet omkijken, maar er staat er een achter ons en
een ander staat aan de overkant op ons te wachten. Hij moet bij
het Rode Plein zijn overgestoken.'

Magnus kijkt voor zich uit. Er staat een man aan het begin
van de brug aan de andere kant van de oever en hij probeert
weg te kijken, maar Magnus ziet nog net dat hij hen observeert.
Hij zou willen dat hij zijn revolver had meegenomen, maar dat
durfde hij toch niet in de onbekende stad. Hij ligt nog steeds in
delen in zijn tas, in een overhemd verpakt.

'Wie denk jij dat het zijn?'

'Ik denk de NKVD. Je bent een nieuwe journalist in de stad. Ze
willen even controleren of je dat echt bent. Dat je geen imperialistische spion bent.'

'Lijdt jouw arbeiders- en boerenstaat aan achtervolgingswaanzin, Svend, of hoe zit dat?'

'De Sovjet-Unie heeft vele vijanden. Het is een standaardpro-
cedure.'

'Wat doen we?' vraagt Magnus en hij praat nu zachter. Maar
wie zou hun Deens kunnen verstaan? De stem van Svend trilt
een beetje, maar Magnus weet niet goed of hij bang en zenuwachtig om iets is, of dat het door de kou komt.

'Teruggaan. Ik ga naar Hotel Lux om te zien of er misschien
oude kameraden zijn, dus je moet jezelf zien te redden.'

'Ik ben een grote jongen.'

'Dat ben je inderdaad. Dan zien we elkaar misschien morgenochtend pas weer. Ik probeer iets te bedenken. En het is waarschijnlijk het beste dat ik dat alleen doe. Jij valt te veel op, Magnus.'

Magnus werpt nog een lange blik op het huis. Irina is zo dichtbij en toch zo ver weg en onbereikbaar. Als Svend er niet was geweest, zou hij zeer zeker hebben geprobeerd haar te vinden, maar hij moet geduld hebben. Het is vreselijk om zo dichtbij te zijn en te weten dat ze in dezelfde stad is, misschien in het huis verderop, en dat hij niet in staat is om haar vast te houden en met haar te vrijen.

In plaats daarvan gaat hij 's avonds naar de bar, waar hij wat drinkt met drie vermoeide journalisten die zich stierlijk vervelen, maar hem in ruil voor een paar drankjes graag voorzien van achtergrondinformatie en theorieën over de aanstaande rechtszaak en de vorige rechtszaken waarover ze voor hun kranten hebben geschreven. Daarentegen kan hij over Spanje vertellen, waar ze alle drie na afloop van de rechtszaak naartoe gaan. De Sovjet-Russische pers heeft het de 'Sjapatovosamenzwering' gedoopt en veel geschreven over de vermeende misdaden van de twee mannen, die ze volgens de triomfantelijke berichten in de kranten van die dag volledig hebben toegegeven.

De ene journalist stelt zichzelf voor als Ian Fleming van Reuters. Het is een lange, slanke man met zwart haar en een smal, aristocratisch gezicht. Hij rookt de ene sigaret na de andere in een lange huls van geel ivoor. Hij praat met een scherpe, Britse dictie, waardoor Magnus aan kostscholen en vooraanstaande universiteiten moet denken, maar hij komt sympathiek genoeg over op een enigszins arrogante manier met een verstrooide wereldvreemde houding ten opzichte van het bestaan in zijn algemeenheid en Moskou in het bijzonder.

Hij zit in een versleten sofa naast een van de Amerikanen. Magnus heeft zijn naam niet goed verstaan. Hij zegt ook niet veel, maar drinkt gestaag van zijn koude glazen wodka-Martini, *stirred*, niet *shaken*, zoals ook Fleming hem het liefste drinkt, terwijl de andere Amerikaan en Magnus zich beperken tot de bourbon, die de goed voorziene bar ook heeft. Die bevindt zich op de eerste verdieping en wordt bevolkt door mensen van de pers en enkele Russische dames met veel make-up op, die zich anders voordoen dan ze in werkelijkheid zijn.

De Amerikaan heet Paul Keenan en is van de *New York Times*, en aangezien hij de afgelopen paar jaar verslag heeft gedaan van diverse terreurprocessen en blijkbaar Russisch spreekt, is hij degene die voor het grootste deel van de avond aan het woord is: 'Ik zeg je, Meyer, het is een georganiseerd circus, waarin ze goed zijn in deze stad. Het is vooropgezet. Er wordt geen poging gedaan om te doen alsof het een fair proces wordt. Dus waarom worden ze niet meteen doodgeschoten? Dan zou iedereen de moeite bespaard blijven. Dat doen ze met de meeste aangeklaagden. Ze krijgen een kogel in de kelder van het hoofdkwartier in Lubjanka. Dat is niet zo ver hiervandaan, een groot blok. Je kunt het niet over het hoofd zien. Tot de revolutie was het het hoofdkantoor van een verzekeringsmaatschappij. Nu is het het hoofdkwartier van een van de ruwste en effectiefste veiligheidsdiensten die de wereld ooit heeft gekend. En geheimzinnig! Enorm. De nabestaanden krijgen nooit te weten waarom hun geliefden zijn geëxecuteerd of in welk massagraf ze worden gegooid. Dat is staatsgeheim. Af en toe besluit men om een showproces te voeren zoals dat wat je binnenkort zult meemaken. De wereldpers wordt gevraagd om erbij te zijn, zodat ze het communistische recht zien zegevieren. Met tussenpozen wil Stalin een proces hebben, om een voorbeeld te stellen. Vader en zoon Sjapatovo zijn goede voorbeelden, toch? De vader is kolonel bij de NKVD, dus kameraad Stalin haalt de bezem erdoor en creëert angst. Misschien is kolonel Sjapatovo een bedreiging geworden voor Stalins hoogste beul, volkscommissaris en NKVD-chef Nikolaj Jezjov. Dat is een naam die ervoor zorgt dat iedere kameraad aan de dunne raakt in dit gekwelde land, als die alleen maar gefluisterd wordt. Vergeet dat niet.'

Hij kijkt zijn publiek een voor een aan en neemt een slok. Hij geniet duidelijk van zijn lezing en de aandacht die in elk geval Magnus hem schenkt. Keenan knikt een paar keer en gaat verder: 'Zoonlief is kapitein in het Rode Leger, waar Stalin bezig is om de bezem door grote delen van het officierskorps te halen dat volgens hem uit bonapartisten bestaat en er dus op uit is om de revolutie te stelen, zoals de goede oude Napoleon de Franse heeft gestolen. Kapitein Sjapatovo is geen hoge pief, maar zijn vader is dat wel. En nu moet alles en iedereen die ooit in contact is geweest met de goede kapitein het van angst in zijn broek doen, omdat je hem alleen maar hoeft te kennen om gearresteerd, verhoord en doodgeschoten te worden. Het gaat om macht, Meyer. Om niets anders. Het gaat erom dat Stalin nu een dictator is die de laatste rivalen en hun pijlers, tot zo diep mogelijk in de gelederen, uit de weg wil ruimen. Soms denk ik dat de goede leider Stalin zich pas echt zeker voelt dat niemand tegen hem samenzweert op de dag dat hij als laatste man over is in de hele fucking USSR.'

Keenan neemt nog een slok van zijn bourbon, geniet van het gelach van zijn drinkebroers en kijkt vanuit zijn ooghoeken naar twee mannen die in een hoek heel langzaam pure wodka zitten te drinken.

'Daar zit een stel NKVD-jongens die doen alsof ze geen woord Engels verstaan, maar negeer ze. Ze durven ons *gentlemen-of-the-press* niet vast te zetten, maar zo netjes gedragen ze zich niet wanneer het gaat om hun buitenlandse partijkameraden in de Komintern. Zij verdwijnen ook in het grote witte niets. We horen geruchten dat er grote gevangenenkampen in het oosten, in Siberië, zijn, maar we krijgen geen toestemming om ernaartoe te reizen. We horen ook dat duizenden mensen tot bloedens toe dwangarbeid moeten verrichten en kanalen moeten graven. Deze nieuwe mooie metro, die Stalin in recordtijd in Moskou laat bouwen, wordt ook gegraven door slavenarbeiders. De constructie verloopt snel, maar zo gaat het natuurlijk wanneer het je niets uitmaakt dat de arme mensen die werken bij bosjes doodgaan, als die nieuwe vijfjarenplannen maar gehaald worden. Want wat betekent zo'n kleine man in het grote beeld? Er zijn er voldoende over. Zoals Stalin onlangs zei: De mens is slechts een radertje in het grote wiel van de revolutie.'

Paul Keenan is een lenige, slanke man in een slordig pak en met New Yorks-Joodse trekken en dictie. Hij praat zacht, maar intens en gebaart met zijn sigaar wanneer hij een punt wil benadrukken. Magnus vindt hem cynisch en gedesillusioneerd, net als heel wat andere Amerikaanse reporters die hij heeft ontmoet, maar ook intelligent en zelfstandig nadenkend.

Hij neemt een slok en vraagt dan: 'Ik heb er iets over gelezen in de Duitse pers, maar heb misschien niet helemaal begrepen waarvoor de Sjapatovo's eigenlijk precies zijn aangeklaagd.'

'Het gaat om artikel 58', zegt Keenan. 'Dat werd in 1927 ingevoerd en kameraad Stalin heeft het vorig jaar bijgesteld. Het is zo'n dubbelzinnige paragraaf waarin staat dat mensen worden gestraft met de dood of dwangarbeid en ballingschap als ze worden beschuldigd van terroristische handelingen tegen leden van het Sovjetbestuur of de Sovjet-Unie als zodanig. En wat kan dat dan zijn, Meyer?'

De kleine Amerikaan antwoordt zelf en telt op zijn vingers, terwijl hij het opsomt.

'Er zijn veertien subpunten in artikel 58. Wil je er een paar horen? Dat zijn: Hoogverraad. Beramen van gewapende opstand. Spionage. Sabotage. Contrarevolutionaire propaganda. Dat is wel een goede, want wat is dat precies? Dan is er een heel mooie, die je altijd kunt gebruiken: relatie tot contrarevolutionaire organisaties. Dat kunnen mensen zijn als jij en ik, dus geloof niet dat het gemakkelijk is om mensen te vinden die met je willen praten. Als laatste kun je alleen al op verdenking van spionage veroordeeld worden. Dat maakt eigenlijk niets uit. Wanneer je in de beklaagdenbank in het Huis der Vakbonden zit met een artikel 58 voor je, dan is de uitkomst van tevoren al bekend. Je bent schuldig. De straf kan variëren. Ogenblikkelijke executie of werkkamp en interne verbanning. Verbanning is eigenlijk een goed oud middel in dit land.'

'Ze maken geen kans. Is dat wat je zegt?'

'Dat is wat ik zeg. Zodra je bent aangehouden, ben je er geweest. Je kunt net zo goed meteen bekennen. Dat bespaart een heleboel tijd en een heleboel pijn. Dat doen ze dan ook – velen van hen.'

'Maar waarom bekennen ze wanneer ze niets hebben gedaan?'

'Marteling natuurlijk. Dan zeggen mensen alles. Daarna knappen ze de stakkers zo goed mogelijk op en zetten hen in de beklaagdenbank, zodat ze er niet al te verschrikkelijk uitzien. Dan heb je een bekenteniszaak. De misdadiger geeft zijn misdrijven toe en kan zijn Schepper met een schoon geweten onder ogen komen.'

'Zo zo', zegt Magnus, die een akelig gevoel krijgt en een flinke slok moet nemen, waarna hij luistert naar het vervolg van Keenan: 'Het gaat ook om hersenspoeling. Je moet begrijpen, Meyer, dat Stalin mensen als partijleden uitzoekt die naar hem opkijken alsof hij een god is. Uiteindelijk geloven ze verdorie dat ze hebben gedaan wat hun plaaggeesten beweren dat ze hebben gedaan. Ik was erbij toen een hoogstaand partijlid vorig jaar bekende dat hij een misdadiger was, maar ontkende dat hij de specifieke vergrijpen had gepleegd waarvoor hij was aangeklaagd. Ze schoten hem dezelfde ochtend nog dood. In dit land wil Stalin elke dag tijdens het ontbijt graag persoonlijk minstens honderd doodvonnissen ondertekenen, voordat hij naar kantoor gaat. Wat een rotland.'

'En een behoorlijk gevaarlijk land', zegt Ian Fleming met zijn droge Britse stem. 'Het is verstandig om regelmatig over je schouder te kijken, meneer Meyer. Iemand bij je te hebben die je rug kan bewaken. Hier heerst het recht van de sterkste en de mogelijkheden om in beroep te gaan zijn zeer beperkt.'

'Dat geldt toch niet voor ons?'

'Wees daar niet te zeker van. Stalins geheime huurmoordenaars zijn net zo effectief en meedogenloos als de georganiseerde bendes en families in het New York van meneer Keenan. Je kunt vrij eenvoudig slachtoffer worden van een ongeluk. Ik zit vaak te denken dat hier heel wat materiaal te halen valt voor een romanschrijver. Staan de heren het mij toe dat ik het volgende rondje betaal?'

Magnus overdenkt het gesprek van de journalisten 's nachts. Hij voelt zich niet op zijn gemak in Moskou. Het is een bedreigende en onbekende wereld, waar hij de taal en de codes niet van begrijpt. Het is net zo'n brute en bloederige wereld, alleen dan op een andere manier, als in het Spanje dat hij in allerijl had verlaten. Hij begrijpt wel dat Irina graag in Spanje wilde wonen. Je zou kunnen verhuizen om de zon en het eten, als het er ooit vrede zou worden. Ze zouden daar gelukkig kunnen worden, als ze zich zou kunnen losmaken van de ketenen die haar aan Rusland binden.

Hij ligt te woelen in bed, maar valt uiteindelijk in een onrustige slaap waarin hij over Irina droomt. Het is een merkwaardige droom. Hij probeert haar te vangen in metershoog misvormd en griezelig kruiend ijs op de bevroren Moskva. Ze verdwijnt voortdurend achter nieuw kruiend ijs, maar wenkt hem met een verleidelijke glimlach op haar gezicht. Hij kan zich bijna niet bewegen, maar probeert zijn zware voeten te verplaatsen die aan het ijs vastplakken. Hij wil roepen, maar er komt geen geluid uit zijn keel. Zijn stembanden zijn bevroren en bedekt met ijs. Joe Mercer duikt op. Hij zit te vissen in een gat in het ijs, maar staat op. Zijn mond is geschilderd als die van een clown in het circus. Hij lacht luid en met veel kabaal, en trekt een hoofd uit het zwarte water in het wak. Het hangt aan het uiteinde van een grote vleeshaak. Het is Magnus' eigen hoofd, dat is vervormd in een gekke lach of schreeuw. Het hoofd leeft, ook al stroomt er bloed uit de afgehakte hals.

Hij wordt badend in het zweet wakker en beeft ongecontroleerd over zijn hele lichaam. Hij blijft even zo liggen en laat zijn bonzende hart tot rust komen, waarna hij uit bed stapt om wat water te drinken.

Hij schuift het gordijn een beetje opzij. Het is helemaal donker. Een hoge, gesloten auto met gedempte lichten rijdt langs op het plein voor het hotel. Hoe hadden zijn collega's in de bar dat soort auto's ook al weer in het Russisch genoemd? *Voronka*, meende hij. Dat betekent 'de Kraai', weet hij nog, omdat ze zwart zijn en 's nachts komen of heel vroeg in de ochtend om mensen op verschillende plekken in de stad uit de appartementen op te halen. Er wordt aangeklopt en als je geluk hebt, mag je kort afscheid nemen en een kleine tas pakken, waarna je door zwijgende mannen in burger naar de wagen wordt begeleid. De aangehoudenen staan in kleine ijzerdraadkooien, waarin ze zich niet kunnen bewegen en bijna niets kunnen zien. De eersten moeten uren in hun kooi staan, terwijl de Kraai zijn gevreesde nachtelijke ronde rijdt.

In de appartementen in het donker slapen mensen niet, maar ze liggen te wachten en te luisteren naar de liften. Op welke verdieping stopt hij deze keer? Op welke deur van welk appartement zullen ze deze keer aankloppen? Het is een opluchting wanneer je de voetstappen op de gang langs je eigen voordeur hoort gaan en ze bij die van de buren hoort stoppen. Het is ieder voor zich. In Moskou is ieder mens een eiland. Het ongeluk van je naaste is misschien jouw kortstondige geluk. Want de Kraai vliegt elke nacht en niemand heeft een idee waar hij landt.

De arrestanten mogen niet met elkaar praten. Zwijgende mannen in lange jassen rijden de gearresteerden naar de binnenplaats van Lubjanka, de gevangeniscel, de onzekerheid en de onvermijdelijke marteling in de verhoorkamer in de kelder en de laatste wandeling naar de latere zo zekere dood door een pistoolkogel in de nek, terwijl je knielt op de vloer met je rug naar je beul gekeerd.

Zo was het voor hem beschreven en het was koud geworden in de aangenaam warme, gezellige bar in het hotel, alsof de winter buiten naar binnen drong door de dikke gordijnen die voor de dubbele ramen zijn getrokken. Hij zou willen dat hij met Svend Poulsen kon praten, voor wiens leven hij plotseling vreest, maar hij kwam niet terug naar het hotel. Zijn sleutel hing bij de receptie toen hij zelf laat naar zijn bed was gewankeld.

De Voronka, waarin hij twee donkere figuren op de voorstoelen kan onderscheiden, rijdt een hoek om en verdwijnt in het schijnsel van de weinige straatlampen die een flets licht op het door de vorst harde asfalt en de gesloten, donkere stad werpen.

Hij krijgt een rilling en kruipt weer onder de dekens, waar hij over zijn hele lichaam beeft. Hij weet dat hij niet zo onbeheerst rilt door de kou, want het is aangenaam warm in de kamer. Hij rilt van angst. Hij weet niet waarom, maar hij voelt dat wat hem te wachten staat griezelig en vreselijk zal worden. Hij probeert de zwarte dwanggedachten weg te drukken door aan Irina en haar mooie lichaam te denken. Dat lukt niet, omdat de destructieve gedachten de goede beelden verdringen en hem tot stervens toe beangstigen.

28

Svend Poulsen komt pas laat de volgende ochtend terug in het hotel, waar hij tegenover Magnus in het restaurant gaat zitten en zwarte thee uit zijn kan inschenkt. Hij vult de thee bij met kokend water uit de samowaar, die op tafel staat. Hij vraagt om meer thee, brood en worst en een gekookt ei bij de ober en doet op Russische wijze jam in de donkerbruine thee in het hoge glas dat in een zilverkleurige houder met een oor zit, waarna hij afwezig met een grijs blikken theelepeltje roert.

Hij ziet er gekweld uit. Zijn gezicht is verweerd, alsof hij niet echt veel heeft geslapen, en hij stinkt naar oude wodka. Magnus voelt zich ook niet bijster goed. Hij heeft een droge keel, een vage hoofdpijn klopt en dreigt erger te worden, en hij voelt dat de onverbrande alcohol nog steeds vecht om zijn zware lichaam te verlaten. Een beetje brood, heel sterke thee en een hoop water heeft wat geholpen. De rest van het water staat in een karaf voor hem. De remedies zouden eigenlijk wel de strijd tegen de hoofdpijn en de hevige dorst moeten winnen.

'Waar ben jij in 's hemelsnaam geweest?' vraagt hij. 'Je ziet er verschrikkelijk uit.'

'Hier en daar en nergens, maar vooral samen met enkele oude partijkameraden.'

'Jullie hebben het weerzien gevierd, kan ik zien en ruiken.'

'Er valt niets te vieren, Magnus. Geen kloot.'

Magnus kijkt naar zijn vriend en ziet een man die naast een kater ook een gepijnigde ziel heeft. Hij lijkt iemand die elk gevoel voor richting is verloren, omdat hij zijn politieke kompas is kwijtgeraakt. Hij is het spoor bijster en geschokt, en dat kun je aan zijn stem horen, wanneer hij zachtjes over zijn ontmoetingen vertelt.

Svend was door de Gorkistraat naar Hotel Lux gelopen en langs de bewaker geglipt, die altijd voor het hotel staat in het gebruikelijke uniform van de partijwacht, het blauwe pak met stropdas onder de dikke zwarte jas. Svend was een oude vriendin voor het hotel tegengekomen, die hem mee naar binnen had genomen. Ze was bleek en nerveus geweest, en ze had er niet om staan te springen om hem binnen te laten, maar verliefdheid en erotiek creëren toch sterke banden, dus hij had haar overgehaald. Zijn oorlogsletsel werkte als een dapperheidsmedaille, die hij kon gebruiken. Hij had zijn arm voor de zaak gegeven. Dat had ze moeten kunnen zien en accepteren – ja, misschien zelfs bewonderen, als ze zich hun heerlijke tijd samen niet zou kunnen herinneren. Dat kon ze wel, kon hij aan haar zien, toen ze flatteus bloosde en zijn hele arm wilde aanraken.

Dus hij kwam binnen. Ze nam hem mee op haar eigen *propusk*, waarvan Magnus nu weet dat dat het Russische woord voor 'toegangskaart' is. Svend bezit een groot talent om het andere geslacht te overtuigen en zijn zin te krijgen, heeft Magnus eerder gemerkt. De charme kan hoger en lager geschroefd worden, zoals hij maar wil.

Het hotel, dat Svend zich als een vrolijke en zoemende plek kan herinneren, waar ze in allerlei talen discussieerden en lesgaven, maar waar ze ook dronken, feestten en vrijen, was in een duister mausoleum veranderd, bevolkt door bange mensen, die als een kat om de hete brij van de oorzaak van hun onmetelijke angst heen draaiden. Ook al deden ze er alles aan om hun vrees te verbergen, lukte het niet om die voor de bezoekers of zichzelf schuil te houden. Ze wilden er niet over praten. Het is blijkbaar te ondraaglijk of gevaarlijk om erover te spreken. Het is beter om te doen alsof de nachtelijke bezoeken en de lege, verzegelde kamers niet bestaan.

Svend werd eraan herinnerd door gewoon in het hotel rond te lopen op zoek naar oude kameraden en relaties uit de vele naties, met wie hij slechts enkele jaren geleden veel plezier maakte en samen werd opgeleid. Op veel te veel kamerdeuren zit een zwart zegel, dat vertelt dat hier iemand woonde die gearresteerd werd en gevangen werd genomen als verrader of volksvijand.

Het is het zwarte zegel van de NKVD met het merk van de geheime politie, dat op deuren zit waar de partijkameraden woon-

den. Het gaat zowel om Sovjetburgers als buitenlandse kameraden. Hotel Lux is het hotel waar de Komintern communisten uit
de hele wereldbeweging laat overnachten. Hier kwam de elite
bijeen, die de theorieën formuleerde over het volksfront met de
progressieve krachten in de strijd tegen het fascisme en waar de
strategie voor de inzet in Spanje en de uitbreiding van het socialisme naar de hele wereld werd opgesteld. Hier hebben communistische geheim agenten, geldkoeriers, agitatoren, schrijvers
en onderwijzers op de Leninschool overnacht. Het was een hotel
geweest waar men er trots op was om onderdeel uit te maken
van een strijdende elite, die voorbereidingen trof en voor een
zaak werkte die groter was dan het individu.

Nu is het hotel een omhulsel, waar op veel te veel gesloten
deuren zwarte zegels zitten, waar de stemmen zijn verstomd en
het onbehagen zich heeft verspreid van de kelder tot de zolder
van wat ooit een mooi oud hotel was voor kooplieden, edelen
en handelsreizigers, waarna het de overnachtingsplek van de
Komintern werd voor de internationale voortroepen van de revolutie.

Svend liep 's avonds rond in de lange gangen en hij raakte
elke keer een beetje geschokt, wanneer hij de verzegelde deuren
zag en de grote stilte in de lege gangen opmerkte. Angst heeft
geen geluid, dacht hij. Daarentegen stinkt de onzichtbare angst
bedompt en akelig. Het is er stil. Toch is het alsof het geluid van
stomme kreten in zijn hersenen galmt. Er was niemand in de
gezamenlijke keuken en niemand in de badkamer op de gang.
Het rook niet naar pasgekookt eten uit verschillende naties en
culturen in de gezamenlijke keukens op de verdiepingen. Hij
voelde plotseling een brok in zijn keel, toen hij terugdacht aan
een avond dat hij samen met een Deense vrouw gebraden kip
met saus, aardappelen en komkommersalade had gemaakt, dat
zo fantastisch had gesmaakt. Ze hadden zelfs een fles wijn geregeld en een Duits koppel, dat ze vaak spraken, voor de heerlijke
maaltijd uitgenodigd op een lichte voorjaarsdag in de Sovjet-
Russische hoofdstad. Met de mensen verdwijnen de goede geuren ook, denkt hij.

Er hingen geen zijden kousen te drogen die er in zijn revolutionaire hersenen en opzwellende pik voor zorgden dat hij blije herinneringen en een hevige lust naar gladde vrouwenbenen kreeg. In het grote restaurant waren maar weinig mensen die het goedkope eten aten dat aan de kaders werd geserveerd om ze kracht te geven voor hun voortdurende strijd voor rechtvaardigheid. Er was een grote afstand tussen de tafels, omdat er een grote afstand tussen de kameraden was geweest.

De gezichtsloze agenten van de NKVD komen 's nachts met hun arrestatiebevelen en brengen de arrestanten naar Lubjanka of naar de Butyrkagevangenis, die aan de hoofdweg ten noorden van de stad ligt. Svend kent de gevangenis. Hij heeft haar de eerste keer dat hij naar Moskou kwam bezocht om te zien hoe de revolutie de anti-Sovjet-Russische misdadigers opsloot. De gevangenis is in 1879 gebouwd en het is er in de winter ijskoud en in de zomer stikheet. Er zitten nu twintigduizend gevangenen, ook al is ze gebouwd voor enkele honderden. Ooit huisde ze de misdadigers van het tsarenbestuur en politieke tegenstanders. Vandaag de dag worden goede partijkameraden gevangengehouden in de kleine duistere cellen. Hoe is dat mogelijk? Waarom is de revolutie begonnen zijn eigen mensen te verorberen? Hij begrijpt het niet.

Niemand protesteert, omdat de mensen weten dat discipline en gehoorzaamheid het belangrijkste van alles is, omdat ze weten dat de partij in haar wijsheid onfeilbaar is en de NKVD bevolkt door bekwame en principiële onderzoekers, die het als hun belangrijkste taak zien het socialisme te verdedigen. Wanneer ze mensen arresteren, van wie men voorheen dacht dat ze goede en loyale partijkameraden waren, moet er een reden voor zijn.

Svend schudt zijn hoofd en steekt een nieuwe sigaret op om hem snel in de asbak te leggen en een stuk witbrood met worst en hardgekookt ei naar binnen te schrokken. Hij spoelt het weg met meer thee, pakt zijn sigaret en rookt gretig.

Magnus zegt niets, maar hij drinkt van zijn thee en kijkt naar zijn vriend. Hij laat hem in zijn eigen tempo spreken. Svend is net een twijfelende gelovige die biecht. Het helpt om alles uit te spreken, om je onmacht en wanhoop onder woorden te brengen.

Svend had het heel vreemd gevonden dat de Deense kameraden, die hij dacht te kennen, überhaupt niet met hem wilden praten. Ze wisten natuurlijk dat hij uit de partij was gezet, maar ook dat zijn zaak nog steeds in behandeling is. Iedereen vermeed hem alsof hij melaats was, of – nog erger – persoonlijk gestuurd door de landvluchtige Trotski.

Hotel Lux was net een grafkamer, een ijskoude druipsteengrot van angst, waar niemand je in de ogen wilde kijken. Want het was net alsof de zwarte zegels van de NKVD op de deuren, waarachter deze dode zielen nu verbleven, de kameraden er de hele tijd aan herinnerden dat ze in geleende tijd leefden. Ieder van hen kon het overkomen dat ze de komende nacht geklop op hun deur zouden horen en dan de NKVD-agent zien staan met het kille typemachineschrift van het arrestatiebevel op het officiële document, dat de NKVD gemachtigd heeft om nog een volksvijand en trotskist op te halen voor verhoor. Het zwaard en het schild van de partij slapen nooit, maar waken altijd.

'Ik begrijp het niet, Magnus. Wat gebeurt er?' zegt Svend en hij praat verder zonder een antwoord van Magnus af te wachten, die in zijn intelligente, lijdende ogen kijkt en medelijden met hem heeft: 'Er is een belangrijke Deense partijkameraad, Arne Munch-Petersen. Ik ken hem van vroeger. Hij was een van de mensen van wie ik dacht dat hij het voor me zou opnemen. Hij is lid van het Centraal Comité en het partijbestuur in Denemarken, en hij kent Aksel Larsen natuurlijk erg goed. Larsen is onze voorzitter. Dat weet je vast niet wanneer je in het buitenland woont. Nou, Arne is een groot agitator en onderwijzer, en we hebben veel gezellige uren met elkaar doorgebracht. Hij heeft me veel geleerd over de theoretische aspecten van het marxisme-leninisme en de hoofdlijnen van de stalinistische denkwijze. Het is een zeer intelligente man. Samen met zijn vrouw woonde hij in kamer 241 op de tweede verdieping. In het Lux hadden veel mensen schuilnamen, omdat ze waren betrokken bij illegaal werk. Dat had de vrouw van Arne ook. Ik loop zoals ik vroeger ook zo vaak deed naar de kamer van Arne, maar de deur is verzegeld. De NKVD is er geweest en Arne is gearresteerd. Het duurt even voordat ik erachter kom wat er is gebeurd. Het blijkt dat Arne in juli vorig jaar al is gearresteerd. Hij werd de nacht voordat hij naar Denemarken terug zou gaan opgehaald. Niemand heeft sindsdien iets van hem gehoord en niemand weet waar hij is. Zijn vrouw was toen het gebeurde waarschijnlijk in Spanje op een missie voor de partij. Hij is niet voor de rechter verschenen. Hij is dood of ligt te verrotten in Butyrka. Godver, Arne is een goede man, Magnus. Hij is geen volksvijand.'

'Vast niet, maar dat heeft niets met de zaak te maken.'

'Jij hebt je zaakjes geregeld.'

'Wat dit betreft wel, ja. Maar als je daarom denkt dat al het andere goed is, bega je een behoorlijk grote fout, mijn vriend.'

Ze zitten even zwijgend voor zich uit te kijken en dan zegt Svend: 'Ik laat je niet graag vallen, maar ik denk dat ik Moskou beter kan verlaten. Ik voel me niet veilig.'

'Je uitsluiting is misschien je geluk?'

'Misschien.'

'Je bent geaccrediteerd als mijn assistent. Je hebt een visum waar dat op staat. Het wordt een zaak tussen Denemarken en de Sovjet-Unie, als ze je zouden arresteren. En je kunt toch geen activiteiten uitvoeren die schadelijk zijn voor de partij als je uit de groep bent gegooid?'

'Spionage, economische sabotage, het aanzetten tot opstand. Er staat genoeg in artikel 58. Er zijn anti-Sovjet-Russische activiteiten en agitatie. Dat is hetzelfde als het beschadigen van de interesses van de Sovjet-Unie. Ze zouden gemakkelijk iets kunnen verzinnen, zeg ik toch.'

'Wie heeft Svend Poulsen vannacht bang gemaakt in Hotel Lux?'

'De plek, maar ook een oude kameraad, met wie ik samen een fles wodka achterover heb geslagen. Dat maakte de tongen wat losser. Het is een Duitser en ik heb hem in 1935 uit Duitsland geholpen, toen de nationaal-socialisten achter hem aan zaten.

Ik reisde op een valse pas naar Hannover met valse paspoorten voor hem en zijn familie en het lukte me om ze naar Denemarken te krijgen. Ik slaagde erin zijn vrouw en twee minderjarige kinderen het land uit te krijgen. Dat was niet geheel zonder gevaar, dus hij heeft waarschijnlijk het gevoel dat hij me iets verschuldigd is. Hij vertelde me over Arne en over een paar andere wederzijdse kennissen. Ik had er wel wat over gelezen in de Deense kranten, maar dat was in de burgerlijke of sociaal-democratische pers, en daar geloof ik niet in. In *Arbejderbladet* stond ook dat het onzin en burgerlijke propaganda was. Arne was op missie voor de Komintern of de partij. Aksel Larsen zei hetzelfde. Zo was het. Maar zo steekt het niet in elkaar. Ze zijn ook begonnen om veteranen uit de strijd in Spanje op te pakken. De NKVD is een staat binnen de staat. Niemand is zeker. Kijk maar naar de vader van Irina. Een rotkolonel bij de NKVD en nu moet hij ook voor de rechter verschijnen. Dus niemand is veilig.'

'Stalin misschien.'

'Misschien hij niet eens. Misschien weet kameraad Stalin niet wat er gebeurt.'

'Misschien zit Stalin achter dit alles?'

'Dat kan ik niet geloven, maar ik weet niets meer. Niets is meer zeker. Alles stort in elkaar. Het is bijna niet om aan te zien. Het is alsof het licht midden op de dag verdwijnt.'

'Wat heeft dat direct met jou te maken?' vraagt Meyer en hij denkt aan het feit dat André in Spanje bijna dezelfde woorden had gebruikt.

'Ik vroeg naar onze papieren, toen ik vanochtend terugkwam. Die van jou liggen daar klaar. Je kunt ze gewoon ophalen bij de receptie, maar die van mij zijn nog niet van de bevoegde instanties teruggekomen. Dat vind ik niet prettig.'

'Ik ook niet.'

'Mijn Duitse vriend zei dat ik in de gaten word gehouden. Dat de NKVD overweegt wat ze met me moeten doen. Ongelooflijk dat hij dat durft te zeggen. Het kan hem zijn leven kosten om me te waarschuwen, maar dat deed hij wel. Voor hem is het dubbel zo erg. Hij kan nergens naartoe. Als hij teruggaat naar zijn vaderland, zal de Gestapo hem ter plekke arresteren en marte-len. Hij heeft geen andere keuze dan in Moskou te blijven en er het beste van te hopen. Ongelooflijk dat hij mij vertelde wat hij deed. Hij zei dat de NKVD ervan overtuigd is dat spionage de enige reden van mijn terugkeer naar de USSR is. Ik ben overge-lopen naar de andere kant. Ik heb mijn ziel aan de kapitalisten verkocht. Je mag spionnen toch arresteren? Dat gebeurt overal ter wereld. Zo is het, Magnus. Alle landen hebben spionnen en alle landen hebben wetten die spionage verbieden. Ik zit flink in de val.'

'Waarom hebben ze je überhaupt een visum gegeven?'

'Daar heb ik ook over nagedacht. Misschien om me te pakken te nemen. Jij was gewoon een mooie aanleiding. Anders hadden ze me misschien uitgenodigd om hiernaartoe te komen voor een kameraadschappelijk gesprek. Misschien hebben ze me no-dig tegen Arne. Ik denk eigenlijk dat het daarom gaat als ze me arresteren. Als Arne is aangeklaagd voor activiteiten die de par-tij schade kunnen berokkenen, of wegens anti-Sovjet-Russische praktijken en trotskisme, dan zal dat erg tegen mij werken – ja, misschien beschouwen ze ons zelfs als vrienden. Ik zag tegen hem op toen ik jong was, hoewel hij niet veel ouder is dan ik. Arne is geboren in 1904, is de zoon van een professor, en dat merk je goed. Hij kan iets met woorden. We waren geallieerd en het vaak met elkaar eens in discussies. Ook wat Spanje betreft en het belang van het vasthouden aan de volksfrontstrategie. En Arne heeft in Denemarken aanvaringen gehad met Aksel Lar-sen. Aksel houdt niet van kritiek op zijn eigen beleid of op dat van Stalin. Ik wandel zo het hol van de leeuw binnen. Zie je dat dan niet?'

'Ja, helaas wel. We moeten naar de Deense ambassade gaan. We moeten je het land uit zien te krijgen voordat het te laat is. De ambassade moet je nieuwe papieren kunnen geven. Geld is geen probleem. Dat weet je.'

'Magnus, jij kent dit land niet. Er is één woord dat je als een van de eerste leert in het Russisch. Dat is het woord "propusk". Dat betekent toestemming. Toestemming om ergens te mogen wonen, toestemming om ergens boodschappen te mogen doen, toestemming om in een speciale coupé in een speciale trein te mogen reizen, toestemming om in dit hotel te mogen komen, toestemming om te mogen verhuizen, toestemming om te mogen trouwen, van baan te wisselen, in het sanatorium te komen, een paspoort te krijgen, een appartement, vakantie te houden, en wat dies meer zij. En bovenal toestemming om de Sovjet-Unie in en uit te reizen. De Deense ambassade kan mij een nieuw paspoort geven, maar ze kunnen mij geen propusk geven om het land te verlaten.'

'Ik geef de NKVD wel gelijk, Svend. Je klinkt steeds meer anti-Sovjet-Russisch.'

'Daar moet je geen grapjes over maken, Magnus. Dat is echt niet lollig. En jij moet je ook niet helemaal zeker voelen.'

'Wat bedoel je? Mijn papieren zijn toch klaar?'

'Jazeker. Je hebt een paspoort. En je hebt een visum, maar daarmee heb je niet automatisch een vertrek-propusk. Dat komt later, áls het komt. Dat moet in je paspoort worden gestempeld. En dat gebeurt niet zonder dat de NKVD je heeft goedgekeurd. Ik weet niet wat je in Spanje hebt uitgevoerd, maar mijn Duitse kameraad zei dat de NKVD mijn reisgenoot en redacteur ook interessant vindt. Is hij ook niet ontsnapt uit het republikeinse Spanje, vlak voordat men klaarstond om hem te arresteren, omdat hij een spion voor de fascisten was?'

'Dat zeg je nu pas.'

Svend kijkt hem aan zonder eerst antwoord te geven, maar vraagt dan – en Magnus kan twijfel in zijn groene ogen zien, die hem over de rand van het theeglas aankijken: 'Is dat zo?'

'Nee. Ik lieg niet tegen jou. Ik heb je over Spanje verteld. Het was persoonlijk. Het gaat om Mads en Irina. Dat weet je.'

'Dat zeg jij. En als ik jou niet kan vertrouwen, dan weet ik niet wie er nog over is.'

'Je kunt me vertrouwen, maar je oude partijkameraad weet verbazingwekkend veel', zegt Meyer zacht. Hij wordt aangestoken door Svends nervositeit. De hoofdpijn die juist aan het afnemen was, keert met hernieuwde kracht terug.

'Of hij is gevraagd om ons iets te vertellen', zegt Svend, alsof hij daar nu voor het eerst aan denkt.

'Denk je dat?'

'Ik weet niet wat ik moet denken. Ik weet niet meer wie mijn vriend of vijand is of wie gewoon doodsbang is.'

'Waarom, Svend? Wat gebeurt er in godsnaam?'

'Op die manier laten ze ons in martelende onzekerheid. Ik heb geen paspoort. Jij hebt een paspoort en onze toegangspropusk voor de rechtszaak van morgen. Dat houdt ons in een voortdurende toestand van verwarring en angst. En dat is misschien het doel. Misschien hopen ze dat we ons op iets idioots storten, zodat we hun aanleiding geven om ons te arresteren, zonder dat het Deense gezantschap een zaak heeft.'

'Wat doen we dan in vredesnaam?'

'Wat men in dit land doet. We wachten. Ik heb het gevoel dat er iets achter dit alles steekt. Er zit iets niet goed. Afgezien van het politieke, dat vooral mij betreft. Want ik begrijp niet dat jij en ik überhaupt een visum hebben gekregen. Waarom wilden ze ons het land in hebben? Of preciezer gezegd, wíé wilde ons het land in hebben? En wie van ons kreeg de ander mee het land in, omdat we samen het visum hebben aangevraagd? Heb je daaraan gedacht? Wie is de lokvogel voor wie? Het knaagt aan me, omdat ik er niet achter kan komen of de bedoeling erachter kan begrijpen. Misschien worden we de komende dagen wijzer, maar laad je revolver. Ik ben bang dat je hem nodig zult hebben.'

29

Magnus Meyer is enigszins verbaasd wanneer hij samen met Svend Poulsen en de overige mensen van de pers de ruimte in wordt geleid waar de rechtszaak tegen de volksvijanden zal plaatsvinden. Hij had zich een duister lokaal met een laag plafond voorgesteld, maar de rechtszaal is gevestigd in de zuilenzaal van het Huis der Vakbonden naast het Bolsjojtheater, waar een groot aanplakbiljet laat zien dat men zich in deze tijden op het zekere en onschuldige richt, en *Het Zwanenmeer* nog een keer op het belangrijkste podium van het land laat dansen.

Magnus staat naast Svend het gebouw te bewonderen en Svend vertelt dat hij hier een paar jaar geleden samen met een heleboel jonge pioniers naar een concert is geweest. Paul Keenan komt naast hen lopen en maakt een groots gebaar met zijn hand, alsof hij persoonlijk alle heerlijkheden heeft gecreeerd.

Magnus heeft het grootste deel van de dag ervoor met hem doorgebracht, terwijl Svend eerst zijn roes uitsliep en daarna in zijn geheimzinnige stad verdween, die hem blijkbaar zowel aantrekt als de stuipen op het lijf jaagt. Magnus had het grootste deel van de middag besteed aan pokeren met Keenan, Fleming en een paar andere Britse correspondenten, waarna Keenan en hij samen een wandeling maakten in de witte, koude stad om daarna samen te dineren.

Keenan is een interessante bekende, omdat hij zo'n intieme kennis van Rusland heeft, wat niet alleen te verklaren is door zijn journalistieke loopbaan. Zijn familie handelt al drie generaties lang in bont en kaviaar met de Russen en als kind en tiener woonde hij in Rusland met zijn familie die tijdens de burgeroorlog voor het Rode Leger moest vluchten.

Keenan is de eerste die uit het familiebedrijf is gestapt om journalist te worden, maar zijn broer importeert nog steeds sabelbont vanuit een nu nationaal, Sovjet-Russisch handelsministerie. Dollars zijn dollars, zoals hij zegt. Hoewel de familie niet langer in het land kan of wil wonen, hebben ze er geen moeite mee om zaken te doen met de bolsjewieken, die het bont kunnen leveren waarnaar rijke vrouwen overal ter wereld vragen. Het kaviaargedeelte van de zaak loopt ook weer op rolletjes met rechtstreekse export naar enkele van de beste restaurants in New York, Boston en Chicago. Het kan best zijn dat er een wereldcrisis heerst, maar er zijn nog steeds veel zeer rijke mensen die hun vrouwen willen kleden in Russisch bont en hun daarna de delicate steurkuit willen laten proeven in een chic restaurant.

Keenan kent de familie Brodersen uit Denemarken heel goed. Zij waren waren ook betrokken bij de bonthandel en hadden bovendien economische belangen bij de Grote Scandinavische Telegraafmaatschappij, die de telegraafkabel dwars door Rusland aanlegde. Het kleine Denemarken beleefde goede jaren in het grote Rusland, omdat het land een vrouw voor de tsaar leverde. Magnus is dan wel Deens, maar Keenan weet meer over de Deens-Russische relaties dan hijzelf.

Hij kan Magnus vertellen dat de grootvader en oom van redacteur Brodersen voor 1917 vaak te gast waren aan het hof van de tsaar. Magnus had zich er vooral over verbaasd dat ze dezelfde man in Denemarken kenden, maar Keenan had gewoon gezegd: 'Je zult ontdekken, Meyer, dat de Russische wereld heel klein is. Wij russofielen die geen communisten zijn, vormen een klein, uitgelezen gezelschap. Brodersen is een van die jongens – zijn familie is onderdeel van de geschiedenis uit de tijd voordat de wereld op hol sloeg. Ik heb vandaag trouwens een telegram van hem gekregen. Hij vraagt of ik zijn reporter de groeten wil doen. Hij noemt je een talentvolle jonge man en hij vraagt me te helpen waar ik kan. Op alle manieren.'

En toen had hij Magnus met een ironische blik aangekeken, terwijl hij tevreden zijn Cubaanse sigaar pafte.

Magnus denkt daaraan, terwijl hij rondkijkt. De zaal waarin ze staan, heeft een hoog plafond met prachtige stucornamenten met vier Dorische zuilen bij de achterwand en dezelfde witte ranke zuilen langs de overige wanden. Tussen de zuilen hangen grote prismakroonluchters. De wanden zien eruit alsof ze onlangs zijn geschilderd in een elegante blauwe pastelkleur. Zo'n driehonderd mensen hebben plaatsgenomen op ongelijke stoelen, die zijn opgesteld als voor een theatervoorstelling met een pad in het midden.

Bij de achterwand voor de vier ranke zuilen is een lange balie opgebouwd, die op een verhoging boven de vloer is verheven. Achter de balie staat een rij lege stoelen, die op de rechters staan te wachten. Er staan ook lege stoelen bij twee lange, donkere tafels, die er haaks op staan. Over de tafels hangen dieprode kleden. Op alle tafels staan lampen en microfoons. Op de tafel van de rechters staat een buste van Lenin. Bij een tafeltje is ruimte gemaakt voor de aangeklaagden en hun verdedigers.

'Normaal richten ze de rechtszaal in de Oktoberzaal in', zegt Paul Keenan in zijn temerige Amerikaans. 'Ze hebben de chique zaal gekozen, zodat er ruimte is voor veel schriftelijk opgeroepen Sovjet-Russische burgers en wij als journalisten. Kijk maar naar meneer Fleming en de andere arme bureaujournalisten.'

Meyer, Poulsen en Keenan zijn samen met de andere mensen van de pers aan de rechterkant in twee rijen neergezet. Aan de andere kant van het middenpad zitten de vele Sovjet-Russische journalisten die de zaak volgen. De plaatsen voor de pers zijn duidelijk gemarkeerd. De reporters zitten klaar met notitieblokken en potloden. Veel buitenlandse journalisten hebben iemand naast zich zitten die wel een tolk zou kunnen zijn.

'Waarom "arme"?' vraagt Magnus.

Keenan kijkt hem verbaasd aan: 'Jij bent toch journalist? Dan weet je toch dat de journalisten van de persbureaus erom vechten om als eerste te komen. En dat is niet gemakkelijk. Ze moeten eerst hun telegram in tweevoud inleveren bij de censor, die in zijn kantoor hier in het gebouw zit, en hopen dat hij van het vriendelijke soort is dat vandaag een goed humeur heeft, zodat hij hun kopie zonder al te veel wijzigingen stempelt. Want zonder zijn stempel kan die niet verstuurd worden. Daarna moeten ze in een sneltreinvaart naar het post- en telegraafstation in de Gorkistraat. Daar zitten jonge dames klaar om hun bezielde proza in te toetsen, maar er is maar één telegraaflijn naar buiten, dus het is een voor een, mijn vriend. Het gaat erom om als eerste te komen en in de smaak te vallen, dus de dames krijgen heel wat chocola en parfum van dankbare reporters, die hopen dat cadeaus en kruiperige woorden hen vooraan in de rij kunnen zetten. Alles natuurlijk in dienst van de lezers, maar ook voor de *glory* en de eer, waarnaar we allemaal streven, nietwaar? De censoren gaan vaak ook niet hongerig naar bed. Jij en ik kunnen het rustig aan doen en ons meesterwerk naar onze kranten sturen, wanneer de concurrentiestrijd achter de rug is.'

'Ik dacht dat een fooi niet was toegestaan in het rijk van Stalin', zegt Magnus en hij benadrukt het woord 'fooi'.

'Noem jij het maar fooi. Ik noem het iets anders. Geld spreekt alle talen van de hele wereld, ook hier. Het gaat er alleen om de juiste mensen te kennen en de juiste prijs te weten, dan is alles te koop. Wat doe jij met de taal? Heb je een tolk die je tijdens de rechtszaak kan helpen?'

Magnus knikt, draait zich om naar Svend en stelt hem voor aan Keenan, die onhandig met zijn rechterhand de linker van Svend drukt. Svend spreekt of verstaat geen Engels, maar aangezien ze samen Russisch kunnen spreken, beginnen ze snel een vrolijk, zacht gesprek dat Magnus niet kan volgen. Ze gaan zitten en praten verder.

Magnus blijft staan en kijkt om zich heen. Hij kan Irina niet zien, maar vooraan zijn een paar lege plekken. De andere toehoorders zitten helemaal stil. Enkelen kijken schuin naar de plekken van de pers, maar zodra ze ontdekken dat hij naar hen kijkt, wenden ze geschrokken hun hoofd af. Oogcontact met vreemden, zo is zijn ervaring, is iets wat in Moskou vermeden wordt.

Maar waar is Irina?

Hij was er zo zeker van dat ze bij de rechtszaak tegen haar broer en vader aanwezig zou zijn, maar hij kan haar niet zien, ook al laat hij zijn blik steeds weer opnieuw langs de rijen zwijgende Sovjetburgers gaan, die in hun nette kleren zitten te wachten. Het zijn overduidelijk speciaal geselecteerde burgers, aangezien ze een propusk voor de rechtszaak hebben gekregen. Er hangt een nerveuze sfeer van verwachting en opwinding, alsof ze aanwezig zijn bij een sportwedstrijd en niet bij een rechtszaak. Hun leeftijd varieert van jong tot oud, maar er zijn vooral mannen in donker pak met een gilet en stropdas of het gebruikelijke kaki uniform, dat helemaal tot de kin is dichtgeknoopt en de hele hals bedekt. Iedereen heeft blijkbaar wat nettere en pasgewassen kleding gekregen, zodat hun Sovjet-Russische vertoning goed zal overkomen in de kranten en weekrevues in de bioscopen. Twee grote filmcamera's staan klaar om de gebeurtenis vast te leggen. De cameramannen en hun assistenten staan stil en geduldig te wachten zonder om zich heen te kijken. Het viel hem op dat zowel de snit, de kwaliteit als de geur van de bovenkleding die hij in de garderobes in de voorhal had zien hangen, armoediger is dan de kleding die ze in de mooie zaal vertonen.

Alles maakt de indruk tot in het kleinste detail gechoreografeerd te zijn, denkt hij en hij houdt bijna zijn adem in wanneer hij Irina door een deur naar binnen ziet komen, die links vooraan in de wand is ingevoegd. Ze wordt begeleid door een lange, slanke vrouw, die haar burgerkleding draagt alsof het een uniform is, en een forse man, die een blauw pak met een wit overhemd en een strak gestrikte stropdas aan heeft. Hij is niet alleen fors, hij is gewoonweg enorm, zoals gewichtheffers, worstelaars of sterke mannen in het circus dat kunnen zijn, met biceps en bovenbenen die zo door en door getraind zijn dat hij moet waggelen en zijn armen een beetje opzij moet houden. Zijn schouders zetten zijn jas op spanning en de drie knopen die de jas over zijn aanzienlijke buik dicht houden, kunnen zomaar openspringen als hij zich te veel beweegt. Hij heeft een rond gezicht en is volledig kaal.

Magnus vindt dat hij Mongoolse trekken heeft. Zijn snor is borstelig en groot, zoals juist de sterke man uit het circus die kan dragen als onderdeel van zijn circuslook.

Irina ziet er kwetsbaar, klein en teer uit zonder de uitstraling van dadendrang die hij zich uit Spanje kan herinneren. Ze heeft een belachelijke ronde hoed op, die ze geprobeerd heeft om modern schuin op te zetten, maar hij verbergt de dofheid van haar blonde haar niet en haar krullen zijn bijna verdwenen. Ze is afgevallen, kan hij zien, ondanks de bevallige rok met een bijpassend jasje en een discrete sjaal om haar hals.

Het is slechts een flauwe afspiegeling van de stoere vrouw met een broek en overhemd aan en met een peuk brutaal in de rode mond in haar knappe gezicht. Er is niets van de Spaanse huidskleur over. Ze heeft net zo'n wit gezicht als de pasgevallen sneeuw in Moskou. Ze draagt ook niet haar geliefde Leica om haar hals. Natuurlijk niet, maar toch klopt het niet om haar zonder te zien. Het doet extra veel pijn dat ze niet datgene draagt wat voor haar altijd als een sieraad was – een onafscheidelijk voorwerp dat ze overal met zich meedroeg, omdat het haar identiteit en de aanduiding van haar stand was.

Zijn hart huilt om haar. Hij weet niet wat hij moet doen om haar in zijn richting te laten kijken. Hij ziet hoe slecht ze zich voelt en dat haar erotische aura verbleekt is tot een zwakke gloed, die bijna helemaal verdwenen is. Ze is erg veranderd in de paar weken die verstreken zijn. Het doet haar allemaal veel pijn, ziet hij, dus het doet Magnus ook pijn, die zich in zijn vijfentwintig jaar niet kan herinneren zo'n grote psychische pijn te hebben gevoeld. Hij is bang dat zijn verlangens naar haar en de machteloosheid tegenover wat zijn geliefde pijnigt, hem lichamelijk ziek zullen maken.

'Irina. Ik ben het', roept hij in het Spaans. Iedereen draait zich om, maar het maakt hem niet uit en hij herhaalt zijn geroep. Irina's blik vangt de zijne, maar ze glimlacht niet. In plaats daarvan schudt ze bijna onwaarneembaar haar hoofd, drukt haar gebalde rechtervuist tegen haar mond en verbreekt het oogcontact. Ze loopt wat gebogen en kijkt naar de vloer wanneer de vrouw haar bij de elleboog pakt en haar op een stoel zet. Haar twee bewakers gaan ieder aan een kant van haar zitten. Ze kijkt niet naar hem.

Svend staat op en Magnus wijst met zijn hoofd.

'Is zij het?'

'Ja, Svend. Zij is het.'

'Ze is knap, Magnus. Maar het lijkt niet erg goed met haar te gaan.'

'Nee. Ze is de vonk verloren. Ze is zichzelf verloren.'

'Moet ik iets doen? Met mijn Russisch bedoel ik ...'

'Dat kan toch niet. We zullen moeten afwachten en zien wat er gebeurt. Maar we moeten haar niet kwijtraken. Beloof me dat. Ik mag haar niet kwijtraken.'

Achter hen wordt luid gesproken. Ze moeten gaan zitten. Magnus doet het noodgedwongen, ook al kan hij haar nog steeds duidelijk zien. Hoe moet hij contact met haar krijgen, als ze haar weer meenemen door dezelfde deur als waardoor ze naar binnen is geleid? Is ze misschien gearresteerd of is ze slechts getuige? Of alleen maar toeschouwer? Of beschermen ze haar tegen de woede van het volk?

Ze moet de vijandigheid van de toehoorders in de zaal voelen. Want er ontstond meteen een roofdierachtige, dreigende onrust onder de Sovjet-Russische toeschouwers toen ze haar binnen zagen komen, een familielid van de aangeklaagden. Alsof iedereen zich erover verbaast dat ze alleen toeschouwer is en niet samen met haar verraderlijke vader en broer is veroordeeld.

Zij worden een minuut later naar binnen geleid en de Sovjet-Russische toeschouwers beginnen verrassend te roepen en op de vloer te stampen. Keenan kijkt naar Meyer met een ironische glimlach. Hij had wel verwacht dat er kreten zouden worden geroepen, die zo slecht passen bij de stoïcijnse passiviteit die normaal gesproken kenmerkend is voor de Sovjetburgers. Magnus vraagt wat ze roepen. Svend buigt zich naar zijn oor en vertaalt: 'Verraders, zwijnen, ellendelingen, schorem, imperialistische lakeien. Schiet ze dood als de valse honden die ze zijn! Deze vernielers van de socialistische vrede en het eigendom van het volk.'

Magnus begrijpt waarom Irina nog meer verbleekt, hoewel dat bijna niet mogelijk is, wanneer ze het hatelijke geroep hoort.

Svend zit zoals de overige reporters paraat met een notitieblok en een potlood in zijn linkerhand. Magnus wil die rol niet proberen te spelen, ook al weet hij dat hij dat zou moeten doen. Svend schrijft snelle stenografische tekens, dat kan hij dus ook. Hij trekt zijn rechterschouder naar voren, zodat hij het notitieblok met zijn armstomp kan ondersteunen.

Magnus bekijkt de twee aangeklaagde mannen en is gechoqueerd, ook al had hij het ergste gevreesd.

Irina's vader was ooit vrij fors en gespierd, kun je zien. De bruine kleding met de donkere stropdas zit nu losjes om zijn hals. Hij heeft een markant gezicht met kortgeknipt, grijs haar, dat misschien vroeger blond is geweest. Zijn wenkbrauwen zijn borstelig en wit. Magnus kan de kracht en de arrogantie zien die ergens in de gebroken man verborgen zitten, want het is een omhulsel, dat met gevouwen handen in zijn schoot naar het donkerrode tafelkleed kijkt. Zijn ogen zijn levenloos. Zijn huid is grijs en het koude zweet is zichtbaar, en je hoeft niet veel fantasie te hebben om je voor te stellen hoe zijn lichaam eruitziet; hoe de pasgeperste kleding de wonden en littekens van de martelingen bedekken.

Zijn zoon is een jongere uitgave van zijn vader, maar Magnus kan ook Irina in hem zien, hoewel hij donkerder haar heeft. Hij heeft dezelfde Slavische jukbeenderen, die markant en enigszins gezwollen zijn, maar hij heeft de gedrongen lichaamsbouw van zijn vader. Hij draagt ook een bruin pak met dezelfde nietszeggende, grijzige stropdas. Ook zijn ogen zijn glansloos en mismoedig.

Dat is het een na ergste, vindt Magnus: dat je de grote kracht kunt zien die deze mannen ooit in zich hadden, waarvan nu slechts een schaduw over is in de gebroken lichamen. Het is alsof je zit te kijken naar twee levende doden. Wanneer de vader zich een moment voorzichtig op zijn wang wil krabben, kan iedereen zien hoe zijn hand trilt. Hij vouwt zijn handen snel weer in zijn schoot.

Het ergste is om Irina te zien, die vecht tegen de tranen in haar door angst opengesperde ogen. Kon hij haar maar vasthouden. Kon hij haar maar tegen zich aan trekken en troosten, en haar vertellen dat hij van haar houdt en haar wil meenemen. Het moet voor het eerst sinds maanden zijn dat ze haar familie ziet. Eerst was ze in Spanje en daarna heeft ze geen toestemming gekregen om hen op te zoeken in de gevangenis, weet hij van Keenan.

Iedereen staat stommelend op wanneer de rechter binnenkomt en achter de balie plaatsneemt. Samen met hem komen vier mannen in uniform binnen. Het zijn dezelfde bruine uniformen die iedereen lijkt te dragen, met een leren riem schuin over de borst en de kraag tot onder de kin dichtgeknoopt. Er staan rode NKVD-symbolen op de kraag. Ze gaan twee aan twee aan een kant van de opperrechter zitten, die een stapeltje documenten voor zich neerlegt.

De rust daalt neer in de ruimte wanneer iedereen weer is gaan zitten.

De rechter is een man van middelbare leeftijd met een snorretje en een hoog voorhoofd en een lang, kaal hoofd. Hij draagt een donkere toga. Hij zet een smalle bril op zijn neus en pakt een stuk papier, waarvan hij met een monotone stem opleest. Svend vertaalt zachtjes in Magnus' linkeroor dat hij de bepalingen voor de rechtszaak en de voorwaarden voor de Sovjet-Russische rechtvaardigheid opleest, waarna hij het woord aan de aanklager geeft, die de aanklacht uiteen moet zetten. De aanklager is een lenige, mollige man in een donkergrijs pak met een gilet en stropdas. Hij draagt een ronde bril en heeft zijn haar in een kaarsrechte scheiding gekamd. Zijn stem is helder en luid, dus de microfoons zijn bijna onnodig.

Svend stenografeert met links, terwijl hij vertaalt.

Ze zijn beiden veroordeeld volgens artikel 58. De vroegere kolonel van het Volkscommissariaat voor Interne Aangelegenheden, de NKVD, Nikolaj Sergejevitj Sjapatovo, is aangeklaagd voor het samenzweren met als doel een trotskistische cel binnen de eigen mannen van de Tsjeka te vormen. De ellendeling was gerekruteerd door de imperialistische Britse inlichtingendienst, toen de kolonel was aangesteld bij het Sovjet-Russische gezantschap in Londen. Zijn plan was om eerst volkscommissaris Jezjov ten val te brengen, die zoals iedereen weet de onvermoeibare, onbaatzuchtige voorvechter van de revolutie is, en daarnaast, wanneer de verrader zich de macht binnen de NKVD had toegeëigend, de revolutionaire opvolger van de Tsjeka, kameraad Stalin, te vermoorden, het grootste genie van de mensheid, onze vader en onderwijzer, de grote leider van het Sovjet-Russische volk. Dat was het plan van de ellendeling. Slechts door de uiterste oplettendheid van de kant van de NKVD was het complot verijdeld.

De aanklager kijkt op en wacht tot het applaus is afgenomen. De klapsalvo's verrassen Magnus, maar ze maken geen indruk op Svend en Keenan.

De aanklager kijkt op zijn papier en wanneer het applaus als op commando stopt, gaat hij verder: 'Kapitein Anatolij Nikolajevitj Sjapatovo is de zoon van deze ellendeling, die het zweet van het volk alles gaf, en die persoonlijk zij aan zij stond met onze grote roerganger, kameraad Stalin, maar die de hele tijd in zijn hart de brandende fakkel van het verraad verborgen hield, die werd gevoed door de valse hond Trotski en door een onverzadigbare haat ten opzichte van het Sovjet-Russische volk.'

Er klinkt kwaad geroep en er worden dreigend gebalde vuisten omhooggehouden. De aanklager glimlacht opnieuw met zijn kleine wolvenglimlach, kijkt op van de papieren en wacht geduldig tot de uitingen van ongenoegen van de toehoorders en de knorrende geluiden, die simultaan in ieders keel lijken op te komen, wegsterven, waarna hij verdergaat: 'Deze vroegere kapitein in ons glorierijke leger is de leider van een samenzwering in zijn compagnie, zijn regiment en zijn divisie geweest, die als doel had met macht ons Sovjet-Russische maatschappijmodel omver te werpen. Gevoerd door de gier Trotski, uit wiens mond bloederige gal drupt, heeft de kapitein in samenwerking met zijn vader als doel gehad om met sabotage onze mooie, jonge bloem met wortel en al uit de grond te trekken en opnieuw het kapitalisme in te voeren, dat kameraad Lenin en kameraad Stalin hebben overwonnen. De NKVD ontmaskerde de verraders en volksvijanden. Het volk heeft hen aangeklaagd. De wil van het volk zal geschieden. Laat ons rechtvaardige Sovjet-Russische rechtssysteem spreken.'

Er is opnieuw onrust in de zaal en er klinkt hatelijk geroep.

De aanklager kijkt op van zijn papier en lijkt op een politiek spreker, die de hele zaal achter zich heeft staan. Hij kijkt weer op zijn papier en leest een reeks paragrafen en subparagrafen voor.

Magnus kijkt naar Irina die als versteend op haar knokkels zit te bijten. Hij probeert haar met de kracht van zijn gedachten naar hem te laten kijken, maar ze wil geen oogcontact hebben. Svend geeft het op om de juridische teksten te vertalen die de aanklager opleest, aangezien ze duidelijk de interesse van Magnus niet hebben. Svend noteert ijverig op zijn notitieblok en Keenan doet hetzelfde. De aanklager besteedt ook wat tijd aan het doornemen van geheime ontmoetingen, die de twee verraders hebben gehad onder het mom van familiebijeenkomsten, maar dat zijn natuurlijk samenzweerderige ontmoetingen ter voorbereiding op het uitbreiden van hun verraderlijke cel met andere volksvijanden geweest. Dat had de NKVD met zijn snelle ingrijpen gelukkig kunnen voorkomen.

Nieuwe klapsalvo's galmen door de zaal. Voor zover Magnus begrijpt, zijn er absoluut geen bewijzen voor wat dan ook. Er zijn niet eens aanwijzingen. En als er anderen zijn aangehouden in deze grote samenzwering, zegt de aanklager er niets over, dus dat is vast niet zo, maar hun zaak kan in de toekomst ongetwijfeld worden gebruikt, als er andere zondebokken gevonden moeten worden voor Stalins openlijke achtervolgingswaanzin.

De twee aangeklaagden zitten met hun handen gevouwen in hun schoot en proberen elkaar niet aan te kijken. Ze hebben blijkbaar allebei een verdediger, twee mannen van middelbare leeftijd in dezelfde slecht genaaide kleding, die eruitzien alsof ze zich stierlijk vervelen en niet kunnen wachten tot de zaak achter de rug is. Ze bemoeien zich er in elk geval niet mee.

De aanklager loopt naar de balie en moet op zijn tenen gaan staan om zijn papier voor de rechter neer te leggen, die het pakt, het omslachtig gaat lezen, waarna hij opkijkt en zegt: 'Burger Anatolij Nikolajevitj Sjapatovo, hebt u de aanklachten gehoord en begrepen?'

Irina's broer staat niet op. Magnus heeft het vermoeden dat hij niet in staat is om op zijn benen te staan zonder te wankelen. Toen hij samen met zijn vader binnenkwam, liepen ze zo langzaam als heel oude mensen en werden ondersteund door twee bewakers, die ieder aan een zijde van hen liepen.

Paul Keenan fluistert: 'Nu komt het, Magnus. Het juweel van het Sovjet-Russische rechtssysteem: de bekentenis. Dat bespaart heel wat tijd.'

Magnus kan de oudere broer van Irina zien knikken, maar de rechter herhaalt de vraag, en Anatolij antwoordt 'ja' met een zachte, maar duidelijke stem. Hij zweet, dus er ligt een dunne, vochtige waas over zijn gezicht. De rechter knikt en kijkt veelbetekenend naar zijn mederechters en zegt: 'Wat zegt u tegen de aanklachten, burger Sjapatovo? Hoe staat u daar tegenover?'

'Ik beken mijn misdaden en vraag om de vergiffenis van het volk.'

Zijn stem klinkt luid en merkwaardig ferm, en voor het eerst kijkt hij naar zijn vader, die ondertussen zijn blik strak op zijn gevouwen handen in zijn schoot gericht houdt. Anatolij kijkt ook naar zijn jongere zus, die haar blik op haar handen houdt die ze in haar schoot wringt.

De rechter knikt opnieuw veelbetekenend en vraagt: 'Is de bekentenis, die ook blijkt uit de processen die zijn bijgevoegd als documenten van het Openbaar Ministerie, nog steeds vrijwillig en zonder dwang?'

'Ja. Ik beken vrijwillig al mijn misdaden als volksvijand en trotskist. Mijn verhoorofficieren van het Volkscommissariaat voor Interne Aangelegenheden hebben zich onberispelijk en met socialistische gepastheid gedragen. Ik heb het verhoorprotocol vrijwillig ondertekend.'

Svend vertaalt toonloos zonder enige emotie in zijn stem. Zoals wanneer je op school opstond om de psalmenverzen hardop te zeggen die je uit je hoofd had geleerd. Je wist niet wat de woorden betekenden die je opdreunde, maar dat maakte niets uit. Als je ze maar foutloos zei. Magnus wil iets zeggen wanneer er een pauze in Svends vloeiende getolk is, maar die tilt waarschuwend zijn armstomp op en maakt het heel duidelijk dat hij geen commentaar op het showproces wenst.

Opnieuw knikt de rechter veelbetekenend. Hij stempelt het papier met drie verschillende stempels en legt het sierlijk, bijna vrouwelijk preuts opzij en pakt een nieuw document, dat hij fingeert te bestuderen, waarna hij vraagt of Irina's vader de aanklacht heeft begrepen. Dat is het geval. Hij antwoordt luid en duidelijk 'ja'. Zijn stem is diep en melancholiek. Misschien heeft Irina haar muzikaliteit van de mooie bas geërfd.

Magnus herinnert zich plotseling hun gelukkige gezang in de auto onderweg naar Albacete. Het lijkt alsof het in een ander tijdperk was dat Irina, Joe en hijzelf onbezorgd het lied van de brigadisten zongen, en dat ze hem met z'n tweeën wisten over te halen om een Argentijnse tango te zingen. Meyer ziet Irina's haar in de milde Spaanse wind en haar glimlachende rode mond, terwijl haar ogen een korte blik werpen op Joe en hem, omdat ze geniet van hun aanbidding voor haar. Hij had toen niet verwacht dat het ongeluk om de hoek loerde.

De rechter pakt een nieuw document, houdt het voor zich op en zegt, terwijl hij over zijn bril kijkt: 'Burger Nikolaj Sergejevitj Sjapatovo, hoe staat u tegenover de aanklachten?'

'Ik ben het eens met de aanklachten. Ik beken mijn misdaden. Ik beken dat ik door de imperialistische spionorganen in Londen ben geworven. Ik beken dat ik tegen kameraad Stalin heb samengezworen en me heb laten inspireren door het monster Trotski en ons socialistische vaderland heb belasterd en kameraad Stalins verworvenheden als onze grote, onfeilbare leider heb bekritiseerd. Ik beken dat ik heb gezondigd tegen artikel 58.'

'Is de bekentenis vrijwillig en is ze zonder dwang afgegeven?'

'De bekentenis is vrijwillig en zonder dwang afgegeven. De alerte en voortreffelijke mannen binnen de NKVD, die ik zelf heb gediend, totdat Trotski en de meelopers van de cryptofascist mij het verkeerde pad op hebben gelokt, hebben gedisciplineerd, vriendelijk en met de gepastheid opgetreden die onze Sovjet-Russische rechtsorde kenmerkt.'

'Hebt u, burger Sjapatovo, de medeplichtigen in deze gruwelijke samenzwering aangegeven?'

'Nee. Er zijn geen medeplichtigen in ons land. Vanwege het snelle ingrijpen van de mannen van de Tsjeka lukte het mij niet om meer mannen voor mijn trotskistische coupplannen te rekruteren.'

'Zo', zegt de rechter en hij zit afwachtend, alsof hij had verwacht dat de burger meer op zijn lever had.

Magnus heeft nog nooit eerder twee mannen meegemaakt die zo volledig gebroken zijn als de vader en de zoon die hij voor zich ziet. Ze lijken aan de oppervlakte op mensen, maar het zijn willoze wezens. Het zijn twee omhulsels van vlees en bloed, die zijn geprogrammeerd om enkele woorden te zeggen, waarna de dood hen uit hun lijden zal verlossen.

Irina kan haar tranen niet meer tegenhouden, maar ze huilt zonder geluid. De lange, knorrige vrouw en de reus ieder aan een zijde van haar staren strak voor zich uit. Het is bijna doodstil in de grote zaal, dus elk geluidje is duidelijk hoorbaar. Een hoest, een kuch, een paar voeten die over de vloer schuiven. Een nies die wordt onderdrukt. Men wacht geduldig en toch nerveus, en uiteindelijk vraagt de rechter: 'Hebt u iets toe te voegen, burger Nikolaj Sergejevitj?'

Irina's vader kijkt op van zijn handen en ziet er een ogenblik verward uit. Hij laat zijn heen en weer schietende ogen rond gaan en Magnus ziet dat hij Irina in het vizier krijgt, en zijn grijze huid wordt wit onder de matheid. Er verschijnt een glinstering in zijn ogen, maar die sterft snel weg en hij kijkt opnieuw naar zijn handen en zegt dan op dezelfde toonloze manier, alsof hij een ingestudeerde tekst uitspreekt: 'Kameraad rechter, kameraad aanklager, kameraden in de zaal, geëerde buitenlandse gasten in onze stad. Ik weet dat ik niet langer waardig ben om jullie met "kameraden" aan te spreken, omdat deze burger jullie en kameraad Stalin heeft laten vallen, dit grootse genie van de mensheid en de weldoener van het Sovjet-Russische volk, maar ik doe het uit respect voor jullie. Ik verdien jullie genade of vergiffenis niet, maar toch vraag ik erom. Niet zozeer voor mijzelf, maar voor mijn zoon, die ik in moeilijkheden heb gebracht en hem introduceerde op het hatelijke pad van Trotski en zijn meelopers, de schoften Boecharin, Rykov en Rakovskij. Toon mijn zoon genade, als jullie die mij niet kunnen tonen. Laat ons boeten voor onze schuld aan het volk en onze schuld betalen aan het vaderland door middel van hard werken voor het vaderland. Stuur ons alsjeblieft naar de zwaarste en strengste plek. Dat is alleen maar juist en verdiend. Dit zijn mijn laatste woorden. Ik vertrouw onvoorwaardelijk op de Sovjet-Russische rechtvaardigheid van de volksrechtbank.'

Het wordt onrustig in de zaal. Mensen kijken elkaar verward en onzeker aan. Ze hadden niet verwacht dat de aangeklaagde toestemming zou krijgen om om genade te vragen, zonder dat de aanklager of de rechter zou ingrijpen.

'Wat gebeurt er?' vraagt Magnus, maar Svend schudt alleen zijn hoofd. Keenan buigt zich voorover en zegt iets in het Russisch, en Svend vertaalt: 'Paul zegt dat er iets niet klopt. Er is iets afgesproken. Het kan zijn dat dat is, omdat de kolonel Stalin ondanks alles wel persoonlijk kent, hoewel dat anderen niet gered heeft. Hij kan niet uitleggen wat er gebeurt. Alleen dat de rechtbank nu een uitweg heeft, als de mannen niet, tegen de verwachting van iedereen in, worden veroordeeld tot ogenblikkelijke executie. Het is zeer merkwaardig, zegt hij.'

De rechter klopt een paar keer met zijn hamer en de rust daalt neer over de menigte, die duidelijk de signalen niet kan aflezen. De rechter geeft het woord aan de verdedigers. Ze staan een voor een op en lezen op van een stuk papier.

De tekst is dezelfde. Voor beide aangeklaagden vragen ze de rechtbank om genade te tonen, omdat de aangeklaagde ellendelingen ondanks alles hebben samengewerkt met de bevoegde instanties en spijt hebben van hun misdaden. Laat hen hun schuld aan het Sovjet-Russische volk betalen door middel van zwaar lichamelijk werk ten gunste van het vaderland in verafgelegen Siberische provincies. Zwaar lichamelijk werk zal hen er dagelijks aan herinneren dat ze het verkeerde pad hadden ingeslagen en dat de Sovjet-Russische volksrechtbank niet wordt gedreven door wraakgierigheid, maar door de wens rechtvaardigheid te creëren.

Opnieuw die vreemde onderstroom van onrust in de menigte, alsof het ingestudeerde toneelstuk niet loopt zoals het volgens het script zou moeten. Niemand klapt, zoals waarschijnlijk was verwacht. De rechter lijkt ook enigszins onthutst, maar wanneer de klapsalvo's niet komen, geeft hij het woord aan de aanklager.

De kleine man staat op en zorgt ervoor dat de menigte opgelucht kan ademhalen met zijn stroom aan scheldwoorden. Zijn stem groeit gestaag in intensiteit en kracht wanneer hij de dood van deze misdadigers eist, die hun gruwelijke tanden en gierenklauwen voor het volk proberen te verbergen. Dood aan deze vertegenwoordigers van het rechtse trotskistische blok. Ze zijn als stinkende kadavers, ze zijn vervloekt ongedierte, ze zijn vastgeketende honden van het imperialisme. Ze zijn te beschouwen als hondsdolle honden. Ze zijn niets meer dan een onsmakelijke combinatie van zwijnen en ratten. Er is geen andere mogelijkheid dan dit soort ongedierte met harde hand uit te roeien, zodat hun ziekelijke haat voor ons socialistische vaderland en onze grote leider kameraad Stalin, onze vader en leider, voor altijd van de grond van ons geliefde vaderland weggevaagd wordt. Ze zijn als onkruid dat met wortel en al uit de aarde moet worden getrokken, zodat er niets in achterblijft.

De aanklager doet een stap naar voren en roept, zodat zijn stem bijna overslaat: 'Het enige waarvoor jullie deugen, ellendige verraders, is te dienen als mest op onze Sovjet-Russische akkers.'

Van diverse plekken uit het publiek klinkt bijval, maar die wordt overstemd wanneer iedereen, behalve de buitenlandse pers, luider dan ooit tevoren begint te klappen. De klapsalvo's galmen naar de aanklager, die lijkt op een succesvolle directeur van een klein provinciaal theater, dat eindelijk een kassucces heeft gekregen. Hij buigt nog net niet, maar glimlacht wel. Hetzelfde geldt voor de rechter, die knikt naar zijn mederechters, die terugknikken. Vader en zoon verroeren zich niet. Ze zitten naar hun handen in hun schoot te kijken.

Ian Fleming en de andere bureaujournalisten zijn onderweg naar buiten om hun nieuws te versturen. Ook een paar mensen van de Sovjet-Russische pers staan op, maar ze gaan weer zitten wanneer de rechter met enkele slagen van zijn hamer om kalmte maant. Hij deelt mee dat de rechters zich zorgvuldig zullen beraden en morgenochtend om tien uur uitspraak zullen doen. Hij staat op, slaat de toga om zich heen, loopt het trapje achter de rechtersbalie af en vertrekt door een deur aan de rechterkant naar buiten. Iedereen staat op.

Magnus probeert zijn blik op Irina gericht te houden, maar hij verliest haar uit het oog. Hij wil naar haar toe, maar de acht geüniformeerde bewakers die tijdens het gehele proces vier aan vier aan één zijde van de rechterstafel hebben gestaan, beletten het hem om dichterbij te komen.

'Irina', roept hij. 'Irina. Waar ben je?'

Hij kan haar niet zien. Hij probeert zich een weg naar voren te banen, maar de NKVD-bewakers gaan dichter bij elkaar staan en een van hen legt zijn hand op zijn pistoolkolf, terwijl een ander zijn zwarte knuppel half uit de lus aan de brede riem trekt.

'Laat maar', zegt Svend. 'Het heeft geen zin, Magnus. De mens is hier altijd de kleinste, dus doe geen moeite.'

Magnus kijkt naar hem.

Zijn vriend is helemaal grijs in zijn gezicht en er is pijn aan zijn ogen af te lezen. Met zijn goede arm pakt hij Magnus' rechterelleboog beet en knijpt erin, maar zijn greep wordt losser wanneer Magnus merkt dat er achter hem iets gebeurt. Hij kan het zien aan de pupillen van Svend, die groter worden. Magnus draait zich om. De stevige bewaker van Irina struint als een neushoorn door de menigte. Zijn grote, olijfkleurige gezicht is bijna rond en heeft smalle, scheve ogen boven een stompe neus en een kleine mond. Hij fluistert iets in het oor van een NKVD-bewaker, die een stap opzij doet. De grote man met de Mongoolse of Aziatische trekken reikt Magnus een opgevouwen briefje aan en zegt iets in het Russisch. Magnus schudt zijn hoofd en wijst naar Svend, die een stap naar voren doet. De reus zegt nog iets, maar deze keer tot Svend gericht, waarna hij zich omdraait en zich als een grote bus een weg baant door de mensenzee die voor hem uiteengaat.

'Wat zei hij, Svend?' vraagt Magnus en hij vouwt het briefje open en geeft het aan Svend. Magnus kan de cyrillische letters niet lezen, maar hij ziet een paar getallen. Het lijkt op een adres.

Svend leest het en zegt: 'Hij zei dat als je Irina wilt ontmoeten, dat dat dan vanavond om zeven uur kan. Dit is het adres. Het is in het grote regeringshuis aan de rivier, waarin ze blijkbaar nog steeds woont. Het is een beetje vreemd, maar dit is het adres. Hij zei nog iets wat ik niet begrijp, Magnus. Hij zei dat het een gunst van een bekende uit Spanje is. Een Sovjet-Russische SIM-agent, die je hebt ontmoet.'

'Stepanovitj?'

'Hij noemde geen naam. Je zou het zelf kunnen bedenken. Maar het is iemand die je kent.'

'Dat kan niemand anders zijn, maar hij is mij niets verschuldigd.'

'Dat gevoel heeft hij blijkbaar wel. Maar, Magnus ...?'

'Misschien gaat het weer om Mads. Misschien heeft het iets met hem te maken? Misschien.'

'Dat weet ik niet. Maar Magnus, luister eens.'

'Ja.'

'Je moet alleen komen. Het is bepalend voor het verdere lot van Irina en haar familie dat je komt en dat je alleen komt, zei hij.'

'Dat zal ik dan doen.'

'Ik ga graag met je mee.'

'Dat moet je niet doen. We houden ons aan de voorwaarden.'

'Ik dacht al dat je dat zou zeggen, maar neem je revolver mee.'

'Naar een afspraakje, Svend?' zegt Magnus en hij is merkwaardig vrolijk ondanks alle ellende.

'Bij een Russisch afspraakje is het verstandig om goed voorbereid te zijn op alle eventualiteiten. Waarom denk je dat het "Russische roulette" wordt genoemd wanneer iemand met de dood speelt?' zegt Svend Poulsen met een glimlach die nooit uitstraalt naar zijn ogen.

30

Aan de lucht is te zien dat er meer sneeuw dreigt te vallen wanneer Magnus Meyer Hotel National verlaat, rechts afslaat en langs het Manegeplein en de westelijke muur van het Kremlin aan de linkerkant loopt. Hij gaat op in de stroom voetgangers die door de koude winterse duisternis loopt, waar fijne sneeuwvlokjes die al door de lucht dwarrelen tegen de onbeschermde huid prikken. Magnus lijkt op de andere donkere schaduwen in de slecht verlichte stad. Hij draagt een zwarte dikke jas en een donkergrijze sjapka. Hij had beide kledingstukken de dag ervoor gekocht, toen hij een wandeling maakte met Keenan en het zo koud had dat hij met zijn tanden klapperde ondanks zijn Berlijnse jas.

In het warenhuis GUM, waar de duistere winkels halflege schappen lieten zien, kende Keenan op de bovenste verdieping een winkeltje op een hoek, waar ze tegen harde valuta een wat ruimere keuze hadden van veel betere kwaliteit. Ze verkochten ook een paar solide winterlaarzen, gevoerde handschoenen en dikke sokken.

Met de bontmuts goed over zijn oren getrokken heeft hij het niet koud tussen de zwijgende mensen, die omlaagkijken naar de verraderlijke gaten op het trottoir. Van binnen is hij warm – een warmte, die wordt veroorzaakt door zijn verwachtingen, die vermengd worden met de angst en onzekerheid, die hij ook voelt bij de gedachte aan de ontmoeting met Irina.

Voordat hij naar buiten ging, had hij zijn revolver zorgvuldig schoongemaakt en geladen. Hij voelt hem in zijn jaszak en dat geeft hem een beetje een veilig gevoel.

Hij loopt snel door.

Hij passeert de universiteit aan zijn rechterkant en aan zijn linkerhand ligt het grote tentoonstellingsgebouw. Er rijden zwarte auto's over het plein en de sneeuwvlokjes dansen in het schijnsel van de gele autolampen. De gebouwen van het Kremlin zijn verlicht. Hij ziet de Spasski-toren in de verte met gro-tere sneeuwvlokken als ontelbare vliegen om de rode ster. De Alexandertuin ligt er leeg en donker bij.

Er zijn geen winkels waar hij loopt en wanneer hij de straat-jes inkijkt die de oude Arbat-wijk in leiden, die Keenan hem had laten zien, zijn er maar weinig mensen buiten in de koude avond. Of is Moskou een stad geworden waar niemand buiten durft te komen na het intreden van de duisternis? Waar alleen de zwarte Kraaien rondrijden om de oogst van die nacht op te halen zodat de vijfjarenplannen voor het verwijderen van volks-vijanden gehaald worden?

Arbat is een mengelmoes van kleine straatjes en steegjes, ge-domineerd door lage oude houten huizen, waarvan sommige een dunne laag pleisterkalk op het houtwerk hebben gekregen. Ooit woonden hier veel handelslieden, deftige kunstenaars en aristocraten in de grote appartementen, maar na de revolutie werden die opgedeeld in een heleboel kleine woningen, waar mensen hun keuken en badkamer moeten delen. Hoe had Keenan het ook alweer genoemd? *Kommunalka?* Gemeenschap-pelijk. Die woningen moesten ruimte bieden aan de miljoenen boeren die naar de steden stroomden. Het is een onder dwang ontstane gemeenschap, maar Keenan had ook gezegd dat het heel Russisch is en dat er al mooie literatuur is geschreven over het dramatische leven onder gebrekkige omstandigheden tus-sen onbekende mensen.

'Wat zouden wij mensen moeten doen zonder de literatuur die ons verrijkt en troost? Hier wonen nog steeds zeer goede dichters en schilders, die hun leven leiden ondanks Stalin en zijn handlangers. Vanwege deze levensvreugde midden in de tragedie hou ik van de Russen. Hoe dan ook', had hij gezegd en hij had Magnus een van zijn Cubaanse sigaren aangeboden.

De geur van de chique tabak had zich vermengd met de sterke geuren van kool, spek, cokes en de rook van brandhout die uit de huizen kwam. Vanaf de kleine binnenplaatsen verdrong de stank van de vele wc's, die als kleine wachthuisjes in de platge-stampte sneeuw stonden, vaak de sterke geuren die uit de trap-

417

penhuizen kwamen. Ze hadden radio's horen spelen, mensen horen ruziën en ergens stroomde het geluid van een harmonica naar buiten door een ventilatieraampje, dat onder de overhangende dakrand openstond.

Keenan had naar Magnus geglimlacht en zijn armen gespreid alsof hij had willen laten zien dat het leven in Moskou in zijn diversiteit niet zomaar is te vangen.

Magnus denkt aan Rusland en ziet de mensen die zich haasten in de kou, maar het zijn er maar weinig en het is niet te bevatten dat hij zich in een miljoenenstad bevindt. Het bevroren stadslandschap, waar de grond rommelt wanneer een van de nieuwe metro's vlak onder het oppervlak rijdt, straalt rust uit. Verder worden de tunnels diep gegraven, zodat ze als schuilkelders kunnen dienen wanneer de oorlog komt die iedereen verwacht, omdat hun nieuwe revolutie wordt bedreigd door vijanden. Wat doet hij hier toch in deze ongastvrije, afwijzende en bange stad? Hij wil hier weg. Alleen vanwege het gemis en het verlangen naar Irina is hij niet allang naar de overheid gestapt om zijn uitreisstempel op te halen.

Hij loopt om het Kremlin heen, de brug op over de bevroren Moskva, staat een ogenblik stil en kijkt naar het grote huis op de oever aan de overkant. Sneeuwvlokken vliegen eromheen als insecten om een brandende lamp. Hij ontdekt nu dat het huis aan beide kanten grenst aan bevroren water. Het ligt als een groot, donker vrachtschip in een windstille zee. Achter verschillende ramen brandt licht, maar net zo veel zijn er donker en afwijzend. Er komt een zoete geur van chocola uit een grote rode fabriek, die naast de massieve grijze kolos ligt, waar Irina ergens achter de vele ramen zit te wachten.

Hij controleert of de revolver nog in zijn zak zit, loopt verder over de brug de andere oever op en naar de poort. Links van hem is een winkel, waar nog steeds licht achter de ramen brandt. Hij kan binnen mensen zien. Het lijkt een levensmiddelenzaak, maar er ligt niets in de schappen.

Er zijn geen bewakers, maar hij heeft te horen gekregen dat er in elk trappenhuis een poortwachter is, die de toegang naar de liften controleert. Hij moet de poortwachter het briefje van de grote man in de Zuilenzaal laten zien, dan zal hij toestemming krijgen om de lift naar de zesde verdieping te nemen.

Hij loopt een binnenplaats op.

Rechts ligt een groot theater. Hij kan niet lezen welke voorstelling op de poster wordt aangekondigd. Het theater is gehuld in duisternis. Hij loopt verder. Een ijzige wind komt vanaf de rivier de hoek om en prikt hem in zijn wangen en in de binnenkant van zijn bovenbenen, alsof de kou bewapend is met stopnaalden. Er staan een paar zwarte auto's geparkeerd, die bedekt zijn met sneeuw. Op de eerste binnenplaats volgt er nog een. Daar staan gebouwen die lijken op officiële kantoren, maar die zijn gesloten. Op een van de deuren zit een groot hangslot. Op de binnenplaats kan hij de geluiden van de stad niet meer horen. Er zijn bomen geplant, maar ze zijn nog steeds jong en winternaakt. Hoewel er voldoende ruimte is op de binnenplaatsen, voelt hij zich claustrofobisch en hij heeft het gevoel dat de hoge muren met de vele zwarte ramen naar hem overhellen en op hem dreigen te vallen en hem zullen verpletteren.

Het hele woningcomplex doet hem ook denken aan een middeleeuwse burcht met torens op elke hoek en een soort park als binnenplaats, dat door de afzonderlijke gebouwen wordt omringd. Hij stelt zich voor hoe het er in de zomer een vrolijke drukte is van mensen die gaan picknicken, een glas wodka of een biertje drinken of gewoon een praatje maken, terwijl de kinderen onder een blauwe hemel spelen.

In de winterse duisternis is alles in diverse zwarte nuances gehouden. Enkele lampen verspreiden een zwak, geelachtig licht, maar alle hoeken zijn in het donker gehuld. Schaduwen dansen en er kan zich van alles schuilhouden in de zwarte gaten. Hij draait zich snel om als hij het gevoel heeft dat iets achter hem opduikt, maar er is niets. Niet eens een kat. Of een rat. Hij tast opnieuw aan de buitenkant van zijn jas en voelt de revolver. Hij heeft het veel te heet in zijn nieuwe warme winterkleding, maar hij weet dat de kleding niet het zweet veroorzaakt.

Hij moet Korpus 4, appartement 637 vinden.

Hij loopt te ver en moet weer omdraaien. Hij ziet het nummer op de hoek van het eerste gebouw. De verf bladdert van de grote deur, maar die schuift gemakkelijk open. Hij stapt een grote voorhal binnen en stampt de sneeuw van zijn laarzen. Er zit een oudere man in een hokje links achter de deur. Het luikje naar zijn kleine bewakersruimte staat open. Magnus kan zijn radio horen. Hij speelt klassieke muziek, die wordt onderbroken door een mannenstem, die zeer luid spreekt, waarna een koor inzet met een patriottisch klinkend lied.

De man kijkt op. Hij draagt een groene jas en het is even geleden dat hij zich geschoren heeft. Zijn ogen zijn enigszins bloeddoorlopen en Magnus kan aan zijn adem de wodka ruiken. Hij rookt een dikke sigaret en heeft een leeg theekopje en een glaasje naast zich staan. Hij zegt niets. Magnus haalt het papier tevoorschijn en geeft het aan de man, die erop kijkt, nog steeds zonder een woord te zeggen, en naar de twee liften wijst die langs de muur staan.

Het ruikt naar pis in de lift die Magnus kiest. De ruimte is niet bijzonder groot, bekleed met hout en wordt afgesloten met een binnendeur die hij dichtduwt. Hij stopt zijn handschoenen in zijn zak, drukt op het getal zes en de lift beweegt langzaam naar boven. Hij rammelt en kraakt, en Magnus' hartslag voelt te snel aan. Hij knoopt zijn jas open, neemt zijn bontmuts af en haalt een hand door zijn haar. Hij heeft zijn grijze pak aan, maar zonder stropdas. Hoewel hij zeer weinig baardgroei heeft, heeft hij zich toch extra nauwkeurig geschoren. Hij probeert om zichzelf te lachen, omdat hij zich voelt als een tiener die onderweg is naar zijn eerste afspraakje, maar er valt niets te lachen. Hij voelt zich helemaal niet goed en heeft geen flauw idee wat hem staat te wachten.

Hij stapt het trappenhuis binnen. Er zijn maar twee appartementen op de overloop. Alle deuren zijn hetzelfde, bruin en dik met houtsnijwerk. Op de vloer ligt een mooi dik parket. De wanden zijn beige en fraai in het licht van de twee prismakroonluchters. Het trappenhuis leek armzalig, maar wanneer je uit de lift stapt, treed je een andere wereld binnen.

Op deur nummer 635 zit een zegel op een stuk dun staaldraad over de deur. De deurklink wordt op de plek gehouden, zodat hij niet omlaag kan worden gedrukt zonder dat het zegel verbroken wordt. Hij kijkt op het zegel ter grootte van een munt en denkt aan de verhalen van Keenan en Svend over de geheime politie en de zwarte bestelbusjes, die 's nachts mensen komen ophalen. Het zegel is bijna donkergrijs met een donkerdere kleur in het midden, die een schild lijkt voor te moeten stellen. Boven het schild is een zwaard ontworpen met een versierd heft en boven het zwaard kan hij het symbool met de hamer en de sikkel zien. Wat zeggen ze ook al weer over de gevreesde organisatie? Het zwaard en het schild van de partij. Hij buigt zich voorover en probeert de cyrillische letters te ontcijferen. Daar kan alleen NKVD staan.

Hij kijkt naar links. Hij kijkt naar rechts.

Er loopt een brede trap naar de volgende verdieping en die gaat verder omhoog. Hij is gemaakt van hout en zo nieuw dat hij in het midden nog niet is versleten door vele voeten die er in de loop van vele jaren overheen lopen. Hij gaat voor nummer 637 staan en haalt diep adem. Er is een deurklopper die hij drie keer gebruikt. Het geluid verspreidt zich door het trappenhuis in het rustige gebouw en in de ruimte achter de dikke deur. Hij hoort geen voetstappen, maar alleen de sleutel in het slot die plotseling wordt omgedraaid, alsof ze achter de deur klaarstond om hem op te wachten.

De deur gaat naar binnen toe open. Hij voelt zijn hart bonzen en er groeit een brok in zijn keel, wanneer hij het tere wezen met de bleke huid, de rode lippen en de dode ogen voor zich ziet staan dat probeert te glimlachen. Hij staat met zijn bontmuts in zijn handen en weet niet wat hij moet doen of zeggen.

Irina zegt niets, maar steekt haar hand uit, pakt de sjapka uit zijn hand en gebaart met een zeer korte hoofdbeweging dat hij binnen moet komen.

Hij stapt een comfortabele entree met een fraaie parketvloer en een hoog plafond binnen. Er is een grote spiegel en een kapstok, waar een bontjas en twee andere jassen hangen, die van mannen lijken te zijn. Ze steekt haar hand naar hem uit. Die beeft een beetje. Hij doet zijn jas uit en geeft hem aan haar. Ze hangt hem op een hangertje. Wanneer ze zich omdraait, valt het hem op hoe mager ze is geworden in de donkere broek die ze draagt. Die zit losjes. Het is warm in de entree. Ze heeft een overhemdbloes aan, waarvan de bovenste twee knopen open-staan, dus hij kan het bovenste deel van haar borst zien, wan-neer ze zich omdraait en met neergeslagen ogen voor hem staat alsof ze vol schaamte is, en zijn hart breekt bijna weer.

Hij doet een stap naar voren en trekt haar tegen zich aan. Ze voelt aan als een jong poesje in zijn armen wanneer ze voorzich-tig haar hoofd op zijn schouder legt en zucht. Ze ruikt maar een beetje naar shampoo, verder is haar geur dezelfde als die van een kind. Ze doet haar ogen dicht. Eerst hangen haar armen langs haar slappe lichaam, maar na een tijdje legt ze ze om zijn middel en pakt ze hem stevig vast, en hij voelt dat ze haar li-chaam tegen het zijne drukt en dat ze geluidloos huilt.

Zo staan ze lang in de stille entree, totdat ze hem loslaat, haar tranen droogt en in het Spaans zegt: 'Welkom, Magnus. Dat moet ik toch zeggen, maar misschien meen ik het niet. Ik had niet gedacht dat ik je ooit weer zou zien. Dat was ook niet de bedoeling. Je had niet moeten komen. Wat wil je hier?'

'Je hiervandaan meenemen.'

'Magnus, Magnus, Magnus. Je begrijpt er niets van. Je begrijpt mij niet. En je begrijpt mijn land niet.'

'Jawel. Ik heb voldoende gezien in die korte tijd dat ik hier ben geweest.'

'Wat weet jij nou over zoiets? Je komt uit een veilige omge-ving. Je weet niets. Je had niet moeten komen.'

'Je vroeg me toch zelf om te komen?'

Ze staat even stil. De sfeer is erg ongemakkelijk.

'Ja. Dat klopt. Dat is zo. Kom binnen. Kom binnen in wat ooit een gelukkig huis was, maar eerst moet je je laarzen uittrekken. Dat hoort zo in Rusland. Er staan pantoffels in de basten mand daar. Er is keuze genoeg. Ooit hadden we veel gasten. Tegen-woordig komt hier niemand meer, dus je hebt de vrije keuze.'

Haar stem klinkt plotseling zakelijk en met een beetje van de oude Irina-pit, die hij zich kan herinneren. Hij vindt een paar vilten pantoffels in de mand van hetzelfde soort als zij aanheeft. Ze zijn warm en comfortabel, maar wel vreemd. Hij zet zijn laarzen netjes naast de mand.

Ze draait zich om en loopt met snelle passen het appartement binnen.

Hij loopt achter haar aan. Het appartement moet enorm zijn. Misschien wel driehonderd vierkante meter groot. Het bevindt zich in een van de torens die uitkijken op de rivier en het Kremlin. Er lopen twee gangen door en hij ziet diverse deuren die naar verschillende kamers leiden. Het plafond is hoog met fraai stucwerk en grote kroonluchters, die een zacht en aangenaam licht op alles werpen. Ze komen een woonkamer binnen, waar hij twee andere kamers en suite ziet. Door de hoge ramen ziet hij op de andere oever de verlichte torens en de rode muur van het Kremlin, de gele regeringsgebouwen en de gouden koepels van de gesloten kerken. Hij kan ook het grote bouwwerk verderop zien, waar de zwarte stalen dragers door schijnwerpers worden verlicht. De werklui die zwoegen in het donker lijken op kleine insecten. Op de straat die langs de rivier loopt, rijdt een van de zwarte bestelbusjes alleen in de sneeuwjacht.

'Wil je iets drinken, Magnus? Ik heb niets te eten. Ik eet niet zo veel.'

Ze giechelt meisjesachtig en gemaakt.

'Dat geeft niets, Irina. Iets drinken is prima. Wat heb je?'

'Wodka natuurlijk. Het watertje. Dat drinken wij Russen wanneer we troost nodig hebben of iets willen vergeten.'

Haar stem is levenloos. Spaans is een emotionele taal met variaties in het ritme, dat ze beheerste ondanks haar duidelijke accent, maar ze produceert de zin alsof ze in een klaslokaal zit en hem uit haar hoofd had geleerd. Grammaticaal correct, maar zonder gevoel of uitstraling.

Ze pakt een fles van een tafel bij het raam, schenkt wodka in twee glaasjes en geeft het ene glas aan hem. Er staat nog een glas op de tafel. Ze heft het hare en nipt, terwijl hij de heldere vloeistof in één keer achteroverslaat, zodat het brandt in zijn keel en slokdarm. Hij reikt haar het glas aan en zij vult het nog een keer. Deze keer drinkt hij maar de helft en hij kijkt om zich heen om iets te bedenken wat hij kan zeggen, om de merkwaardige en onheilspellende sfeer die tussen hen hangt losser te maken.

De grote woonkamer is mooi gemeubileerd met een mahonie eettafel en gestoffeerde stoelen met een hoge rugleuning. Langs de ene wand staat een glazen kast met dun porselein dat met bloemen is versierd en wijn- en bierglazen. In de volgende woonkamers die door brede, gewelfde bogen van elkaar worden gescheiden, kan hij lage tafels met comfortabele fauteuils eromheen zien staan. Er is een radio en een grammofoon. Hij ziet boekenkasten met ingebonden boeken die met hun mooie ruggen zij aan zij staan achter glas dat wel een poetsbeurt kan gebruiken. Aan de ene wand in de eetkamer hangt een Russisch winterlandschap met berken en dennen. Aan de andere domineert een enorm olieverfschilderij van een geflatteerde Stalin. Hij heeft strenge ogen boven de volle snor en kijkt een beetje schuin het schilderij uit. Hij draagt een licht Russisch boerenoverhemd zonder kraag en houdt een krom pijpje in zijn ene hand.

Magnus neemt nog een slok.

Ze volgt hem met haar ogen. Hij overweegt of ze gek geworden is en denkt na over iets wat hij kan zeggen. Hij drinkt zijn glas leeg en zet het op de tafel naast de wodkafles. Hij loopt naar de eettafel en laat zijn hand over het gladde oppervlak glijden. In het midden staat een glazen schaal op een wit gehaakt tafelkleedje. Zijn vingertoppen raken een oneffenheid in het tafelblad. Hij buigt zich voorover en ziet vaag cyrillische letters die in de tafel zijn gegraveerd.

'Wat staat daar, Irina?' vraagt hij en zijn stem klinkt vreemd in de verlaten kamers.

'Eigendom van het Kremlin.'

'Wat?'

'Er staat dat de tafel eigendom is van het Kremlin. Alles in dit appartement is eigendom van het Kremlin. Het appartement is van het Kremlin. Wij bezitten niets. We zijn communisten, Magnus. Het Kremlin geeft en het Kremlin neemt. Want het Kremlin en die man daar aan de wand bezitten alles. Onze tafel, mijn bed en mijn ziel. Alles is dankzij zijn genade en die schijnt niet meer over ons huis. Dat heb je vandaag zelf meegemaakt.'

'Irina ...'

'Er valt niets tegen te doen, Magnus. Je had nooit naar Rusland moeten komen.'

'Er valt altijd iets te doen.'

'Je moet teruggaan naar Denemarken, Magnus. Je begrijpt mijn land niet.'

'Er zijn altijd mogelijkheden. Je moet nooit de moed opgeven. En je klonk heel gelovig. Ben je in God gaan geloven? Moet hij ons nu te hulp schieten? Genade! Stalin en genade passen niet bij elkaar.'

Hij probeert vrolijkheid in zijn stem te leggen, maar die is gemaakt. Hij wil zo graag opnieuw de ongedwongen en humoristische toon creëren die er tussen hen in Spanje was. Hij wil zo graag tot haar doordringen. Hij wil zo graag dat het allemaal een boze droom is en dat ze straks wakker worden in haar bed in het Gran Hotel in Albacete en dat ze om alles kunnen lachen en langzaam vrijen in het ochtendgloren.

Ze kijkt hem met haar vreemde dode ogen aan en zegt toonloos: 'Ik geloof niet in God. Dat mag ik niet. Mijn grootmoeder wel. Baboesjka's zijn heel belangrijk in de Russische familie. Zelfs papa kon haar niet weerhouden te praten over God. Ik mag het niet, maar ik kan het niet laten om aan Hem te denken, omdat ik veel aan Baboesjka denk. Soms is haar gebloemde sjaal het enige wat ik me van haar kan herinneren. Die was rood en rook zo heerlijk naar door de zon verwarmd gras en naar honing. Ik weet niet goed ...'

Ze stopt en kijkt hem verward aan.

'Wanneer is je grootmoeder overleden?'

'Het voelt alsof dat heel lang geleden is. Ik was in Spanje. Ze was heel oud en ziek geworden, dus ze zal wel rust hebben gekregen. Toch deed het mij veel verdriet. Ze zou het me vergeven, denk ik. Hoop ik. Ik denk dat ze het Bibu zou vergeven en zeggen dat het niet mijn schuld is. Ik denk ...'

Opnieuw zo'n ongemakkelijke pauze. Ze kijkt naar hem alsof ze moet nadenken wie hij is en wat deze onbekende man in haar woonkamer doet, terwijl de sneeuw buiten valt en het Kremlin in een witte deken hult.

'Ga met mij mee, Irina. Ik hou van je. Trouw met me. Ik kan je verlossen uit deze nachtmerrie waarin je leeft. Ik kan je bevrijden uit je gevangenis. Ik hou van je, Irina. Ga nou met mij mee. Er is niets meer wat je hier houdt.'

Ze kijkt naar hem. Ze heeft tranen in haar ogen. Ze balt haar vuist, brengt hem naar haar mond en bijt op haar knokkels. Het is een slechte gewoonte die ze heeft aangenomen. Er zitten wondjes op de knokkels van haar rechterhand, de nagels van haar linkerhand zijn helemaal afgebeten en de knokkels zijn rood en gezwollen.

Ze geeft geen antwoord, maar loopt naar het raam en gaat met haar rug naar hem toe staan. Haar rug is tenger en weerloos als die van een jong vogeltje. Hij loopt naar haar toe en pakt haar hand. Hij streelt de rode vlekken op haar knokkels. Ze laat hem haar hand pakken, maar pakt die van hem niet vast, en laat de hare passief en koud hangen.

Plotseling roept ze uit: 'Het loopt verkeerd af, dat spreekt voor zich. Het moest verkeerd aflopen.'

'Ik weet niet waarover je het hebt.'

'Wij Russen zijn heel bijgelovig. Dat heeft die man daar aan de wand nog niet afgeschaft. Oudejaarsavond kijken ongetrouwde vrouwen in een schaal met helder water. Om een glimp te zien van hun toekomstige man. Hij verschijnt rond middernacht als je in het nieuwe jaar gaat trouwen. Als je oplet en niet te dronken bent, kun je geluk hebben en een snelle glimp van hem opvangen, zodat je weet naar wie je moet uitkijken.'

'Je had mij moeten zien.'

'Ik keek niet.'

'Dat zou anders ...'

'Ik was in Spanje. Weet je dat niet meer? We hebben de hele avond samen gedanst en daarna hebben we gevreeën. Ben je dat alweer vergeten?'

'Nee, natuurlijk niet, Irina.'

Nog steeds met haar hand in de zijne en nog steeds geen reactie wanneer hij er zachtjes, maar toch stevig in knijpt. Haar ogen zijn gericht op de bouwplaats en de kleine gestaltes die op de stalen dragers rondkruipen. Hij bekijkt haar profiel en haar ene vochtige oog, haar mooie rechte neus en haar hoge jukbeen. Ze draagt geen make-up en opnieuw verbaast hij zich erover hoe kwetsbaar en teer ze eruitziet. Hij kan een dunne blauwe ader onder haar oog zien. Hij zoekt naar woorden en vervloekt het dat hij de situatie niet aan kan.

Praat Irina erop los, omdat ze daarmee voorkomt dat hij het over serieuze dingen gaat hebben? Of is ze gek geworden en praat ze erop los om de demonen die haar lastigvallen op afstand te houden?

Ze tilt haar ene arm op en wijst naar het bouwterrein: 'Daar was een kerk, heeft mijn grootmoeder verteld. Een reusachtige kathedraal. Die heette de Onze Verlosser Kathedraal, zei ze. Papa nodigde haar natuurlijk uit, toen de man aan de wand ons dit mooie appartement had gegeven. Hij moest echt opscheppen. Wij kregen een van de eerste appartementen in dit bouwwerk, wat destijds het "Tweede Sovjet-Russische Commissariaat" werd genoemd. Is het niet vreemd dat je je de raarste dingen kunt herinneren? Baboesjka was totaal niet onder de indruk. Ze liep gewoon naar dit raam, sloeg een kruisje en fluisterde: "De antichrist is gekomen. De antichrist zal ongeluk brengen. De antichrist zal uiteindelijk in de hel branden." En toen maakte ze met haar rechterhand het duivelsteken, alsof ze kwade geesten weg wilde jagen.'

'Wanneer was dat?'

'Wat?'

'Dat er een kathedraal stond?'

'Dat moet voor 1931 geweest zijn. Want we zijn in 1932 verhuisd en toen waren ze begonnen aan het nieuwe bouwwerk, dat je daarbuiten kunt zien. Mijn grootmoeder zei dat mineurs van het Rode Leger de kerk hebben opgeblazen. De man daar aan de wand verafschuwde het dat hij de koepels vanuit zijn kantoor kon zien. Allerlei andere kerken werden ook afgebroken en de kloosters werden gesloten. Religie was immers afgeschaft, dus ook weg met de Onze Verlosser Kathedraal. Die stond gewoon in de weg. Boem! En toen was hij weg. Mijn grootmoeder zei dat een groepje priesters had geweigerd de kerk te verlaten. Dus was het ook afgelopen met hen. De man aan de wand zei dat als ze er niet uit wilden komen, ze dat dan zelf moesten weten. Dan hoefden ze geen geld uit te geven aan hun begrafenis.'

'Wat bouwen ze er nu, Irina?' vraagt hij om haar verder te laten praten. Hij heeft de indruk dat ze wat losser wordt wanneer ze praat.

'Nu? Ze bouwen een nieuwe Opperste Sovjet. Het wordt het hoogste gebouw ter wereld, zegt papa. Hoger dan het Empire State Building in New York. Meer dan vierhonderd meter hoog. Bovenop komt een honderd meter hoog beeld van Lenin te staan. Zijn uitgestrekte arm wordt dertig meter lang, zegt papa. Stel je eens voor. Dertig meter. Alleen al zijn duim wordt zo'n zes meter. Wat een vinger, hè? Baboesjka lachte er alleen maar om. Ze zei dat het nooit zou lukken. Het zou nooit af komen. God staat het niet toe. Er zijn ook heel veel problemen geweest. Ze zijn nu zeven jaar aan het bouwen, maar er blijft water uit de rivier in stromen, dus ze moeten van voren af aan beginnen. God straft, zei Baboesjka. Maar de man aan de wand geeft nooit op. Met hem had ze geen rekening gehouden. Al zal het honderd jaar duren, hij bouwt verder. Ik denk vooral aan iets heel anders. Die arme mensen die elke zomer in de rivier zwemmen, komen in de schaduw te zwemmen wanneer Lenin eindelijk op zijn plek staat.'

Hij draait haar langzaam om. Haar ogen zijn afwezig, maar ze kijkt toch weg. Hij houdt haar hand nog steeds vast en pakt eerst haar lege glas uit haar andere hand en zet het in de vensterbank. Dan pakt hij voorzichtig met zijn linkerhand haar kin vast om haar te dwingen in zijn ogen te kijken. Hij wil haar bereiken en haar bloedende ziel begrijpen. Ze werkt niet tegen, maar laat hem passief haar hoofd vasthouden, waarna ze binnen een tel de hele kamer een radslag laat maken, zo verrast is hij, wanneer ze vlak en nuchter vraagt: 'Waarom zeg je niet gewoon waar het is, Magnus? Waarom zeg je niet gewoon waar het goud is, zodat we allemaal weer naar huis kunnen gaan? Dat zou het een stuk gemakkelijker maken.'

'Wat zeg je, Irina? Wat bedoel je? Wat weet je daarvan?'

'Wat bedoel je?'

'Het Spaanse goud. Daarover hebben we het in Spanje nooit gehad.'

'O nee? Goh, dat dacht ik. Hebben Joe en jij het er alleen over gehad? En wat is er eigenlijk met Joe gebeurd? Plotseling was hij weg.'

Magnus is geschokt. Dit is een complete verrassing. Hij kan zich niet voorstellen dat Joe Mercer op enig moment met Irina heeft gesproken over hun gezamenlijke kloteproject. Hij is Joe niet vergeten, maar hij heeft hem op dezelfde plek weggestopt als waar hij Mads verbergt, en het lukt hem nu vaak om meerdere dagen door te komen zonder aan de grote dode Amerikaan onder de Romeinse ruïnes in Cartagena te denken. Hij zegt met felheid in zijn stem: 'Wat bedoel je in 's hemelsnaam, Irina? Wat moet ik vertellen en aan wie?' Hij moet zich beheersen om niet in haar kin te knijpen en laat hem daarom los. Haar ogen dwalen meteen van die van hem af en ze kijken weg in de verte.

'Dat zou toch gemakkelijker zijn, Magnus? Als je mij gewoon vertelde waar je het goud hebt verstopt, dan kunnen we allemaal naar huis gaan en dan zal niemand meer lijden. Het zou veel dingen oplossen. Echt waar.'

Hij schudt zijn hoofd: 'Ik weet niet waarover je het hebt.'

'Dus je weet niet waar het goud is?'

'Nee. Dat weet ik niet.'

'Zou je het mij vertellen als je het wist?'

'Ja, Irina. Dat zou ik doen. Ik zou je vertellen waar het was als ik wist waar het verborgen is, maar dat weet ik niet', liegt hij en hij vervloekt het hoe gemakkelijk hij het zegt, maar dit

is als een doos vol giftige slangen die hij niet wil openen, omdat hij de consequenties er niet van kan voorspellen of overzien.
Voorlopig kost het hem voldoende moeite om te verteren dat ze
überhaupt is begonnen over die gruwelijke zaak.

'Het maakt waarschijnlijk ook niet uit. Het is vast te laat. De
zwaan is al dood, dus er valt zeker niets meer te doen.'

'Ik weet niet waarover je het hebt. Je praat de hele tijd in raad-
sels.'

'Het is heel simpel. Als er op oudejaarsavond een witte zwaan
sterft, is dat een heel slecht teken. Dan gebeuren er ongelukken.
Dat zei Baboesjka. Het is een heel slecht teken. En er ging immers een witte zwaan dood op oudejaarsavond. Hij stierf twee
minuten na middernacht in ons nieuwe jaar 1938 in de dieren-
tuin. Dat weet iedereen, ook al zeiden ze het niet op de radio of
schreven ze het niet in de krant, maar niemand doet er iets aan.'

'Irina, mijn geliefde. Ik weet niet wat ik moet zeggen en doen.
Ik begrijp je niet. Ik weet niet hoe ik je moet helpen. Ik weet niet
wat er met je aan de hand is en wat je wilt dat ik doe of zeg.'

'Dan is het goed dat ik het weet, nietwaar señor Meyer? Want
dat weet ik wel. Ik weet precies wat je moet zeggen. En ik vind
dat je het nu moet zeggen!'

De stem komt in het Spaans vanuit de volgende woonkamer.
Magnus herkent het accent, maar hij staat op zijn grondvesten
te schudden, wanneer Stepanovitj in de opening tussen de twee
grote woonkamers verschijnt met een sarcastische glimlach op
zijn lippen en een groot pistool in zijn hand.

31

Magnus laat Irina's hand los. Hij is compleet verrast dat Stepanovitj in het appartement is. Op hetzelfde moment wordt hij woedend op Irina, die totaal niet verbaasd is dat de Rus als een spook in het appartement opduikt. Ze heeft de hele tijd geweten dat hij er was. Hij is in een val gelokt.

'In señor Meyers rechterjaszak vind je een revolver, lieve Irina. Die verpest de snit. Pak hem eruit en loop bij je geliefde Meyer weg. Er kan maar beter niets gebeuren als dit ding afgaat.'

Hij beweegt zijn pistool langzaam op en neer.

Magnus kijkt naar Irina.

Haar ogen zijn nog steeds afwezig en wat vochtig, alsof ze een of andere drug gebruikt waardoor ze sloom wordt. Dit is de extreme vernedering: Stepanovitj vertrouwt haar onvoorwaardelijk. Ze steekt haar hand in zijn jaszak en haalt zijn revolver eruit. Ze houdt hem met een vaste hand beet. Ze heeft eerder met wapens te maken gehad, kan hij zien. Ze wil nog steeds geen oogcontact met hem maken. Ze doet een stap opzij en loopt bij hem weg.

De forse man uit de Zuilenzaal komt achter haar staan. Hij verschijnt vanuit een andere plek in het enorme appartement. Hij is er zeer zeker ook de hele tijd al geweest. Hij draagt hetzelfde pak, dat strak en slecht over zijn brede borst en stierenschouders zit. Hij gaat in de deuropening staan en alleen al door zijn fysieke aanwezigheid laat hij zien dat je niet langs hem kunt komen.

Irina werpt een blik naar achteren en loopt dwars door de kamer om naast Stepanovitj te gaan staan, die naar haar glimlacht. Ze glimlacht niet terug, maar kijkt naar de vloer. Ze houdt nog steeds de revolver met een gestrekte arm losjes vast. Stepanovitj reikt met zijn linkerhand naar de Smith & Wessonrevolver en pakt hem. Hij duwt ervaren de trommel aan de kant en verzekert zich ervan dat er geen projectiel in de eerste kamer zit, voordat hij hem schuin achter zijn rug in zijn riem steekt. Verrassend genoeg beveiligt hij zijn eigen pistool en steekt het in de schouderholster die hij onder zijn jas draagt.

'Dit heb ik niet nodig, Meyer. Je zou het kunnen beschouwen als een rekwisiet in een theatervoorstelling. Het hoorde eigenlijk bij het begin van de voorstelling. Je komt nooit langs mijn vriend hier. Zijn naam is Torokul en hij is vroeger Kirgizisch kampioen zwaargewicht vrij worstelen geweest. Het is geen worsteldiscipline bij de Olympische Spelen. Alle trucjes zijn toegestaan en je gaat door tot een van de twee partijen niet meer opstaat. Ik heb hem in het staatscircus van Moskou gevonden en viel natuurlijk voor zijn kracht, maar vooral voor de zeer uitzonderlijke vreugde die hij eraan beleeft andere mensen toe te takelen. Ik gebruik hem wanneer ik mensen de stuipen op het lijf moet jagen. In de regel is het voldoende als ze hem alleen maar zien. En anders kunnen een paar slagen met die vuisten iedereen spraakzaam maken. Je kunt vrij spreken. Torokul verstaat geen woord Spaans – ja, hij spreekt zelfs nauwelijks goed Russisch.'

Magnus begrijpt Stepanovitj niet. Hij praat alsof ze netjes converseren op een receptie of bij een toevallige ontmoeting in een bar, maar zijn bleke ogen zijn net zo koud als de vorst buiten. Hij spreekt hem nu ook aan met jij.

'Zullen we in de volgende woonkamer plaatsnemen en het ons gemakkelijk maken?' zegt de Rus en hij pakt Irina bij haar elleboog.

Hij zet haar op een stoel met een hoge rugleuning en wijst naar de stoel ernaast, waarop Magnus gehoorzaam gaat zitten. Hij probeert de tegenstrijdige gevoelens onder controle te krijgen die in zijn hoofd rondvliegen: onmacht, woede, teleurstelling, verwarring, wantrouwen, bijna verdriet. Alles vliegt in het rond en zorgt ervoor dat hij niet in staat is om helder na te denken.

Deze woonkamer is ook groot met twee verschillende groepen fauteuils en salontafels. Het plafond is hoog. Vier ranke staande lampen van zwart ijzer in elke hoek werpen een mild schijnsel op de mooie ruimte. Je kunt de sneeuw zien dwarrelen buiten de hoge ramen die zo dik zijn dat geen enkel geluid de kamer binnendringt.

Stepanovitj gaat tegenover Irina en Magnus zitten.

De grote Kirgiziër komt met de wodkafles en de drie glazen aanlopen en zet ze op het lage, smalle tafeltje voor hen, waarna hij een paar stappen achteruit doet, zodat zijn enorme lichaam het midden van de boog tussen de twee woonkamers vult. Stepanovitj glimlacht, maar het is eigenlijk alleen een trekje en de glimlach in het smalle gezicht straalt niet uit naar zijn ogen. Hij schenkt wodka in de drie glazen en geeft er eerst een aan Irina, die het mechanisch aanpakt, en daarna een aan Magnus.

Hij heft zijn eigen glas: 'Op een goede en gelukkige afsluiting van een gemeenschappelijke zaak. En mag ik mijzelf voorstellen. Mijn echte naam is luitenant-kolonel Dimitri Jevgenivitj Kaverin. Ik ben officier bij de GPU, een militaire tak van de NKVD. Ik ben jarenlang uitgezonden als agent en leidinggevende officier voor de Komintern en in die rol hebben we elkaar ook ontmoet in Spanje. Mijn hoogste baas hangt in de woonkamer hiernaast, maar mijn dichtstbijzijnde baas hangt hier rechts van je, Meyer.'

Magnus draait zijn hoofd om en kijkt op naar een kleine zwart-witfoto, die in een mooi zilveren lijstje aan de wand hangt. Op de foto staat een man van rond de veertig met een markant gezicht onder een bolle officierspet. Hij heeft volle lippen en diepe, donkere ogen. Op de kraag van zijn uniform en pet is de ster met de vijf punten te zien. Er lijkt een vage glimlach te verschijnen, maar die wil niet doorbreken. Het is een duister, maar ook aantrekkelijk gezicht.

'Dit is Nikolaj Jezjov. Hij is de huidige baas van de NKVD. Hij werd twee jaar geleden benoemd, toen zijn voorganger een plotselinge dood stierf, omdat de boss hem niet meer vertrouwde. Mijn vriendschap met kameraad Jezjov stamt al van jaren geleden. We hebben in Leningrad zij aan zij gewerkt. Jezjov is geen grote man. Hij is waarschijnlijk niet meer dan een meter vijftig lang en loopt mank. Daarom hebben heel wat kameraden hem door de tijd heen onderschat en hem een dwerg genoemd.

Ze hebben vaak weinig vleiende bijvoeglijke naamwoorden gebruikt. De giftige dwerg. Of de bloederige dwerg. De meeste kameraden zijn vandaag niet meer in leven. Ik heb daarentegen altijd zijn moed en zijn wreedheid bewonderd en hem nooit onderschat. Ik zag waartoe hij in staat was, toen hij er als viceminister van Landbouw voor zorgde dat de stijfkoppige koelakken begrepen dat de collectivisatie doorgevoerd moest worden. En ze werd doorgevoerd. Het kostte een paar miljoen, maar vandaag de dag hebben we onze socialistische landbouw, dus het is het waard geweest. Waarom al dat sentimentele gedoe? Elk jaar gaan miljoenen mensen te gronde als gevolg van epidemieën of natuurrampen. Geen ziel die daar iets om geeft. Wanneer we parasieten uitroeien als onderdeel van een revolutie die wereldgeschiedenis zal worden, een groots experiment, dan huilen de weke harten. De natuur is niet bekrompen en slap. Waarom zouden wij mensen dat wel zijn wanneer onze handelingen een goede zaak dienen? Die dialectiek verstaan kameraad Stalin en kameraad Jezjov. Hij is mijn baas, maar ook mijn partner. Proosten?'

De man, die zich nu Dimitri Kaverin noemt, drinkt zijn glas leeg. Magnus doet hetzelfde met tegenzin, maar hij heeft het drankje nodig. Het brandt goed en lang, en het lijkt zijn denkvermogen wakker te schudden waardoor het constructiever kan werken, of de schok is aan het afnemen.

Irina nipt van haar glas en zit er daarna mee tussen haar handen, die in haar schoot rusten. Magnus begrijpt niet wat er is gebeurd met de zelfverzekerde, sexy vrouw die hij in Spanje kende. Wat hebben ze met haar gedaan? Heeft de grote Kirgiziër haar mishandeld? Er is niets aan haar te zien en ze beweegt normaal.

'Waarom vertel ik je dit allemaal? Daar heb ik twee redenen voor. De ene is dat ik je zeer duidelijk wil maken dat het heel dom is om mijn baas en mij te onderschatten. Wij zijn de macht in dit land. De andere reden is dat ik je achtergrondinformatie wil geven waardoor je snapt dat het heel doorslaggevend is dat je mij de informatie geeft die ik graag wil hebben. Ik hoop niet dat Torokul ingeschakeld moet worden om je over te halen. Zie je, de appartementen aan weerszijden van dit appartement zijn leeg en verzegeld. Hetzelfde geldt voor het appartement boven ons en onder ons. Niemand kan ons horen. Ik verwacht zelf in de loop van de zomer in dit mooie gebouw te trekken, wanneer de boss mij daar toestemming voor geeft. Mijn lieve vrouw heeft dit gebouw al lange tijd op het oog. Er zijn genoeg appartementen om uit te kiezen. We hebben alleen al in dit gebouw zevenhonderd volksvijanden veroordeeld. Partijkameraden, officieren en zogenoemde kunstenaars, die lakeien voor het kapitalisme bleken te zijn. Die de principes van de NKVD en vooral die van kameraad Jezjov onderschatten, wanneer het gaat om het verdedigen van de revolutie. Nietwaar, Irina? Zoals jouw vader en broer deden.'

'Jazeker, Dimitri. Dat klopt vast', zegt ze, maar ze kijkt niet op.

Tot Meyers grote razernij, die hij verborgen weet te houden, buigt de magere Rus zich over de tafel en streelt vaderlijk over Irina's hand, waarna hij verdergaat: 'In 1936 kreeg ik de taak ervoor te zorgen dat het Spaanse goud naar Moskou kwam. *I speak English as well, but let us stick to Spanish*', zegt hij met een accent, dat op dat van een Amerikaan lijkt die als kind of tiener is geïmmigreerd.

Hij gaat verder in het Spaans, terwijl Magnus eraan denkt dat hij op de luchthaven in Valencia verborgen had gehouden dat hij het Engels zowel begrijpt als spreekt, toen Magnus te hulp was geschoten als tolk voor Joe Mercer.

'Ik noemde me Robert Jackson en gaf me uit als vertegenwoordiger van de Amerikaanse Nationale Bank toen we de operatie startten. Het was belangrijk mensen buiten de regering of de regeringen van andere landen en hun agenten niet in te wijden in de informatie dat de Sovjet-Unie achter het overbrengen van het goud zat, maar dat was slechts een van de vele desinformatiecampagnes die we in verband met het goudtransport in gang hebben gezet. Ik weet niet hoeveel Joe Mercer jou heeft verteld?'

Hij kijkt met zijn bleke ogen naar Magnus, die zijn ademhaling onder controle probeert te houden, maar schrikt als hij de naam Joe hoort. Waar kennen Kaverin en Joe elkaar van? Hij kan onmogelijk Joe's lot kennen. Irribarne, de andere Spanjaard Francisco, Joe en hijzelf waren als enigen aanwezig in de ruïnes onder de kerkcrypte. En die drie mannen zijn dood.

Magnus zweet. Het is warm in het appartement, maar het komt niet alleen daardoor, daarvan is hij zich pijnlijk degelijk bewust. Hij wint wat tijd door het zilverkleurige sigarettenetui tevoorschijn te halen en het te openen. Hij biedt Irina een sigaret aan die hem mechanisch aanpakt, en daarna Kaverin, die ook een van de Amerikaanse Virginiasigaretten pakt die Magnus in Berlijn had gekocht. Kaverin steekt ze voor hen alle drie op en legt de lucifer in de grote asbak, die midden op tafel staat. Hij inhaleert de rook met een groot genot en blaast hem door zijn neus naar buiten, waarna hij verdergaat: 'Okay. We kijken later naar de rol van Joe Mercer in deze zaak en welke gevolgen die voor jouw broer Mads heeft, die ik het voorrecht heb gehad te kennen en over wie ik het commando heb gevoerd.'

'Wat zeg je? Wat heeft dit met Mads te maken?'

Hij doet geen moeite zijn opwinding te verbergen. Dat kan hij ook niet. Hij roept en wil uit zijn stoel opstaan, terwijl de Rus hem alleen maar aankijkt met een scheve glimlach. Magnus voelt een paar zware handen op zijn schouders en een grote kracht die hem bruut terugduwt op de stoel, bijna als door een klap, zodat zijn hele ruggegraat pijn doet. Torokuls handen voelen aan als een paar betonblokken en Magnus ruikt zijn zweet. Het is een opluchting wanneer de handen de harde greep loslaten en weer verdwijnen, en hij merkt dat de grote Kirgiziër een paar stappen opzij doet. Toch is hij nog steeds veel te dichtbij.

'Alles op zijn tijd, Meyer. Alles op zijn tijd', zegt Kaverin. 'Ben je klaar met je uitbarstingen, zodat we verder kunnen gaan als beschaafde *gentlemen? And a lady, of course?*'

Magnus knikt, maant zichzelf tot rust en Kaverin gaat verder op dezelfde neutrale conversatietoon. Alsof ze over het weer praatten of over de laatste enigszins saaie opera, die ze in het Bolsjoj hadden gezien.

'Zoals gezegd weet ik niet wat Joe Mercer je heeft verteld, maar dit is het verhaal in grote lijnen – het ware verhaal. Er doen veel geruchten de ronde over het Spaanse goud. Er was immers vrij veel van. De vier na grootste voorraad ter wereld, zoals je misschien hebt gehoord. De vrucht van de beroving van goede conquistadores in Latijns-Amerika. Op 13 september 1936 kreeg ik de opdracht van de toenmalige minister van Financiën Juan Negrín, die het met Stalin en de minister van Buitenlandse Zaken Litvinov had afgesproken. Ik moest het Spaanse goud evacueren naar de Sovjet-Unie, zodat ze geld hadden om wapens van te kopen. Madrid kon elk moment vallen, of naar de kant van de fascisten of naar de anarchisten. Ik zag mijn kans schoon toen ik de transportpapieren en de manifesten over de inhoud zag. Jezjov en ik hadden het erover gehad dat het leven aan de top van de Sovjet-Unie riskant kon zijn en mocht je je financieel kunnen indekken, was dat misschien een heel goed idee voor als de situatie met de tijd ongunstiger werd. De boss is niet altijd even goed te begrijpen. En je weet dat we als communisten niets bezitten. De staat en de partij bezitten alles en lenen ons de appartementen, auto's, bijzondere inkoopmogelijkheden en de andere privileges die we hebben alleen maar uit. Jezjov zag zijn kans ook schoon en had al het luisterend oor van de boss, wanneer het ging om Yagoda die Stalin zat begon te worden. Yagoda leidde de NKVD, maar Stalin had in 1934 kameraad Jezjov als zijn vicechef benoemd om de macht van Yagoda te beknotten. Dat is gelukt. Op 16 september zet Jezjov Yagoda af en neemt hem persoonlijk onder behandeling in Lubjanka, waarna hij hem laat doodschieten. Op 26 september benoemt kameraad Stalin hem tot nieuwe baas van de NKVD, zodat we macht over de organisatie hebben. En de papierloop die erbij hoort. Begrijp je waar ik heen wil?'

'Het helpt. Jullie beramen een beroving.'

'Dat is een grof woord. We plannen een verzekeringspremie, een pensioenfonds voor als de tijden mochten veranderen. Ik ben in Spanje, maar hou contact. Op 15 september hou ik er toezicht op dat het goud naar het Atocha-station in Madrid wordt gereden en overgeladen wordt op een speciale trein. De soldaten weten niet wat ze bewaken, maar sommige mensen zijn wel geïnformeerd over wat er zich in de vele houten kisten bevindt. Officieel zijn het gewoon regeringsdocumenten. Maar het is noodzakelijk om enkele mensen met een vertrouwenspositie, die ik persoonlijk heb uitgekozen, erbij te betrekken. Het is een grote operatie. Er zijn meer dan tienduizend kisten met goud en zilver, meer dan zeshonderd ton in totaal. De treinreis verliep zonder problemen. In Cartagena, dat jij zo goed kent, hebben we het grootste deel van het transport naar een grote grot gebracht, terwijl een ander deel meteen op een vrachtschip werd geladen dat naar Marseille vertrok. En van daaruit verder naar Parijs. De rest – zo'n 510 ton – voeren we op 25 oktober naar Odessa en van daaruit met de trein naar Moskou. Het meeste ligt nu in de kelder van het Kremlin en daarmee worden de wapens betaald, die we leveren aan onze strijdende kameraden. De documenten van de Spaanse nationale bank zijn volledig in overeenstemming met de waarde van het goud waarvoor werd getekend in Moskou. Het klopt tot op de gram. We hebben goede vervalsers binnen de NKVD. Er is vandaag de dag dan wel één minder, want we konden de kameraad niet laten leven met zijn kennis, maar na een paar uur met Torokul bekende hij zijn trotskistische aard en zijn samenzweerderige neigingen en hij werd dezelfde ochtend nog doodgeschoten.'

De Rus ziet er tevreden uit. 'Volg je het nog, Meyer?'

'Ik begrijp het. Een goed georganiseerde beroving.'

'Niet helemaal. We waren niet zo inhalig als gewone misdadigers altijd zijn. We verdeelden de buit in twee hopen. De grootste ging naar het vaderland. De kleinste ging naar ons. Het goud dat naar Parijs kwam, brachten we naar een bank met de naam Banque Commerciale pour L'Europe du Nord. In het dagelijks leven Eurobank genoemd. Het klinkt heel Frans en chic, maar de NKVD is de eigenaar. Hij is als het ware ons front. Het is onze kleine privébank in het hart van het kapitalisme. We wisselden de goud- en zilverschat om in harde valuta, stuurden het meeste geld terug naar onze vrienden in het republikeinse Spanje en een deel naar een rekening in Zwitserland, waar Jezjov en ik toegang tot hebben, maar alleen als we samen verschijnen met ieder ons halve rekeningnummer. Slim, hè?'

'Erg slim. Ik ken mensen in New York met wie jullie veel gemeen hebben.'

'Je bent je gebruikelijke sarcastische ik aan het hervinden, hoor ik. Prima. Dat geeft niets. Ik kan je gewiekstheid wel gebruiken.'

Kaverin kijkt hem onderzoekend aan. Magnus kijkt weg. Hij weet wel wat zijn blik zal onthullen: dat hij doodsbang is, omdat hij weet dat hij dit niet zal overleven. Kaverin is veel te openhartig. Of hij houdt gewoon van opscheppen. Iets wijst daarop. Hij houdt ervan om op te treden met zijn uitgekookte bekwaamheid. Moet je mij eens zien, lijkt hij te zeggen. Ik ben slimmer dan jij en ik heb je meisje ingepikt.

Kaverin drinkt zijn glas leeg, maar Meyer laat het zijne staan. Irina zit nog steeds in dezelfde houding met haar halflege glas tussen haar handen in haar schoot. Ze kijkt omlaag en het is lastig voor Magnus om in te schatten of ze überhaupt luistert.

Kaverin drukt zijn sigaret uit en gaat verder: 'Maar dat is niet alles. Ik zal niet in details treden, maar het lukte me om te organiseren dat een deel van de goudreserves in Spanje – slechts een klein deel van het grote geheel, maar wel een post, moet ik zeggen – uit de grot in Cartagena verdween en het bankmanifest werd aangepast. We konden onze bank in Parijs niet meer gebruiken. Dat zou te riskant zijn, omdat het Westblok klaarstond om hun vervloekte non-interventiepolitiek te beginnen en daarmee was er geen reden om valutareserves in Parijs op te bouwen. De Britten en de Fransen wilden toch geen wapens aan de republiek verkopen. En hier komt je vriend Joe Mercer in beeld. Hij heeft goede connecties in de vs en in Argentinië, dat ook een vriendelijk land is als het gaat om bankgeheimen en grote kluizen. Hij was bereid om ons te helpen. Tegen een vergoeding natuurlijk.'

'Waar kende je Joe van?'

'Kende? Interessant dat je de verleden tijd gebruikt. Want

waar is de goede oude Joe? Ik heb lang naar hem gezocht, voordat ik naar Moskou moest afreizen. Mijn middelen zijn omvangrijk, maar hij is als van de aardbodem verdwenen. Vreemd hè?
We hadden immers een afspraak. Joe Mercer is een misdadiger
die alles doet voor geld. Ik heb eerder zaken met hem gedaan,
toen ik als agent voor de Komintern een cover nodig had of een
ingang tot de Amerikaanse maatschappij. Dat maakt niet uit.
Dat heeft hicr niets mee te maken. Joe heeft goede contacten
met het Amerikaanse misdaadsyndicaat, dat Joe *Cosa Nostra*
noemt.'

'Dus het was één grote komedie, daar in Valencia?'

'Niet helemaal. Ik stond Joe op te wachten, maar hij gaf mij
een teken dat we moesten doen alsof we elkaar niet kenden. Later begreep ik dat dat vanwege jou was, omdat hij jou wilde gebruiken. Is dat niet zo? Dat hij jou kon gebruiken?'

'Misschien.'

'Misschien ja. Joe lapte het echter niet. Want waar is het
goud?'

'Dat wist Joe niet. Hij had mij nodig om daarachter te komen.
Ik moest vertalen. Hij wist dat ik *a made man* was, zoals ze dat in
de vs noemen. Je kon me vertrouwen. Ik kon mijn mond houden
en ik sprak Spaans. Joe niet. Of wel?'

'Nee. Dat kon Joe niet. En ja. Ik heb een fout gemaakt. Ik heb
iedereen uit de weg geruimd die met ons deel van het goud had
te maken. Het was te gevaarlijk voor me om mensen om me
heen te hebben die mijn vijanden konden worden. Ik dien een
wraakgierige boss. Het was gemakkelijk in Spanje. Daar sterven
ze bij bosjes. Helaas is de enige die over was en de verstopplek
kende omgekomen bij een luchtbombardement, dus ik huurde
Joe in om het goud te vinden. Zelf kon ik dat niet. Je landgenoot
Pandrup maakte op mij een enigszins verdachte indruk. Het is
een vreselijke idealist. En eigenlijk had ik veel taken uit te voeren voor de republiek, die toenamen naarmate het steeds slechter ging met de oorlog. Ik durfde je in Spanje niet onder druk
te zetten. Ik moest je naar Moskou zien te halen om je op mijn
eigen terrein te ontmoeten, waar ik kan doen wat ik wil. En ik

heb Irina gebruikt. Je was een verliefde sukkel. Ik wist dat je als een reu aan zou komen rennen met je tong uit je keel.'

'Je hebt haar vader en broer gebruikt.'

'Daarvoor zorgde Jezjov. Hij begreep mijn plan. Kolonel Sjapatovo begon te genereus te worden en het was nodig om hem klein te krijgen. Jezjov heeft een quotum voor officieren, mensen van de NKVD, partijfunctionarissen en gewone mensen die elke nacht moeten worden opgehaald. Elke dag heeft zijn volksvijanden. Het is pure wiskunde. Zo en zo veel elke dag. De boss houdt van het systeem. Er gaat niets boven koude vrees om pogingen tot oproer in bedwang te houden, dus een paar meer of minder maakt niet uit.'

Irina reageert plotseling en verrassend en gooit de inhoud van haar glas in het gezicht van Kaverin, die net zo snel reageert en haar een harde klap met de achterkant van zijn rechterhand verkoopt, ook al heeft de wodka in elk geval zijn ene oog geraakt. Magnus staat op uit zijn stoel en is onderweg over de tafel, wanneer hij een verlammende tik op zijn schouder voelt die hem op de vloer slingert. Hij komt halverwege omhoog wanneer hij door een vuistslag in zijn zij wordt geraakt die alle lucht uit hem perst. Een gekneusde rib begint flink pijn te doen en hij krimpt ineen, terwijl hij naar adem hapt.

Irina jammert en zit met haar armen om zich heen geslagen op haar stoel met een gloeiende rode wang, terwijl Kaverin heel hard iets in het Russisch zegt. Ze schudt haar hoofd en bijt op haar knokkels, tot bloedens toe.

Torokul pakt zonder inspanning Magnus op van de vloer en gooit hem in de fauteuil, waar hij weer normaal adem probeert te halen, terwijl hij zijn hand op de pijnlijke rib houdt. Kaverin strekt zijn arm uit en vist Meyers sigarettenetui uit zijn borstzakje, opent het, pakt er een sigaret uit, doet het dicht en stopt het nonchalant terug in Meyers binnenzakje, waarna hij voor zichzelf de sigaret opsteekt, de rook uitblaast en achteroverleunt in zijn stoel: 'Ik zou willen dat je ophoudt je zo theatraal op te stellen. Het leidt nergens toe en stelt alleen maar het onvermijdelijke uit.'

Hij rookt, kijkt met zijn dode ogen naar Magnus en wacht geduldig, totdat die weer zo normaal adem kan halen dat zijn stem niet klinkt als een mager speenvarken. Magnus gaat recht-op zitten, pakt zijn sigarettenetui uit zijn zak en probeert het te openen, maar zijn vingers trillen te zeer. Kaverin strekt zijn arm uit over de tafel, opent het voor hem en biedt hem een sigaret aan. Magnus slikt zijn schaamte en woede in, vist er een sigaret uit en laat Kaverin die voor hem aansteken, waarna hij voorzich-tig achteroverleunt en de Rus alleen maar woest aankijkt: 'O ja', zegt Kaverin met zijn lage, toonloze stem. 'Als blikken zouden kunnen doden, dan had jij gewonnen. Dat kunnen blikken niet, maar ik wel en Torokul ook, dus zullen we hier een einde aan maken? Ik wil weten waar het goud is.'

'Wat levert mij dat op?'

'Dat is beter. Dat is pas een zakelijke benadering. Dan kun je weggaan en onze gezamenlijke vriendin met je meenemen. Ik ben haar toch beu. Ze is niet meer zo levendig in bed. In het begin was het leuk. Dat weet je vast nog wel. Ik heb ze het liefst fris, jong en heel graag nieuw. Vrouwen worden snel saai en voorspelbaar wanneer het om seks gaat, vind je niet?'

Magnus balt zijn rechterhand zo hard hij kan en probeert de beelden die zich onverbiddelijk als een film op zijn netvlies af-spelen te verdringen. Hij inhaleert zo krachtig, dat de sigaret warm brandt en de tabak bitter wordt.

'Waarom heb je dit gedaan, Irina?' vraagt hij en hij draait zich naar haar om.

Ze houdt de knokkels bij haar mond. Hij pakt voorzichtig haar hand vast, trekt hem weg en legt hem in haar schoot naast haar andere hand. Ze pakt met haar ene hand meteen de andere beet.

'Waarom, Irina?'

'Voor papa natuurlijk. En voor Nikolaj. Wat anders? En ik zei toch dat je niet naar Rusland moest komen. Dat zei ik toch. Het was vooral voor papa. Ik deed het vooral voor hem.'

'Hoe? Door deze man te neuken?'

Irina geeft geen antwoord, maar stopt de gebalde vuist weer

in haar mond en Kaverin komt met de uitleg: 'Het is heel eenvoudig, Meyer. Als zij het uit je zou kunnen trekken of als je
het mij zelf vertelt, dan worden de kolonel en zijn zoon morgen vlak na de rechterlijke uitspraak niet geëxecuteerd. Op dit
moment staat hun een vonnis van vijfentwintig jaar werkkamp
in Kolyma te wachten, onder streng bewind uiteraard, maar ze
behouden hun ellendige leven. Maar als ik vanavond naar de
rechter bel en hem het advies geef om streng te zijn, zullen ze
ter dood worden veroordeeld, afgevoerd worden en ogenblikkelijk worden geëxecuteerd. Dat weet Irina. En nu weet jij het. Het
ligt in jullie handen.'

'En dat moeten wij geloven?'

'Jullie hebben geen andere keuze.'

'En als ik nou niet weet waar het goud zich bevindt?'

'Meyer, ik heb geen zin meer in dreigen. Het was mijn plan
dat ons gezamenlijke schatje het uit je zou lokken, maar haar
mentale toestand is op zijn zachtst gezegd niet de meest stabiele.'

'Nee. Wat heb je met haar gedaan?'

Kaverin buigt zich voorover. Magnus ziet nu duidelijk dat hij
ervan geniet om te vertellen, hoe hij geniet om Irina en hem
weerloos en volledig in zijn macht te zien.

'Lichamelijk heb ik niets met haar gedaan. Behalve haar be-
vredigen, hè? Maar ik heb haar meegenomen naar Lubjanka, zodat ze kon zien hoe we volksvijanden en verraders behandelen.
De eerste nacht was ze aanwezig bij de behandeling van haar
broer. De tweede nacht zorgde haar vader voor het vermaak. Ze
zijn zeer afwisselend in hun technieken in de kelders van Lubjanka, dus ze heeft een goed beeld gekregen.'

'Je bent een krankzinnig beest.'

De stem van Kaverin wordt diep: 'Nee. Ik ben een mens, Meyer. Ik ben geen beest. En je noemt mij niet krankzinnig. Heb
je dat begrepen? Goed. Ik wil gewoon de waarheid horen en
daarom wil ik het liefste strengere methodes om je over te halen vermijden. Mensen bekennen tijdens martelingen alles. En
Irina bespaarde zichzelf en haar familie nog meer verschrikkin-

gen. Ze beloofde onvoorwaardelijk mee te werken en de verhoren stopten. Ze moesten hun misdaden bekennen en het in de rechtbank in het openbaar herhalen, anders zou Irina dezelfde behandeling in de kelder krijgen. Het was vrij eenvoudig opgesteld. De keuze was niet zo moeilijk. Het was een stel harde en trotse mannen, maar ze braken. Uiteindelijk breken ze allemaal. Onthou dat, Meyer. Altijd! Er zijn geen uitzonderingen.'

'Je bent een zwijn.'

Kaverin knikt naar de grote Kirgiziër en hoewel Torokul slaat met vlakke hand slaat en zonder zich ook maar een beetje in te spannen, schudt het hele hoofd van Magnus wanneer de klap tegen zijn wang komt. Er stroomt bloed uit zijn ene neusgat. Niemand zegt iets. Magnus gaat rechtop zitten. Irina buigt zich naar hem toe en veegt met de mouw van haar bloes wat bloed weg.

Kaverin zegt vermoeid: 'Leren jullie in Denemarken nooit van jullie fouten? Begrijpen jullie dan niets? Hoort dat bij het nationale karakter? Zo'n stupiditeit. Zo was je jongere broer niet.'

De Rus kijkt hem toegeeflijk aan en Magnus wenst vurig hem te vermoorden.

'Wat is er met Mads? Ik zeg niets als je mij niet over mijn broer vertelt. Dan kan die gorilla met me doen wat hij wil. Het maakt mij niet uit.'

'Nee. Dat maakt je wel uit, maar laat maar zitten. Je jongere broer, die ik hoog had zitten als dappere soldaat, was niet het doel, maar hij werd wel slachtoffer. Ik moest zijn pelotonleider klein krijgen – een of andere Zweedse vrijwilliger, die lucht had gekregen van het goud. Ik weet niet hoe, maar hij stelde verkeerde en veel te veel vragen.'

Magnus is helemaal leeg. Het doet pijn en tegelijkertijd is er alleen een grote leegte in zijn hart. 'Wat is er met Mads gebeurd?'

'Ik weet het niet. Ik zou het je vertellen als ik het wist, maar ik weet het niet. Pandrup en ik stuurden hem op een missie achter de linies van de vijand. Dat hadden we eerder gedaan. Een belangrijke missie in verband met het offensief bij Teruel. Ze liepen blijkbaar in een hinderlaag. Ze zijn nooit teruggekomen van de missie. Het spijt me. Echt waar. Je broer was een groot idealist. Een goed mens. En een waardevolle soldaat voor de zaak.'

'Waarom liepen ze in een hinderlaag?'

'Wie zal het zeggen? Er gebeurt zo veel tijdens een oorlog ...'

'De vijand wist dat ze kwamen. Is dat het?'

'De fascisten hebben goede spionnen. Dus dat is het vast.'

De behoefte om de Rus naar de strot te vliegen is zo sterk dat Magnus zijn handen onder zijn billen moet drukken om niet op te staan en hem aan te vliegen, en hij moet gewoonweg hopen dat een harde klap tegen het verraderlijke strottenhoofd doorslaggevend zal zijn, voordat het angstaanjagende geweld van de grote Kirgiziër begint.

Zijn hart is overstuur. Hij is tegelijkertijd ook helemaal rustig. Hij heeft zijn beslissing genomen. Kaverin, Stepanovitj of hoe hij ook heet, moet sterven. Magnus is ervan overtuigd dat hij hier toch niet levend vandaan zal komen. Irina ook niet. Hij wil nu al zijn mentale kracht gebruiken om een manier te bedenken waarop hij de Rus kan vermoorden, voordat Torokul hem te pakken krijgt. Er moest een manier zijn. De wodkafles? De zware asbak? Een harde stoot direct tegen zijn strottenhoofd, zoals Giacomo's lievelingshuurmoordenaar Sonny The Devil hem in New York had geleerd? Hem met zijn eigen stropdas wurgen? Sterven zal hij. Dat staat vast. Het is slechts een vraag op welke manier.

In plaats daarvan zegt hij met een sneer in zijn stem, want zijn gal moet eruit, als hij niet volledig zijn bezinning wil verliezen: 'De melk van die hoer van een moeder van je moet zuur en bitter zijn geweest toen je als baby aan haar hoerige borsten zoog.'

Kaverin lacht. Het is een hoge, melodieuze lach, die snel wegsterft wanneer hij zegt: 'Ach. De Spaanse taal en het wonderlijke arsenaal aan grofheden. Je zou Russisch moeten leren. Onze grote taal heeft nog meer beledigende, bloeiende woorden, maar het doet mij niets meer, Meyer. Ik wil niet met jou discussiëren. Ik heb geen zin om ruzie met je te maken of me te laten beledigen. Ik kan je morgen laten doodschieten als ik dat wil en misschien wil ik dat, maar jij en je vriendin, van wie ik veel genoegen heb gehad, moet ik toegeven, jullie kunnen aan de dans ontspringen. Als, en ik bedoel echt áls je me nu vertelt waar Joe Mercer je mee naartoe heeft genomen om je mijn Spaanse goud te laten zien, zodat jullie levend kunnen ontkomen.'

'Wie zegt dat hij dat heeft gedaan?'

Kaverin kijkt op en Magnus zegt snel: 'Het klopt. Dat heeft hij gedaan. Ik zal het wel vertellen.'

'Een slimme zet. Vertel maar.'

Magnus vertelt het verhaal zoals het is. Hij verbergt niet wat er in de ruïne van de gebombardeerde kathedraal Santa Maria La Vieja in Cartagena is gebeurd en dat Kaverin zijn twee kisten met de gouden en zilveren munten onder de crypte kan vinden, als niemand ze in de tussentijd heeft gevonden. De lijken liggen in de put. Het was zelfverdediging.

Kaverin kijkt naar hem en drukt zijn sigaret in de reeds overvolle asbak uit. Irina rookt ook mechanisch. Magnus steekt zelf een sigaret op. Zijn handen trillen bijna niet meer. Hij wacht en uiteindelijk zegt Kaverin: 'Ik geloof je, maar slechts tot op zekere hoogte. Jij bent slim. Je bekent dat je Joe hebt doodgeschoten. Je vertelt me dat het goud in de crypte is. Je weet dat ik je informatie hier en nu niet kan controleren en daarmee belet je me je te vermoorden. Want wat als je de waarheid niet vertelt? Wat nou als je het allemaal hebt verzonnen?'

'Dit verzin ik niet.'

'Dan zeggen we dat, maar kom er nou maar mee.'

'Waarmee? Er is niet meer.'

'Jawel. Er is nog veel meer. En waar is het? Waar is de rest van het goud? Denk je dat ik samen met Jezjov alles in het werk stel voor twee schamele kisten?'

'Ik weet niet waar je het over hebt. Ik zag maar twee kisten.'

'Nu geloof ik je niet meer, klootzak. We hebben vijf procent van het goud uit de grot in Cartagena gesmokkeld en aan boord van een viskotter gebracht die ik had ingehuurd. De man die onder het bombardement van Cartagena werd vermoord, was schipper op die kotter. Ik weet niet waar zijn bemanning is. Het schip verdween. Dat de schipper opdook, was een verrassing en ik weet niet waarom hij terugkwam naar de plaats delict. Het zou kunnen zijn omdat hij een heler nodig had in het tumult van de oorlog, nietwaar? Want voordat Joe bij hem was, werd hij vermoord. Of is dat wel zo? Ik ben gaan twijfelen of de goede Joe mij de waarheid heeft verteld. Misschien zijn alle mannen op die kotter nog in leven. Want er is veel wat erop duidt dat Joe hem juist vond met jouw hulp. Vijf procent klinkt misschien niet veel, maar vijf procent van tienduizend kisten zijn nog wel vijfhonderd kisten met het kostbaarste goud en zilver ter wereld. Waar voer hij het naartoe? Dat heeft hij mij niet kunnen vertellen. Waar is het schip of alleen de vracht?'

Magnus begint te lachen. Het is een beetje een hysterische lach, maar hij kan het niet laten.

'Mogen we meelachen?' vraagt Kaverin.

Magnus schudt zijn hoofd om de wonderlijke gang van zaken en zegt: 'Het lijkt alsof de dieven zijn bestolen door andere dieven. Zoals we in de vs zeggen, en jij verstaat Engels: *You have been had, you son of a bitch.* Vind je dat niet enorm grappig?'

'Totaal niet. Bovendien geloof ik je niet. Ik moet Torokul vragen om je ervan te overtuigen dat je de waarheid moet vertellen. Torokul!' zegt Kaverin met felheid in zijn stem en Magnus weet dat hem nu pijn en angst staan te wachten.

Toch verrast de bruutheid en effectiviteit hem, ook al heeft hij het nodige meegemaakt in New York. De grote Kirgiziër tilt hem op uit zijn stoel en houdt hem vast met zijn rechterarm over zijn borst, zodat zijn armen op slot komen te zitten. Het is alsof hij vastzit in de houdgreep. Met zijn linkerhand pakt Kaverin Magnus' pink beet en breekt hem met een droge knak, zodat Magnus het uitkrijst om een uitlaatklep voor zijn pijn te vinden. Irina leunt voorover en brengt ook de andere hand naar haar mond.

Kaverin zegt droog: 'Het is een specialiteit die Torokul in Lubjanka heeft ontwikkeld. Hij breekt een voor een alle botten in je

lichaam. Hij begint met je vingers en gaat alles af. Het is ongelooflijk hoeveel botten je in je lichaam hebt. Het is ongelooflijk
hoelang een mens erover kan doen om te sterven, ondanks de
verschrikkelijkste pijnen. Dus ik vraag je opnieuw: waar is de
rest van het goud? Ik geloof je verhaal over die schamele twee
kisten gewoon niet.'

'Jemig! Ik weet het niet', zegt Magnus en zijn stem trilt van de
pijn in zijn linkerpink, en hij bereidt zich erop voor dat zijn volgende vinger gebroken zal worden, wanneer Irina een dierlijke
schreeuw produceert en met beide handen de volle asbak tegen
het hoofd van Kaverin gooit. De Rus gilt het uit wanneer de peu-
ken en as in zijn ogen komen. Irina staat rechtop en grijpt de
wodkafles van de tafel en hamert die in het gezicht van Kaverin,
zodat het bloed eruit spuit. Ze laat de fles los en brult iets in het
Russisch, terwijl ze over de tafel kruipt en zich op Kaverin werpt
en probeert haar handen om zijn strottenhoofd te klemmen.

Torokul heeft zijn grip wat losser gemaakt, maar hij spant
hem aan wanneer hij voelt dat Magnus vrij probeert te komen.
Vanuit zijn ooghoeken ziet Magnus dat Svend de woonkamer in
komt lopen, onderweg een van de staande lampen grijpt en die
tegen de rug van de grote Kirgiziër smijt. Hij had op zijn hoofd
moeten richten, maar Svend is misschien bang om Magnus te
raken. Omdat hij maar één hand heeft om de lamp mee rond
te zwaaien, kost het hem moeite om die in bedwang te houden.

Torokul brult het uit en zakt een beetje door zijn knieën.
Hij moet Magnus loslaten wanneer hij zich omdraait, met zijn
hand zwaait en Svend op zijn schouder raakt. De klap is zo hard
dat Svend door de kamer vliegt en omvalt. Magnus draait zich
om op de vloer en hamert zijn rechtervuist met alle kracht tegen de neus van de Kirgiziër. Die breekt, maar zijn kleine ogen
knipperen nauwelijks, ook al zit er bloed in zijn grote snor. Magnus probeert zijn strottenhoofd te raken, maar zijn vuist ramt
zijn kin en glijdt weg. De Kirgiziër geeft hem zo'n harde duw
dat hij met een enorme kracht achterover tegen de wand vliegt
en buiten adem raakt.

De Kirgiziër keert zich om naar Svend, die overeind is gekomen en nog een staande lamp heeft gepakt, die hij als een lans voor zich houdt om ermee in het gezicht van de reus te steken. In de ogen van Svend is zowel angst als razernij te lezen.

Kaverin delft het onderspit.

Door de as in zijn ogen ziet hij niets. Irina is als een furie. Ze zit schrijlings op hem, krabt hem in zijn gezicht en probeert zijn ogen uit te steken. Kaverin brult in het Russisch en Torokul reageert als een hond van Pavlov en schiet zijn heer en meester te hulp. Hij trekt met zijn linkerhand Irina moeiteloos van de vloekende en naar adem snakkende Kaverin af en pakt met zijn rechter haar hoofd beet. Irina's fijne hoofdje verdwijnt bijna in de grote vuist, die doordrukt en haar nek breekt alsof ze een verfomfaaid eendje was.

Magnus vliegt hem brullend van woede aan, maar wordt tegengehouden door een tik, waardoor hij naar achteren vliegt tegen het hoofd van Kaverin aan, die op zijn knieën het bloed en de as uit zijn pijnlijke ogen probeert te vegen. Svend hamert de staande lamp tegen de nek van Torokul, zodat het bloed tegelijk met de gloeilamp en de fitting spat. Hij draait zich om en rukt de staande lamp uit de hand van Svend en gooit hem op de vloer.

Irina ligt op de vloer met haar hoofd in een verschrikkelijk verdraaide houding. Magnus voelt Kaverin onder zich vechten, rolt op zijn zij en slaat hem hard in zijn ene bloeddoorlopen oog en een keer in het andere, wanneer hij zijn eigen revolver op de vloer ziet liggen. Hij slaat Kaverin opnieuw en strekt zijn arm uit naar de revolver, spant de haan en ziet de patroon naar voren glijden. Hij is blind van woede en wanhoop. Zittend op zijn knieën richt hij op de bloedende Kaverin, wanneer hij het gekwelde geroep van Svend in het Deens hoort: 'Verdomme, Magnus. Help me. Verdomme, haal die gorilla weg.'

Magnus komt overeind en ziet hoe Torokul Svend in een worstelgreep houdt en aandrukt, en dat de dodelijke omarming het leven uit hem perst. Het is slechts een kwestie van seconden, voordat hij een voor een de ribben zal horen breken. Torokul staat gelukkig met zijn zij naar Magnus, die zijn revolver met twee handen vastpakt en twee keer schiet. De knallen klinken luid in de woonkamer met het hoge plafond. Het ene schot raakt Torokul in zijn been, het andere gaat erlangs en komt in de wand terecht. De grote Kirgiziër kreunt hard en laat Svend los, die jammerend op de vloer glijdt.

Magnus voelt zich heel rustig en ziet alles koel en helder. Alle geluiden zijn gedempt en komen van ver. Hij laat de Kirgiziër een stap in zijn richting zetten, waarna hij hem in zijn oog schiet, waardoor de hersenmassa het achterhoofd verlaat en over Poulsen op de vloer stroomt. Het gezicht van Torokul krijgt een ogenblik een verwonderde uitdrukking. Hij zakt door zijn knieën en Magnus doet een stap naar voren, schiet hem in zijn andere oog en staat rustig toe te kijken hoe de Kirgiziër langzaam voorovervalt en sterft als een grote stier in de arena.

Magnus draait zich om.

Kaverin komt weer wat bij. Hij kan in elk geval iets zien met zijn ene oog en gaat op de tast naar zijn pistool in zijn schouderholster. Magnus voelt nog steeds een vage rust en gebrek aan angst. Hij voelt het kloppen in zijn gebroken pink aan zijn linkerhand, maar hierdoor blijft de adrenaline door zijn lichaam pompen en behoudt hij zijn concentratie. Hij loopt rustig vooruit en trapt Kaverin zo hard en vaak hij kan met zijn hak in zijn gezicht, zodat diens mond verandert in een bloederig moeras van kapotte lippen en gebroken tanden, en hij voelt de pijn tot in zijn tenen.

'Niet doen, Magnus. Niet doen. We hebben hem misschien nodig.'

Svends stem bereikt hem, maar hij komt wel van ver. Hij luistert niet, maar houdt het pistool voor het gezicht van Kaverin, die halverwege tegen de wand geleund zit.

'Bereid je maar voor, verhoerde klootzak. Dit is voor Mads en voor Irina', zegt hij en hij schiet hem op een halve meter afstand midden tussen zijn ogen en ziet de Rus opzij glijden en een vlek van hersenen en bloed over het lichte behang achter zich aan trekken, waarna hij helemaal stil op zijn zij ligt.

De fauteuils en salontafels zijn omgegooid. Een van de stoelen is over Irina gevallen. Svend komt overeind. Hij houdt met zijn goede arm zijn ene zij vast, alsof zijn ribben zijn gekneusd of gebroken. De grote Kirgiziër ligt op de vloer met zijn hoofd in een plas bloed.

Meyer steekt zijn lege revolver in zijn riem en tilt voorzichtig de stoel van Irina's levenloze lichaam. Hij gaat naast haar zitten, pakt haar slappe hoofd met beide handen op en legt het in zijn schoot. Hij kijkt op naar Svend, die nu rechtop staat: 'Zou je Keenan willen opbellen in het hotel, Svend? Ik denk dat we hem nodig hebben', zegt hij en hij hoort zijn eigen stem alsof die van iemand anders is. Hij sluit voorzichtig Irina's open, lege ogen, waarna hij haar zachtjes en langzaam over haar haar begint te strelen, terwijl zijn tranen zich vermengen met bloed.

Epiloog

De volgende paar dagen staan in mijn geheugen gegrift als van die dagen die vrijwel geheel in nevelen zijn gehuld. Ik ben in staat geweest om ze met hulp van Svend Poulsen, die mijn leven heeft gered, te reconstrueren. Svend probeerde me te troosten door te zeggen dat Irina ons allebei gered had met haar plotselinge aanval op haar plaaggeest, hoewel ze moet hebben geweten dat ze daarmee haar eigen leven op het spel zette. Svend dacht dat ze eigenlijk niet wilde leven, maar in die troost heb ik nooit geloofd.

Svend en ik hadden zeeën van tijd om het gehele verloop door te nemen op de tien dagen durende treinreis van Moskou naar Vladivostok, bijna tienduizend kilometer verderop aan de andere kant van de aarde aan de kust van de Stille Oceaan.

De trans-Siberische spoorlijn bracht ons in veiligheid. Duizenden kilometers reisden we over het treinspoor door het land met de bevroren grond, waar andere langzame treinen met mensen in de gesloten veewagons op weg waren naar wat de wereld vele jaren later leerde kennen als Goelag. Het is een vreemde gedachte dat de broer en vader van Irina in een wagon met andere veroordeelden misschien vlak voor ons of waarschijnlijker vlak achter ons reden.

We kwamen weg, maar de eerste minuten na de verschrikkelijke gebeurtenissen in het appartement in Moskou was het moeilijk om een uitweg te vinden uit de hel. Ik verloor mijn greep op de dingen en liet me als een willoze pop leiden door Svend en Keenan die opdook en de leiderskwaliteiten toonde die ik leerde kennen toen we elkaar opnieuw tijdens de oorlog tegenkwamen.

Svend Poulsen was me gevolgd toen ik Hotel National had verlaten. Hij vertrouwde mijn gemoedstoestand niet en Irina ook niet. Hij was van nature een samenzweerderige ziel en door zijn tijd in de communistische partij was hij voorzien van een zesde zintuig, dat het verraad op grote afstand kon ruiken.

Hij had de al dronken portier nog meer dronken gevoerd en hem tegen zijn hoofd geslagen, zodat de man omviel. Toen had hij zijn hoofd in zijn armen gevlijd en er een omgevallen wodkaglas naast gelegd. Dat was blijkbaar een tamelijk veelvoorkomend beeld. Svend wist dat een portier in Moskou een extra sleutel van de appartementen had. Dat schreven de brandvoorschriften voor, zelfs in een chic woonblok als het huis aan de rivier.

Hij vervloekte zichzelf toen hij zag hoe groot Torokul was. Hij had een wapen mee moeten nemen. Svend had even geluisterd, terwijl hij stond na te denken over wat hij moest doen en waarover het ging, maar zijn Spaans was niet goed genoeg om het gesprek te kunnen volgen. Irina nam de beslissing voor hem. Toen zij Kaverin aanvloog, dwong ze Svend om zich in het gevecht te mengen.

Toen Paul Keenan aankwam, zat ik nog steeds met Irina's hoofd in mijn schoot. Er waren geen tranen meer, maar ik zag er net zo vreselijk uit als ik me voelde. Keenan verspilde geen tijd met sentimentaliteit, maar vroeg me om me verdomme te vermannen. Ik reageerde niet. Hij gaf me een harde tik en het was alsof die me wakker schudde, wat waarschijnlijk ook de bedoeling was. Ik legde voorzichtig Irina's hoofd op de vloer, stond op en stak een sigaret op.

'Ik wil het verhaal graag horen, maar wel kort', zei Keenan en hij stak zelf een van zijn sigaren op. De lijken leken niet bijzonder veel indruk op hem te maken. Later heb ik begrepen dat hij eerder het resultaat van moorden had gezien en als agent nuchter tegenover het vermoorden van een ander mens stond.

Ik had hem in het kort verteld dat Irina mij naar het appartement had gelokt omdat luitenant-kolonel Kaverin informatie van mij wilde hebben die ik niet bezat. Hij had de familie van Irina op basis van valse aanklachten gevangen laten nemen. Alles liep uit de hand toen Irina hem was aangevlogen en Svend mij te hulp was geschoten. Nu moesten we het land uit, maar hoe? Het vreemde was dat ik er geen moment vraagtekens bij stelde of Keenan ons wilde helpen en me ook niet afvroeg waar-om hij dat deed. Ik wist zeker dat hij het zou doen. Er zijn din-gen die je instinctief weet.

'Wat doen we met de lijken?' vroeg ik.

'Laten liggen, natuurlijk', antwoordde hij. Ik schudde mijn hoofd en vertaalde het voor Poulsen, die verrassend knikte en iets in het Russisch zei. Daarna negeerden ze me, terwijl ze ver-der praatten.

Ze waren ervan overtuigd dat we minimaal een week, waar-schijnlijk nog wel langer de tijd hadden. Het systeem zat ons mee. De angst in de samenleving was zo groot dat niemand durfde te vragen waar de een of de ander zich bevond. Mensen verdwenen elke nacht spoorloos, wanneer de Kraaien rondre-den in de lege, koude straten. Je vroeg niet waar mensen naar-toe verdwenen en al helemaal niet waarom. Zowel mensen uit de hogere als de lagere klassen waren er plotseling niet meer. In de appartementen of op de hotelkamers hing kleding in de kasten, de koffer stond op de vloer, de toiletartikelen lagen in de badkamer, een boek lag opengeslagen op zijn lezer te wachten. Hij of zij kwam nooit terug. Hij of zij was als van de aardbodem verdwenen. Zo ging het elke nacht overal in de stad die in doods-angst verkeerde. Je sloot je deur en bad tot die verboden god dat de NKVD-beulen langs je deur zouden lopen, zoals de engel des doods de deuren van de Israëlieten in Egypte had gepasseerd.

De drie lijken zouden onontdekt blijven liggen totdat de stank zo ondraaglijk zou worden dat iemand zijn angst zou overwinnen en zou verzoeken om het appartement te openen. Dat was niet eens zeker. Ze konden uitdrogen in het grote ap-partement dat als een eiland in het vervloekte gebouw lag. Het zou verdomd lang kunnen duren. De angst was niet alleen meer een vijand, maar ook ons beste wapen.

Keenan stuurde Svend het gebouw in op zoek naar een NKVD-zegel. Hij kon zonder problemen met zijn kleding, zijn li-chaamsbouw en zijn aard voor een Sovjetburger doorgaan. Hij kwam een kwartier later terug met een van die zwartgrijze ze-gels met het merk van de NKVD erop. Hij had het van een deur in een trappenhuis op de binnenste binnenplaats gepeuterd.

Ik begreep wat ze wilden en stortte opnieuw in. Ik kon Irina niet liggend op de vloer achterlaten. Ze probeerden mij over te halen om weg te gaan, maar ik gaf niet toe en Svend haalde Keenan blijkbaar over.

Svend en ik droegen haar naar bed. Ik wilde het doen, ook al deden mijn ribben en mijn pink verschrikkelijk veel pijn. Ik zorgde ervoor dat haar hoofd helemaal recht op het kussen lag. Ik vouwde haar armen over haar borst en trok de deken over haar heen. Svend verliet de kamer.

Ik weet dat ik enkele woorden tegen haar zei, maar ik herinner me niet meer wat, hoewel ik door de jaren heen heb geprobeerd om ze me voor de geest te halen. Ik geloof dat ik iets heb gezegd in de trant van dat wij net als de geliefden uit Teruel elkaar ooit zouden weerzien aan de andere kant van de duisternis, maar dat kan wishful thinking zijn. Ik weet wel zeker dat ik haar een kus op haar voorhoofd gaf en het licht uitdeed toen ik vertrok.

Svend Poulsen was vingervlug genoeg, ondanks zijn ene hand, en plaatste het NKVD-zegel op de deur van het appartement. Je moest heel moedig of zeer onnozel zijn om het gevreesde symbool van de kracht van de macht te verbreken en verboden terrein te betreden. Svend hing de sleutel terug op het bord achter de portier, die met luid gesnurk en zijn hoofd rustend op zijn armen in een wolk van wodka lag te slapen. Hij kon niemand ook maar iets vertellen, wanneer hij wakker zou worden met zijn bonzende hoofdpijn. We betwijfelden of hij zich mij zou kunnen herinneren.

We beloofden Keenan die nacht dat we nooit precies zouden onthullen hoe we illegaal uit de Sovjet-Unie waren ontsnapt, maar Keenan en de Sovjet-Unie zijn allang dood, dus nu verbreek ik mijn belofte. Een dollar kostte officieel maar twee roebel, maar op de zwarte markt kon je een dollar voor tweehonderd roebel verkopen. De Sovjet-Unie van Stalin was een vreselijke politiestaat, maar het was ook een vreselijk corrupte politiestaat.

Keenan had als de man van de inlichtingendienst die hij bleek te zijn connecties in het criminele milieu van Moskou. In een klein appartement, waar het rook naar kool, tabak en wodka, rekenden we heel veel dollars af met een man die op beide handen en armen tot aan zijn hals tatoeages had. Het was een zwaar, bars uitziend heerschap, dat alleen Russisch sprak.

Hij vertegenwoordigde de Russische maffia, die Poulsen en Keenan 'Vor v Zakone' noemden. Dieven in de wet. Het was een crimineel broederschap, dat had gezworen nooit met de overheid samen te werken, of je nu vrij was of in een gevangenenkamp zat. Nooit geld te verdienen met eerlijk werk en nooit een andere persoon te verraden bij de vertegenwoordigers van de staat. Het was een losse organisatie met een strikte code – een wet, vandaar de naam – in een broederschap dat verraad strafte met mishandeling en dood. Hun wreedheid was vele malen groter dan wat de wereld later zou leren kennen als de Amerikaanse maffia.

24 uur later vertrokken we met de trein vanaf het Jaroslavstation. We waren genoodzaakt om de lange weg het land uit te nemen, omdat onze man van de Vor v Zakone in Vladivostok connecties had die ons aan boord konden krijgen van een vrachtschip met koers naar Yokohama in Japan, waarvandaan een verbinding zou zijn naar de in Amerikaans bezit zijnde eilandengroep Hawaï.

Het werd een lange en niet bijzonder comfortabele reis, waar de stank van kolen uit de bruine samowaar, die aan het einde van de gang stond, zich vermengde met de stank van ongewassen lichamen. We reisden niet eerste klas. De victoriaanse luxe met het pluche, de wasschaal en bedden met schone lakens, zoals we die hadden meegemaakt in de trein vanaf de Poolse grens naar Moskou, was ver te zoeken.

Maar we waren vrij.

De angst zat wel in ons lichaam, maar nam meer en meer af, naarmate we verder weg van de Sovjet-Russische hoofdstad en de drie lijken in het verzegelde appartement kwamen. We waren niet alleen. In de derde klas van de trein zaten zowel gewone reizigers als mensen die uit ballingschap kwamen. Diverse keren zagen we door de vieze ramen zware goederentreinen stilstaan op een zijspoor. Vaak stonden de deuren open, zodat we in de dode ogen van de verloren mensen konden kijken. In vele lagen vodden zaten ze als vee dicht op elkaar gepakt. Mannen, vrouwen en kinderen. De last van de dood dwars over de oneindige steppen naar de grote kampen in Siberië.

Keenan had gelijk. Niemand durfde het zegel te verbreken. De angst hield iedereen in zijn greep. Toen we probleemloos het Oeralgebergte waren gepasseerd, haalden we opgelucht adem en konden we slapen.

We hadden niets te lezen, dus ik begon Svend mijn verhaal te vertellen vanaf het moment dat ik uit de trein was gestapt in mijn geboorteplaats tot aan het bloedbad in het appartement in het gebouw aan de rivier. Het deed me goed om alles uit te spreken en te proberen om het verhaal onopgesmukt te brengen. Svend schreef het allemaal op met zijn duidelijke handschrift op de reporterblocnotes die ik in Berlijn voor ons had gekocht. Ze liggen hier naast me. Ze zijn vergeeld en ik kan de schaduwen van theevlekken, wodkadruppels en een verbleekt rood schijnsel zien van de jam die Poulsen voor ons had gekocht. Hij foerageerde op de stations, wanneer de lange trein stopte en proestend stilstond met de golvende damp om zich heen in de harde vorst. Het heeft jaren geduurd voordat ik zijn stenografie kon ontcijferen en kon uitschrijven, maar ik had veel tijd.

Ik ruik aan het papier en mis mijn vriend, zijn gulle lach en het idealisme dat hem zijn hele leven achtervolgde, maar dat hij zo moeilijk kon afzweren. Svend wilde in het goede in de mens geloven, ook al werd hij de hele tijd door mensen verraden.

Keenan had ons naar het station gebracht en ons een hand gegeven. Er had een spanning in de lucht gehangen – een sidderende nervositeit. Ik had hem gevraagd waarom hij ons hielp, ook met het geld voor onze criminele helpers, die ik beloofde via Brodersen af te rekenen, zodra ik geld kon opnemen van mijn Amerikaanse bankrekening.

Wanneer ik het land uit kwam? Als ik het land uit kwam?

Keenan nam een groot risico. Als ik werd gearresteerd, kon hij naar zijn geld fluiten.

Ik kan me zijn profetische woorden nog herinneren: 'Ik ben Brodersen een grote dienst verschuldigd. Nu ben je mij die schuldig en op een dag zal ik je vragen om die schuld in te lossen.'

De reis was lang en zowel saai als zenuwslopend, omdat we op elk station vreesden dat de NKVD ons stond op te wachten met een arrestatiebevel, maar we arriveerden volgens plan in Vladivostok, waar nog een man uit deze merkwaardige Russische onderwereld klaarstond met papieren die Nederlandse zeelieden van ons maakten. We monsterden aan op een Nederlands vrachtschip dat ons naar Yokohama bracht – de open havenplaats op de Japanse eilanden.

Het was een enorme opluchting toen we de Sovjet-Russische vaarwateren verlieten. Svend keerde nooit terug naar het land, dat hij ooit beschouwde als het begin van het paradijs op aarde.

Ik kwam pas terug in 1986, toen de nieuwe leider, Michail Gorbatsjov, serieus bezig was met de hervormingen, die het rijk van Stalin uiteindelijk ten grave droegen. Ik was uitgenodigd als eregast en werd voortreffelijk behandeld in de sfeer van samenwerking en verzoening die tussen Oost en West heerste. Ik opende formeel de fotowedstrijd die ik sponsorde en waar een comité van Deense en Sovjet-Russische fotografen voor het eerst de Irina Sjapatova-prijs zou uitreiken aan de beste jonge Sovjet-Russische fotograaf, die het meest pregnant de wind der verandering had vastgelegd, die over de Sovjet-Unie blies. Ik had de prijs ingesteld en voor alles betaald. Ik opende tegelijkertijd een tentoonstelling met Irina's foto's van de Spaanse Burgeroorlog. Ze lagen goed bewaard in de archieven als prints, die ze naar Rusland had opgestuurd, of als negatieven. Het waren fantastische foto's, waarvan de meeste nog nooit eerder waren gepubliceerd. De tentoonstelling werd zeer toepasselijk en symbolisch geopend op 18 juli 1986, op de dag dat generaal Franco vijftig jaar eerder in opstand kwam tegen de wettig gekozen regering, en er werd veel over geschreven in de Sovjet-Russische en buitenlandse pers.

Ik zwom in het geld, maar dat hielp mij niet bij het achterhalen van wat er met haar lijk is gebeurd. Ik weet niet of Torokul, Kaverin en Irina verschillend behandeld waren of dat ze alle drie gewoon in een van de massagraven waren gegooid, die voortdurend opduiken in het vroegere Sovjet-Russische rijk. Mijn onderzoekers konden niets vinden in de archieven, waar waarschijnlijk niet alles toegankelijk was. Ik kan niet achterhalen wie Irina heeft gevonden en hoelang ze in het appartement heeft gelegen. Dat kan lang geweest zijn. Hoe vaak lees je in de krant niet over eenzame stakkers die, zelfs in de mooie welvaartsstaat Denemarken, een maand of langer dood in hun woning liggen, voordat ze worden ontdekt?

Ik wil het graag weten, maar ik weet niet wat er met haar ontzielde lichaam is gebeurd. Misschien is dat maar goed. Ik kan een sentimentele oen zijn en zou misschien hebben kunnen overwegen om een einde aan mijn leven te maken in Moskou om naast haar ter aarde te worden besteld.

Zelfs toen de Sovjet-Unie ophield te bestaan en er een paar jaar een reële opening van de archieven was, totdat ze opnieuw werden gesloten, lukte het noch de onderzoekers die ik naar Moskou had gestuurd, noch mezelf om de laatste rustplaats van Irina te achterhalen.

In het midden van de jaren negentig bezocht ik het huis aan de rivier. Aan de wand van het grote gebouw zaten nu gedenkplaten met gezichten in profiel met namen van de beroemde mensen die in het chique huis hadden gewoond. Ze waren eigenlijk allemaal in de jaren 1937 tot 1939 vertrokken.

Tegenover het huis waren ze bezig met het bouwen van een nieuwe Verlosser-kathedraal in plaats van de kathedraal die Stalin had laten opblazen, en ik dacht aan de grootmoeder van Irina. Ze had gelijk gekregen. Stalins nieuwe Opperste Sovjet was nooit afgekomen. Die was vervloekt. In plaats daarvan lag er jarenlang een enorm openluchtzwembad op de plek waar het grote symbool van de Sovjetmacht had moeten verrijzen, maar nu kwam er weer een kerk te staan.

Ik zag het vanuit mijn appartement.

Er was natuurlijk geen spoor van de dramatische en bloederige avond. Jarenlang had er een bekende Sovjet-Russische componist als staatskunstenaar gewoond, samen met zijn vrouw, maar nu was het hele gebouw uitgepond als luxe koopappartementen. De nieuwe eigenaar was een jonge, kettingrokende man die het alleen over geld had. Hij had het appartement gekocht, omdat het gewoon zo mooi, zo gewild, zo duur was en het zo goed bij zijn levensstijl paste. Hij had het smakeloos ingericht met een combinatie van chique Scandinavische meubels en een kopie van Frans rococo in de woonkamers en gouden kranen in de badkamers. Aan de wand hing dure moderne kunst naast Russische kitsch.

Hij was een parvenu, die mij binnenliet omdat hij mijn bedrijf en mijn reputatie kende. Ik vertelde hem niets. Ik liet mijn Russische connectie gewoon zeggen dat ik graag zo'n appartement in een gebouw wilde zien dat in de jaren dertig beroemd was geworden, en vanwege een roman. Hij woonde samen met een magere blondine met lange benen en grote borsten, die de ene smalle filtersigaret na de andere rookte, terwijl ze naar een Amerikaanse videofilm keek.

Ik stond in de woonkamer waar ik twee mensen had vermoord en het allerliefste wilde ik er nog twee vermoorden, ik begon het communisme bijna te missen. Ik liet ze kletsen in hun belabberde Engels en dacht aan de familie van Irina.

Want ik weet wat er met haar vader en broer is gebeurd.

Ze werden naar het werkkamp aan de rivier Kolyma gestuurd, het land van de witte dood. Irina's vader overleed op 24 december 1942. Het vroor 41 graden en hij is nooit teruggekomen van zijn werk als bomenkapper. Ook de dag voor Kerst duurde de werkdag zestien uur. Irina's broer hield het vol tot 18 mei 1946, toen hij overleed aan tuberculose. De NKVD had zijn papieren in orde. Zowel de veroordeling als de sterfdata en oorzaak van het overlijden staan vermeld in de documenten waartoe ik toegang heb gekregen. De laatste aantekening stamt van hun rehabilitatie in 1957, vier jaar na de dood van Stalin. Er wordt zelfs meegedeeld dat ze nu in ere zijn hersteld als burgers in de Unie der Socialistische Sovjetrepublieken, en dat hun nageslacht niet meer beschouwd wordt als nakomelingen van volksvijanden. Ze zullen alle rechten als burgers in de Sovjet-Unie krijgen.

Ik heb hun graf gevonden en ervoor betaald dat er mooie grafstenen zouden komen te staan en dat het graf altijd goed onderhouden zou worden en dat er met Pasen een glaasje wodka werd gedronken, waarvan ik begreep dat dat de gewoonte was van Russische families. Er werd een glas wodka op de aarde gegoten voor het genot van de overledene. Irina en haar broer kregen geen kinderen. Het geslacht stierf uit.

Svend Poulsen kreeg zijn eigen wraak. Hij had nog steeds zijn connecties en vertelde invloedrijke mensen blijkbaar over de dubbele rol van Nikolaj Jezjov. Ik weet het niet zeker. Ik heb het hem nooit gevraagd, maar in april 1938 benoemde Stalin een nieuwe vicechef voor de NKVD. Het werd een beruchte man. Hij heette Lavrentij Berija. Jezjov werd in de loop van de zomer gearresteerd en verdween. Berija nam de baan over, die hij tot na de dood van Stalin in 1953 behield, toen hij zelf werd geëxecuteerd.

Niemand weet met honderd procent zekerheid wat er met de man is gebeurd die 'de bloederige dwerg' werd genoemd. Jezjov verdween gewoon en de algemene mening is dat hij werd gemarteld, veroordeeld door een geheim standrecht en geëxecuteerd met het gebruikelijke schot in de nek.

Maar ik loop op de zaken vooruit.

We brachten enige tijd in de Japanse havenstad door, kwamen op adem en lieten een goede Japanse arts naar onze ribben en mijn vinger kijken. Die viel niet echt meer te redden, ook al brak hij hem opnieuw om hem daarna weer op elkaar te zetten. Sindsdien is hij stijf en scheef, en doet hij me terugdenken aan Moskou. Ik stuurde een telegram naar New York om geld te krijgen en we namen het eerste passagiersstoomschip naar Honolulu op Hawaï.

Ik schreef naar Marie, maar ik had geen zin om terug te keren naar Denemarken. Dat wilde Svend wel, die weer bij zijn vrouw en kinderen wilde zijn, dus ik zorgde ervoor dat hij naar San Francisco kwam en verder kon reizen naar Europa en Denemarken. Ik drukte zijn linkerhand en we keken elkaar in de ogen. Ik ging ervan uit dat ik hem nooit weer zou zien. Hij ging er ook niet van uit dat hij mij weer zou zien, maar we vervielen niet in sentimentaliteit en holle frasen. Poulsen werd nooit echt goed in Engels. Vreemd genoeg. Hij kon zo veel andere dingen.

'Take care', zei hij alleen. En zelfs dat was met een flink Deens accent.

'You too, buddy', zei ik, toen we elkaars handen loslieten, en hij pakte zijn plunjezak op en stapte aan boord.

Ik kreeg een brok in mijn keel toen ik de man, die ik als mijn beste vriend beschouwde, de loopplank op zag lopen zonder zich om te draaien. Hij tilde alleen zijn armstomp op en zwaaide er wat mee, omdat hij wist dat ik erom zou lachen. Dat deed ik namelijk niet zo veel.

Ik verhuisde naar het eiland Kauai en monsterde aan op een walvisvaarder. Dat ging goed en het was zwaar en het leverde wat op, dus ik kocht een aandeel in het schip en ging samenwonen met een lokale vrouw, die het accepteerde dat ik niet met haar wilde trouwen. Ik werd die zomer zesentwintig jaar en overwoog serieus of mijn leven de moeite van het leven waard was, terwijl de tijd verstreek.

In het najaar van 1938 las ik in de krant over de afscheidsparade van de Internationale Brigades in Barcelona en dacht aan Mads en Irina. Ik las in maart 1939 over de nederlaag van de republiek en de overwinning van Franco en dacht aan Mads en Irina. Ik kreeg een kind, dat na vier maanden stierf aan een vreemd virus. We probeerden het opnieuw, maar zonder succes. Ik ging de zee op en in de haven las ik over de aanval op Polen op 1 september 1939 en de overwinningen van de nazi's in Europa, maar het voelde ver weg. Europa was een andere wereld die ik achter me had gelaten. Ik vroeg het Amerikaanse staatsburgerschap aan en kreeg het.

Ik las over de bezetting van Denemarken en schreef naar Marie. Dat deed ik sowieso om de drie maanden; onbelangrijke, banale brieven. Ze schreef terug dat het vreemd was om bezet te zijn, maar alles leek te gaan zoals het altijd was gegaan. In april 1941 kreeg ik nog een brief van haar. Onze vader was plotseling overleden aan een hartstilstand. Het deed me niet echt veel, maar door het overlijden dacht ik wel weer terug aan Mads en onze jeugd.

Ik was in leven, ik verdiende geld, ik was een gerespecteerde jongeman op het eiland. Mijn partner en ik groeiden uit elkaar, maar ik kreeg een nieuwe relatie die ook accepteerde dat ik niet wilde trouwen. Dat maakte niet uit op de eilanden. Het maakte ook niet uit dat ik een gekleurde partner had. Hawaï was een plek waar men zich niet zo opwond. *Hang loose*, noemden ze het. Die levenshouding sprak mij aan. Ik bleef in vorm door te zwemmen en te duiken en door het zware werk op de walvisvaarder. Ik was mijn partner vaak ontrouw, vooral wanneer we onze vangst op de Japanse eilanden afleverden.

Ik was in leven, maar leefde ik?

De Japanse aanval op Pearl Harbor in december 1941 bevrijdde me uit mijn saaie bestaan. We lagen in de haven van Kauai, maar zetten meteen koers naar Honolulu, waar ik me vrijwillig aanmeldde bij de Amerikaanse vloot.

Keenan bekeek mijn papieren in zijn kantoor. Hij was altijd op zoek naar talent, zei hij later. Naar jonge mannen die Europese talen konden spreken. Ik kende er drie. Na slechts een maand rekrutentraining werd ik zonder enige uitleg naar San Diego uitgezonden, waar Keenan me opwachtte. Hij wilde me rekruteren voor de nieuw opgerichte inlichtingendienst oss en me terug naar Europa sturen. Hij was nu majoor Paul Keenan.

Ik had Brodersen en hem allang het geld gestuurd dat ze me hadden voorgeschoten. Ik was erg verrast toen ik zijn kantoor binnenstapte en automatisch salueerde voor de ranke man in uniform met de majoorrang op zijn kraag. Keenan glimlachte, rookte nog steeds zijn Cubaanse sigaren en zei, toen hij me, de gewone rekruut, een hand gaf: 'Ik zei toch, Meyer, dat we elkaar weer zouden zien. Nu wil ik graag dat je je schuld inlost. Je moet voor mij werken.'

De rest is natuurlijk algemeen bekend en wordt altijd gebruikt in de herhaaldelijke vermeldingen in de krant wanneer ik een van mijn vele verjaardagen vier en zal vast en zeker ook mijn spoedige necrologieën domineren. Met mijn leeftijd zijn ze natuurlijk al geschreven en liggen ze paraat op de harde schijven. Ze wachten alleen op de laatste beslissende update: de datum van mijn overlijden.

Majoor Keenan nam me mee naar de Britse Eilanden en leidde me op als agent en saboteur. Ik werd in oktober 1943 in de buurt van de Jutse stad Viborg met een parachute uit het vliegtuig gegooid om de slome Deense verzetsstrijd op gang te helpen. Ik ontmoette mijn oude vriend Svend weer, die samen met Brodersen een groep had gevormd. Svend was nog steeds een soort twijfelende, dakloze communist, ook al had de partij hem in juli 9141 weer in genade aangenomen. Brodersen was nog steeds een onverbeterlijke conservatieve nationalist, maar oorlog creëert vreemde boezemvrienden.

Ze waren bovenal allebei betere mensen dan ik, maar het leven is niet rechtvaardig. Brodersen werd in het najaar van 1944 opgepakt en twee weken later in Ryparken geëxecuteerd. Svend kreeg Brodersens informant te pakken, maar hij werd zelf in januari 1945 gearresteerd en overleed drie maanden later in het concentratiekamp Neuengamme, kort voor de bevrijding. Hij werd verraden. Een vrouw verlinkte hem bij de Gestapo. Mijn beste vriend was altijd een grote vrouwenaanbidder geweest en was zo gek op seks dat hij vaak onnodige risico's nam. Ik maakte er altijd grapjes over dat de Duitsers of hun Deense handlangers hem niet aan zijn einde zouden brengen, maar wel een jaloerse echtgenoot of een versmade minnares. Het werd een jaloerse vrouw en landverrader.

Ik schoot haar twee keer door haar hoofd, toen ze de dameskapper verliet met opgestoken haar om nog meer streken uit te halen.

Ik overleefde de oorlog. Het is mijn lot om te overleven, terwijl de mensen van wie ik hou, sterven. Pandrup was geen vriend, integendeel, maar hij overleed ook op jonge leeftijd. Tijdens de laatste wanhopige pogingen van de republiek tot een offensief werd hij vermoord toen hij de rivier de Ebro overstak.

Het volgende staat nooit in verjaardagsportretten en is nog niet in necrologieën geschreven en dat zal ook niet gebeuren.

Ik nam het grootste deel van mijn geld in 1948 op en ging op expeditie met twee van mijn oude connecties uit New York. Ze zouden alles doen voor geld en hun mond houden. De wet van *omertà* was nog heilig voor dat soort mensen in Cosa Nostra. We vertrokken naar Spanje.

We voeren in de zomerse warmte naar Cartagena. Afgezien van Denemarken werd Europa gekenmerkt door de troosteloosheid en armoede van de naoorlogse tijd. De steden lagen in puin. Cartagena was geen uitzondering. Ook die verdomde kerk niet. De kathedraal van Cartagena werd in de laatste fase in 1939 nog meer beschadigd. Door een luchtaanval werd de noordelijke toren vernield en de Romeinse ruïnes werden compleet bedolven.

Honger was een dagelijks probleem en het krioelde van de magere kinderen met bolle buiken in de stad. Mensen sliepen waar ze konden en aten gras en wortels om te overleven. Overal heerste angst. Franco's zegerijke troepen hadden in een rode waas onder de dekmantel van de Tweede Wereldoorlog duizenden mensen geëxecuteerd. Cartagena was een spookstad, ook al was de haven weer in gebruik, en de meeste inwoners leken zich in een toestand van voortdurende shellshock te bevinden.

Ik vond het niet fijn om terug te zijn in Spanje. Ik hield niet van de onverschillige overwinnaars en hun wreedheden, en de terugkomst van de zwarte priesters. Ze speelden weer onder één hoedje met grootgrondbezitters en de bourgeoisie, en vroegen de zondaars om hun hoofd te buigen voor God en de overheid. Cartagena deed me denken aan de vele zinloze slachtoffers en dat er ooit mensen waren geweest die in iets meer geloofden dan alleen geld en het heden.

Maar we vonden de kisten.

In de nachtelijke duisternis, nadat ik de havenpolitie had omgekocht, evenals de net zo inhalige gewone agenten en burgergardisten, zodat ze op afstand bleven, vond ik de ingang achter het altaar. De eerste nacht groeven we een gang naar de ingang van de crypte. De volgende nacht bereikten we de Romeinse ru-

ines. De kisten stonden er zoals ik ze tien jaar eerder had achtergelaten. Ze waren bedekt met een fijne laag stof, maar onaan-
getast door mensenhanden. Er verdween een rat in het gat. Zijn
voorvader had mijn leven gered, dus ik liet hem wegrennen met
een vriendelijke gedachte.

Ik keek niet in de put.

Het lukte ons om de twee kisten mee te nemen en we voeren weg. Ik wil er niet over uitweiden hoe ik het goud en de
Incaschatten heb verzilverd, omdat dat bij hun zakelijke werk-
zaamheden nadelig kan zijn voor mijn nakomelingen, maar
Keenan had me goed opgeleid in illegale activiteiten. Er waren
inhalige mensen genoeg die graag geld wilden betalen om toegang te krijgen tot de valuta die overal ter wereld geldig waren.
De nazi's verloren, maar niet alle nazi's kwamen zonder geld
de oorlog uit. Het Spaanse goud startte mijn zakelijke loopbaan
pas echt en het stuurde Meyer Industries op zijn mondiale weg
van scheepvaart, handel en productie in vele landen. Misschien
was het sowieso gelukt, maar waarschijnlijk niet zo snel.

We dekten de ingang naar de ruïnes weer toe. De kerk lag er
tot jaren later verlaten bij. De Romeinse ruïnes werden pas in
1987 ontdekt, toen ze begonnen aan de restauratie van de Santa
Maria.

Ik las erover in de Spaanse krant *El Pais*, die ik dagelijks kreeg.
De journalist concentreerde zich vooral op het spectaculaire Romeinse theater, dat duizend jaar verborgen was geweest, maar
hij kon ook vertellen dat ze tijdens de opgravingen de skeletten
van drie mannen in een oude Romeinse bron hadden gevonden.
Ze waren onderzocht door pathologen, die konden vaststellen
dat ze uit de burgeroorlog stamden en er geen sprake was van
een hedendaags vergrijp, ook al waren ze met twee verschillende wapens doodgeschoten. Het ene wapen lag in de put.

De lijken konden niet worden geïdentificeerd. Het was geen
grote kwestie. Spanje was tien jaar na de invoering van de democratie net bezig de verschrikkingen van de burgeroorlog onder ogen te zien en begon met het noodzakelijke zelfonderzoek.
Massagraven werden gevonden en weer toegedekt. De drie ske-

letten uit de bron werden onder een wit kruis op het kerkhof van Cartagena ter aarde besteld. Op de gladde steen staat: 'Onbekende slachtoffers van de waanzin van de oorlog'. Moge God hun zielen bewaren. Ik weet dit, omdat ik een paar jaar geleden een bloem op hun graf heb gelegd en Joe een groet stuurde en om zijn begrip vroeg, terwijl ik een glas whisky op de droge, versteende aarde goot.

In mijn oude dagen ben ik een sentimentele sukkel geworden. Ik heb er veel geld en energie in gestoken om te proberen erachter te komen wat er met Mads is gebeurd. Pas in 1958 werd opgehelderd hoe hij aan zijn einde kwam, toen mijn onderzoekers Bertil in Zweden vonden.

Twee jaar later troffen ze Rafael aan in een verzorgingstehuis buiten Barcelona, maar hij leed aan Alzheimer en kon zich niets herinneren. Ik had eigenlijk besloten om hem te laten vermoorden of het zelf te doen, maar toen ik hem zag besloot ik het te laten. Daar zat een oude, gebroken man in een rolstoel te kwijlen. Zijn leven was erger dan de dood. Bertil had bovendien waarschijnlijk ongelijk. Misschien was Rafael een middel, maar Kaverin was de eigenlijke schuldige en hij brandt waarschijnlijk nog steeds in de hel, waar ik hem naartoe heb gestuurd.

Ik verliet het verzorgingstehuis in een verschrikkelijk goed humeur.

Wraakgevoel is iets lelijks, maar het heeft me altijd blij gemaakt.

Ik zocht natuurlijk naar Mads in Teruel, maar hij werd nooit gevonden of geïdentificeerd. Er zijn in elk geval geen papieren over hem. Hij is gewoon een van de velen die die winter tijdens de bloederige slag bij Teruel overleed. Zijn waarschijnlijk verpulverde botten liggen voor eeuwig onder de aarde in de moderne Aragonese hoofdstad. Misschien is zijn graf een parkeerterrein, een kantoorgebouw, een woonblok. Of een gezellig plaza, waar de toeristen een drankje nuttigen in de middagzon nadat ze het mausoleum bij de San Pedro Kerk hebben bezocht, waar ze de legende hebben gehoord en de laatste rustplaats van de geliefden uit Teruel hebben bewonderd.

Spanje werd in de zomer van 1977 opnieuw een democratie en ik kon openlijk zoeken, zonder het gevaar te lopen dat ik-zelf of mijn onderzoekers zouden worden gearresteerd tijdens de fascistische dictatuur van Franco. Dat maakte niets uit. Ze konden nog steeds niets vinden.

Ik keerde terug naar Spanje en gebruikte mijn naam om in de Spaanse media te komen om te zien of ik langs die weg mensen zou kunnen lokken die iets wisten. Er kwamen alleen oplichters op af die geld roken. Ik moest me erbij neerleggen dat mijn jongere broer het lot van veel te veel andere mensen deelt en voor eeuwig is verdwenen in het grote onbekende graf van de aarde.

Ik ging ook op zoek naar het verdwenen schip van Kaverin en de vijfhonderd kisten met geroofd Incagoud. Daarvoor huurde ik alleen de meest discrete en zeer dure onderzoekers in, maar ze vonden niets. De enige uitleg die we konden achterhalen, was dat er een kotter in brand was gestoken en gezonken op de Middellandse Zee rond de tijd dat het schip met goud kon zijn vertrokken. Een log in het Duitse oppercommando bevestigt de aanval. Het is een mogelijkheid, maar ik geloof er niet in. Ik denk dat de kisten verborgen in een van de ontelbare grotten in Spanje liggen te wachten op de bofkont die erover struikelt. Als ze niet op de bodem van de zee liggen en een gelukkige amateurduiker ze daar op een dag ziet glinsteren.

Ik droom over het goud. Ik ben een rijk man, maar dat heeft een mens er nooit voor belet om meer te wensen, vooral meer van het glinsterende goud.

Marie is nooit te weten gekomen wat er met Mads was gebeurd. Ze vergat hem nooit, maar ze sprak zelden over hem en maakte me vrij van mijn belofte. Ik hoefde mijn leven niet te besteden aan het uitzoeken van zijn lot. We moesten ons eigen leven leiden. Niets zou Mads terugbrengen. Ze zei het jaren voordat ik Bertil vond.

Ik vertelde haar nooit in detail over mijn eigen belevenissen in Spanje of Moskou en gaf nooit toe dat haar broer een moordenaar was.

Marie trouwde nooit en het geklets in haar geboortestad over de jonge mannen die ondanks hun blijkbaar robuuste gezondheid in een regelmatige stroom naar het sanatorium verhuisden liet haar koud. Ze nam het kuuroord over van de chef-arts. Vader had in elk geval het enige juiste gedaan door ervoor te zorgen dat ze alles kon overnemen, zodat er maar een klein deel over was voor de verloren zoon. Marie maakte er een bloeiend bedrijf van dat veel aanzien genoot in Denemarken en in het buitenland, toen de oorlog achter de rug was. Ze had de bekwaamheid en effectiviteit van de chef-arts geërfd. Helaas ook zijn slechte hart.

Misschien stierf ze gelukkig? Ik weet het niet.

Haar laatste minnaar – een dichter in de dop uit Kopenhagen van nog maar vijfentwintig jaar – was daarentegen gebroken en hij was zich een ongeluk geschrokken toen ze in zijn armen overleed. Hij realiseerde zich snel dat haar heengaan een zekere poëtische schwung had. Zijn bijdrage aan het feit dat haar hart zo zwaar werd belast, kon immers beschouwd worden als een macaber compliment voor zijn potente energie. Het beroemde gedicht van de poëet *De liefdesrit van de dood* stond jarenlang op de leeslijst voor het voorgezet onderwijs, maar het is vandaag de dag waarschijnlijk vergeten, net als de dichter zelf.

God speelde die dag met ons.

Marie overleed op 10 juni 1958. Dat was de dag dat Bertil mij het verhaal over Mads en zijn einde in het verwoeste, oorlogskoude Teruel vertelde en ik eindelijk iets wist en een beetje rust kreeg.

Op die dag was ik ook jarig.

Ik zou willen dat ik in de goden en hun woorden geloofde, dat vijanden en vrienden elkaar tegenkomen in het Walhalla voor een eeuwigdurend gastmaal, maar die gave heb ik niet.

Ik denk aan het graf in Teruel, waar de geliefden rusten, ieder in hun sarcofaag die naast elkaar staan. Op de deksels van de sarcofagen liggen de twee geliefden weergegeven als mooie beelden. Zij draagt een elegante jurk. Hij wordt gedeeltelijk bedekt door een doek, die mooi over zijn goed getrainde lichaam valt. Ze zien er jong en knap uit in de eeuwige dood. Er is een ruimte tussen de twee sarcofagen, maar ze steken hun handen uit over de scheiding.

Op het eerste gezicht ziet het eruit alsof het hun is gelukt om in de dood eindelijk elkaars handen vast te houden, maar dat is slechts verbeelding. Want als je goed kijkt, zul je zien dat er een heel klein beetje lucht tussen hun handen is. Niet eens in de dood zijn ze verenigd.

Ik steek mijn hand uit naar Irina, zoals ik zo vaak doe in mijn dromen. Ze staat met haar camera om haar nek in een verschroeid geel Spaans landschap te lachen in haar kaki broek en overhemd, en steekt haar hand ook naar mij uit. Zo staan we, totdat ze in een eeuwige duisternis verdwijnt. Mijn hoop is dat ik in de eeuwige duisternis die me staat te wachten, eindelijk mijn hand in de hare kan sluiten.

Want mijn verjaardag vandaag wordt ook mijn laatste. De necrologieën kunnen gedrukt worden. Magnus Meyer is binnenkort niet meer.

Enige achtergrondinformatie
en een woord van dank

Al van jongs af aan heb ik me geïnteresseerd voor de Spaanse Burgeroorlog en ontelbaar veel geschiedenisboeken, memoires, romans en journalistieke verhalen daarover en over de Internationale Brigades gelezen. Het begon in 1967, toen ik mijn handtekening moest zetten ter bevestiging dat ik geen lid van het Thälmann-bataljon of andere communistische mantelorganisaties was geweest om een visum als uitwisselingsstudent naar de vs te kunnen krijgen.

Ik ben altijd gefascineerd geweest door de Spaanse goudvoorraad en wat ermee is gebeurd. Het was namelijk wel 's werelds op vier na grootste goud- en zilvervoorraad die van Spaans territorium verdween en in Moskou belandde. Of is dat wel zo? En is alles daar aangekomen?

Het zou te ver gaan om alle boeken op te noemen die ik in de loop der jaren heb gelezen, maar ik wil graag enkele noemen die mij specifiek hebben geholpen bij de research voor deze roman, en die misschien aanleiding geven om meer over de Spaanse Burgeroorlog en zijn relaties tot Denemarken te lezen.

Onder de algemene werken over de Spaanse Burgeroorlog gebruik ik altijd de klassieker van Hugh Thomas, *The Spanish Civil War*. Ik heb een Engelse uitgave uit 1968, maar hij is ook in het Deens te vinden (Gyldendal). Een andere algemene inleiding die minder gedetailleerd, maar zeer instructief is, is het boek van Antony Beevor met dezelfde titel, die ook in het Deens bestaat (Borgens Forlag).

Wat de ongeveer vijfhonderd Deense vrijwilligers in Spanje betreft heb ik me gebaseerd op drie boeken. Het ene boek is van de Deense vrijwilliger Leo Kari, *De danske spaniensfrivillige* (*De Deense vrijwilligers in Spanje*), dat in 1952 is verschenen bij Rosenkilde og Bagger. Het is alleen nog antiquarisch te koop, maar ook te leen via www.bibliotek.dk. Leo Kari schreef ook een roman die *Bag Spaniens bjerge* (*Achter de bergen van Spanje*) heet. Dit geeft een fictieve beschrijving van zijn belevenissen in Spanje en werd herschreven door zijn dochter, waarna het in 1998 verscheen bij uitgeverij Modtryk.

Bovendien heb ik dankbaar gebruikgemaakt van het boek *Fra Bjelkes Allé til Barcelona. Danske frivillige i Spanien 1936-39* (*Van Bjelkes Allé naar Barcelona. Deense vrijwilligers in Spanje 1936-39*) van de historicus Carsten Jørgensen. Dat kwam in 1986 uit bij Nyt Nordisk Forlag. Er staan veel samenvattingen van brieven in die de Deense vrijwilligers naar het thuisfront hebben gestuurd.

Ik was blij dat ik twee recentere boeken bij de hand had. Ze zijn allebei geschreven door Ole Sohn. Het ene boek is zijn verhaal over de Deense topcommunist Arne Munch-Petersen, *Fra Folketinget til celle 290* (*Van het parlement naar cel 290*). Het stamt uit 1992 en verscheen bij uitgeverij Vindrose. Het andere is Sohns mooie boekje over de dichter Gustaf Munch-Petersen. Dat kwam in 2007 uit bij Sohns Forlag en heet *Gustaf Munch-Petersen – og den spanske borgerkrig* (*Gustaf Munch-Petersen – en de Spaanse burgeroorlog*).

Gustaf Munch-Petersens korte leven en zijn gedichten hebben mij geïnteresseerd vanaf dat ik een oudere tiener was, dus ik ben blij dat er nu een boek bestaat over zijn kunstenaarsleven en onbekende lot, aangezien niemand met zekerheid weet hoe hij in Spanje aan zijn einde kwam.

Een klassieker over de vrijwilligers van alle naties en de onderlinge strijd tussen communisten en andere groeperingen en partijen op de linkervleugel in de republiek is George Orwells *Homage to Catalonia*, die zijn tijd in Barcelona en aan het front in Aragón schildert. Het is ook in het Deens verkrijgbaar (Gyldendal).

Ik heb ook de film van Ken Loach, *Land and Freedom*, uit 1995, opnieuw gezien, die gaat over dezelfde conflicten. Ik heb hem van internet gehaald, waar veel materiaal van zeer wisselende kwaliteit over de Spaanse Burgeroorlog en de Internationale Brigades te vinden is. Ik heb ook werken gebruikt die de afgelopen jaren in Spanje zijn verschenen, onder andere *Guerra Ci-*

vil *Española, Fotografías Inéditas,* Suesata Ediciones, Madrid. Het bevat ongecensureerde foto's over het leven van zowel aan als achter het front, die door een Irina gemaakt konden zijn. Vaak dragen dramatische foto's van de Spaanse Burgeroorlog de signatuur van Robert Capa. Ze kunnen ook zijn gemaakt door zijn jonge partner, Gerda Taro, die in 1937 tijdens een foto-opdracht in Spanje werd vermoord.

In de loop der jaren heb ik ontelbaar veel boeken en verhalen gelezen over Stalin en zijn regime, waarvan de slechtheid blijkbaar blijft fascineren en afschrikken.

Ik wil een roman die ik vanwege het schrijven van *Aan de vooravond* opnieuw heb gelezen, hier speciaal noemen. Dat is het monumentale en aangrijpende werk *Mørke midt på dagen* van Arthur Koestler, dat ik in een vertaling van H.C. Branner in een uitgave van Fremad uit 1974 heb. [Dit boek is in 1946 in het Nederlands verschenen onder de titel *Nacht in den middag* in de vertaling van Koos Schuur bij uitgeverij De Bezige Bij.] Dat boek zegt meer dan veel geleerde werken over wat overtuigde communisten als Arne Munch-Petersen dreven tot absurde bekentenissen of tot het schrijven van de ene na de andere brief aan Stalin, omdat ze zeker meenden te weten dat alles goed zou komen als hij maar op de hoogte werd gesteld, want hij wist vast niet wat er zich in de martelkelders in Lubjanka afspeelde.

Koestler zelf was tot 1938 een overtuigd communist. Hij raakte gedesillusioneerd toen hij velen van zijn kameraden in de beklaagdenbank in het Huis der Vakbonden zag belanden, die later in de Lubjankagevangenis aan hun einde kwamen door een kogel in hun nek.

Ik heb mezelf enkele historische vrijheden gepermitteerd. De ergste luchtaanval op Albacete vond plaats in februari 1937, een klein jaar voordat ik hem in mijn roman laat plaatsvinden. Een Britse correspondent van persbureau Reuters met de naam Ian Fleming was niet in 1938, maar in 1933 in Moskou, toen hij verslag deed van een rechtszaak in het Huis der Vakbonden en overnachtte in Hotel National. Misschien deed hij er zijn eerste inspiratie op om later James Bond te creëren.

Albacete is vandaag de dag een aangename en mooie provinciestad, die wel een bezoek waard is. De arena waar stierengevechten werden gehouden, is er nog steeds, het station is verplaatst, de kazerne van de Burgergarde is verbouwd en de kleine werkplaatsen van de messenverkopers zijn vervangen door industrie.

Maar het Gran Hotel is er nog en je kunt een kop koffie drinken op een terras op het Plaza Altozano en misschien een bezoek brengen aan het kleine museum in de oude schuilkelder onder het plaza. Of waarom zou je niet een kleine dertig kilometer naar Madrigueras rijden, waar de kerk mooi gerestaureerd is?

Hetzelfde geldt voor Cartagena, waar de Romeinse ruïnes vandaag de dag een van de grootste bezienswaardigheden van de stad zijn. Onder de Berg der Bevruchting, waar Joe Mercer en Magnus Meyer hun toevlucht zoeken, is een heel mooi museum over de Spaanse Burgeroorlog in het vroegere *Refugio*. Net zoals Joe en Magnus dat doen, kun je daarna eten in Restaurante Columbus aan de Calle Mayor. De tapas en de wijn die ze tegenwoordig serveren is wel wat beter dan de spiegeleieren met bonen die Meyer en Mercer moesten eten doordat er als gevolg van de oorlog een tekort was aan van alles en nog wat. In Teruel in Aragón hebben de geliefden van Teruel hun eigen nieuwe museum gekregen, waar je deze Spaanse versie van de legende van Romeo en Julia kunt bekijken en erover kunt horen.

Ik wil graag het vriendelijke personeel van het Give Egnsmuseum bedanken, dat mij toestemming gaf om de brieven en de foto's in te kijken die ze hebben verzameld over het merkwaardige openluchtbad in het natuurgebied Tinnet Krat, waar je vandaag de dag de restanten kunt zien van het project bij de bron van de rivier de Gudenå. Eigenlijk kreeg ik het eerste idee voor deze roman door een bezoek aan Tinnet Krat, waar mijn vrouw Ulla zeven jaar geleden over had gelezen.

Vooral wil ik nog een keer Ulla bedanken, die mijn teksten heeft gelezen, me heeft geadviseerd en mijn gebruikelijke, zeer aangename en inspirerende reisgenoot naar Spanje en Moskou was, waar het grote huis aan de rivier tegenwoordig een Mercedesster op het dak draagt en met zijn gedenkplaten getuigt van een bloederig verleden en de enorme veranderingen in Rusland. Hotel National is tegenwoordig een van de duurste hotels in Moskou en mooi gerestaureerd en gemoderniseerd. Het Huis der Vakbonden vormt het decor voor klassieke concerten in zowel de Oktober- als de Zuilenzaal.

Ulla wil ik ook hartelijk bedanken omdat ze tijdens onze reizen geduldig heeft geluisterd naar mijn lezingen over de Spaanse Burgeroorlog, de Deense vrijwilligers in Spanje en de showprocessen in Moskou, ook al heeft ze veel ervan eerder gehoord in ons dertig jaar samenzijn.

Veel dank aan Otto Lindhardt omdat hij opnieuw de tijd heeft genomen om met zijn gebruikelijke nauwkeurigheid het manuscript te lezen, en aan mijn redacteur, Hans Henrik Schwab, die naast een goede lezer ook een geduldig man is, die begrijpt dat je je auteur nooit onder druk moet zetten, maar hem zijn eigen tempo moet laten vinden.

Eventuele fouten en gebreken neem ik geheel en al voor mijn rekening. Het verhaal over het Spaanse goud is correct, maar de interpretatie van de roman is een product van mijn eigen fantasie, net als dat de personen fictief zijn en niet bewust op echte personen lijken, tenzij ze de werkelijke namen van historische personen dragen.

Leif Davidsen bij De Geus

De vrouw op de foto
Beste Scandinavische thriller van het jaar 1999
Het compromitterende plaatje dat sensatiefotograaf Peter
Lime schiet van een vooraanstaand Spaans politicus aan de
rol richt verwoestingen aan: niet zozeer in het leven van
Lime's slachtoffer, maar in dat van hemzelf.

Enkele reis Kopenhagen
Een tragedie in zijn familie in Bosnië heeft van Vuk een
meedogenloze huurmoordenaar gemaakt. Hij moet een
Iraanse schrijfster liquideren die is gevlucht voor de Iraanse overheid en in Londen is ondergedoken. In Kopenhagen
zal zij op een streng beveiligde persconferentie verschijnen. Voor het oog van de wereldpers gaat Vuk over tot actie.

Bloedverwanten
Terwijl de NAVO-bommenwerpers de Serviërs belagen, ontmoet Teddy Pedersen een vrouw die beweert zijn halfzus te
zijn. Volgens haar is Pedersens vader niet in 1952 gestorven
maar pas onlangs, in Kroatië. Pedersens echte zus, Irma,
blijkt te zijn gearresteerd op verdenking van spionage. Dan
wordt in een op Pedersens naam gereserveerde hotelkamer
in Boedapest een Deense toerist vermoord.

De vijand in de spiegel
In de nasleep van 11 september formeert de Deense veilig-
heidsagent Per Toftlund een speciale *task force* die onderzoek doet in fundamentalistische islamistische kringen.
Daarbij komt hij op het spoor van een Deense Al-Qaida-
man, die de Troonopvolger wordt genoemd. Aan de overkant van de Atlantische Oceaan biedt de voormalige
Deens-Servische huurmoordenaar Vuk de FBI zijn diensten

aan om informatie te verschaffen over precies dezelfde Al-Qaida-man. Het toeval wil dat Vuk en Per Toftlund elkaars aartsvijanden zijn. Een beslissende confrontatie kan niet uitblijven.

De onzichtbare echtgenote
De Deense zakenman en voormalig marinier Marcus maakt met zijn Russische vrouw Nathalie een cruise over de Wolga. Onderweg verdwijnt Nathalie plotseling spoorloos. Marcus begint een lange en wanhopige zoektocht vanaf zijn thuisbasis Kopenhagen en reist verder via het decadente Nice naar het postcommunistische Rusland van Poetin en het hypermoderne Japan.

Op zoek naar Hemingway
Wanneer John C. Petersen in de voetstappen van Hemingway naar Key West, Florida reist, ontmoet hij daar Carlos, een oude Cubaan in ballingschap, die hem vraagt een brief aan zijn dochter op Cuba te bezorgen. Deze ogenschijnlijk onschuldige missie ontvouwt zich in een spannend drama waarbij de CIA en de Cubaanse geheime dienst, agenten en dubbelagenten, revolutionairen en anti-revolutionairen betrokken zijn. Voeg daar nog een dichter, een dictator, ware seks en salsa bij en je legt Op zoek naar Hemingway pas weer weg als je het uit hebt.